U0924739

百 年 南 开
日本研究文库

日本近现代
经济政策史论

杨栋梁 著

江苏人民出版社

图书在版编目（CIP）数据

日本近现代经济政策史论/杨栋梁著. —南京：江苏人民出版社，2019.7

（百年南开日本研究文库）

ISBN 978-7-214-23282-3

Ⅰ.①日… Ⅱ.①杨… Ⅲ.①经济史—研究—日本—近现代 Ⅳ.①F131.394

中国版本图书馆 CIP 数据核字（2019）第 043167 号

书　　名	日本近现代经济政策史论
著　　者	杨栋梁
责任编辑	张惠玲
装帧设计	刘葶葶
责任监制	王列丹
出版发行	江苏人民出版社
出版社地址	南京市湖南路 1 号 A 楼，邮编：210009
出版社网址	http://www.jspph.com
照　　排	江苏凤凰制版有限公司
印　　刷	江苏凤凰数码印务有限公司
开　　本	652 毫米×960 毫米　1/16
印　　张	31.5 插页 4
字　　数	400 千字
版　　次	2019 年 8 月第 1 版　2019 年 8 月第 1 次印刷
标准书号	ISBN 978-7-214-23282-3
定　　价	114.00 元

（江苏人民出版社图书凡印装错误可向承印厂调换）

“百年南开日本研究文库”出版说明

2019年南开大学建校百年校庆，作为中国教育史上的大事，当然是值得纪念的。

如何使纪念百年南开的活动具有历史意义？我们很早就开始谋划和筹备。早在2015年春节期间，南开大学日本研究院原院长、教育部人文社会科学重点研究基地南开大学世界近现代史研究中心主任杨栋梁教授，向江苏人民出版社王保顶副总编提起，想以集体展示日本研究院研究成果的形式来纪念南开百年校庆。这一提议得到了保顶同志的大力支持，也得到了研究院各位同事的积极响应。后来经过商讨，编委会一致同意以“百年南开日本研究文库”作为南开日本研究者纪念百年校庆丛书的名称，本文库由江苏人民出版社和南开大学出版社分别出版。与百年校庆相适应，“百年南开日本研究文库”也应该是百年来南开日本研究业绩的展现。为此，编委会确定本文库由以下几个方面的成果构成。

第一，从南开大学创立到抗日战争胜利时期南开的日本研究成果。刘岳兵教授搜集相关文稿四十余万字，编成了《南开日本研究（1919—1945）》。这是一本专题性的南开大学校史资料集，对于研究和总结包括南开大学在内的这一时段中国日本研究的状况和特点，具有重要的史料价值。

第二，新中国建立以来，南开大学成立的实体日本研究机构研究者的成果。实体研究机构包括1964年成立的日本史研究室、2000年实体化的日本研究中心和2003年成立的日本研究院。

第三，1988年组建的南开大学日本研究中心，是以日本史研究室成员为核心，联合校内其他系所相关日本研究者成立的综合研究日本历史、经济、社会、文化、哲学、语言、文学的学术机构。在百年南开日本研究的历史发展中，日本研究中心具有重要的意义。本文库也包括该中心成员的成果。

今后，如果条件成熟，还可以将日本研究院的客座教授和毕业生的优秀成果也纳入这个文库中，希望将本文库建设成为一个开放的、能够充分且全面反映南开日本研究水平的成果展示平台。

在中国百年来的日本研究中，南开占有重要的一席之地。历史的发展和南开的先贤告示我们：日本研究对于中国的发展至关重要。中日关系值得我们认真思考，其经验教训值得认真总结。百年来，南开大学的日本研究者孜孜以求，探寻日本及中日关系的真相，取得了一定的成绩。吴廷璆先生主编的《日本史》（南开大学出版社1994年），是南开大学与辽宁大学两校日本研究者倾注近20年心血合力打造出来的。杨栋梁教授主编的十卷本“日本现代化历程研究丛书”（世界知识出版社2010年）及六卷本《近代以来日本的中国观》（江苏人民出版社2012年），也几乎是倾日本研究院全院之力而得到了学界认可的标志性研究成果。另外，在日本国际交流基金的资助下，南开大学日本研究中心从1995年开始由天津人民出版社出版的“南开日本研究丛书”，展现了中心成员在日本研究各具体专题上的业绩，产生了积极的社会影响。这些成果都是南开日本研究者集体智慧的结晶。

“百年南开日本研究文库”是南开大学日本研究院和南开大学世界近现代史研究中心相关学术成果的集体展示。我们相信，本文库将成为南开大学日本研究和南开大学世界史学科"双一流"建设的又一项标志性成果,她将承载南开精神、贯穿南开日本研究学脉,承前启后,为客观地了解日本、促进中日关系健康发展做出新的贡献;我们也想以此为实现"发展同各国的外交关系和经济、文化交流,推动构建人类命运共同体"的理想,培养全民族的国际视野和情怀,提高广大人民群众的世界历史知识和认识水平,尽我们的一份绵薄之力。

"百年南开日本研究文库"编辑委员会

2019 年 3 月 19 日

目　录

前　言

近代以来，日本的经济发展出现过两次飞跃。第一次飞跃始自19世纪中期的“开国”，终于20世纪初，仅用半个世纪便完成了英法等欧洲强国用200年时间才完成的产业（工业）革命，成为近代东亚唯一“年轻的进步非常快的资本主义国家”①。第二次飞跃始自1945年第二次世界大战战败，终于战后第一次世界石油危机爆发的1973年，以不到20年时间，次第完成战后经济复兴和高度成长任务，实现了以国民生产总值雄踞世界第二的经济赶超夙愿。在接下来的40余年里，日本经济冰火两重天，喜忧参半。前期领跑世界，风光无限；后期持续低迷，增长乏力。展望未来，实力雄厚的日本经济向何处去，还有待耐心观察。

与原生形态的欧美资本主义经济发展路径相对照，近代以来的日本提供了一个后发型资本主义成长的样本。这一样本不仅包括后发国追赶发达国的经验，也包括其赶超后未能科学应对和处理新矛盾的教训，而一部日本近现代经济史所展示的诸多借鉴，绝非是与世人无关的“旁物”。

---

①《列宁选集》第2卷，人民出版社，1975年，第801页。

科学技术和社会制度是构成一定生产关系的决定因素。前者是决定生产力发展水平的内在依据，后者是决定科学技术能否作用于生产力的外在保障。科技进步与生产力发展，催生了资本主义经济，而资本主义经济形成及资产阶级的壮大，必然会提出制度变迁要求，近代欧洲正是沿着工业革命引发资产阶级革命的逻辑演进的。然而，日本资本主义的产生，并非只是依据近代科技进步与生产力发展等所谓原始积累的自然成熟，而是应对外来冲击毅然实行制度变革的即期效果。某位西方学者指出："社会经济学诸学科中的女王是理论，但给她戴上王冠的却是政策，因为社会经济研究的最终目标是政策。"①本书之所以从经济政策的视角切入来探讨日本近现代经济发展的历程和特点，正是基于日本的特定国情。

经济政策研究无法避开经济政策与经济制度、经济体制的关系问题。然而迄今为止中外学界从学理上正面阐释三者关系的著述并不多见。在此，带着长期从事日本经济史研究的困惑与思考，不惴自说自话，略抒浅见。

经济制度是公共权力通过法律和法规等强制形式确定的社会经济准则及其行为规范，经济体制是公共权力基于经济制度展开的资源配置组织机制安排，经济政策则是公共权力人为影响作用社会经济运行的手段和方法。与一般意义的政策处于制度下属层次、为实现制度目标服务的理解不同，广义的经济政策应有两层含义，一是改造型政策（或曰质变型政策），其政策目标是经济制度的解构和重构，由此形成的新经济制度，正是改造型政策操作的结果，是改造型政策法律化、凝聚化、静态化的表现。从这个意义上说，改造型经济政策可谓经济制度乃至经济体制之母，因此不仅应该把经济制度变迁和经济体制变动作为经济政策研究

① Seraphim 语。转引自津田直则、长屋泰昭、田中康秀《现代经济体制与经济政策》，晃洋书房，1991 年，第 16 页。

的内容，而且必须作为研究重点；二是调整型政策（或曰量变型政策），其政策操作在现行经济制度和体制的框架下运行，政策目标是调整资源配置及经济发展节奏，因此这一政策只会引起事物量变而不是质变。

经济政策的这两层含义，意味着日本近现代经济政策研究，既要面对两个相对独立的政策体系，又要把握两者之间的互动关系。同时，既然是“经济政策”研究，那就不仅要考察日本政府这一“政策主体”的行为依据、行为手段和行为效果，而且要从资源禀赋与配置、经济周期变动、产业结构、金融与财政、资本与劳动等不同侧面入手，对构成政策对象的“经济”本身进行“专业分析”和案例解剖。显然，这是一项艰巨的工程。

本书以个人前期研究成果为基础，从近代日本经济制度转型前提条件的考察入手，依次对明治初期经济改革、产业革命、资本垄断、国家资本垄断、战后经济改革、战后经济复兴、经济高度增长、赶超后经济等各个历史时期的经济政策展开分析，最后探讨了世纪之交日本的对外经贸政策。由于学术功力有限，既无法触及所有重要问题，亦难免浅尝辄止乃至出现错讹，故此诚恳期待方家指正。

杨栋梁

2017 年 6 月

第一章　走向近代的经济制度变革

1853年佩里叩关时，日本正处于资本主义萌芽生长的封建晚期。1868年发生明治维新后所推行的一系列经济改革，为资本主义的成长扫除了制度性障碍。

一、近代经济生成的基础条件

1603年，德川家康在江户(今东京)设幕府，执掌国家最高军政统治权，其统治长达265年。日本史上，一般把德川幕府时期称作“近世”，意即封建社会晚期，或曰近代社会早期。1868年初发生“王政复古”政变后，明治政府取代德川幕府，通过史称“明治维新”的一系列改革，走上资本主义道路。

(一) 晚期封建社会的制度建构

日本明治维新后资本主义经济的快速发展，离不开德川末期社会经济发展的基础，因此阐明当时的社会经济发展状态、生产力发展水平、生产关系变化、具有近代意义的市场发育程度等，无疑是探究明治维新何以发生以及日本近代资本主义何以“进步非常快”问题时不可回避的重要一环。

15 世纪末的地理大发现，标志着世界步入近代。然而，在德川幕府成立的 17 世纪初，日本依然是个典型的封建社会，实行类似中国西周抑或欧洲中世纪的分封制和等级身份制。

在政治制度上，德川时期的日本是政教两分的天皇至尊、将军至霸的二元权力社会。根据日本是神国、天皇是神孙的传统说教，天皇成为君权神授的精神领袖，享有至高无上的神圣地位，因此即使手握实权的幕府将军，也只有得到天皇封赐后才有合法统治名分。幕府将军独揽国家军政大权，是天皇不得不认可的事实上的国家最高统治者。根据《禁中并公家诸法度》，天皇及其小朝廷不得干预政事，行动受幕府设在京都的“所司代”监视。这种权力结构貌似中世纪的欧洲，罗马教皇手持为国王加冕的利剑，但真正掌握世俗权力的却是统御一方的诸侯。从日本的情况看，比之于天皇，将军的权力说不上绝对，但具压倒性优势。

德川幕府的政治体制是幕藩制，中央政府是幕府，主要官员有协助将军处理国家政务的“老中”（有时增设“大老”一职）和协助老中处理政务的“若年寄”。幕府掌握着以江户、京都和大阪的“三都”为中心的庞大直辖领地，由“旗本”“御家人”等直属于将军的武士分掌直辖领地的管理权。

在幕府直辖领地外，全国还存在约 260 个独立行使其域内统治管理权的藩国，藩国统治者为藩主，亦称“大名”，享有世袭统治权。幕府与藩国的关系是，藩主的领地领民权以幕府将军的承认为前提，藩主须效忠将军，履行隔年参觐①义务，须按照幕府法令处理藩政，须自备武装粮草随时承担幕府指派的出征任务。以履行上述义务为先决条件，藩国获得

① 即所谓的“参觐交替制”。各藩的大名须交替到将军所在的江户幕府居住，原则上每次一年，然后回到本藩，一年后再次返回江户参觐。大名在本藩期间，其妻子和子女留在江户以为人质。这一制度的目的是监督控制地方大名的活动，消耗大名的经济实力，防止地方出现对抗中央的独立势力。

了幕府“原则上太阁或将军①不能直接介入大名领地内大名与领民的事务”②承诺，即一般情况下幕府不可干预藩政，藩主拥有排他性统治其领地和领民的权利。藩国的财政独立，领民只向藩主交纳地租，而藩国无向中央政府交纳租税义务。此外，藩主可以建立家臣团武装。这种状况与中世纪欧洲的那种“我的奴仆的奴仆不是我的奴仆”的等级分封制形态颇为相似。

藩国的规模和地位大相迥异，大致可分为三类。“亲藩”大名为德川氏族人，地位显要者有尾张、纪伊和水户的“御三家”，田安、一桥和清水的“御三卿”等。“谱代”大名为关原之战前德川氏的旧家臣。“外样”大名为关原之战后降顺德川氏的大名，多地处于九州、中国、四国及东北的偏远地区，领地规模庞大，远离国家政治权力中枢，是幕府的重点防范对象。

由于推行兵农分离，农商分离政策，德川时期阶级关系相对固定。以将军为首的领主及其家臣(武士)是社会的统治阶级，至明治维新发生前约为200万人，占社会总人口6%左右。被统治阶级则由农民和工商业者组成。此外，当时社会中还存在少量的“秽多”“非人”等奴隶阶层。

在经济制度上，德川幕府的统治依然以封建土地所有制为基础。大名掌握着领内(藩国)基本生产资料土地的所有权，把土地分配给领民(藩民)耕作后收取实物地租，时称“石高制”。据考证，幕府初期，以承担向土地所有者即藩主交纳地租义务为前提，约90%的农民(时称“本百姓”)获得了世袭土地使用权。地租率因地区、土地质量而异，一般为收成的40%—50%，即所谓“四公六民”或“五公五民”。为了保证地租收入，幕藩政府经常通过“检地”调查土地面积和产量变化，再根据新的土

① “太阁”特指丰臣秀吉，“将军”指幕府历代将军。

② 石井宽治：《日本经济史》，东京：东京大学出版会，1993年版，第53页。“应仁”，日本年号。1467年(应仁元年)，因将军继嗣问题，室町幕府发生分裂，形成以细川胜元和山名持丰为首的两大对立集团并展开长达11年的混战，地方领主也大多被卷入这场战争，庄园制度由此遭到毁灭性打击。

地丈量数据，调整以村为单位交纳的地租。为了保证稻米收入稳定，防止农村分化，幕府还于 1643 年颁布禁止土地买卖法令，1673 年颁布限制分田令，此外还颁布了禁止农民离田、离农及种植桑、棉花、烟草、甘蔗等经济作物的一系列法令。由此，日本社会出现了马克思指出的“发达的小农经济”①。德川初中期，尽管发生过以天主教徒为中心的岛原、天草等规模较大的农民起义，但总体上说经济发展较快，社会相对稳定。日本学者推定，德川幕府初中期的 120 年里，全国人口由 1600 年的 1200 万，爆炸性增长到 1721 年的 3128 万②，而后期 1721—1846 年的 120 多年间，人口只增长 3.2%。③ 究其原因，一是依赖固有耕地生存的小农阶层广泛存在，构成了社会相对安定的基础；二是以小农经济为基础的兵农分离政策，从制度上一度有效地遏制了新兴地主、豪族的滋生，避免了室町、战国时期“下克上”局面的出现；三是禁止土地买卖等政策的实施，延缓了农村贫富分化的进程。

根据幕府的“一藩一城”规定，各藩国统治者均建立了统治据点，即如今依然大量保存的“城”（如大阪城、名古屋城、姬路城），大名的家臣武士团及家属居住在城周边，从而形成了以“城”为中心的“城下町”，现代日本城市大多是以这种“城下町”为基础发展起来的。武士是封建统治阶级的基本成员，是不事任何生产性劳动的寄生阶级，生活完全依靠领主发放的禄米，职能如同藩国的职业军人，一切听从藩主调遣，平时协理藩务，战时出征作战。

大名为首的士族统治阶级，出于城市生活的需要及追求奢靡生活的自然天性，允许工商业者在城下町居住，以便为自己的生活提供服务，于是城下町便出现了被统治阶级的另一个阶层工商业者。城市工商业者

① 《马克思恩格斯全集》第 23 卷，第 785 页。

② 见速水融、宫本又郎《概说 17—18 世纪》，收自《日本经济史 1　经济社会的成立》，东京：岩波书店，1988 年。

③ 安藤良雄编：《日本近代经济史要览》，东京：东京大学出版会，1981 年，第 30 页。

成分相当复杂，除了众多制作和销售铁具、木具、革具、马具、伞具、衣食类物品等各种生产生活物品的手工业者及小商贩外，御用商人的存在值得特别关注。当时大阪是全国最大的物资集散地，商贸繁荣，地方大名开设的货栈（“藏屋敷”）鳞次栉比。在这种垄断性经营过程中，御用商人应运而生，大阪、京都和江户的特权商人以向幕府交纳特许费和营业税为前提，换取了经营棉花、棉布等特定商品的垄断权。商业高利贷者（“两替商”）同时出现，贷款对象多为财政窘困的地方大名，由此大名与特权商人结成了一种相互依赖的微妙关系。

德川幕府建构的封建经济制度，一开始就蕴含着一种自相抵触的矛盾，一方面要推行以农为本、限制商品生产的政策；一方面人为制造了一个对商品充满欲求的阶级和市场环境。这也意味着，日本封建晚期实行的社会经济制度，已为资本主义经济的萌生准备了土壤和空间。

在对外经贸关系上，德川幕府推行了名为“锁国”、实为幕府垄断外贸的政策。幕府建立之初，日本的对外经济交往一度相当繁盛，所谓“方今吾客商通外夷者殆三十国。自有我邦以来，未有如今之多且盛也”①。但是，这种局面没有维持多久。1612 年，幕府发布直辖地禁止传教令。1616 年再发禁令，取缔天主教。1633—1639 年，幕府接连发出五道“锁国令”，严禁天主教，禁止日本船只出海贸易。由此，日本断绝了与葡萄牙和西班牙的贸易往来，英国自动退出，继续与日本保持通商关系的除了中国、朝鲜和琉球外，西方国家中只剩下信奉新教且保证不传教的荷兰。至此，德川幕府完成了锁国体制。

德川幕府的锁国概出于三点考虑，一是防止西方势力渗透引起思想异化。一般认为，天主教传教士在西方殖民扩张中起到了尖兵作用，事实上德川初期主要集中在九州地区的天主教信徒已达 70 万众。在幕府

① 林罗山语。转引自伊文成、马家骏主编《明治维新史》，沈阳：辽宁教育出版社，1987 年，第 86 页。

看来，天主教的上帝信仰在日本社会的扩散，正在威胁自己的统治，因此必须彻底铲除。二是地处西南的“外样大名”是自由通商的最大受益者，他们与外国交易获得了巨大利益，不但增强了经济实力，而且通过购入军火壮大了私人武装，这是一向对外样大名充满戒心的幕府绝对不能容忍的。三是“锁国”不是绝对意义上的锁国，对内“锁”的只是地方领主和平民百姓，由于保留了对外通商窗口长崎，锁国后的变化只是由以往的中央和地方分享贸易利益，变成幕府垄断外贸。可见，锁国是德川幕府的一石三鸟之策。值得注意的是，与明代中日勘合贸易时中方发行贸易许可证、掌握贸易管理权的做法类似，长崎贸易是幕府主导的管理贸易，外商的对日贸易是以幕府的特许为前提的。

由于锁国，日本在缓解西方殖民势力正面冲击的同时，一定程度上切断了日本国内经济与国外市场的联系，使资本主义经济只能以原生形态的方式，在封建制度重围的缝隙中缓慢生长。当然，由于锁国体制下保持着对外通商的窗口，日本依然可以一定程度地了解世界变动信息，感受和学习西方近代文明成果，从而为幕末的急剧社会转型提供了重要智识基础。

（二）资本制生产关系的生成状态

商品是资本主义经济的细胞，在德川幕府末期商品经济的发展中，资本主义经济萌芽已始露端倪。

及至幕末，经济作物种植禁令已形同虚设，出现了桑、茶、楮、漆及红花、蓝靛、麻等“四木三草”种植热，棉花、烟草、油菜和大豆也有相当大的种植规模。棉花主产区在畿内、三河和濑户内海周边，关东地区则以养蚕业的发达称著。

地区性特定经济作物的发展，往往又与当地相关手工制作业的发达相联。在经济发达的农村地区，完全脱离农业生产的农户已非鲜见。例如，1845 年尾州起村 265 户农家中，完全依靠农业生产生活者 52 户，其余198户为兼业户，67户为脱农户。后两者中，棉业加工生产者86户，生活杂具手工生产者27户，食品及肥料加工生产者22户，商贸、旅店、饭店服务业者58户，医生、理发师等个体经营业者9户，其他20户。①

商品经济发展的一般规律是，第一步，“直接生产者的自然经济转化为商品经济”，第二步，商品经济转化为资本主义经济。② 近代欧洲资本主义经济从棉毛加工业等生活资料的生产部门开始，幕末日本也不例外。农村是城市商品的供应地，但农村小商品生产者不能把产品直接拿到城市销售，因而在城市大批发商和农村小商品生产者之间，便应运产生了一个农村商人和农村手工业主构成的新阶层。前者的主要经营内容是收购产品，为此在产地设立“木棉寄屋”等物资收购站，再把收购物资运往城市交给批发尚，从中赚取商业利润。后者是当地富裕农民，人数上也远远多于前者，他们是地方商品生产的投资者和组织者，其生产方式已经具有资本主义性质。起村的86户棉加工业者中，44户从事织布业，其他从事纺纱、整线、染布各业，棉加工业的内部专门分工已相当精细。在农村手工业生产的组织运行方式中，可以看到早期资本主义生产方式的雏形。富裕农民购置织机，建立了家庭纺织厂“织屋”，在“织屋”里劳动的除了家庭成员外，还有来自附近的农家雇工。1842年，宇多大津村有“织屋”18家，劳动者137人，其中家庭劳动者和雇工的数字分别为50人和87人。③ 这种家庭手工工厂，除了足立地区开办200台条纹布织布行的个别特例外，一般规模不大，织机在10台以下，超过20台的为数不多。比“织屋”低一级的经营方式也很普遍，即雇主把自家织机甚至连同轧好的皮棉一起租给无力购置织机的农家使用，然后支付一定工钱，从中赚取利润。显然，这已经是一种资本和雇佣劳动的关系。这种情况不仅在棉制品手工业部门广泛存在，在缫丝、酿酒、陶

---

① 石井宽治：《日本经济史》，第81页。

②《列宁全集》第1卷，北京：人民出版社，1955年，第77页。

③ 引自伊文成、马家骏主编《明治维新史》，沈阳：辽宁教育出版社，1987年，第117页。

器制造等其他生产部门，资本投资行为和工资劳动者的存在也是不争的事实。

根据经典作家的论断，资本主义生产方式一般经过家庭式手工业简单协作、工厂手工业和机器大工业三个发展阶段。美国学者门德尔斯则在其“原生型工业化理论”中，明确提出了工业化初期阶段的三要素：一是面向区域外的生产而不是域内消费；二是与传统工商业者生产活动不同的农村兼业、农闲时的生产活动；三是与商业性农业的展开同时进行。① 从幕末日本的情况看，以家庭手工业为主同时向工厂手工业转换的资本主义生产关系，显然还处于“原生型工业化理论”所指的那种“初期工业化”状态。

与商品经济和手工业生产的发展并行，国内市场的发育也进入新阶段。大阪是全国最大的物资集散地和最繁荣的商业中心，手工制造业、批发业、金融典当业发达。江户是幕府的政治统治中心，是人口近百万的最大消费城市，享五街道②交通之便，商贸业也很发达。以三都为中心的局地市场经济圈已经形成③，并已出现形成全国统一市场趋势。

商品经济的发展，从根本上腐蚀了封建体制的基础，导致幕末阶级关系发生剧烈变化，而这种变化又是在统治阶级和被统治阶级中同时发生的。

武士作为统治阶级，其内部严格划分为许多等级。将军、大名是国家和地方的统治者，“旗本”和“御家人”以及年俸 200 石以上的武士有资格面见将军，他们属于上级武士阶层。中级武士年俸一般在 100 石以下。下级武士也分成若干等级，其中“足轻”身份最低，俸禄微薄。及至幕末，统治阶级已经整体陷入“贫困化”。

---

① 谷本雅之：“严密意义的工厂手工业论战与原生工业化论”。见石井宽治、原朗、武田晴人编，《日本经济史》第 1 卷，东京：东京大学出版社，2000 年，第 207—214 页。

② 即东海道、中山道、日光大道、奥州大道和甲州大道。

③ 日本学者大塚久雄、斋藤修持此见解。见《大塚久雄著作集》第 5 卷（东京：岩波书店 1969 年）和斋藤修著《原生工业化的时代——西欧与日本的比较史》（东京：日本评论社 1985 年）。

上级武士的贫困源于对物质的无限追求和享受。除此之外，“交替参觐制”的实施，也是拖垮大名财政的直接原因之一。地方大名江户“参觐”必须按规定进行，据享保六年的定制，“20 万石以上的大名，骑兵 15 至 20 人，步兵 120 至 130 人，其他随从者 150 至 300 人”，其出行的阵容蔚为可观。这些随员要陪同领主在江户挥霍一年，隔年再来，其消费量之大不难想见。对此，本居宣长发出了“无益之费，和汉古来未闻”的感叹。① 尽管对农民的剥削与日俱烈，但年贡收入毕竟有一定限度，各地大名日益增长的消费与年贡收入之间的亏差越来越大。为了摆脱财政困境，各藩大名普遍采取的对策是拖欠武士俸禄和向大商人举债。太宰春台的《经济录拾遗》载：“近来诸侯，无论大小，皆国用不足，贫困之甚，借用家臣俸禄少则十分之一，多则十分之五六”，“若犹不足，则向江户、京都、大阪之富商大贾借金，年年不止”。②

上级武士的境况尚且如此，中下级、特别是下级武士的生活就更加艰难了。究其原因，一是武士俸禄世袭，但随着家庭人口的自然增长，给定俸禄难免不足为济。二是武士的生活又离不开其他必需的商品，但米价的上涨赶不上其他商品价格上涨的速度，以禄米为唯一收入来源的武士无法改变在商品交换过程中利益受损的现实。三是领主拖欠俸禄，加快了武士贫困化的进程。武士是封建统治的基础，追求享乐生活是其阶级本性，在长期和平的年代，更是难以保持节俭之风，为了维护尊贵的身份，也不能在外表上表现出寒酸。穷困的下级武士为了维持家庭生活，或变卖家产贴补家用，或出卖身份收养富裕商人子弟为养子，但最为普遍的做法是放下“斯文”，自谋生计（“内职”）。文政四年后写成的《甲子夜话》载：下级武士从事手工业者颇多，其中“米泽的笔，长门的伞，锅岛的竹笠，秋月的印笼，小仓的合羽服装皆制作精细”③。福泽谕吉也在《旧

① 高桥龟吉：《日本近代经济形成史》第一卷，东京：东洋经济新报社，1968 年，第 48—49 页。
② 高桥龟吉：《日本近代经济形成史》第一卷，第 135 页。
③ 高桥龟吉：《日本近代经济形成史》第一卷，第 147 页。

藩事情》中写道：下级武士"若家有三五人或老人，则岁入不足以衣食，故堪于家庭劳作，不问男女，或手工，或纺织，生活艰辛。虽曰此为内职（家庭中的劳动），其实内职为本职"。这些武士"忙于生计，无暇顾及子女教育，下等武士缺乏文学等高尚教育，有自贱之工商之风"。① 由此可见，贫困的士族虽然政治身份上依然是统治阶级的组成部分，但经济地位上已经与被统治阶级没有多大差别，而实际经济地位的改变，势必会引起下级武士政治立场的变化，用本多利明的话说，他们已经"恨主如仇敌"②。统治阶级内部的分化到了如此严重的程度，意味着原本意义上的统治阶级已经分化瓦解。落魄的武士普遍希望通过改变现状，找回昔日的地位和荣光，他们不再是现行封建体制的维护者，而是正在变成其掘墓人。

被统治阶级的分化也在急剧进行。在农村，本百姓的分化朝着三个方向展开。一是依靠祖上留下来的耕地靠农吃饭，或以农为主兼营副业，或以农为辅、主营家庭手工业及服务业。这部分人在幕末依然占据多数，尚能在领主的剥削和商品经济的冲击下维持生计。二是部分本百姓经受不起封建剥削的重压，加上天灾人祸等突发事件的打击，部分或完全丧失了土地这一维持生计的基本来源，沦落为佃农即农村无产者，靠打短工、出卖劳动度日。到明治维新前，佃耕地面积约占耕地总面积的 1/3，表明了佃农阶层的广泛存在。据考证，1842 年，泉州宇多大津村有 289 家农户，其中专业农户 198 家，从事手工业或某种服务业的兼业农民 52 家，靠出卖日工为生的 38 家，后者无疑是失去土地或本来就没有土地的农民。③ 此外，关于农民到附近的商行、码头、矿山出卖劳动的资料也多有所见。这部分家境破败的农民处在农村社会的最底层，是对现行制度最为不满和最具造反精神的阶层。三是从本百姓中分化出来的富裕阶层，即日本历史上所说的"豪农"和"豪商"（在乡商人）。这类人

① 高桥龟吉：《日本近代经济形成史》第一卷，第 148 页。
②《日本思想史大系》44，岩波书店，1977 年，第 20 页。
③ 石井宽治：《日本经济史》，第 80 页。

适应商品经济发展的潮流并积累了财富，投资于农村商业、手工业或购置土地，具有既是新生地主又是小资本家的双重性格。例如，尾西大海道村手工业发达，较大的手工业主往往也是大地主。例如，喜兵卫拥有10台织布机，同时拥有大量土地，1829年的土地产量为12445石，1865年达到57635石。[①] 这类人不满现行制度的束缚，希望有更大的自由发展空间。

城市中的"町人"属于被统治阶级，小商贩和被称作"职人"的手工业者政治经济地位低下，但大商人是依附在封建制度肢体上的寄生阶层，他们以交纳御用金、营业税为代价，获得幕藩政府的委任和特许，取得了商品流通和金融业的垄断权，从而聚敛了财富。一方面，城市大商人是在乡商人及城市小工商业者的对立面，因为其存在压制了后者的自由，损害了后者的利益。幕末屡屡发生的"国诉"及地方骚乱，就是在城市大商人与在乡商人之间展开的。1823年，摄河地区农民反对幕府关于菜种、菜油必须由大商人的"绞油屋"经营的规定，发起声势浩大的抗诉运动，开始有1179个村参加，随后增加到1460个村。同年，该地区的1007个村联合发起"国诉"，反对大阪的三家棉花批发行对当地棉花的垄断性采购，要求自由直销，并取得胜诉。[②] 另一方面，大商人又是封建统治阶级敲诈掠夺的对象。强征御用金是幕府的惯用伎俩，大商人及高利贷者的利益一再受到损害。从德川中期开始，幕府还经常发布"捐弃令"，强令大高利贷者放弃债权，不少钱庄（"札差"）因此倒闭。抄没大商人家产的极端事态也时有发生，1705年，大阪第一富商淀屋因此销声匿迹。大商人及高利贷者是幕末的一个特殊阶层，与幕末封建制度是"皮"和"毛"的关系，其存在本身客观促进了商品经济发展，反过来又不断地腐蚀和瓦解着封建经济基础，因此其阶级属性和立场是微妙的。幕末大商人握

① 伊文成、马家骏主编：《明治维新史》，第120—121页。

② 盐泽君夫、后藤靖编：《日本经济史》，东京：有斐阁，1977年，第185—186页。

有雄厚的商业资本，而商业资本和高利贷资本“存在和发展到一定水平，本身就是资本主义生产方式发展的历史前提”①。从幕末日本的情况看，大商人尚未完成近代意义的阶级转身，仅仅是作为一种可能的“历史前提”存在的。

（三）开国对传统经济秩序的冲击

1853年7月，美国东印度舰队司令佩里率领的远征舰队强行驶入江户湾，将美国总统要求开港通交的国书递交给幕府。翌年2月，佩里舰队再次来日，迫使幕府签订了《日美亲善条约》。1858年(安政四年)，日本与美国、荷兰、俄国、英国和法国签订“友好通商条约”，开放箱馆、神奈川、长崎、新潟、兵库五港口，在开放港口和江户、大阪设立外国人“居留地”。据此，外国人在居留地有居住权和房屋租赁权，在日本有贸易自由权和领事裁判权，进出口商品按照协定关税以从价税收取，出口一律为5%，进口为5%—35%，外国货币可以在日本流通，并可与日本货币同种等量交换。② 据载，日美进行条约草案谈判时，幕府谈判代表主要关心开放多少港口，以及对开放港口的贸易如何限制。当时美国代表哈里斯曾主动提出禁止日本货币出口、日本政府收取6%内外货币交换手续费的建议，但是未能引起幕府代表重视。对此，哈里斯颇为不解：“我感到非常惊讶，他们竟然放弃了那6%，并且允许日本货币自由输出！再就是所有外国货币都可以在日本自由使用。”③除了通商条约，由于随后发生长州藩武士袭击美、法、荷军舰而遭到报复的下关战争和英国与萨摩藩的英萨战争，英国和法国于1863年取得了在横滨居留地的驻军权(1875年撤出)，日本的主权再次受到损害。

开国后的对外贸易是以各开放港口和江户、大阪的外国人居留地为

---

①《马克思恩格斯全集》第25卷，第365页。

② 安藤良雄编：《近代日本经济史要览》，第34—35页。

③ 参见桥本寿朗、大杉由香《近代日本经济史》，东京：岩波书店，2000年，第29—30页。

中心展开的。在横滨的居留地，外国人与横滨市民分区居住，外国人的租地权是永久性的，租地上的建筑物不交纳任何税款。居留地既是外国人的生活区，也是其商贸活动区，外商在这里开设商行、银行，建立仓库和工厂企业。居留地设置了市政委员会，下设道路、港湾、警察、保安、财务、卫生等管理机构，实行自治管理，俨然“国中之国”。日本学者指出：“在各开放港口设立的居留地，司法、行政、警察权基本上为外国人掌握，这与中国的租界是同一种性质，如同国内的外国殖民地。”①

签订通商条约后的十年间，日本对外贸易额直线上升。从贸易额的变化看，1860—1865 年，出口由 471 万日元增至 1849 万日元，进口由 166 万日元增至 1514 万日元，六年间分别增长约 4 倍和 9 倍。② 此间对外贸易连年顺差，表明初期贸易是以外国对日本的原料掠夺为重点；进口增速高于出口增速，贸易顺差逐年减少，意味着西方工业品占领日本市场的进程加速，贸易逆差时代必至。从各港口在对外贸易中所处的地位看，横滨港承载全国约 70％的进口货物和 80％的出口货物，长崎港在进口军舰等武器装备的特殊贸易上引人注目。从贸易内容看，出口中，生丝占首位，占出口总额的 70％—80％，其次是茶叶、原棉、海产品、油和铜。进口中，最初主要是棉毛纺织品，其次是金属制品和药品，之后其他工业品逐年增加，棉毛纺织品所占的比重开始下降。日本学者指出，这是一种典型的资本主义工业国与农业后进国之间进行的“垂直型贸易”结构。③ 从交易对象看，最大的贸易对象国是英国而不是最先迫使日本开国并签署通商条约的美国，这不仅因为号称“世界工厂”的英国经济实力最强，还在于 60 年代美国发生了南北战争，一时无暇西顾。当时，日英贸易额占日本外贸总额的一半以上，美、荷、法等国则争夺第二的位置。

---

① 石井宽治：《日本经济史》，第 100 页。

② 石井宽治：《日本经济史》，第 94 页表 13“幕末贸易的动向”。

③ 桥本寿朗、大杉由香：《近代日本经济史》，第 31—32 页。

开国后外国资本的涌入，导致幕末社会经济发生急剧变化，日本出现了如下被殖民化的种种征兆。

一是对外商权的丧失。居留地贸易的特点，是日本商人不能直接与外国开展贸易，而是通过在日本的外商来进行；而根据通商条约，外商也不得离开居留地到未开放地区自由从事商业买卖活动。于是，外商雇用日本商人到各地采购或推销商品，买办商人应运而生。龟屋的原善三郎、吉村屋的吉田幸兵卫、丁子屋的衫村甚兵卫、近江屋的前川太郎兵卫等，便是由此暴富的一批巨商。对外贸易的直接交易权掌握在外商之手，不仅意味着贸易利润大部分为外商获得，而且直接影响到国内商品生产的结构，生丝产业大发展而其他若干产业急剧萧条的事实表明，日本经济开始按照资本主义市场的需求调整布局。在贸易关税方面，日本也处于不利地位。所谓协定关税，意味着日本无权单独制定税率。实际上，《安政通商条约》签订不久，在英国等国的压力下，日本被迫将进口关税改为从量税，实际税率相当于5%从价税水平，已经与鸦片战争后《天津条约》的规定条件相似。① 在外贸物资的运送方面，日本完全丧失了分享商业利益的权利。当时日本的远洋航线为英国的半岛与东方轮船公司、美国的太平洋邮船公司和法国的帝国邮船公司所垄断，这些外国航运公司甚至在日本国内沿海航线上也抢占了一定市场份额。外商不仅直接把持日本的对外贸易，还投资于生产领域。法国商人布雷在横滨开办了技术先进的制丝工厂。长崎的外商仅制茶厂就有6家。外商工厂中，雇工最多的达1600人。② 这些工厂的开设，对传统的家庭手工业经营造成了直接冲击。

二是外国资本对国内金融体系的破坏。日本开国时，国内货币制度并未与国际货币体系接轨，加上无知的幕府谈判官员没有接受哈里斯的

① 石井宽治：《日本经济史》，第94页。

② 伊文成、马家骏主编：《明治维新史》，第244页。

劝告，结果自酿苦果。当时金银在日本都是正币，两者的交换比价是，1837—1855 年为 1∶8.4，1865—1859 年为 1∶5，而当时国际市场的比价却是 1∶15 左右，这就给外商提供了巨大的投机空间。外国投机商根据通商条约中外国货币可与日本货币同种等量交换的规定，先用洋银（主要是墨西哥银元）换取日本的一分银（长方形银币，一枚重约 1/4 两），再用一分银换取日本的金币小判（一枚重约 1 两），然后在香港等国际市场上以日本金币换回洋银，一个交易周期利润率可达 300%。① 至幕府发现问题采取应对措施止，日本在两年左右时间里，金币流失海外达 10 万两②，价值 8400 万日元③（当时日元与美元的比价为 1∶1④）。英、美等国还纷纷在日本设立银行，从事商业借贷活动。如此等等，幕末的金融秩序已经陷于混乱。

三是外商对日本财政的控制加深。各藩国的财政原本已经捉襟见肘，开国后购买武器或兴办实业，导致财政支出大增，举借外债是弥补财政亏空的无奈之举。截至 1871 年废藩置县，有 37 个藩向外商借债，债务总额约 400 万日元。⑤ 从世界殖民史的若干事例看，财政上对外商的依赖，会逐渐发展为外资对当地政府的控制，从而加速殖民化的进程，当时的日本正面临同样的危险。

四是物价体系紊乱。日本开国后，物价一路飞涨，既有的市场物价体系遭到严重破坏。统计表明，1858—1867 年的十年间，物价总水平上涨 7 倍左右，其中大阪主要商品上涨率是稻米 815%，大豆 959%，菜籽油 557%，蜡 705%，棉线 756%，秩父绢 299%，茶叶 535%。⑥ 物价与民生息息相关，低收入者更是经受不起通胀的打击，社会矛盾由此变得更加

① 桥本寿朗、大杉由香：《近代日本经济史》，第 31 页。

② 石井宽治：《日本经济史》，第 99 页。

③ 高桥龟吉：《日本近代经济形成史》第一卷，第 313 页。

④ 石井宽治：《日本经济史》，第 101 页。

⑤ 详见石井宽治、原朗、武田晴人编《日本经济史》第 1 卷，第 25 页表 1-3。

⑥ 据安藤良雄编《日本近代经济史要览》第 38 页 1-27 表“安政以后主要商品价格”算出。

尖锐，德川幕府已经失去民心。

商品经济冲击下阶级矛盾的激化，殖民地危机引起的民族矛盾激化，已把日本推向何去何从历史选择的十字路口。

（四）明治维新前夕社会经济基础的评估

资本主义的产生，归根结底是社会生产力发展到一定水平的结果。从幕末日本的情况看，生产力的发展尚未引起制度性变革，但却一定程度地为质变性历史跳跃准备了必要条件，这些条件构成了明治维新后资本主义经济成长的内源性基础。具体说来，这一基础可以从人力资源储备、生产技术积累和市场运行机制的角度入手进行重点考察。

在资本主义生产诸要素中，人力资源是不可或缺的必要条件。人力资源不仅需要一定的人口数量，更在于人口质量。幕末人口超过 3000 万，相对于其国土面积，处于人口稠密、劳动资源过剩状态。从教育普及程度和教育内容看，其人口质量在当时的东亚地区也具有优势。德川时期，教育始终受到重视，全国各地有大量“藩校”“乡校”和“寺子屋”（私塾），武士子弟自不待言，本百姓子弟也有就学机会。据二战后文部省公布的调查资料，德川幕府末期，全国有藩校 250 所，乡校数百所，寺子屋至少 3 万所。寺子屋一般规模较小，但在大阪和江户，也有学生多达数百的情形。[①] 到了幕末，幕府或各藩开办洋学校或讲习所的情况也很普遍。“幕府也努力采用了洋学，安政二年正月，在九段下设洋学所，翌年改称蕃书取调所，为一学校组织。安政四年开学，设教授和教授助理，入学资格为旗本、御家人子弟（后陪臣子弟也可），审阅并翻译新版兰书。”该学校后改称开成所，“学科有和兰学、英吉利学、佛兰西学、独乙学、鲁西亚学以及天文、地理、穷理、数学物产、化学、机械学、画学、活字等”[②]。

① 文部省调查局编发：《文部时报》1962 年 10 月号《日本的教育九十年》，第 6—7 页。
② 高桥龟吉：《日本近代经济形成史》第一卷，第 293 页。

这个开成所在明治维新后变成开成学校，后改称大学南校，是现东京大学文学部和理学部的前身。

德川社会处于统治地位的武士阶级是整体意义上的知识所有者，城市商人和农村富裕阶层也是知识占有者。在200余年的和平环境里，昔日靠戎马作战安身立命的武士，除了修习“武道”外，还必须修习“文道”，因为和平时期“武道”用场狭小，只有文武双全才能出人头地（动力）；作为有闲阶级成员，武士具备学习知识的时间和物质保证（条件）；长崎港口的开放，则使武士了解外部世界和汲取西方科学知识有了可行的渠道（可能）。

以“兰学”[①]的传入和扩散为例。“洋学最初是以兰学的名义引入的，其内容包括本草、医学、测地学、天文学、历学等，习兰学者主要是通辞、下级武士、庶民等。天保末年清朝在鸦片战争中被英国打败的消息传来后，引进兵学。兵学不同于医学，直接与国家兴亡相关，故主要由武士来研究。值得注意的是，兵学并不仅限于兵学本身，近代兵学不只是炮术、枪炮制造技术、航海术和造船技术，还需要物理学、化学、数学等基础学科的支撑，而制造和维护兵器以充实军备，又必须以国家的富有为前提条件，这就需要掌握近代生产技术及经济知识。”[②]下级武士对西方科学知识的汲取是通过多种渠道进行的，兰学家开设兰学馆传授知识便是重要手段，前野良泽、衫田玄白、司马江汉、林子平、本多利明、渡边华山、高野长英、绪方洪庵等众多知名的兰学家口传心授、代代传承，为终将到来的历史变革做了不可或缺的智识准备。

下级武士对近代西方科学知识的学习不止局限在书本上，而是在幕末时已有所实践。例如，萨摩藩士松本弘庵（即寺岛宗则）受幕府之命主持建造蒸汽船，结果仅按照荷兰语的图纸，便造出了三艘大型洋式蒸汽

---

① 即荷兰学，幕末随着其他西方学问的进入，进而发展为“洋学”，即西学。

② 堀江保臧：《明治维新与经济近代化》，东京：至文堂，1963年，第45页。

船。对此，时任幕府长崎海军讲习所教官的荷兰人卡蒂迪克在日记中写道：这种“连蒸汽机都没有见过，仅靠简单的图纸就造出如此机器的人，真是具有非凡才能，令人叹服。即使我们荷兰人，要想搞懂蒸汽机性能，也要花费相当苦功”①。

不难理解，正是如此程度掌握知识的人力资源，肩负了明治维新后资本主义经济发展的重任。

中国社会进入封建时代时，日本还处在刀耕火种的原始社会。其后，在几近2000年的岁月里，日本努力向中国学习，至中国明朝时，其生产力水平整体上虽然还未赶上中国，但从明朝进口日本刀具及手工制品的情况看，可以推断日本在部分领域的制作技术已不逊于中国。1543年，葡萄牙船只漂流到种子岛并留下西式火枪后，日本开始了火枪的研究和制造，织田信长就是依靠在堺和国友制造的火枪组成了火枪队，在1575年著名的长筱战役中一举打败了不可一世的武田信玄骑兵队，从而奠定了霸业。接着在1592—1598年间，丰臣秀吉两次发动侵略朝鲜的战争，每次出兵都在15万人左右，明朝的援朝军队也大致相当。当时，日军作战部队约1/3使用火枪，而明军除了火炮占优外，基本使用大刀长矛，故战斗异常艰苦。及至德川幕府末期，日本的制作技术不仅在传统的丝绸制造业、陶器制造业、小金属制造业及日用品制造业等领域达到顶峰，而且对近代西方的科学技术也有了相当程度的掌握，已经能够在天文学和地理学领域制造天球仪和地球仪、天体仪、测量器、钟表、望远镜等仪器，在医学领域制造人体模型、温度计、显微镜、听诊器以及外科、眼科、妇产科、整形外科、耳鼻喉科的有关器具。在近代产业制造技术方面，幕藩营工厂和矿山，可谓引进消化近代西方制造技术的实验厂，前述的蒸汽船制造，实际上也是经历了无数次的失败才取得成功的。明

① 冯·卡蒂迪克：《长崎海军传习所的日日》，水田信利译，东京：平凡社，1964年，第185—186页。

治政府成立后，这些幕藩营工厂和矿山全部收归国有，继续扮演着移植西方近代生产技术实验厂的角色。从这个意义上说，早在进入明治时代前，德川幕府已经为工业化的全面展开预付了一笔不菲的学费。

幕末日本商品经济发达的外在形态，是以商都大阪、消费城市江户为代表的大型城市的存在，以及以这些大城市为中心向外辐射的全国海陆交通网。内在根据则在于形成了相当成熟的商业金融运行机制，这种机制虽然属于德川封建社会的内容和有机组成部分，但与明治以后所建立的近代商业金融体系之间，并不存在不可逾越的鸿沟。

德川时期的商业制度、传统和习惯，可以通过批发商行“问屋”、垄断性行会“株仲间”和钱庄“两替商”的经营活动来说明。“问屋”是最基本的商贸组织，在大城市和地方中小城市中广泛存在。“问屋”主要从事商品批发业务，其中不少“问屋”是专营某种特殊产品。中间商人则在“问屋”与农村小商品生产者之间起着一种联系桥梁的作用。“株仲间”是大城市中有实力的批发商即“问屋”组成的行业商会。1833 年，大阪有 98 个“株仲间”。1839 年，江户有 68 个“株仲间”。其中大阪的“二十四组问屋”和江户的“十组问屋”最著名，这些由同业批发商行组成的行会，以向幕府交纳“冥加金”（税金）为代价，换取了对某种商品购销的市场垄断权。当时稻米、棉花、生丝、菜籽、纤维纺织品等大宗商品交易，基本被这些“株仲间”垄断。“株仲间”垄断市场的基本手法是，相互划定垄断区域，制定统一的低收购价格，强买强收，不允许地方农民自由交易。在商品销售方面结成“价格同盟”，以便提高价格，牟取暴利。这种现象已经与资本主义的卡特尔现象酷似。

商业的发达呼唤货币金融业的发展，“两替商”（即钱庄）应运而生。“两替商”的经营内容主要有金银兑换和买卖、存款贷款、票据和汇兑等，并且同样组织了同业商会。“两替商”除了自有资金外，主要依靠吸收一般商人存款经营。“两替商”经营实行准备金制度，即商人把现金存入“两替商”里虽然没有利息收入，但却有两点益处，一是保险，防止在家中保存发生意外；二是通过存款显示一种信用度，在需要资金时，一般并不提取存款，而是向“两替商”借贷，因为可以贷出相当于其存款数倍的金额，并以票据形式提取（相当于中国的“银票”）。贷款利息一般在5%左右，比地方上加付10%利息的商业贷款合算得多。“两替商”经营中还包括期货交易和保险业务，期货交易最具代表性的是堂岛的稻米交易市场，这种期货交易为明治后开设证券市场提供了先行经验。保险业务的开展主要以海上运输业为对象，它构成了近代海上火灾保险业的前身。从上述经营内容、手段及金融商品开发的情况看，当时的市场机制已经相当健全，它构成了明治维新后近代市场机制确立的前提性基础。

还应指出，如果说上述因素构成了明治维新后资本主义发展基础的“正”遗产，那么同时存在的“负”遗产也是不容忽视的。总体上说，最大的负资产是那套实行了260多年的封建社会经济制度，包括领主和农民间的土地所有与占有关系及其封建地租形态，限制商品经济生产的诸制度，阶级门第制度、限制人口流动的诸政策，封建商法、商规及商业组织等，这些因素无疑都是发展近代资本主义经济的障碍，而要排除这些障碍，需要一场以政治革命为前提的制度革命。①

二、资本主义道路的探寻

1868年1月，在“王政复古”的旗号下，倒幕派策动宫廷政变，拥戴天皇睦仁亲政。随后通过戊辰战争，打败幕府势力；通过“版籍奉还”和“废藩置县”，结束了幕藩封建割据状态，实现了近代国家的统一和中央集权，明治政府初步巩固。

1871年12月23日，明治政府派出了以右大臣岩仓具视为正使，参议木户孝允、大藏卿大久保利通、工部大辅伊藤博文等为副使的规模庞

① 原文刊于《经济社会史评论》，2017年第3期，人大报刊复印《世界史》2017年第11期全文转载。

大的政府代表团，访问了美国、英国、法国、德国、俄国、意大利和奥匈帝国等12个国家，历时一年零十个月，耗费100万日元（占明治政府1872年财政总收入的2%以上）。[①] 岩仓使节团的出访，对于明治政府成立后日本国家发展道路的选择及其全面推行近代转型的各项改革，具有里程碑般的历史意义。

（一）岩仓使节团的派遣

明治政府初建时，内政外交都面临着重重困难。国内的政治状况是，民心不安，农民骚动不断，旧士族反叛时有发生。经济上百废待兴，国家财政陷于"一金无储"状态。对外关系上，明治新政府成立后，为了得到列强的支持和承认，不得不承认德川幕府时期与欧美列强缔结的一系列不平等条约，甚至在旧约基础上追加了对日本更为不利的新条款。治外法权，协定关税、最惠国待遇等不平等条约的主要内容，依然在各方面束缚着日本。仅就其中的关税率而言，《安政条约》所规定的日本对欧美国家的进出口税是值百抽五，这从当时的国际标准看也是相当低的，而实际上在明治初期的五年中，出口税率仅为3.022%，进口税率也只有3.46%，此外，尚有占进口总值1/10的商品免税。[②] 这就严重地威胁了日本民族工商业的发展。至于欧美各国在日本的"居留地"，更是形成了一种"国中之国"的局面，这种情况与治外法权相结合，使日本民族深受外来的压迫。洋人在日本也和在旧中国一样，处于"上大人"的地位，他们的马车可以"在日本的大街上横冲直撞，即使轧死了人也毫不理睬扬长而去，日本巡警却不敢干涉"[③]。这些情况表明，在1871年岩仓使节团出访前，明治政府只是迈出了夺取政权、统一全国的第一步，在近代化道路上，还处在徘徊和摸索的阶段。

---

① 烟山专太郎：《征韩论实相》，楚南拾遗社，1909年译印，第231页。

② 下村富士男：《明治初年条约改正史的研究》，吉川弘文馆，1962年，第53页。

③ 井上清：《日本历史——国史的批判》，三联书店1957年版，第221页。

《共产党宣言》指出:“资产阶级,由于一切生产工具的迅速改进,由于交通的极其便利,把一切民族甚至最野蛮的民族都卷到文明中来了……它迫使一切民族——如果它们不想灭亡的话——采用资产阶级的生产方式。”①明治政府的领导者们,从严酷的国际形势和国内的社会矛盾中,业已意识到只有使日本迅速地走上西方的道路,才能“富国强兵”,否则就难以摆脱沦为列强殖民地或半殖民地的危机,新生政权也有得而复失的危险。但是,在外压下催生、脱胎于幕藩体制的明治新政府,对“内政如何改革?法律如何确定?政治上施行何种方略?外交上以何为标准……”②等一系列问题,认识上并不一致,实践上也缺乏经验。因此无法制定顺应时势和日本国情的大政方针,进而推进国内的改革。为此,伊藤博文、大久保利通、大隈重信等政府核心人物先后向政府建议,“派遣才智卓越精通外语且通晓我国内事务者,前往欧洲诸国及美国调查交际实况,条约缔结及诸税务所规则等”③,以便与时俱进,制定和推行日本的发展规划。

明治政府在《派遣特命全权大使事由书》中,明确规定了岩仓使节团的出访任务:一是“借政体更新”,向各国政府“修聘问之礼”;二是为修改条约,“向各国政府阐明并洽商我国政府之目的与希望”,以便“依据万国公法”,“修改过去条约,制定独立不羁之体制”;三是“视察欧亚各州最开化昌盛之国体与各种法律规章等是否合于实际事务之处理,探求公法中适应之良法、调查施之于我国国民之方略”④。事由书还特别强调“内政外交,其成其否,实在此举”⑤。

---

①《马克思恩格斯选集》第一卷,人民出版社,255 页。

② 大久保利谦:《岩仓使节的研究》,宗高书房,1976 年,第 161—162 页。

③ 春亩公追颂会编:《伊藤博文传》,统正社,1944 年,第 595 页。

④ 大久保利谦:《岩仓使节的研究》,宗高书房,1976 年,第 161—162 页。

⑤ 大久保利谦:《岩仓使节的研究》,宗高书房,1976 年,第 184 页。

（二）岩仓使节团的欧美观

岩仓一行首先访问美国，伊藤博文在旧金山发表的演说中豪言万丈，自诩日本是初升的太阳，不久即可高悬太空，光披万国。然而，美国无意放弃其在日本的既得权益，对美修约谈判的结果是，“彼之所欲尽取之，我之所欲一而未得”①。这一冷酷的现实，打消了岩仓一行出使修改条约的念头，不得不以考察各国国情为主，岩仓等人“冒寒暑，究远迩，跋涉于穷乡僻壤，采访于田野农牧，观览城市工艺，了解市场贸易……”②，对欧美社会各个领域进行了详细而深入的考察，收获显著。

一是找到了发展资本主义经济的“楷模”。19 世纪 70 年代的欧美，自由资本主义已经发展到顶点，资本主义在工业、农业、商业、贸易乃至文化教育科学技术等各领域都呈现出空前的繁荣。使节团所到之处，皆有耳目一新之感，尤其是号称“世界工厂”的英国，其工商业发展的巨大成就，更使使节团一行瞠目结舌。“所到之处，没有一样是土地生产的东西，只有煤和铁，产品皆从外国进口（原料），（加工后）再运往它国。机器工厂之盛行，超过以往的传说。”③慨叹之余，他们开始认真地思索和探寻欧美资本主义何以发展的原因，尤其注意到欧美经济制度及各项法则，醒悟到，英国之所以成为“雄视横行世界之国”，就在于其煤、铁业以及与此相关的机器制造业、纺织业和航海业的发展④，而这正是英国政府长期以来重视发展工商业的结果。他们认为“西洋一令一法，皆考虑人民财产生理，以保护人民为主旨……此乃保其富强之所在”⑤。相比之下，也认识到幕藩体制下的日本长期推行闭关锁国、重农抑商政策的种种弊

① 《木户孝允日记》明治五年二月十八日条。东京大学出版会，1978 — 1980 年版。
② 久米邦武：《美欧回览实记》第一卷，岩波书店，1978 年，第 11 页。
③ 小西四郎、远山茂树编：《明治国家的权力与思想》，吉川弘文馆，1979 年，第 126 页。
④ 久米邦武：《美欧回览实记》第二卷，第 29 页。
⑤ 久米邦武：《美欧回览实记》第一卷，第 112—113 页。

端，对此，负责考察西方产业情况的大久保利通体会最深。他认为，“大凡国之强弱，在于人民贫富；人民之贫富，在于物产之多寡；而物产之多寡，在于是否勉励人民之工业。归根结底，未尝不在于政府官员之诱导与奖励……为国为民负其责任者，必当深思熟虑，由工业物产之利到水陆运输之便，系属保护人民之紧要者，宜按国之风土习俗，民之性情知识，制定其方法，以此为今日行政上之根本，保持其已开成者，诱导其未就绪者”①。他决心以英国为“典范”在日本发展资本主义工商业，大力推行“殖产兴业”的政策。

二是找到了国家政治体制改革的模式，确定了改革的原则。明治政府本来是通过“王政复古”政变收回幕府权力的，成立后采用的是奈良时代实行的太政官制，这一陈腐的政治体制显然有悖于时代潮流，因此考察欧美的政治制度以建立适合日本国情的政治体制也是使节团的重要任务之一。岩仓使节团对欧美各国的宪法做了详细的调查和研究，并加以比较。结果认为，尽管英、法、美等国最为繁盛，但其政治体制存在许多弊病，不适合日本的国情。大久保说：民主政治虽然“至合天理”但“不适合于习惯旧习、盲目崇拜宿弊之国民”。② 在日本，不仅不能实行民主共和政治，也“不能简单地模仿欧洲各国的君民共治之制，当按照我国皇统一系的典例和人民的开化程度，斟酌其得失利弊，制定法宪典章”③。宪法应“上定君权，下制民权，使人君安于万世不朽之天位，使生民保有自然固有之天爵”④。重点研究欧美各国宪法的木户孝允，认为德国的情况与日本的国情极其相似，其统治经验和专制主义制度尤为值得日本效仿。木户明确地表示，“尤当取者，以普国为最”⑤，而“建国之大法，唯在

① 大久保利谦：《近代史史料》，吉川弘文馆，1973 年，第 117 页。

② 尾佐竹猛：《日本宪政史大纲》(上)，宗高书房，1978 年，第 347 页。

③ 尾佐竹猛：《日本宪政史大纲》(上)，第 351 页。

④ 尾佐竹猛：《日本宪政史大纲》(上)，第 350 页。

⑤ 芳贺彻：《明治维新与日本人》，讲谈社学术文库，1980 年，第 226 页。

专制”①。决心在日本建立集权主义政体，实行专制主义的统治。后来的情况表明，日本的制宪工作和国家专制主义官僚体制的建立正是沿着普鲁士的道路进行的。1889年颁布的日本帝国宪法，如实地体现和贯彻了岩仓、木户、大久保等人所主张的集权主义思想。

三是找到了日本长期落后的思想根源，认识到教育是立国之本。岩仓使节团对欧美的考察，不仅深入到政治、经济领域，而且深入到思想意识形态，对西方的思想和方法，以及形成西方近代社会基础的各种原理都做了认真的研究，使他们对整个资本主义社会结构有了一个完整的认识，从而把他们获得的一般“感性认识”上升到“理性认识”。通过对东西方的比较，他们发现，“东西方风俗性情各有不同”，“西方人注重实学，东方人笃信玄学”。西方人设草木园禽兽园，搜集各国古今货币等是“为使学识广博……能促进实学，发现对工商业之实益，以成富庶之媒介”②；兴办教育，是教人掌握“省力、集力、分力、均力之术”③，以“培养殖富之本源，而使国家兴盛勃起”④。而东方，“耻于研究一草一木”⑤，“所学之物，非高尚之空理，则浮华之词藻，与民生切实相关之事业，则被视为琐碎小事，而绝非用心于此”⑥。他们断定，“造成……贫富差别的原因，尤在此习惯之结成”⑦，痛感日本“在睡梦中过了两千年”，大声疾呼，“为国着想之人，当由此激发斗志，努力奋斗兴起”⑧。他们深切体会到，日本不仅要进行政治改革和经济改革，还必须移风移俗，进行教育改革。木户在访美时就给国内写信，指出，“吾人今日之开化非真正之开化，为防十年后之弊病，唯在兴办真正之学校……确立牢不可破之国基者唯在于人，而期望人才千载相继无穷者，唯真正在于教育而已”⑨。从这里可以看

① 池田敬正等：《日本历史（15）明治维新》，学生社，1977年，第232页。
②⑦ 久米邦武：《美欧回览实记》第一卷，岩波书店，1978年，第82页。
③ 芳贺彻：《明治维新与日本人》，讲谈社学术文库，1980年，第236页。
④⑥⑧ 久米邦武：《美欧回览实记》第一卷，第163页。
⑤ 久米邦武：《美欧回览实记》第一卷，第83页。
⑨ 万峰：《日本近代史》，中国社会科学出版社，1978年，第78页。

出，使节团成员对流行日本千年之久的习俗和现状进行了多么深刻的批判！他们摈弃了“形而上”的陈腐观念，接受了“形而下”的“实学思想”，这的确是一次思想上的自我否定。特别应当指出的是，虽然幕府末期日本也有不少先进知识分子大力推崇传播这种“实学思想”，但其影响还主要是在民间，而岩仓使节团的主要成员都是明治新政权的领导骨干，因此上述思想认识上的重大变化，必然对日本的近代化产生巨大的推动。

四是确定了先“内”后“外”的治国“方略”。1873 年 3 月 15 日，德国首相俾斯麦会见了来访的使节团主要成员，俾斯麦说：“方今世界各国，皆以亲睦礼仪交往，然此皆属表面现象，实际乃强弱相凌，大小相侮。”“彼之所谓公法，谓之保全列国权利之准则，然大国争夺利益之时，若于己有利，则依据公法，毫不更动，若于己不利，则翻然诉诸武力，固无常守之事。”[①]弱小国家要想独立自主，必须“振兴国力”。他还讲述了当年弱小可欺的普鲁士，怎样在弱肉强食的国际环境中生存下来并成长为大德意志帝国的历史。俾斯麦的谈话，强调了两点，弱小国家能否生存并强大起来，取决于国家的实力，既要富国，又要强兵；在“内治”与“外交”的关系上，“内治”优先，搞好内治，外交上才有发言权。听了俾斯麦的这番“实力政策”讲话，岩仓使节团顿开茅塞，出访以来修改条约谈判失败的郁闷心情一扫而光。大久保对这位“铁血宰相”崇拜得五体投地，称其为“誉满全球的俾斯麦大先生”[②]，认为“治理新国家必须像他那样”[③]，以实力对强权，首先着眼于“内治”。他激动地写信给国内的西乡隆盛说：“听了傅斯麦的一席话，开始感到日本的前途大有希望了。”[④]

总之，通过出访，使节团成员目睹了西方文明的进步，承认了日本与西方的悬殊差距。岩仓在访问罗马时承认，“至此所视察之各国状况，似

① 久米邦武：《美欧回览实记》第三卷，第 329 页。
② 芳贺彻：《明治维新与日本人》，讲谈社学术文库，1980 年，第 241 页。
③ 三宅雪岭：《同时代史》第一卷，岩波书店，1949 年，第 340 页。
④ 信夫清三郎：《日本外交史》上卷，商务印书馆，1980 年，第 143 页。

英、美、德、法这样的强国自不必说，虽二三流之诸国，其文化之繁盛，亦为我国殊不可比”①。大久保也说：“到西洋这么一看，我们不适应这个世界。”②由此可见，使节团成员不仅在与西方的差距中增强了知耻后勇的迫切感，而且从欧美国家、特别是美国和德国短期内发展壮大的实践中坚定了后起直追的信心。如果说出访前明治政府的决策者对日本的发展方向和改革路径还很模糊，那么通过使节团出访欧美的洗脑，国家发展的战略蓝图及其近代转型的改革举措，已经在使节团的核心成员中成竹在胸。

（三）治国理政方针的确认

岩仓使节团回国后，若将出访期间确定的治国方针付诸实践，首先必须统一政府内部的认识，而政府成员的认识统一，却是经过明治政府成立后一场空前激烈的政治博弈实现的。明治初年的政府成员夹杂着各种成分，即使是下级武士出身的官僚，其治国理政的主张也不尽相同。以往在倒幕的大旗下，他们可以联合起来，倒幕任务完成后，其分歧和斗争就不可避免了。岩仓使节团出访期间，明治政府的领导权实际上由首席参议西乡隆盛为主的留守派把持。西乡竭力维护封建士族的特权地位，对新政府采取的削弱士族利益的政策极为不满。为了提高士族的地位，“使（士族）思乱之心移作兴国之远略”③，他积极主张征韩，鼓吹立即对外侵略扩张，于是在使节团回国后，政府内部即围绕着“外征”与“内治”问题展开了激烈辩论，就这场论战的实质而言，它已不是简单的新旧派阀之间的“权势之争”④。政府中的出使人员不谋而合地反对征韩，就连出访前曾率先提出过“征韩”的木户也改变了原有立场，主张先“内治”

① 春亩公追颂会编：《伊藤博文传》上卷，统正社，1944 年，第 724 页。

② 芳贺彻：《明治维新与日本人》，讲谈社学术文库，1980 年，第 226 页。

③ 信夫清三郎：《日本外交史》上卷，商务印书馆，1880 年，第 149 页。

④ 井上清：《日本历史》中卷，天津人民出版社 1975 年版，第 543 页。

后“外征”，认为，“内地，本也。外属，末也。后本先末决非得策”①。他在提交给政府的意见书中表明：“今乃专心致力于内治、奠定国基之时，对外之事，延缓数年亦不为晚。”②大久保向政府递交的意见书列举了七条反对征韩理由。③ 岩仓也说：“整顿国政，富国文明之进步乃燃眉之课题。”④结果，这场论战以征韩论的失败告终，西乡等人愤而退出政府，以岩仓、大久保为首的出使成员牢固地掌握了政府大权。对此，加拿大学者诺曼评论说，大久保等人“宁不取远征外国而明智地采取国内改造的道路……其政治才具是值得他们的国人给以最高的赞誉而当之无愧的”，“在过渡时期总要有人把舵，而他们即是有经验的领港”⑤。政府的大权掌握在以大久保为中心的内治派之手，意味着日本真正形成了一个近代化领导核心。以前的明治政府，是由西南强藩联合把持控制，带有比较浓厚的封建色彩，以大久保为中心的明治政权则以西方资本主义国家为楷模，不再局限于特别维护萨长等强藩的利益，而是着眼于整个国家和民族利益⑥，认定了日本要自立于世界民族之林，必须走资本主义的道路。在政治方面，为了强化中央集权，大久保改组了政府参议及政府各行政机构的主要负责人，并于 1875 年撤销了左院和右院，从而大大加强了内阁的权力。特别是大久保亲自掌握的内务省，不仅负责殖产兴业、土木、通信和交通业，而且兼及地方行政。大久保大胆提拔重用地方上成绩卓著的官吏，委以重任，以保证改革事业的进行。田村员雄在谈及这一点时，认为“事实上，地方官的任免，是按内务卿的意志行事”。因此把大久保的内务省称作日本政府中的“小内阁”绝非言过其实。这样，大久保等人得以依靠中央集权的力量，推行各项政治改革。例如，1873

① 烟山专太郎：《征韩论实相》，楚南拾遗社，1909 年译印，第 169 页。
② 春亩公追颂会编：《伊藤博文传》上，统正社，1944 年，第 734 页。
③ 芝原拓自：《世界史中的明治维新》，岩波书店，1979 年，第 175 页。
④ 芝原拓自：《世界史中的明治维新》，第 177 页。
⑤ 诺曼：《日本维新史》，商务印书馆，1962 年，第 102—103 页。
⑥ 杉田一次：《近代日本的政治战略》，原书房，1978 年，第 75 页。

年11月，任命伊藤博文全面负责立宪的各项准备工作。1875年设立了大审院（相当最高法院）。次年，又建立了各级地方司法机构。到1878年，司法制度已基本完备。在1872年颁布征兵令，实行义务兵役制的基础上，又在1876年颁布士族“废刀令”，实行金禄公债，从而否定了封建士族的政治特权。接着，在1877年，大久保坚决镇压了以西乡为首的西南武士叛乱，使明治政权真正地得到了巩固。

在经济方面，由大久保控制的明治政府在破坏和改造封建国家的经济基础的同时，自上而下地采取了一系列发展资本主义经济的措施。1874—1882年推行地税改革，期间于1875年3月成立地税改革事务局，大久保亲任总裁。改革后国家承认了自耕农对土地的所有权，承认了农民土地买卖和种植自由，同时采用了国家每年向土地所有者征收相当于土地价格3％的地税的新形式，（由于农民的反对和斗争，1877年，政府改地税为2.5％），从而基本完成了对封建领主土地所有制的改造，基本形成了近代土地所有制关系。

与此同时，明治政府大力推行“殖产兴业”政策，大久保本人更是为此倾注了心血。1873年11月成立以大久保为首长的内务省，社会经济改革的引领作用令人瞩目。内务卿大久保把“厚殖民产，振励实业”作为内务省宗旨，认为“创建炼铁业，并采用各种机器，是当前政务中最紧迫的任务”。① 1874年五六月间，他正式向内阁提出了《关于殖产兴业的建议》，为日本政府制定了一套完整的发展资本主义工业的政策。在这项政策下，一方面从中央到地方先后设立了许多官办农牧试验场、农具厂和农学校，推广西方农业技术，大量引进良种、举办劝农博览会等，显示了农业上推行“欧化主义”的姿态。由于日本农村浓厚封建因素的制约，人多地少，资金缺乏、地理气候不适等种种原因，造成粮食减产，试验场亏损乃至倒闭，大农具也无法推广使用。为此，明治政府调整了政策，逐

① 何利：《大久保利通和日本的近代化》，见《外国史知识》1981年第2期。

步确定了以日本传统农业技术为基础，兼采西方先进农业技术的方针，即所谓“混同农法”。制定了一系列农业技术立法，建立劝农社，召开劝农会，实行府县农事通信制度和农事巡回教师制度等，以指导劝农事业。从1881年始，日本农业改造主要放在推广良种、增施肥料、精耕细作、普及小型畜力农具、多种经营、发展农村商品经济等方面，取得了比较明显的成果。另一方面，明治政府带头兴办近代工厂，重点放在发展炼铁业和纺织业生产上。如对接收过来的幕府和各藩经营的官办企业进行技术改造和管理方法的改革。此外，大久保还特别重视发展民间工业，他认为，“若人民殷富充足，则国必随之富强”①。在这种思想指导下，政府举办各种“模范工厂”，大量引进外国技术和设备，不惜重金聘用外籍专家，以此向民间“示以实利”，以“诱导人民”。② 他们仿效西方的做法，通过举办中央和地方劝业博览会的方法，交流推广殖产兴业的成果和经验，千方百计吸引民间资本投放到工业上来。1878年夏天，政府在上野举办了国内第一次劝业博览会，时值西南战争爆发；形势极为紧张，内务大呈请示大久保是否中止博览会。大久保答称，“不用担心，战争是战争，博览会是博览会”③，其发展近代资本主义经济的急切心情和决心由此可见一斑。为了推动民间兴办近代工厂，政府还实行了国家固定资产无偿转让、免税、发放低息或无息贷款等各种优惠措施，以扶植资本主义工业的发展。据统计，到1880年止，政府向私营企业发放劝业贷款达80多万日元，向国立银行和私立银行贷款约2310万日元，其中特别优惠华族、旧官僚和特权大商人，仅对三菱公司的贷款就达到186万日元。④ 从1884年起，国营矿山及工业企业开始廉价处理给私人资本，从而推助了近代产业革命高潮的到来。

---

① 冈义武：《近代日本政治史》，创文社，1962年，第135页。
② 屋典郎：《日本经济史》，三联出版社，1963年版，第64页。
③ 冈义武：《近代日本政治史》，创文社，1962年，第138—139页。
④ 万峰：《日本近代史》，中国社会科学出版社，1978年版，第120页。

马克思指出:“保护制度是制造制造业者,剥夺独立劳动者,使国民的生产资料及生活资料资本化,强制缩短由旧生产方式到近代生产方式过渡过程的人为手段。”①由于明治政府采取的废除俸禄,地税改革、殖产兴业等重要的资产阶级改革,大大加速了日本资本主义原始积累的进程,日本第一批近代资本主义企业逐步地建立起来,1885 年前后,在日本出现了一个创办企业的热潮。在 1884 年到 1890 年间,日本的各种公司由 702 个增加到 3092 个,增长了 4.4 倍,资本额由 1340 万日元增加到 18936 万日元,增长了 14.1 倍。② 80 年代初,外贸业开始出现顺差,改变了明治以来一直逆差的状况。这一时期,日本农业也有一定的发展,粮茶丝等主要农产品产量有较大增长,到 90 年代初,日本已由一个农业国初步变成了资本主义农业工业国。

在文化教育方面,1872 年 8 月(阴历),明治政府颁布了学制,制定了强行普及全民教育的规划,要求做到“邑无不学之户,家无不学之人”③。此外,政府还专门聘请许多外籍教师,派遣大批留学生出国学习。尽管当时明治政府财政紧张、各方面都需要大量资金,但文部省所用的经费却是各省中最高的。④ 因此,日本小学就学率迅速提高。1877 年又建立了日本第一所官办大学——东京大学。不到半个世纪,日本就实现了全民教育的普及,这个速度超过了当时任何资本主义国家。教育的普及和发展,培养了大批从事近代化建设的人才。“文明开化”是日本发展资本主义的三大政策之一。当时,在政府的大力倡导下,“文明开化”一词就成了最时髦的口号,连伊藤博文这样的高级官员,也带头穿起洋服,跳起洋舞来,以至于在日本流传着“敲一下短发的头颅,竟作文明开化之音”⑤的笑谈。这既反映了当时学习西方的肤浅一面,同时也反映了这场学习

① 马克思:《资本论》第一卷,人民出版社,第 956 页。
② 守屋典郎:《日本经济史》,三联出版社,1963 年,第 100 页。
③ 大隈重信:《开国五十年》,星野锡,1909 年译印,第 512 页。
④ 万峰:《日本近代史》,中国社会科学出版社,1978 年,第 80 页。
⑤ 伊豆公夫:《日本历史讲话》,五十年代出版社,1951 年,第 111 页。

西方文明，大搞移风移俗运动的广泛程度。

在军警制度方面，岩仓使节团在出访中发现，欧洲能保全独立之小国“其兵颇为强健”①。认为日本要改变以往贫弱挨打的局面，确保独立国权，既要富国，又要强兵。1873年1月颁布《征兵令》，效仿西方组建和训练新式军队，并于1875年起逐步解散士族军队，1878年底又成立参谋本部，使其成为独立于政府的机关。日本军制的改造从一开始就具有自己的特点，1878年发布的《军人训诫》特别强调军人的“武士道”精神，要求必须效忠天皇。军队的这种封建性使之成为军国主义的得力工具。为了加强对国内人民的控制，明治政府进一步完善了警察制度。内务省建立后不久，就设置了东京警视厅，建立了全国各府县警察网，警察具有司法警察权和司政警察权，并成立了政治警察。这样，明治政府得以依靠严密的军警制度，推行对内镇压人民、对外侵略扩张的政策。

经过上述诸方面的改革，日本初步完成了近代国家的改造，走上了资本主义的道路。1889年日本帝国宪法的公布，最后确立了日本的国家体制。到19世纪90年代末，又通过谈判基本收回了国家主权。从此，日本便俨然以一个近代资本主义国家的面貌登上了世界政治舞台。

明治初年日本政府派遣的岩仓使节团，其规模之大，历时之长，效果之显著，在日本是史无前例的，在世界史上也是罕见的。正如日本著名历史学家井上清所说，这次出访，是“古今历史中无与伦比的文化大事业”②。当明治政权刚刚建立，日本社会处于历史性转折的紧要关头，是岩仓使节团的出访找到并确定了日本近代化的途径。通过出访而形成的以近代思想为指导、以大久保为中心的政府领导核心，明了世界形势，顺应历史潮流，大胆地学西方、赶西方，善于把外国经验与本国实际相结合，依靠中央集权的力量，采取自上而下的方式，在政治、经济、军事、文

① 久米邦武：《美欧回览实记》第四卷，岩波书店，1981年，第144页。
② 井上清：《日本历史》中卷，天津人民出版社，1975年版，第523页。

化教育等各个领域全面地推行资产阶级改革，使日本走上了资本主义道路。这次出访作为明治维新运动中的一个分水岭，把夺权和改革划分成两个不同的阶段，它不仅使“倒幕夺权”的成果得到巩固和发展，还保证了日本以最快的速度实现了近代化。①

三、地税改革

近代化是一场广泛涉及政治、经济、文化、社会等诸领域的深刻变革，这一变革同时包含着“破旧”与“立新”两个侧面。经济领域改革的核心是制度变革，土地改革则又构成经济制度改革的基础。这一改革所要完成的任务是，从制度上铲除阻碍近代经济发展的封建因素，为加速原始积累、推动私人资本主义经济的快速发展创造必要条件。

（一）地税改革的前提

典型的资本主义经济发展必然要经历一个原始积累的过程，这一过程萌芽于封建社会后期，即商品经济的发展打破自给自足的自然经济状态，使自耕农分化为地主和佃农。同时，随着近代手工业的发展和社会分工的扩大，工商业成为聚敛财富的投资领域，其发展的必然结果则是导致资产阶级和雇佣无产者两大对立阶级的形成。

在明治维新前的幕藩体制下，封建土地制度的基本特征是领主土地所有制。幕府（将军）通过承认各个藩主（大名）的藩地所有权及其对藩民的统治，换取各藩主对幕府统治的顺从，从而在政治上建立起一种上下等级森严、尊卑有序的封建统治秩序。

藩主土地所有制的基本形态是（不排除神社、寺院及其他所有形式的存在），全国土地被分割为幕府和各藩所有，藩民耕种藩主的土地并向

---

① 原载《南开史学》1982 年第 2 期，此处内容有删减。

藩主缴纳地租（实物地租，主要是贡米），藩主则必须遵守“参覲交代制”，定期赴江户服侍将军。当时的法令规定，永远禁止土地买卖，禁止自由种植。农民不得自由迁移或离开土地，不得与不同职业、身份者通婚。平民没有姓氏，衣食住行均有规范而不得越轨，这种状态酷似中世纪的欧洲。

传统观点认为，17 世纪以后的日本社会相当于欧洲的中世纪，德川时代的经济本质上是黯淡停滞的，特别是德川幕府末期，经济凋敝，广大农民在沉重的赋役下生活，极其艰难。① 然而最近的研究成果表明，在 17 至 19 世纪长达两个半世纪的江户时代，日本经济呈现了增长趋势。18 世纪中叶以后，随着封建经济的发展和阶级分化的加剧，日本社会内部已出现资本主义萌芽。一个重要的史实是，明治维新前夜，日本已广泛地存在着资本主义家庭劳动，工场手工业在经济发达地区、特别是在一些重要行业中发展迅速。

江户时代商品经济的发展呈现了两个显著特征，即江户时代前期的城市繁荣和后期地方经济的发展。德川幕府承继了丰臣秀吉时代的兵农分离政策，确立了严格的等级身份制度，在士、农、工、商四个等级中，士为专职统治者，农民务农，商者从商，工者从事各种手工业生产。四者之间以家禄、贡租和商品交换的形式联系起来，由此在全国形成无数由统治者、食禄者、工商阶层聚集的“城下町”，参覲交代制度则更直接地推动了江户作为特大城市的发展。据考证，到 17 世纪末，日本全国已有大小城市 300 个以上②，1731 年江户人口已超过 100 万，大阪作为江户居民消费供给地，人口也超过 40 万。③ 封建城镇的发展和庞大消费人口的出现，反过来又刺激了农村商品经济的发展。

---

① 速水融、宫本又郎：《日本经济史》第一册《经济社会的成立 17—18 世纪》，三联书店，1997 年，第 3 页。

② 儿玉幸多、太石慎三郎：《日本历史的观点》第 3 卷，日本图书公司，1974 年，第 214 页。

③ 沼田次郎：《日本全史》第 7 卷，东京大学出版会，1962 年，第 50 页。

幕藩体制下的贡租制是通过“石高制”来收取年贡的，即在检地基础上规定土地法定产量，据此收取地租。江户时代，由于大量开发土地、提高农业生产技术、改良作物种子、普及使用肥料以及改进农业生产工具等，单位面积产量不断提高，农业有了很大发展。与此形成对照，进入江户后期，由于例行的检地几乎荒废，致使单位面积的实际产量超出法定产量，耕作农实际收益增加。如明治维新前，全国土地的法定收获量约为3000万石，但1850年全国实际收获量多达4160万石，1872年为4680万石。① 再如幕末时期，幕府曾一度采用定免法，即丰年不增、歉年不减的收租方法，使法定地租固定化，从而刺激了农民的生产热情。有学者认为，到“幕末时期，名义上“五公五民”“四公六民”的高年贡率，实际上已经不到农民全部所得的1/3了”②。

商品经济的发展，诱使或迫使农民从事“商业性农业”和家庭手工业性质的副业，兼业农民大量涌现。“整个德川时代，农家始终是将以种植稻米为核心的谷物生产与其他‘农间余业’(副业)合而为一的经营体。”③兼业农户的广泛存在，形成了小规模农村工业在一些地区密集分布，商业在农村经济中普遍发展起来。“即便在儒学盛行而经济发展相对落后的水户藩周边地区，单靠农业生产维持生活的农民也已不多见。”④“在江户之北的桐生地区，农家均在农作的同时兼营养蚕业、丝织业或制造业。”⑤“1767年，西摄八郡花熊村78户农家中，以非农业职业为主及从事农业以外副业的合计达37户之多。”⑥“在信州佐文郡横根村，从18世纪70年代开始，农家以外的人口慢慢增多，幕末时期总户数的1/3是从

① 速水融、宫本又郎：《经济社会的成立 17—18世纪》，三联书店，1997年，第47页。

② 速水融、宫本又郎：《经济社会的成立 17—18世纪》，三联书店，1997年，第41页。

③ 斋藤修：《原始工业化的时代——西欧与日本的比较》，日本评论社，1985年，第197—198页。

④ 水户田四郎：《明治维新的农业构造》，御茶水书房，1960年，第53页。

⑤ 足力纤维同业会：《足力织物史》上卷，1960年，第22页。转引自李小白论文《近代转型期日本社会经济分析》。

⑥ 新保博：《封建小农的分解过程——近世西摄津菜籽耕作地带为中心》，新生社，1967年，第116—117页。转引自速水融、宫本又郎《经济社会的成立 17—18世纪》，第265页。

事农业以外职业，尤其是手工业。”①兼业农的出现说明在封建贡租体制的缝隙间，农民仍可能把贡租“剩余”投资于课税较轻而收入较高的副业。值得注意的是，幕末农村出现的“豪农”阶层不满于现行制度，已发出改变现状，实现土地私有的呼声。同样，以“城下町”为活动中心的豪商也已不满足四民之末的社会地位，他们要拓展活动空间，强烈要求打破幕藩割据体制的桎梏。

这种资本原始积累虽未达到成熟的程度，但幕藩体制下封建土地制度的动摇已是不争的事实。

《安政条约》签订后，西方廉价工业品蜂拥而入，充斥日本市场，压制了传统丝织业和棉纺业的发展。茶叶、生丝、煤炭及铜等原料性资源的大量出口，又引起国内物价的全面上涨。问题的关键还在于，开港打乱了传统的封闭经济的布局，迫使日本参与世界市场的竞争，于是土地私有化、种植自由化、地租货币化以及农民的择业、迁徙自由等，便成为时代发展的必然要求。

明治维新时，日本还是典型的农业国，农村人口占80%以上，国家财政收入的主要来源是地租，从《明治前期的土地税和税收总额表》中，可以看到地租收入的重要地位。

表3-1　明治前期的土地税和税收总额　　（单位：千日元）

年　度	1868	1869	1870	1871	1872	1873	1874	1875
土地税	2009	3355	8218	11340	20051	60604	59412	67717
税收总额	3157	4399	9323	12852	21845	65014	65303	76528

资料来源：《世界历史》增刊《明治维新的再探讨》，1981年，53页。

明治政府成立后，财政基础薄弱。戊辰战争后，新政府仅依靠没收幕府直辖地及其亲藩领地的贡租收入来维持财政，当时被戏称为“800万

① 关口尚志：《问题的提起——开港的世界经济史》，东京大学出版会，1983年，第13—14页。转引自速水融、宫本又郎《经济社会的成立 17—18世纪》，第265页。

石朝廷”。其时为了填补巨大财政亏空，只能大量印发政府纸币，结果引发了恶性通货膨胀。1871 年“废藩置县”、实现中央集权后，虽然具备了“3000 万石朝廷”的财政基础，但是由于各藩的债务连同“版籍奉还”一并上交给中央政府，国家的财政负担反倒骤然加重，士族俸禄的支付更是政府财政的一项重负。

从技术的角度看，改变旧的地租收取方式势在必行。旧税法在业已变化的时势下已暴露出各种弊端。一是完税形式复杂，既有米纳贡租、又有用菜种、盐甚至纱线、丝绸等实物顶替大米交纳。在用货币交纳的贡租中也是种类繁多，既有幕府、各藩发行的纸币、金本位币，又有银币、洋银、一分银等等。复杂多样的完税形式给政府财政收支统计带来了不少麻烦。二是以实物地租为基础的地租收缴成本过高，在米的检验、运输、仓储等过程中，巨大的事务费和损耗在所难免。据载，“明治三年的贡米，从距离最远的北陆地区运到东京的船费为，从越前三国出发每 100 石 151 日元 25 钱，从越后柏崎出发 129 日元 25 钱，按当时东京米价换算，同一方向贡米收入的 15%—20%消耗在海路运费上。①

地税改革的根本原因在于旧的封建土地制度及其税收方式已不能适应时代的要求，而刚刚成立的明治政府无论从维护政权稳定还是从抵御西方列强、发展资本主义的任何角度出发，都必须建立稳固的财源，这种财源在农业国日本只能从土地中寻找。同时，由于商品经济的发展，新生地主及豪商的要求，以及国际资本主义势力的压力，又决定了明治政府不可能沿袭幕藩时代的土地政策，而是必然在推行政治改革的同时，对土地制度及其地租形式进行近代化改革。

（二）地税改革的推行

地税改革自 1873 年 7 月明治政府颁布地税改革法令，到 1881 年 6

① 梅村又次、山本有造：《开港与维新》，第 148 页。

月撤销地税改革事务局，历时约八年。

地税改革政策的推出经历了较为充分的酝酿过程。明治初年摄津县知事陆奥宗光在府藩县同治论的建议中曾指出丈量土地的弊病，主张在全国统一税法，改实物地租为货币地租。1870 年 7 月，集议院副议长神田孝平在《田租改革建议》①一文中历数丈量土地和确定产量的繁琐、赋税不均、米税不便等旧税制的各种弊端，力主改革旧税制，确定统一的近代税制，其具体建议的内容包括：废除旧幕府规定的永世不得买卖土地禁令，允许土地自由买卖，颁发地券（即土地执照），允许买卖土地后按买卖土地价格确定地价，再按地价比率征收货币地税。《田租改革建议》是第一部较为系统的地税改革方案，实际上成为实施地税改革的最初蓝本。1872 年 6 月，神奈川县令陆奥宗光提出《地税改革建议方案》，对改革的基本要领，对旧税制的各种弊端以及实物地税的繁琐性做了更为深入的分析，特别是对确定地价的具体方法提出了切实可行的意见。陆奥反对神田提出的按实际买卖地价来计算地税的方法，主张以土地实际生产能力为依据测算地税，即收益地价方式②，从而解决了明治政府一筹莫展的难题。1872 年 7 月，陆奥宗光出任大藏省租税官。8 月，大藏省租税寮中新设地税改革局，陆奥任租税头（主管），主持地税改革的筹备事宜。

在酝酿地税改革的过程中，其他相关的经济改革也在同步进行。1868 年，政府下令禁止各藩私设关卡，允许农民自由迁移和居住。1870 年，废除了有关禁止农民弃农转业的规定，奖励开垦新田。1871 年，废除了旧幕府对农业商品经济发展的限制，允许农民自由种植作物，1872 年，解除《永远禁止土地买卖令》，承认了自耕农对土地的所有权以及土地的商品性，为地税改革的全面展开铺平了道路。

---

① 北岛正元主编：《体系日本史丛书》第 7 卷《土地制度史Ⅱ》，山川出版社，1975 年，第 218 页。
② 北岛正元主编：《体系日本史丛书》第 7 卷《土地制度史Ⅱ》，山川出版社，1975 年，第 236 页。

1873 年 7 月 28 日，明治政府同时颁布地税改革的五个文件，即（一）上谕，（二）地税改革法令（太政官布告），（三）地税改革条例，（四）地税改革施行规则（大藏省布告），（五）地方官须知书（大藏省下达给地方官的通告），地税改革正式开始。

上谕是明治天皇的谕旨，内称地税改革“一扫皇国数百年来之旧习”，新税法“公平画一”而“具有新时代观念”。① 显然，深知地税改革艰巨性的明治政府是要运用天皇的权威来压制来自社会的抵抗。

《地税改革法令》是地税改革的纲领性文件，规定“此次改订地税，原有田地贡纳之法悉皆废除”，“特指示地税可按地价 3%规定之”，“从前由于官厅及郡村所需经费等而课于土地之份额，一律改按地价征课。但金额不得超过本税金 1/3”。② 这则布告简明扼要地昭示了改革的基本方针和目的，即建立近代土地税制，保证国家最大限度的税收。

《地税改革条例》《地税改革施行规则》和《地方官须知书》是大藏省为了推行地税改革而制定的实施细则，其要点如下。

第一，以“资本还原法”核定地价。旧地税是以土地的收获量为课税标准（即石高制基础上的贡租），各藩国标准各异，造成全国地税种类繁多且手续极其复杂。神田孝平在建议中曾提出按土地买卖价格来制定地税标准，但因地价不断变动，实际操作困难。相比之下，此次地税改革首先是核定地价，如下表所示，其基本核定方法是，算出土地农产品的毛收益，扣除种子、肥料、税收等开支后算出纯收益，再用纯收益价格除以土地利息率，得出土地价格。

① 福岛正夫：《地税改革研究》，有斐阁，1962 年，第 260 页。

②《世界历史》增刊《明治维新的再探讨》，中国社会科学出版社，1981 年，第 184 页。

地税改革中的地价核算方式(例)

第一例(自耕地)

$$x\text{地价}=\frac{P(\text{米价}\times\text{米收获量})-0.15P(\text{肥料款})-[3x/100(\text{地租})+x/100(\text{村费})]}{0.06(\text{利息率})}$$

第二例(佃耕地)

$$x\text{地价}=\frac{0.68P(\text{佃农地租})-[3x/100(\text{地租})+x/100(\text{村费})]}{0.04(\text{利息率})}$$

资料来源:石井宽治:《日本经济史》,东京大学出版会,1993 年 117 页。

第二,根据地价,确定地税。当时规定税率为地价的 3%,所谓丰年不增,歉年不减。据测算,这种税率实际相当于土地收获量的 32%,较比"五公五民""四公六民"等旧贡租低百分之四五①,但若加上附加税等则与旧税相差无几。

第三,地税的完税形式一律用货币交纳。明治政府初期承继了幕藩体制的贡租形式,其中以实物地税为主体。1870 年大藏省曾宣布水田交纳实物(米)税,而旱田一律用货币交纳的通告。由于实物地租受到米价、运输、仓储等诸多因素影响,致使政府财政收入很不稳定。改用货币地租形式后,政府税收得到了保证。重要的是,货币地租的实行体现了近代税制的特点,其实施有利于促进商品经济的发展。

第四,征税对象由土地的实际耕作者转为土地所有者。封建贡租体制下,地租是按村摊派,实际由耕作者交纳。这是一种以集体的村落为对象,带有浓厚封建色彩的"连带责任制"。新税法征税对象的变化体现出国家对土地私有的承认和保护,"一地一主"的原则是对旧有封建土地领主占有的否定。

除上述五项地税改革文件外,随着改革事业的深入,社会压力加剧,明治政府不得不临机修改或调整了若干规定,采取了一些变更措施。

① 松方正义:《地税改革所由略说》报告书,转引自福岛正夫《地税改革研究》,有斐阁,1962 年,第 377 页。

1874年5月，追加《地税改革条例》第八章，对地价的确定办法做了补充规定，即地税改革后，因土地买卖地价发生变动时，按改革确定地价时起五年内的平均地价计算①，而不考虑以后土地买卖时的实际价格。这就使地价逐渐脱离了买卖价格而固定为法定地价了。

1874年11月又发布了《地区名称改革布告》和《区分公地、私田的指令》，把过去八种地区的复杂划分法简化为公有地、私有地两种划分。

1875年2月宣布废除1500种、更正9种国家税目，开征13种新税。

1877年1月，在农民的强烈要求和自由民权运动的压力下，明治政府宣布从1877年起，地税率由地价的3%减为2.5%；民费、村税等附加税不得超过地税的1/5。两者合计起来，地税率负担减轻了1%。

1877年9月，太政官布告公布了凶年租税延期交纳规则，缓和了极为严格的限期交纳不得减免的规定。

1881年，地税改革基本完成，但收尾工作却一直持续到1889年11月。1881年11月，制定了《有关争议土地地税征收内规》，对如何征收有争议土地的地税做了具体规定。1883年11月大藏卿松方正义起草了《地税法案》，1884年3月，宣布废止《地税改革条例》等，公布了《地税条例》，1889年12月《地税条例实行细则》的颁布，标志着地税改革的彻底结束。

地税改革过程中，明治政府主持改革的行政机构几经变更。地税改革正式启动前由大藏省负责策划。1873年大藏省租税寮内成立了地税改革局，主持改革事务。1875年该局改称地税改革事务局。1881年地税改革基本完成后，地税改革事务局被撤销，其业务由租税局内新设的“地税改革残务挂”接管。

这场范围涵盖全国、直接牵动社会各方利益的改革，在日本历史上亦无前例。因此，推行改革时采取何种方法和步骤关系到改革的成败。

---

① 福岛正夫：《地税改革研究》，有斐阁，1962年，第389页。

明治政府的做法中有两点值得注意。其一，改革先从农耕地入手，市街地大体与之并行，最后是山林原野。耕地改税从1873年开始，全面展开是在1876年和1877年两年，到1877年已完成了60%。山林原野的税改从1877年开始，到1881年基本结束。其二，根据各地区及各县市的不同情况，制定各地的改革时间表，不搞全国范围内的一刀切。如各地区的地税改革，虽然都是从1874年前后开始的，但结束的时间却大不相同，有的1875年便告结束，有的一直延至1881年。

（三）地税改革的意义

地税改革是一场涉及土地制度和租税制度的深刻革命，其核心问题是破除封建体制下的领主土地私有制，建立私有土地所有制，取消封建实物地租，建立起以货币地租为基本形式的全国统一的近代税收体系，通过这种土地制度及其税收制度的变革，把土地和人从封建制度的束缚下解放出来，使之成为资本主义生产的构成要素。这种改革在欧洲资产阶级革命的前夜曾以不同的形式先后完成，那是一个伴随着剑与火的残酷过程。

明治初期的地税改革也是朝着这一近代方向行进的改革，其在日本历史上的进步意义应该肯定，这是因为：

第一，改革废除了绵延数百年的幕藩领主所有制及种种封建法规，并按照“一地一主”的原则，建立了自耕农土地所有制。改革后允许土地买卖和自由种植，允许农民自由迁徙和选择职业，这就使土地及土地经营者摆脱了封建制度的束缚获得了自由，同时按照资本主义的原则其本身也成为商品。因此，可以说这一改革本质上具有近代性质，适应了时代发展的潮流，具有进步意义。

第二，改革解放了生产力，促进了农村商品经济的发展。地税改革后，耕地面积由1874年的4.1万町步增加到1886年的4.5万町步，1890年增加到5万町步，16年增加了22%。稻米单位面积产量由1878年的年均1.03石提高到1881—1890年的年均1.31石、1891—1900年的年均1.42石。经济作物如棉花、蓝靛、甘薯、茶叶等生产也有很大扩展，农业技术和土地改良事业不断加强，逐渐形成了很有特色的“明治耕作法”。

农村商品经济的发展从各阶层的收入结构变化中也可见一斑。1890—1912年间，一般地主(拥有17—19町步土地)的年收入由1697日元增加到4981日元，收入增加近3倍，自耕农收入增加2.2倍，佃农收入增加2.3倍。①

第三，改革加速了资本原始积累的进程。经过地税改革，近代地主制逐渐形成，农民也从被束缚在土地上解放出来，货币地租的实行则使商品经济在农村得到深入发展，其结果是日本农业开始走上近代道路。

地主制是在地税改革后经历一番自耕农的分化而逐渐发展起来的。地税改革承认了土地使用者为土地所有者，对土地的绝对占有，刺激了其对土地投入的积极性，良种的普及、近代农业生产技术的推广，带来了产量的增加和产品剩余的扩大，部分地主将部分剥削农民的剩余价值投资于近代工业和银行，促进了日本近代资本主义的发展。另一方面，随着商品经济的发展，农村的贫富分化也在加剧进行，部分土地所有者为生活所迫部分或全部卖掉土地，沦为佃农或半自耕农；另一部分土地所有者则成为地主，他们是农村的资产者。据统计，1872年全部耕地中佃耕地所占的比例为29%，到1883、1884年已升至36%—37%，1887年更增至39.3%。② 其时全国40%以上的水田和34%的旱田变成佃耕地，全国农户中有22%变成佃农，45%多少要佃租些耕地，纯自耕农仅占33%。③ 这表明，地主制在地税改革后迅速发展起来，各地相继出现了一些大地主，如新潟县的伊藤家、市岛家以及岛根的田部家都拥有耕地千

① 西川俊作、阿部武司:《日本经济史》第4册,《产业化的时代》(上),第162页。
② 大内力:《农业史》(《日本现代史大系》),东洋经济新报社,1960年,第67页。
③ 井上清、铃木正四:《日本近代史》,第70页。

町步以上。

另一方面，与地税改革后地主制的发展并行，农村无产者的队伍也在形成并迅速扩大。地税改革后，佃农与地主之间是一种资本主义性质的契约关系，佃农有人身、居住、择业的自由，不再被牢牢地束缚于土地。再者，新地税的征收对象是土地所有者，佃农只有在其租种地主土地时才会成为税负的实际承担者，当其在农村的生活无法维持时，无地农民有权选择其他职业，或迁移到城市谋生，马克思所说的自由无产者随之在日本产生。破产农民有多少流入城市而成为产业工人无从考证，但日本近代产业工人大部分源于农村是无疑的。从 80 年代后产业工人队伍的急剧增长中，可以反窥出地税改革对近代日本的资本原始积累具有多么深远的影响。1883 年，全日本国营、私营工厂和矿工人数为 9.2 万人，1885 年为 13.8 万人，到 1893 年猛增至 44.4 万人，1894 年 144.1 万人，1895 年更增至 159.8 万人。[①] 以上数据表明 19 世纪八九十年代是工人增长的高峰，而这个时期正是地税改革完成后农村阶级急剧分化的时期。

第四，改革的结果之一是建立了日本近代税收体制，保证了明治新政府的稳定财源。一个国家的财政收入，一般靠这个国家的税收来维持。日本步入近代社会时，国家的财政来源主要依靠农业税收，其中地税所占比例高达 80%。关税因不平等条约的限制数额较小。

地税改革后，地税收入急剧增加，在国税中所占的比例一度高达 90%，其后因其他税收逐年增加，比例才渐呈下降趋势。具体说来，地税比例 1875 年为 88.2%，1881 年为 72.1%，1891 年降至 56.3%。其他税目的比例则由 1875 年的 9.8%、1881 年的 28.3%，增长到 1891 年的 37.2%。地方税在 1875 年占税收总额的 25.4%，1881 年地税改革完成

① 井上清、铃木正四：《日本近代史》，第 465 页。

后一直保持在的30%以上。①

表3-2　国税总额及其内容的变化

年度	国税总额(A)	地税总额(B)	B/A	关税总额(C)	C/A	其他税额(D)	D/A
1875	57,025	50,345	88.2	1,718	3.2	4,962	9.8
1876	48,833	43,023	88.2	1,988	4.1	3,822	8.1
1877	47,041	39,450	84.6	2,358	5.0	5,233	11.1
1878	50,458	40,454	80.2	2,351	1.4	7,653	13.6
1879	54,370	42,112	77.5	2,691	4.9	9,567	17.6
1880	53,839	42,346	78.7	2,624	4.9	8,868	16.5
1881	60,016	43,274	72.1	2,569	4.3	14,172	28.3
1882	66,125	43,342	65.5	2,613	4.0	20,170	30.4
1883	65,386	43,537	66.6	2,681	4.1	19,167	29.0
1884	65,055	43,425	66.8	2,750	4.2	18,878	29.0
1885	50,982	43,033	84.4	2,085	4.1	5,863	12.8
1886	64,371	43,282	67.2	2,989	4.6	18,099	28.5
1887	66,255	42,152	63.6	4,135	6.2	19,967	30.1
1888	64,727	34,650	53.5	4,615	7.1	25,461	39.4
1889	71,294	42,161	59.1	4,728	6.6	24,404	34.2
1890	65,730	39,712	60.4	4,392	6.7	21,626	32.9
1891	66,423	37,457	56.3	4,539	6.8	24,426	37.2
1892	67,167	37,925	56.5	4,991	7.4	24,251	36.0

资料来源:楫西光速编《日本经济史大系5》(近代上)249页。

地税改革使明治政府获得了统一稳定的货币地税,解决了过去存在的收入是实物而支出是货币的矛盾,从而建立了正常的国家预算制度和稳定的财政基础。地税改革基本结束的1881年后,地税收入大体稳定在4000万日元左右。这笔收入对于担负着百废待兴任务的明治新政府来说意义重大。

地税改革的成功成为日本近代资本主义发展的重要保障,资金和劳

① 引自楫西光速编《日本经济史大系5》(近代上),第250页。

动力的相对稳定,保证了殖产兴业事业的展开,日本迅速发展为资产阶级国家,逐步跻身世界列强之林。

在对地税改革做出上述积极评价时,还须指出改革的局限性和不彻底性给近代日本留下的负面影响。

地税改革在法律上承认了新兴地主和自耕农的土地所有权即私有权,但并非是在农村推行了"耕者有其田"的政策,佃户并未得到土地,他们依旧要靠租借土地生活,只不过是更换了名义上的主人罢了。地税改革后,全国耕地中仍有 1/3 是佃耕地。据测算,在实行税改的 1873 年,佃耕地收入的分配比例是地主 34%、佃户 32%、国家 34%。但这一比例很快被改变,到 1878—1883 年,佃耕地收入的平均分配比例中,佃户所得比例虽无变化,地主和国家的所得比例却发生逆转,前者高达 58%,后者则退至 10%。可见,地主是地税改革的最大受益者。

表 8 国家、地主、佃农分配农产物的变化

	1873 年	1873—1876 年平均	1877 年	1878—1883 年平均
地主	34%	50%	55%	58%
佃农	32%	32%	32%	32%
国家	34%	18%	13%	10%

资料来源:吴廷璆主编:《日本史》,南开大学出版社,1994 年,第 389 页。

货币地租加速了农村经济商品化的进程,19 世纪八九十年代,日本农村出现了急剧的阶级分化,土地兼并盛行,土地佃耕率逐渐提高,寄生地主制开始形成。统计数字表明,全国土地平均佃耕率由 1883 年的 35.9%提高到 1907 年的 44.9%,增加 1/4 左右。[①] 另据《农地改革颠末概要》载:到 1935 年时,全国 514.6 万户土地所有者中,不满 5 反地的小所有者为 255.5 万户,占 49.6%,他们共有农地 92.3 万町步,占耕地面

① 引自近藤哲生《地税改革研究》,第 155 页。

积的 15.5%，若加上 5 反到 1 町步的土地所有者，则占农户总数 74.8% 的 385 万农户只拥有农地 191.4 万町步，占总耕地的 32%，也就是说约占总人口 25%的大、中地主占有土地的 68%，土地分配的不均相当严重。①

以这种畸形的土地占有状态为基础，寄生地主制在地税改革后不久逐步发展起来。寄生地主们并没有采用资本主义的经营方式来经营土地，而是继续着半封建的佃租形态经营方式，即把土地分割成若干块佃租给若干个佃农耕种，所谓"插花地中的插花地"，然后向佃农收取地租。同样，一个佃户往往也是租种几家地主的土地。这种租佃关系虽然已是一种带有资本主义契约性质的佃耕关系，过去那种严格的人身依附关系不复存在，但寄生地主向佃农收取实物地租的现象还相当普遍。关键的问题在于这种零碎分割的土地经营方式，一面继续把小农束缚在土地上，一面滋润着一个不劳而获的寄生阶层。寄生地主多居住在城镇，他们只关心如何确保佃租收入而不断扩大财富的积累，对如何增加土地投入，如何通过改进农业生产技术来提高生产力不感兴趣。日俄战争后，寄生地主制的发展使日本农村经济明显走向凋敝，而农村的贫困化所酿成的严重社会问题，又成为日本"国内问题国外解决"、加快对外侵略步伐的原因之一。可以说，地税改革中未能解决的土地制度中封建因素的残存，是近代日本资本主义走上畸形发展道路的经济原因。②

四、废除士族俸禄

1869—1871 年，明治政府通过"版籍奉还"和"废藩置县"，剥夺了地方诸侯对领地、领民的统治权，建立了高度中央集权的政治体制。与此同时，在"四民平等"口号的掩饰下，进行了身份制度改革，将公卿和大名

① 日本农林省监修、农地改革记录委员会编纂:《农地改革颠末概要》，农政调查会社，1951 年，第 598—599 页。

② 原文与张玉来合作，载于杨栋梁等著《日本近代以来经济体制变革研究》，人民出版社 2003 年，本处有删改。

编入“华族”,一般武士编入“士族”,农工商业者编入“平民”。然而,虽然“华族”失去了采邑,武士失去了“主公”,但其生活上依然有政府支付俸禄[①]的保证。据1871年10月至1872年12月的政府财政决算,5733万日元总支出中,家禄支出1607万日元,约占总支出的30%。当时政府收入的主要来源是地税,同期收入为2005万日元,这意味着地税收入大部分被用于支付华士族家禄了。[②] 显然,供养这个庞大的社会寄生群体成了明治政府一个尾大不掉的沉重财政负担。

明治初年百废待兴,新政府既要时不我待地殖产兴业,发展资本主义经济,又要兑现“废藩置县”时的承诺,偿还幕府和各藩积累的7813万日元债务,保证华士族俸禄的支付,在财政窘困的现实条件下,必须找到彻底摆脱困境的出路,废除士族俸禄便是其大胆的政治决断。

(一) 废俸的政策措施

德川时代以来,华士族享有的各种特权已经约定俗成,社会影响根深蒂固。武士既是“武力”的所有者,也是知识的所有者,堪称社会“脊梁”。因此,武士的人心向背,直接关系到社会的稳定乃至政权的存亡,德川幕府垮台和明治政府成立的历史剧,本来就是西南强藩等勤王倒幕派武士导演的“作品”。恰如福泽谕吉所言:“挑起战乱的是士族,治国安邦的也是士族。”[③]因此,在是否废俸的问题上,明治政府面临两难选择,贸然废俸,会引起士族反抗,导致社会动乱,损害政治统治根基;不废俸,沿袭封建“陋习”,则无法适应近代“丛林法则”,大和民族恐将为弱肉强食的世界所淘汰。

与地税改革类似,废俸政策的出台同样经历了较长酝酿过程。明治初年推行版籍奉还、废藩置县及身份制改革期间,取消士族俸禄也开始

① 俸禄包括世袭俸禄、终身俸禄、年俸禄及奖赏。

② 大藏省编:《明治前期财政经济史料集成》第4卷,东京:明治文献资料刊行会,1963年,第43页。

③《福泽谕吉全集》第5卷,东京:岩波书店,1967年,第221页。

进入议事日程。右大臣岩仓具视在1870年8月起草的《十五条意见书》中提出，“应变革华、士族及卒家禄之制”[①]。之后又在《昭明国体确立政体意见书》中建议采用“清偿法”，“将家禄定为家产发给禄券，并准许禄券买卖”。[②] 同年10月，政府参与木户孝允在《决定士族前途意见书》中建议：“当务之急在于裁减天下士族之旧禄以养新兵。”[③]这些建议，为最终废除华士族俸禄定下了基调。

废俸政策的实施是按照先易后难、先局部后整体、先自愿后强制的思路，分三个阶段推进的。在1870—1873年的第一阶段，政策目标是削减俸禄，重点对象是德川家族成员及佐幕诸藩的华士族。采取这一措施后，明治政府的俸禄开支减少了800万石[④]，仅相当于幕末时期的40%。当时还小范围地进行了俸禄买断的试验，鼓励士族从政府一次性领取五年的俸禄后自食其力，不再享受俸禄。据统计，有4000多名士族响应了政府的号召。

在1873年底至1875年8月的第二阶段，为了促进华士族从事农工商业，明治政府在先行试验的基础上，以发放创业资金的名义，对中下层士族俸禄实行“买断”。具体办法是：在士族“自愿”的前提下，允许年俸不满100石者“献出家禄”，作为补偿，政府以现金和年息8%的债券各占一半的方式，向献出世袭俸禄、终身俸禄的士族一次性发放6年和4年的俸禄。翌年，又把政策对象扩大到年俸100石以上者。截至1875年7月，献出家禄的士族约10万人，其中多数为尊王倒幕过程中站错队的佐幕士族。当时，为了保证俸禄买断的现金支付，明治政府在伦敦筹集了240万英镑外债。

在1875年9月至1876年的第三阶段，明治政府先是宣布华士族俸

① 多田好问编：《岩仓公实记》下册，东京：原书房，1979年，第831—832页。
② 深谷博治：《华士族秩禄处分研究》，东京：高山书院，1941年，259页。
③ 深谷博治：《华士族秩禄处分研究》，东京：高山书院，1941年，第264页。
④ 楫西光速等：《日本资本主义的发展》第1卷中译本，北京：商务印书馆，1963年，第28页。

禄的支付形式一律由以往的禄米改为货币，即改行“金禄制”；之后于1876年8月公布《金禄公债证书发行条例》，宣布废除俸禄制度，所有华士族必须接受政府的一次性俸禄买断。条例规定：“家禄、赏典禄之授予，前有永世、终身、年限之分，今改其制，自明治十年起一律赐予金禄公债证书。”具体实施办法是：“禄额为1000日元以上的家禄，一次发给6至7年禄量的公债证书，利息5分；100至1000日元者，一次发给7至10年禄量的公债证书，利息6分；20至100日元者，一次发给10至13年禄量的公债证书，利息7分。以上公债证书的零头均以10分利支付现金，公债本金自发放后第6年起抽签偿还，三十年还清。”①

与第二阶段的“自愿”献出俸禄不同，第三阶段是强制性俸禄买断，因此动作迅速，效果立竿见影。据大藏省统计，华士族有31万人领到了金禄公债证书，其中领取1000日元以上的高俸禄者519人，人均6万余日元，占总人数的0.2%和公债总额的18%。一般士族成员人均领取415日元，地位低下的士族领取的债券额只有100日元左右。② 另据统计，此次俸禄买断，明治政府发授的金禄公债总额为1.738亿日元，加上73万日元现金，共计1.74亿日元。③

这样，明治政府通过赎买手段，废除了德川幕府以来延续了200多年的俸禄制度，根除了华士族赖以寄生的经济基础。

（二）金禄公债“变成”银行资本

华士族俸禄的废除，只是解决问题的第一步。事实上，废除俸禄后的遗留问题还相当严重。首先，1.74亿日元的金禄公债，相当于当时三个年份的国家财政开支，政府的债务负担骤然加重。其次，如此大规模

① 早稻田大学社会科学研究所编印：《大隈文书》第3卷，东京：1960年，第170页。

② 吕万和：《明治初年的秩禄处分》，《历史教学》，1986年第3期。

③ 大藏省编：《明治前期财政经济史料集成》第8卷，东京：明治文献资料刊行会，1963年，第475页。

地发行公债，很容易引发通货膨胀，而一旦无法遏制通胀，势必引起金禄公债贬值，进而影响到华士族的生活和社会的安定。再次，且不说下层士族依靠微薄的公债收入难以度日，即便是获得巨额公债的华族和上层士族，如果守着金禄公债坐吃山空，日本也是没有前途的，因此在推行俸禄买断政策时，还必须考虑如何使华士族这一食禄阶级适应社会发展、成为时代新人的根本问题。明治政府在解决这些难题时，主要是围绕着金禄公债的"活用"来进行政策设计的。

金禄公债是一种附有严格条件限制的有价债券。根据最初的规定，金禄公债分期兑现，即只能在六年后的既定年份、按照既定额度兑换为现金，而不能在现实的市场上自由流通。这意味着，对持有债券的华士族来说，金禄公债虽然是一种有价证券，但"远水不解近渴"，还不是可以有效支配的现实资金；对明治政府来说，"活用"金禄公债的宗旨，是使之成为近代资本主义投资的资本，而不是作为单纯的消费资金挥霍殆尽。

实际上，在做出废俸决定的同时，掌握政府实权的内务卿大久保利通和大藏卿大限重信等未雨绸缪，已经精心设计了废俸后"活用"金禄公债的路线图，其政策目标是把金禄公债变成银行资本，以改善近代经济发展资金供给紧张的局面。在即将公布《金禄公债证书发行条例》的1876年8月1日，明治政府宣布大幅度修改1872年颁布的《国立银行条例》①，其要点是：第一，旧条例规定国立银行的最高纸币发行额为其总资本的60%；新条例则将之提高到80%。第二，旧条例规定银行发行的纸币可与正币（金币）兑换，为确保信用，银行须持有相当于其总资本40%的正币；新条例则在规定银行须持有相当于其总资本25%的政

① "国立银行"是容易产生歧义的称谓，其本意是根据国家法律建立的民间银行。1872—1885年，日本政府和各个国立银行均有纸币发行权，因此是各种纸币同时流通的特殊时期。1883年日本银行成立后，于1885年发行日本银行券，同时开始回收各民间银行发行的纸币，最终实现了全国纸币的统一。

府纸币的同时，免除了银行纸币与正币兑换的责任。第三，旧条例规定，国立银行总资本的60%须以支付政府纸币形式购买国家公债，以此为抵押，获得等额的银行纸币的独立发行权；新条例则规定，只要是政府发行的年息4%以上的公债，均可视为银行的抵押资本。显然，条例的修改，大大放宽了开设银行的条件限制，特别是政府公债也可以作为银行本金使用的规定，无疑为多达1.74亿日元的金禄公债开辟了"利用的途径"①。

《国立银行条例》修改后，政策效果显著。1876—1879年（财年起止时间为当年7月至翌年6月），华士族手中的禄券大量投向金融业，日本出现了近代第一次兴办银行的高潮。统计资料显示，四年中全国成立银行153家，其中1876年和1877年成立39家，资本金2655.56万日元，华士族禄券投资额1782.61万日元；1878年和1879年成立114家，资本金1368万日元，华士族禄券投资额为1129.5万日元，占总资本的83%。②另据日本学者的研究，实力最雄厚的第十五国立银行成立时，总投资1782万日元全部来自华族，故有"华族银行"③之称。

由此看来，银行热是靠金禄公债的"活用"托起来的，政策的魔杖使一纸不能即时兑现的金禄公债转瞬变成了现实的银行资本。

1876至1885年的十年，是近代日本资本原始积累的关键时期。日本学者中村政则指出，这一时期的资本积累主要通过三种途径：一是国家通过地税改革、俸禄处理以及货币制度改革获取资金，形成国家资本；二是持有巨额金禄公债的华士族资产转化为银行资本及铁道资本；三是旧垄断商人和地主阶层的资产转化为财阀资本。④ 中村认为，三种来源中，华士族资本尤为重要。的确，华士族既是前述的近代银行业投资的

① 梅村又次、山本有造编：《日本经济史》第3卷中译本，北京：三联书店，1997年，第160页。
② 吉川秀造：《士族授产研究》，东京：有斐阁，1940年，第259页。
③ 石田舆平：《日本经济的发展》，智慧女神书房，1973年，第33页。
④ 大石嘉一郎编：《日本产业革命的研究》下册，东京：东京大学出版会，1983年，第70—72页。

主力,也是后述的近代企业的主要投资者和经营者,而其所以能够在近代转型中扮演如此重要角色,一个不容忽视的根据是:在向近代出发的起跑线上,华士族除了自身具备的"素质"外,不仅一开始就掌握了一笔政府授予的金融资产,而且享受了金禄公债"活用"的政策优惠。

(三) 华士族的"变身"

华士族俸禄问题涉及到两个方面,一是现实选择上要不要彻底废除俸禄制度以及怎样废除,二是从长远观点看废俸后能否使华士族在近代国家建设中发挥正向作用。对此,右大臣岩仓具视认识清醒,早在明治初年就强调:"以现下情况,具有百科学问、可使国家事业进步者,士族之品性尤为接近。""将来扶持国家之文明、维护国家之独立者,非此等高尚种族不可。"①主管政府财政的大限重信也表示:废除俸禄的政策宗旨不只是"革除以有用之财养无用之人之弊",更要"使无益之人就有益之业"。② 从政策的实践效果看,这一初衷已经实现。

1876 年废俸后,华士族以金禄公债为本金,先是向金融业大量投资,继而向铁路、纺织、物流等近代工商业领域扩展。1886 年日本近代第一次产业革命高潮的发生就是以此为背景的。对此,生活在同时代的福泽谕吉深有同感,他说:"今日,我国的银行业也好,海运、铁路、诸制造业也好,凡理财殖产之大事业,均为士族学者流所操办。"③经济史学者土屋乔雄认为,明治时期新兴的企业家多出身于旧商人以外的诸阶级,其中最重要的实业家,大多来源于武士、准武士、医生或农民。④ 美国学者布莱克得出的研究结论是:"尤其在明治初年,大多数新兴企业,如金融、交通、

① 多田好问编:《岩仓公实记》下册,东京:原书房,1979 年,第 548 页。

② 芝原拓自:《日本近代化在世界史上的地位》,东京:岩波书店,1981 年,第 199—200 页。

③ 福泽谕吉:《福泽谕吉全集》第 5 卷,东京:岩波书店,1967 年,第 373 页。

④ 土屋乔雄:《日本资本主义史上的领导者们》,东京:岩波书店,1941 年,第 171 页。

纺织、保险等方面的企业，均为士族企业家最早兴办。”①另据有关研究，明治时期华士族出身者，占企业家的48%和各级政府官员的41%。② 此外，在军队、警察和各类学校的教师中，华士族出身者也占有很高的比例。

具体说来，在金融界，1877—1887年东京府成立的16家国立银行中，除了第二十七银行没有留下相关资料外，第十五国立银行的股东和经营者全部是华族，其余14家银行的62名高级管理人员中，士族出身者为39名。③

实业界的状况也大致如此，华士族以金禄公债为初始资本，积极组织或参与近代企业的创建，成为企业的股东或经营者。根据明治时期东京府的一项调查，1877—1882年间，东京地区创建了91家公司，401名发起人中，华士族出身者156名，占发起人数的39%。④另一项显示士族参与度的统计数字是：1876—1882年，在政府的号召和直接贷款的优惠政策下，东京地区成立了近200个独立的士族工商业组织，约10万名士族参与了组织活动。④

废俸后“下海”并迅速成长为银行家和企业家的华士族成员不胜枚举，其中享有“日本企业之父”美誉的涩泽荣一最具代表性。涩泽出身于豪农家庭，做过幕末将军德川庆喜的幕臣，明治政府成立后入朝为官，曾任大藏大丞。1873年，涩泽弃官从商，创立了日本第一家股份制银行第一国立银行并担任行长，之后依靠其“在野官僚”的特殊地位及“论语加算盘”的独特经营理念，组织创建了王子制纸、大阪纺织、东京人造肥料、东京瓦斯、东京储蓄银行等500家企业，经营领域涵盖金融、铁路、轮船、钢铁、电气、炼油、采矿等几乎所有重要经济部门，直至发展为赫赫有名的“涩泽财阀”。

---

① C. E. 布莱克：《现代化的动力》中译本，成都：四川人民出版社，1988年，第310页。
② 青木利元：《日本型“企业的社会贡献”》，http://kokenn.good-job-zeirishi.biz。
③④ 李文：《武士阶级与日本的近代化》，石家庄：河北人民出版社，2003年，第300页。
④ 乔恩·哈利戴：《日本资本主义政治史》中译本，北京：商务印书馆，1980年，第60—61页。

五代友厚无论在经历还是地位影响上，都是堪与涩泽荣一匹敌的士族企业家。“东涩泽，西五代”的流行语，反映了当时商界的共识。五代生于萨摩藩吏之家，1869 年辞掉政府参与之职后下海经商，组建通商公司、汇兑公司、大阪造币寮、堂岛米商会所、大阪股票交易所、大阪制铜公司等，成为了关西商界呼风唤雨的领军人物。

三菱财阀的创始人岩崎弥太郎是士族企业家的又一代表。岩崎出身于土佐藩破落武士之家，早年在土佐藩的开成馆货殖局效力，积累了“洋务”经验。明治改元后，买下商馆的一部分资产，建立了家族企业三菱公司，专事海上运输。1874 年日本出兵侵台时，三菱受命代管政府的 13 艘轮船，承担了侵台的军事运输任务，因“使用上大尽其力”①，深得大久保等政府要员赏识，战后不仅廉价将这批政府船只归为己有，而且开始享受政府特许的优惠贷款及航运补助。至 1885 年，三菱已成为日本航运业的巨无霸，不仅垄断了国内 18 条航线的运输，而且开辟了远至中国上海、朝鲜釜山、俄国海参威的七条国际航线。② 在此期间，三菱还接管了官办企业高岛、油户、中岛煤矿，佐渡金矿和长崎造船所，从而一跃成为跨业经营海运、造船、采矿、国内外贸易的超级政商。

应该指出，在废俸后华士族的“变身”过程中，成为士族企业家的毕竟还是少数，多数士族成为了自食其力的普通国民，从长野官办缫丝厂大量雇用士族家庭出身女工的纪录看，靠出卖劳动生活的士族家庭也很普遍。大浪淘沙，在近代社会转型的过程中，华士族这一昔日的寄生性统治阶级，已被分化为资本主义发展所必要的资产者和无产者。

明治维新是“不想灭亡的”日本民族“采用资产阶级生产方式”③的范例，其“不想灭亡”的途径和方法是改革和创新，而每一步改革和创新又与风险相伴，废除华士族俸禄也是如此。明治政府宣布买断华士族俸禄

① 日本史籍协会编印:《大久保利通文书》第 6 卷，东京:讲谈社，1927 年，第 384 页。

② 岩崎家传记刊行会:《岩崎弥太郎》上，东京:东京大学出版会，1980 年，第 148—153 页。

③《马克思恩格斯选集》第 1 卷(上)，沈阳:人民出版社，1972 年，第 254—255 页。

后，各地接连发生士族暴乱，1877 年西乡隆盛领导的西南士族叛乱，响应者 3 万余众，明治政府是举全国之力，花费半年多时间才镇压下去的。对于当时的改革，日本学者高桥龟吉评论说："如此一系列对封建制度的破坏，是当时的武士阶级事前普遍想象不到的。不仅一般武士，即使是推进革命的主要势力也大多如此。他们原本是在尊王攘夷的旗帜下动员倒幕势力的，然而完成倒幕后却摇身一变主张开国，成了狂热移植西欧文明的领导者；倒幕是依靠诸侯的兵力实现的，按照传统的想法，诸侯们以为新政府必然会给予他们更大的权力，然而事实正好相反，掌握了政府实权的他们昔日的家臣，通过废藩置县剥夺了他们祖传的权力；舍命参加倒幕的大多数武士也曾幻想打败幕府后会加官晋爵、荣华富贵，岂料昔日的战友做了新政府首脑后，迅即全面废除武士阶级特权，始则减俸，终则以金禄公债了断。"①

以金禄公债一次性买断华士族领取俸禄特权的重大举措，反映了明治政府的决策者顺应时势的政治见识和胆魄；允许以金禄公债为本金创设银行和企业，使虚拟的远期资金变成现实的投资资本，为华士族开辟了走新路、做新人之门，显示了决策者的经济智慧。

由此看来，金禄公债的发行起到了三重效果：一是以和平、赎买的方式解除了华士族的经济特权，从而一定程度上降低了改革的风险；二是把政府债务演化为民间资本，促进了原始积累，扩大了资本主义经济发展所必要的融资渠道；三是通过废俸和金禄公债的"妙用"，强制与诱导并行，促进了华士族的改造和"变身"，从而在旧有的寄生阶级中分化出资本主义发展所必要的资产者和无产者。从这个意义上说，废除俸禄制度及其金禄公债的妙用，堪称一项化腐朽为神奇的制度创新。②

---

① 高桥龟吉：《日本近代经济形成史》第 2 卷，东京：东洋经济新报社，1968 年，第 22—23 页。

② 原文《"金禄公债"的妙用——日本明治维新时期废除华士族俸禄政策再探讨》与刘芳兵合作，刊于《历史教学》2014 年第 8 期，此处有删节。

第二章　产业革命时期的政策操作

近代日本的产业革命，是以明治初期强力推行的“殖产兴业”政策为前提展开的。从1886年出现第一次产业革命高潮，到一战爆发前夕，日本仅用了1/4世纪的时间，便完成了以轻纺工业和交通运输业为中心的第一次产业革命。

一、海运振兴政策

1868年日本发生明治维新前后，欧美强国的蒸汽轮船已游弋于世界各地，而日本海运业却还停留在风帆摇橹时代。因此，当列强于1854年迫使日本打开国门、继而签订通商航海条约后，不仅掌握了日本对外贸易的海上国际商路，而且夺取了其国内主要海上航路的经营权，从而在获取现地投资生产利润的同时，垄断了日本商品国际国内流通环节所产生的巨大利润。

然而20年后，日本民族海运业异军突起，不仅夺回了国内主要海上航线的经营权，而且买断了外资开办的国际海上航线经营权，在世界性市场竞争的海上物流领域取得了主动地位。

近代日本海运业发展何以如此迅速？要解开这一谜团，不能不从当时国家推行的海运振兴政策说起。

（一）亟待解决的海运问题

“资产阶级社会的真实任务是建立世界市场（至少一个轮廓）和以这种市场为基础的生产。”①日本开国后，欧美商船纷至沓来，日甚一日地将工业品连同近代文明一起倾销日本，急剧地侵蚀瓦解着日本经济和社会。具体说来，欧美商人利用不平等条约，以雄厚的资本为后盾，把持日本的对外贸易权，在日本各开放港居留地上办商馆，推销商品，并掠取资源。强大的外国商船队频繁往来于日本沿海，与居留地上的外商结为一体，构成所谓“居留地贸易体系”。特别是1870年美国太平洋邮船公司开设横滨至上海支线后，完全压倒了日本传统海运业，使日本对外贸易形势更为不利。据统计，自1869年（明治二年）起，日本对外贸易连年入超，到1874年止，入超总额已多达5075万日元。② 在1874年进出口贸易总额中，外商经办的比重竟占99.56%。③ 这种状况不仅直接打击了日本的传统产业，而且导致物价连年上涨，金银币大量外流。

为了改变这一状况，明治政府成立伊始，便提出“殖产兴业”“富国强兵”口号，旨在加快发展国内产业，自强图存。但是，当时的经济基础薄弱，从海运业看，直到开国前，海运还完全依赖远落后于时代的和式风帆船。到明治政府成立后收缴各藩轮船时，全国不过有35艘轮船，15468吨，11艘洋式风帆船，2457吨。④ 这便是明治初年日本从事近代海运业的微薄家底。

明治初年，为了发展海运业，新政府采取了以下措施。

一是颁布有关法令，鼓励私人海运业。1869年2月，明治政府宣布，

---

①《马克思恩格斯全集》第348页。

② 史密斯：《明治维新与工业发展》，东大出版会，1971年，第50页。

③ 大久保利谦编：《近代史史料》，吉川弘文馆，1980年，第25页。

④ 丰田武、儿玉幸多编：《交通史》（体系日本史丛书24），山川出版社，1980年，第481页。

“今后直至百姓町人，皆准持有洋式风帆蒸汽船。”①次年 3 月，又颁布《邮政商船规则》，宣称“给持有洋式轮船者优厚照顾”②。

二是成立海运业管理机构。1868 年 1 月，政府设立国内事务科(后改为国内事务局)，负责京畿事务和“各地水陆运输”；同年闰 4 月，又在会计官下设立驿递司，负责水陆运输；1869 年 7 月后，该机构两次归民部省管辖，又两次转归大藏省所属(即大藏省通商司及后来的驿递司)。及至 1874 午 1 月内务省建立后，驿递司由大藏省转入内务省，并改称驿递局，除负责水陆运输外，还掌管国内外邮便、国内商船等业务。

三是直接创办半官半民的海运公司。1870 年 1 月，明治政府联合三井及大阪、东京商人，在通商司管辖下，建立“漕运公司”，包括 2 艘政府下放船在内，该公司共有轮船 13 艘，开辟东京到大阪每月三次的定期航线，因轮船破旧，经营不善，不到一年，便损失 12 万日元，次年遂告解散。1872 年 8 月，明治政府两次联合三井、鸿池等富豪，新建半官半民的“日本邮政轮船公司”，将废藩置县后收缴的 16 艘轮船，以 25 万日元、15 年还清为条件交给该公司使用，并发给该公司每年 60 万日元补助金；此外，还给予该公司承担全国贡米运输、邮便传送等专利。在政府的保护参与下，该公司开辟了东京、大阪、函馆、石卷等航线。结果也因经营不利等原因，发展前途暗淡。

可见，明治初年对海运业的管理和扶持，临时对策色彩浓厚，振兴海运业还必须有更加长远的战略考虑和更大力度的支持措施。

(二) 近代海运政策的制定

1873 年 10 月，岩仓使节团结束了对欧美十二国的考察访问返回日本，由此，明治初年的改革进入一个新阶段，也给海运业的发展带来了决

① 丰田武、儿玉幸多编:《交通史》(体系日本史丛书 24)，山川出版社，1980 年，第 479—480 页。
② 丰田武、儿玉幸多编:《交通史》(体系日本史丛书 24)，第 484 页。

定性转机。

出访前的明治政府，虽有学西方，走资本主义道路的愿望和要求，但因种种原因，对“内政如何改革，法律如何制定，政务施行何种方略，外交以何为标准……”等一系列重大问题，尚缺乏理论认识和实践经验，因而不可能有完整的发展规划，在政策的制定上难免是“分散的、随机性的”。[①] 而出访后以大久保为首的明治政府，已在实地考察研究西方资本主义制度的基础上，形成了全面改造和建设日本的总体设想，确立了产业与商贸发展并重的思想，把殖产兴业扩大到农业、轻工业、商业、外贸等广泛领域，旨在使各产业互相促进，协调发展，并采取“已建成者保护之，尚未就绪者诱导之”[②]等劝导保护私人资本的措施。

殖产兴业的全面展开，必然对海运业提出更高的要求。这一点在岩仓使节团访问欧美时，有了更为深刻的认识。在美国，使节团考察了北美的湖河运输业，对美国内陆水运盛况感叹不已，认为像日本这样的“环海之邦”，“适合运河漕舟”。[③] 在英国，使节团先后参观访问了许多港口、码头设施、造船厂，研究了英国航海法，额受教益和启发。使节团副使大久保利通回国不久，在呈送政府的建议书中说：英国那样的“小国”之所以能够称雄世界，除其工业发达外，“据环球漕运之利”，也是振兴工商业，使国家臻于强盛的重要原因。英国海运业的发达，除其“占岛屿之地，得港湾之便”外，还因其“奋然制定前古殊有之航海法”，以便“增加其国船舶数量，使国民熟练航海之术”；“杜绝外国产品滥入，保护国内工业而使之昌盛”。大久保认为，日本的“地形与天然之利与英国类似”，应当以英国为“规范”，充分利用自然优势、大力扶植发展海运业。[④] 当时掌管财政大权的大藏卿大隈重信则在批判总结前期交通建设经验教训的基

① 藤村通等：《近代日本经济史》，中央大学出版部，1983 年版第 80 页。
② 日本史籍协会编印：《大久保利通文书》5，1928 年，第 563 页。
③ 久米邦武：《美欧回览实记》第 1 卷，岩波书店 1978 年，第 276 页。
④ 日本史籍协会编印：《大久保利通文书》5，1928 年，第 593—565 页。

础上，明确提出优先发展海运业的主张。1875 年 1 月，大隈在提交给政府的建议书（即所谓“二议五策”）中指出，岛国日本“天意殆在专以此资助海上运漕交通而立其国”。发展铁路运输业，耗资费力，急难见效，同发展海运业相比“难易悬绝”，因此“首先依天然之地形，收运漕交通之便益，实为我国先行之要务”。[①] 这表明，在优先发展海运业上，明治政府的主要决策者已达成了共识。

1875 年，日本政府以琉球漂流民被台湾土著杀害为借口，悍然出兵侵略台湾。事前，明治政府本打算雇用美国太平洋邮船公司担任军事运输，但美国政府基于某种原因，宣布局外中立，太平洋邮船公司拒绝受雇，英国也从维护在华利益考虑表示了同样的立场。缺乏思想准备的明治政府只好采取紧急措施，拨出 150 多万日元巨款，从国外购入 13 艘轮船，以解燃眉之急。这就更加触发了明治政府发展海运业的迫切感，并把研究制定近代海运政策提到议事日程上来。1875 年 5 月，内务卿大久保利通向政府递交了《关于商船掌管之议》建议书，就今后应如何掌管商船事务，如何发展海运问题，全面阐述了自己的战略设想，这是确定日本近代海运政策的一个纲领性文件。大久保提出了“海运三策”供政府参考，其要点是：（一）民间自由经营海运业；（二）政府监督保护下的民有民营海运业；（三）政府直接经营海运业。[②] 大久保认为，采用第一种方案，必须着手制定各种规则条例，对船主和海员进行整顿，实行起来很困难。如果采用第二种方案，则应由政府设专职官员统辖全国商船，鼓励私人合办海运公司。为解决与美国太平洋邮船公司竞争造成的损失，政府应采取特别补助措施，将大藏省所属船舶及下放给邮政轮船公司的船舶全部收回，无偿处理给新设公司，并给予补助金。同时规定私人公司有接受政府监督检查的义务，保证政府随时调用。大久保认为，这种方法，明

① 早稻田大学编印：《大隈文书》1960 年，第 111 页。

②《大久保利通文书》6，第 354—355 页。

确划分了政府和私人事业的区别，虽不由政府经营，实际效果“恰与政府专门掌管一样”①。如果采用第三种方案，可以凭借政府的力量买下美国太平洋邮船公司横滨至上海支线的船舶，扫除日本近海的障碍，但这需要政府拿出百万日元以上巨额资金，并且官办事业容易产生冗费，挫伤民营海运业的积极性，从大局着眼，不利于国家发展。显然，大久保倾向第二种方案。

同年 7 月，明治政府决定采取第二种方案，确定了在政府监督保护下民有民营的海运政策。

（三）海运政策的实施特点

根据 1875 年 7 月 29 日内务卿大久保利通向政府递交的《关于商船掌管实际着手方法之议》及明治政府颁布的相关文件、命令，参照有关史实，海运政策的实施有以下要点。

一是精心挑选扶植保护对象。当时日本海运界多系零散经营的小船主、小水运公司，规模较大的海运公司只有两家，一为官民合办的日本邮政轮船公司，一为土佐商人岩崎弥太朗私营的三菱公同。明治政府选择了后者。

三菱公司创立者岩崎弥太郎，生于土佐藩破落武士之家，早年在土佐藩改革家吉田东洋麾下任职，二次到长崎，一次去大阪，为土佐藩开成馆货殖局在两地开设的商馆效力，积累了不少“洋务”经验。1870 年版籍奉还后，大阪土佐商社与藩分离，先后改称土佐开成社、九十九商会、三川商会。岩崎弥太朗继续作为藩代表实际操控该商会，后陆续买下商会财产，将商会改名为三菱公司，全力经营海运业，并在与日本邮政轮船公司竞争中，逐渐取得优势地位。

明治政府选择三菱为扶植保护对象，是在总结吸取以往开展海运业

① 《大久保利通文书》6，第 358 页。

的教训，并对日本邮政轮船公司与三菱公司进行一番比较后决定的。政府认为，“以前靠政府劝谕诱导建立之公司，皆过分依赖政府，无自力更生之志，终未见成果”，而“通观其他一般经营轮船业者，亦难找出有能力坚持此业、较有经验、可独立承担此业者”。① 相比之下，三菱公司组织严密，制度健全，虽“未特别依赖政府劝谕诱导，未曾依赖政府，全然独立经营”，其事业却已呈“效验”。特别是在日本侵台期间，该公司积极应征，对政府托管的13艘轮船，“使用上大尽其力”。② 因此，三菱深得大久保利通、大限重信和驿递局长前岛密等人赏识，他们所需要的正是岩崎弥太郎这样的“士魂商才”人物。

二是全方位扶植保护措施。其方法和手段包括：政府无偿下放船只，发给补助金，无息或低息贷款，廉价处理实物，颁布有关法令等。

例如，1875年9月15日，明治政府将侵台时购入的13艘轮船及所属器械，连同政府用32.5万日元收购的原日本邮政轮船公司18艘轮船，全部无偿交付三菱使用（后批准三菱申请，允许三菱交付120万日元后，船只归其所有）。从该年起，政府发给三菱每年25万日元补助金共15年。1875年9月，明治政府以年息2分、15年还清的条件，向三菱贷款81万日元，供其收买美国太平洋邮船公司横滨至上海支线上的船只及物资。1876年西南战争期间，明治政府以年息5分、14年还清的条件，向担任运输任务的三菱公司贷款70万日元，使三菱再购新船10艘。据载，截止1882年，前后八年时间里，明治政府向三菱公司下放的船只折价达190万日元，补助金294万日元，各种贷款342万日元，共826万日元。③

最典型的扶植保护私人海运业的法令，是1875年9月15日和1876

①《大久保利通文书》6，第383页。

②《大久保利通文书》6，第384页。

③ 住田正一编：《海事史料丛书》20，成文堂，1944年，第264—296页。原文总计数字为925.674万元，疑有误。

年9月15日明治政府下达给三菱公司的“第一命令书”和“第二命令书”。其中明文规定了三菱享有使用政府下放船只、接受政府贷款和补助金、开设某某航线等各种特权，保证了三菱在日本海运业中的垄断地位。对比，岩崎弥太郎曾直言不讳地宣称：“政府现已将收复内外航权之重任委托于我、我非昔日之我，公司亦非昔日之公司。”[①]又如，1876年，当三菱与英国PO轮船公司展开竞争，处于危机之时，明治政府颁布《搭乘外国轮船规则》，严格使用外国轮船的批准手续，并征收手续费；同时提供贷款支持三菱开办货物汇兑金融业务，人为地扭转了双方的竞争态势，使以前同PO公司开展业务的货主，纷纷改弦更张，投向三菱公司。

三是监督检查，规定义务。这一点在大久保有关海运问题的几个意见书中均有明载，特别是在《商船掌管实际着手办法之议》第五条意见中，指令驿递寮（后改为局）设置商器科，专门负责制定有关商船的规则条例，办理有关业务，监督检查私人海运公司的船只、船械、财务等。下面根据“第一命令书”和“第二命令书”的有关条款，以窥一斑。

关于下放船舶的使用：如事先未申明理由，不得转卖、典当和拆毁（“第一命令书”第一条）；必须及时维修船只，保持清洁，接受致府主管部门检查及有关指令（“第一命令书”第四条）；如经营不善，有损国家的利益，政府有权收回下放船只（“第一命令书”第十四条）。

关于补助金：不得以补助金为抵押向他人借款（“第一命令书”第一条）；补助金专款专用（“第二命令书”第三条）；如经营不善，有损国家利益，政府有权停发补助金（“第一命令书”第十四条）。

关于财务：要精简财务，减省冗费，每月做出月报表，交政府主管部门检查（“第一命令书”第七条）。

关于业务范围：不得以三菱公司名义经营海运以外的事业（“第一命令书”第十二条）。

---

① 岩崎家传记刊行会：《岩崎弥太郎》下，东京大学出版会，1980年，第169页。

关于义务：为培养海员，三菱公司应承办商船学校及水手、火夫经办所（“第一命令书”第十一条）；不论政府何时征用，须无条件地尽所有船只应征（“第一命令书”第十三条）。

上述特点表明，明治政府在实施海运政策时，是从国家整体利益考虑的，即认为私人海运业的发展，也就是国家海运业的发展，体现了国家权力和私人资本的紧密结合，并以“护身符”与“紧箍咒”并用的两手策略，对海运业“放”而不弃，旨在夺回国家的海运权，开辟国内外市场，战时承担军事运输，适应“兵商两事”“富国强兵”的需要。①

（四）海运政策的实效及其影响

明治前期实施的扶植保护私人海运业政策，很快便收到实效，其例证如下。

一是收复了日本近海航权。大久保在“海运三策”中指出美国太平洋邮船公司日本至上海航线对日本造成的危害，决意拔掉这颗压制日本海运业发展的钉子。1875 年 1 月，三菱公司在政府授意下，开辟日本至上海航线，在与美国太平洋邮船公司针锋相对展开的竞争中，忍受每月 3 万日元的亏损，最后借助政府提供的贷款，一举买下美国太平洋邮船公司日本至上海支线上的 4 艘轮船及所属财产。随后，三菱公司又与英国 PO 公司展开竞争。当时的三菱资本弱小，且在与美国太平洋邮船公司的竞争中负债累累有伤元气，竞争中显得力不能支。也是因为政府采取干预措施后才使形势逆转，最后将 PO 公司赶出日本近海。毫无疑问，三菱与美、英轮船公司争夺近海航权的斗争，实质上是日本政府与列强争夺航权的斗争，没有国家权力干预，三菱在竞争中取胜是不可思议的。近海航权的收复，成为日本在不平等条约束缚下，逐步夺回国家主权的先声，有着深远意义和影响。

① 旗手勋：《日本的财阀与三菱》，乐游书店，1978 年，第 22—23 页。

二是海运政策的实施，完全适应了明治政府维护国内安全并向海外扩张的政治需要。如前所述，明治政府制定海运政策时，已把私人海运业为国家急需服务摆在特殊位置，并载入契约。这一预想完全得到了实现。在明治初期的几次平定士族叛乱中，几乎每次都有三菱的后勤协助。1874 年镇压佐贺江藤新平叛乱、1875 至 1876 年镇压荻之乱时，是三菱派船担任政府军事运输。1877 年，西南战争爆发，三菱公司坚决站在政府一边，不遗余力地承担政府的军运任务，保证了平叛的胜利。在这次战役中，三菱公司共动用船只 40 余艘，运送兵员 5.8 万人，以及大量军用物资。[①] 再从明治初年的几次对外扩张行动看。1874 年日本出兵侵台期间，三菱公司先后运送 5600 人次和 3 个营、44614 包米谷及其他武器物资。[②] 在 1875 年“江华岛事件”和 1882 年朝鲜壬午事变时，也是三菱派船为政府运送军队和弹药。

三是海运政策的实施对海运业及国民经济的发展起到了重要作用。1875 年到 1887 年 13 年间，国产洋式轮、帆船 500 余艘，总吨位 5.26 万余吨，超过同期进口总量的 83 艘 3.1 万吨。洋式轮、帆船的年存量，也从 1870 年的 46 艘 17952 吨，增加到 1887 年的 1284 艘 133274 吨。不到 20 年时间，运输能力增长 7 倍多。[③] 船舶量的增长，为扩大和增辟国内外航线提供了可能。至 1885 年，三菱公司已开辟远至中国上海、朝鲜釜山、俄国海参威等七条国际航线，以及通达日本各地的 18 条国内航线。[④] 同期，海港设施及灯塔等建设也有了长足进步。

海运业的壮大直接或间接地牵动了其他产业的发展。比如，为解决造船及船用材料，促进了造船业、金属矿业及冶炼业的发展；为解决船舶用煤，促进了煤矿的开采；为扩大货源，增加运输量，又促进了仓储业及

① 柴垣和夫：《三井和三菱．日本资本主义与财阀》，上海译文出版社，1978 年，第 22 页。
② 柴垣和夫：《三井和三菱．日本资本主义与财阀》，第 20 页。
③ 丰田武、儿玉幸多编：《交通史》（体系日本史丛书 24），山川出版社，1980 年，第 481 页。
④ 岩崎家传记刊行会：《岩崎弥太郎》上，第 148—153 页。

金融、保险业的发展。

海运业的发展对于改变对外贸易收支状况也有重要影响。从 1882 年起，外贸由以前的连年入超，转为连年出超，到 1887 年止，累计出超额达 5289 万元。[①] 尤为重要的是，在对外贸易中，日商经办额比重，已由 1874 年的 0.44%增至 1886 年的 10.58%。[②] 仅就该比重的变动率而言，日商经办的贸易额在 12 年间增长了 24 倍。外贸形势的变化与直接贸易额的增长，固然与商品经济的发展及明治政府的财政、外贸政策密切相关，但与海运业的作用是不可分的，两者间具有互相促进的内在联系。

海运业是明治前期政府将官办企业和物资处理给私人经营的先例之一，其扶植私人资本政策的成功试验，对 1881 年后明治政府全面实行官办企业私营政策，无疑具有不可忽视的影响。而以官办企业处理为标志的殖产兴业政策的重大转变，无疑又为近代日本第一次产业发展热潮的到来提供了催化剂。[③]

二、官办企业处理

从某种意义上说，近代日本资本主义的形成，是在国家权力的组织运筹下启动的，明治初期大力推行的“殖产兴业”运动，实为急速促进原始积累，进而掀起产业革命。而在殖产兴业的诸般措施中，官办企业的地位及其引领时代风潮的作用尤为抢眼。当时的数十家官办企业，一部分是由明治政府接收并加以改造的幕藩遗留下来的工厂和矿山，另一部分是由明治政府新建的纺织、制丝工厂。值得注意的是，进入 19 世纪 80 年代，表面看与中国的洋务运动颇为相似的殖产兴业政策出现重大调

① 国家学会编：《明治宪政经济史论》，宗高书房，1974 年，第 363 页。
② 大久保利谦编：《近代史料》，吉川弘文馆，1980 年，第 25 页。
③ 本文刊于《日本研究》1986 年第 4 期，本处有删节。

整，1880 年 11 月 5 日，明治政府颁布了《工厂处理概则》，宣布除保留军工、铁道、通讯等企事业外，其他企业一律处理给民间。明治政府为何要处理这些企业？此举对日本资本主义的发展有何影响？阐明这些问题，对于了解日本资本主义的发展及其特点极为重要，亦颇具借鉴意义。

（一）官办企业的初旨

19 世纪六七十年代，资本主义体系已经在世界上取得了决定性胜利，它要求一切落后的国家和地区，服从资本主义的秩序。明治初年的日本，资本主义列强根据既有的一系列不平等条约，仍在日本享有治外法权、协定关税、最惠国待遇、居留地、驻军权等种种特权；另一方面，列强将大量的商品输入日本，侵蚀、瓦解着日本固有的封建经济结构。日本尚未摆脱沦为殖民地或半殖民地的危险。面对这一严酷的现实，明治政府业已深切感到，日本要想独立生存，必须走资本主义道路，当务之急是“殖产兴业”。

当时的日本，正处于历史性转变时期，封建的生产关系尚未破除，资本主义秩序尚未确立。正如大隈重信所说，在明治前十年里，“人心惶惶，盛传不日发生内乱之流言……佐贺江藤新平之乱，长州前原一诚之乱，大乐源太郎之乱，肥后神风连之乱，秋月之乱，最后爆发鹿儿岛之乱，五六年间，几无宁岁。其间各处之小动乱，性质虽有不同，但农民起义各处蜂起，小者不计其数，大者前后达十八次”①。当此动乱之秋，即便有志兴办资本主义产业者，一时也不敢动。

从资本积累情况看，当时的日本，还是个以自然经济为主的落后国家。尽管在某些地区早已出现资本主义的萌芽，也因长期闭关锁国和封建制度的束缚与摧残，发展缓慢。在农村和城市中，存在着一定数量的寄生地主和商人，但就其拥有的财力而言，远不能兴办巨大投资的近代

---

①《大隈侯昔日谭》，第 18—19 页。

企业。而像三井、鸿池、小野等名声显赫的少数巨商，虽然聚敛了大量资财，但那是在幕藩体制的长期庇护下，依靠垄断江户、大阪等城市批发行特权，用放高利贷等手段，攫取商业高利贷利润的结果；并且主要用于谋求商业高利贷资本的增值，其本身并未进入资本主义再生产过程。因此，这种商业高利贷资本，只能是潜在的工业资本，尚有待向以资本增值为目的工业资本转化。但是，地主、商人及特权巨商，顽固地信守传统的价值观，习惯于出租土地、商业投机、放高利贷等旧有的榨取方式，缺乏兴办新事业的冒险精神，因为近代工业生产对他们说来还完全是陌生的，他们既不懂技术，也不会管理。要使这些与封建生产关系有着千丝万缕联系的财富所有者转化为近代社会的资本家、企业家，需要一个过程。

资本主义生产活动的另一要求是雇佣劳动大军的形成，在当时的日本，家庭手工业生产还处于从属农业生产的位置，并受到封建关系的严重束缚。城市手工业者人数有限，技术落后，且受到行会的限制。由于地税改革和士族制度改革刚刚开始，各种封建关系尚待破除，生产者与生产资料分离的条件尚不成熟，近代雇佣劳动大军尚未形成。

上述情况表明，明治初年的日本，既没有适应私人资本主义发展的社会环境，又缺乏资本主义发展的物质基础。而现实又要求日本必须刻不容缓地走上资本主义道路，发展资本主义经济。明治初年的官办企业便是这一特定历史条件下的产物。

1874 年，即岩仓使节团出访欧美归来的第二年，内务卿大久保利通向政府提交了《关于殖产兴业的意见书》，全面阐述了“殖产兴业”的政策思想。大久保认为：“大凡国之强弱，在于人民之贫富；人民之贫富，系于物产之多寡；而物产之多寡，起源于是否勉励人民之工业。然寻其源头，未尝不依赖于政府官员诱导奖励之力。”“但维新以来，多系盲目慕外饰虚，治绩至今止于表皮而已……至于殖产兴业之事，效验尚不多见，民产国用似日见减缩。此盖因民智未开，不能通时势之变而营有益之业；亦因政府官员不意于兹，提携诱导不利所致……宜按国之风土民俗，民之性情知识，判定其方法，以此为今日行政之根轴，保护其已开成者，诱导其未就绪者。”①大久保是明治初期政府的铁腕人物，他当政的时期曾被称作“大久保时代”，因此，他的思想和言论，实际上代表着明治政府的观点。

事实上，当时负责发展资本主义工业的两大部门（不包括军事工业）——内务省和工部省，正是在上述思想指导下开展活动的。《内务省沿革报告》载：“本局之事业，旨在劝奖百工，繁殖人民之事业……然皆系本邦未曾有之事业，作业不如意，年年资金亏损。若由此着意于理财，努力于盈利收入，则违背劝业之本旨。”②内务省《劝农局处务条例》第三十三条规定得更为明确：“除本局业务外，兴办生产事业亦属急务，但人民还没有这种意愿，所以暂且创办官立事业，示以实利，以诱导人民，故称之为临时事业。”③该省所辖的各个企业，当时都称为“模范”工厂，率先进行工业生产试验。例如，1872 年 6 月，政府在群马县建立富冈缫丝所，引进全套法国设备，聘请法国技师做教习，同时招聘女工入厂操作。政府在设所告谕中宣称：“有志制丝者，许入厂参观工业之操作，机器之运转。……官府雇用女工，意欲传习精妙之工业，移之充任各地制丝教师。人民宜去疑惑，速应其雇佣。总之官府捐巨款创此事业，决非与民争利，意在造精良之蚕丝，以示利民之实证。”④直到明治政府宣布处理官办企业之时，仍重申建立官办企业的初旨在于“诱导工业。政府常设之诸工厂，随其组织整备，最初计划事业渐举，解官厅所有归之于人民经营”⑤。上述引语均援自官方文件，其中必不乏冠冕堂皇之辞。尽管如此，仍可

① 《大久保利通文书》第 5 卷，第 561—565 页。

② 高桥龟吉：《日本近代经济形成史》第 2 卷，东洋经济新报社，1968 年版，第 284 页。

③ 守屋典郎：《日本经济史》，三联书店，1963 年版，第 64 页。

④ 《明治前期财政经济史料集成》第 3 卷，第 383—384 页。转引自史密斯：《明治维新与工业发展》，东京大学出版会，1971 年版，第 116—117 页。

⑤ 高桥龟吉前揭书，第 284 页。

得出这样的结论，即：明治政府建立官办企业的“本旨”和“最初计划”，并非要政府垄断工业，富实国库，而是意在通过政府的示范，诱民以利，为民间发展工业培养技术、管理人才，摸索、积累“兴业”经验，实现民富国强。官办企业的拍卖是这一政策思想的延续。

（二）官办企业处理的内因

长期以来，日本国内外学者们，曾就官办企业处理的原因做过一定的研究和探讨，提出过各种各样的见解①，但缺乏本质的理解。

导致官办企业拍卖的内在原因，是企业本身的经营效益问题。资本主义企业的根本目的是生产尽可能多的产品，获取尽可能多的利润，这是企业生存和发展的原动力。而自由竞争则是促使企业谋求高额利润的外在压力。如前所述，官办企业的创设是“试验”和“诱导”，这在当时是非常必要的，但是却违反了资本主义企业“利润至上”的基本原则。

这一时期的官办企业，分辖于工部省和内务省。工部省的企业包括铁道、机具制造和十余家矿山，其中大部分是接管幕藩的工矿企业，只有少数企业是明治维新后建立的。内务省的企业包括各种农牧试验厂，缫丝、棉丝、制绒工厂，以及一些农产品加工厂，这些企业是由明治政府一手兴建的。据记载，由于经营思想上没有把“盈利”放在首位，这些企业往往不管成本高低，销路如何，便盲目地开展生产。结果，多数企业得不偿失，产品积压，资金无法回收。林薰在回顾工部省辖企业的经营状况时说，那些企业，“因无现金收入，常为支付工资、购买材料所苦恼，便再向大藏省申请营业补助费”②。而当时政府的态度却是：“因为是为劝奖而干，所以有些损失也没办法。”③明治政府的这种大包大揽的做法，反过

① 具有代表性的观点有“财政说”“民间产业兴起说”“阴谋说”“阶段原因说”等。见揖西光速《日本经济史大系》近代上，第5章2节，东京大学出版会，1965年版。

② 高桥龟吉：《日本资本主义发达史》，东洋经济新报社，1968年版，第281页。

③ 继任内务卿职的伊藤博文语。揖西光速前揭文，第313—314页。

来又助长了企业的依赖思想，使企业的发展内无动力、外无压力，不是在自身的经济活动中求生存、求发展，而是年年向国家要补助。

其次，企业管理者及工人素质的低下，也是影响经济效益的重要因素。资本主义大生产及其管理，当时对日本人说来还是新事物，当时的政府官员及企业的领导者，"非士族社会之武夫，则理论性质之学者，本来缺乏实践经验"①，由这批"外行"组织、管理生产，其效果是可想而知的。虽然从内务、工部两省到所属各企业都聘请了一些外籍专家、技师指导生产，但也因种种原因，结果是杯水车薪，收效甚微。另一方面，企业雇用的工人，不是来自士族家庭的子女，就是刚刚走出稻田的农民。不仅如此，这些工人与农村有着天然的联系，往往不能保证职业的稳定性，致使企业难以保持高比例的熟练工人队伍。前田正名在考察缫丝厂时发现："制丝红女自 13 岁起，以七年合同受雇之，最大年龄者十五六岁。但七年中，因种种原因，完全守约者不多，如因父母患病、自己生病、婚嫁等辞职者不胜枚举。自 13 岁工作起，一年尚不熟练，二三年始见熟练，至十七八岁年龄时，已当婚嫁之期，遂陆续辞职不再工作，此乃最使雇主头疼之事。"②在这种情况下，许多当时堪称先进的生产设备，无法充分地发挥效益。如进口的舒伦（音译）纺织机，在西欧是每分钟转动五次，而在日本只有两次，若增加到三次，工人便不堪其苦。③

至于产品，不但成本高，且质次量少。原属工部省的赤羽造兵局，曾为开凿隧道特制过机械钻，费了九牛二虎之力，仅制图和铸形费就已超过了进口美国钻的价格，造出的五台钻机，因质次价高，只勉强售出一台，余者只好长眠深库。④ 由于经济发展落后，日本的国内销售市场本

---

① 河濑秀治：《劝业论》。早稻田大学社会科学研究所编印，《大隈文书》策 2 卷，1959 年版，第 279 页。

② 前田正名：《上州出张记忆书》。早稻田大学社会科学研究所编印，《大隈文书》第 5 卷，1962 年版，第 357 页。

③ 三瓶孝子：《日本棉业发达史》，第 51—53 页。史密斯前揭书，第 121 页。

④ 高桥龟吉前揭书，第 281—282 页。

就狭窄，再加上外国商品依据不平等的协定关税制度，不受限制地大批涌入日本国内市场，国内产品根本无力与之竞争，许多工厂产品积压严重。

此外，工厂选址不当，各种事故（如火灾），以及工人的怠工、暴动等等，对企业的经营效益也产生了一定的影响。

由于上述原因，许多官办企业长期处于亏损，或收益甚少的状态。如工部省的兵库造船所、品川玻璃制造所、赤羽工作分局，内务省的千住制绒所、新町缫丝所、富冈缫丝所、爱知纺织所、纹龟制糖所等企业便是如此。① 因而不得不改弦更张。

（三）官办企业处理的社会条件

明治政府建立以后，便全面展开了资产阶级性质的改革，为资本主义发展开辟道路。到官办企业处理前后，国内各项改革已基本完成，私人资本主义成长的必要条件已经初步具备，具体表现为：(1) 安定局面出现。自 1877 年平定西南士族叛乱以后，国内政局日趋稳定。(2) 封建关系废除。明治维新后的十余年里，"奉还版籍"与"废藩置县"，取消封建身份制度与士族俸禄、地税改革等等，已经大体完成。(3) 法律制度初步建立。近代经济的发展，需要相应的法律保证。明治政府在破除封建制度的同时，先后多次派政府重臣出国学习、考察欧美法律制度。到 1878 年止，日本已建立起大审院（相当最高法院）及地方司法组织，陆续颁布了刑法、治罪法等法律。特别是允许土地自由买卖、自由种植，允许农民弃田从工经商、华士族从业，允许米麦输出、棉织品免税出口，借贷利率等一系列经济立法的初步制定②，为私人资本主义经济的发展提供了保证。不过，作为国家根本大法的日本宪法尚在筹议之中。(4) 人才条件

① 见岩波讲座《日本历史》近代 3，岩波书店，1967 年版，第 44 页。石塚裕道《日本资本主义成立史研究》，吉川弘文馆，1973 年版，第 160—161 页。

② 见东京大学史料编纂所：《明治史要》，东京大学出版会，1966 年版。

日见成熟。明治初年,选派政府官员出国学习考察,派遣大批留学生,高薪聘请外籍专家。在国内,除了通过官办企业为民间培养输送技术人员之外,开始全面推行小学义务教育,建立各类实业学校,启迪国民知识,培训专门人才,到1880年前后,情况已经发生了明显的变化,大批留学生学成回国,各种实业学校也已培养出一批建设骨干,外籍专家已经明显减少。尤其值得注意的是,这批专业人才已开始吸取前一阶段"殖产兴业"中的教训,纠正以往生硬模仿的错误做法,开始结合本国实际开展经济建设。毫无疑问,这支人才队伍虽然人数有限,但却成为了近代经济建设的中坚。(5)民间经济有所发展。这一期间,在明治政府"殖产兴业"政策的大力扶植下,私人经济发展很快,到1880年前后,各种民营公司已达1803个,资金总额2775万日元(1881年),职工6万多人(1882年)。[①] 其中民营矿产量与官营矿产量的比率是:金35.3∶64.7,银42.9∶57.1,铜94.6∶5.4,生铁74.3∶25.7,煤80.3∶19.7(1880年)。[②] 尽管这些民营企业规模很小,人数一般不超过几十人,生产手段尚处在前机械生产阶段,但却为近代工业的发展打下了重要的基础。与此同时,在明治政府的扶植保护下,政商资本发展极为迅速。以三菱为例,到1881年前后,明治政府已向三菱贷款341.9万日元,发给补助金393.5万日元,赠送、拍卖船只折价为190.2万日元,共计925.6万日元。[③] 由此,三菱的实力急剧增长,先后排挤了拥有雄厚实力的美国"太平洋邮政轮船公司"和英国"半岛与东方航海公司",垄断了日本的海运业。尤其不可忽视的是,当时已出现一批庶民出身的企业家,他们采取合资入股的形式,准备筹建大型工厂,其代表人物为涩泽荣一。早自1879年始,他就已在为建立大阪纺织厂而奔忙。当时的舆论也已发出打破官府垄断工业,要

---

① 山口和雄:《日本经济史》,筑摩书房,1976年版,第127、147页。

② 石塚裕道:《日本资本主义成立史研究》,吉川弘文馆,1973年版,第259页。

③ 高桥龟吉前揭文,第298—299页。

求自由放任主义的强烈呼声。①

面对形势的变化，一些政府官员开始考虑官办企业的前途。1879年，担任劝农局长的松方正义便提出，官办企业“应该放给（民间），使之自为地进步”。“倘民智民力业已开进，已不拘于政府之诱导，而政府依然执各般事业，或欲扩张之，或以企望之所在课之于人民，以促其成功……或以开人民蒙昧为政府已任，由政府着手各般民业，好事贪功”，这“反而挫伤人民独立自为之气势，养成百事依赖政府之风习；或妨害民营之利，使国内生殖力大减，其弊害不可测”。②

这表明，到1880年前后，民间资本主义发展的条件已日臻成熟。从这个意义上说，以“试验诱导”为已任的官办企业已基本完成了自己的历史使命。

除上述情况外，1880年前后的政府财政状况恰好构成了官办企业处理的契机；如所周知，初建时的明治政府，财政上可说是“一金无储”，但却肩负着百废待兴的艰巨任务。除了庞大的行政开支以外，兴办官营企业，发放劝业贷款，开发北海道、整理士族俸禄等，各项改革都需花费巨额资金。同时，为镇压各地叛乱和农民起义，侵略台湾、制造江华岛事件等又支付了大量军费。其中仅西南战费一项就高达4170万日元，占政府常年收入的9/10。③ 为解燃眉之急，明治政府只好大借内外债，滥发各种不兑换纸币，结果债台高筑，通货膨胀。到1880年止，内外债总额高达3824.67万日元④，各种纸币流通量达15936.8万日元，而同期的国

① 如《近事评论》1879年4月18日载文指出：“防遏有司干涉，振兴民间事业，实为今日之急务。”田口卯吉在1880年批评政府说：“政治之制造，确实妨碍民间同种行业之兴起，决不能达到兴业之目的。”又说：“应该停止劝奖保护政略，把政府事业限制于适当领域。日本人民业已足能与外人竞争，业已足能经营制造商业，何劳政府自为之？”（见石塚裕道《日本资本主义成立史研究》，吉川弘文馆，1973年版，第126—127页。）

②《松方伯财政论策集》第9章。见高桥幸八郎《日本近代化的研究》上册，东京大学出版会，1972年版，第172页。

③ 盐泽君夫、后藤靖：《日本经济史》，有斐阁，1977年版，第253页。

④ 史密斯前揭文，第147页。

库准备金仅有7166.8万日元。[①] 纸币价格与银币价格之比，由1873年的1.036∶1000，上涨到1881年的1.696∶1000[②]；米价由1873年每石4.80日元，上涨到1881年的每石10日元左右。[③] 在对外贸易方面，几乎连年逆差，到1880年止，累计逆差总额达7847.7万日元[④]，造成正币大量外流。总之，到1880年11月5日明治政府宣布官办企业处理止，政府财政出现了前所未有的危机。在这种情况下，明治政府不得不采取紧急措施，全面整顿财政。由于官办企业耗资巨大，年支出占政府常年收入的5%，且经营不善，亏多盈少，连年依赖国家补贴，一直是政府财政的沉重负担。这样，官办企业处理作为全面整顿财政的对策之一，被自然地提到政府的议事日程。在大隈、松方等人的极力倡导下，明治政府终于作出决定，除保留军工、铁道、通讯等企事业外，其他工矿企业一律向民间下放（附表）。[⑤]

（四）官办企业处理的作用与影响

明治政府"利用国家权力也就是利用集中的有组织的社会暴力，来大力促进从封建生产方式向资本主义生产方式的转变进程"[⑥]。开始把主要征自农民地税的国家收入（1868年至1880年间，地税占国家岁收的78%左右），大量地用于兴办企业、发放贷款等"殖产兴业"上。随后，又通过官办企业处理，将所有权转向民间资本家（主要是政商和士族新贵）。如附表所示，明治政府在处理这些企业时，其价格和条件非常低，几乎等于白白奉送。如院内铜矿，政府投资和库存资产共计77.6万日

---

① 史密斯前揭文，第188页。

② 楫西光速前揭文，第323页。

③ 史密斯前揭文，第154页。

④ 堀江保藏：《日本资本主义的成立》第108、194页。见史密斯前揭文，第50页。

⑤ 官办企业的处理是分期分批进行的，从1880年11月起，到1896年止，前后经历了16年左右的时间。

⑥《马克思恩格斯全集》第23卷，人民出版社，1972年版，第819页。

元,处理价仅为10.9万日元,以29年分期还付;纹龟制糖所投资额为25.8万日元,处理价仅为994日元。这种廉价处理的优惠政策,像磁铁一样地引导民间资金的流向,使商业高利贷资本、社会游离和闲散资金纷纷流向生产领域,同时也促成了商人、特权巨商、士族新贵向近代财阀、大资本家的转化,进而刺激私人资本主义经济的飞速发展。

这些企业由私人经营后,大多数"一扫官营时代的弊风"①,效益普遍提高。以小坂矿山为例,该矿在官办时代,年利率为9.5%,拍卖给藤田组后,年利率很快升至31.5%。②

由于明治政府渐次退出民用工业的经济实体,从而改变了以往扮演的企业所有者、直接经营者的角色,改为全面实行宏观扶植、自由经营的经济发展战略,为私人资本主义经济的发展敞开了大门。特别是当1885年前后财政整顿完毕、近代货币金融体系初步确立后,日本迅即出现了近代第一次产业热潮。在纺织业方面,1882年,由涩泽荣一发起,筹资25万日元建成的大阪纺织厂正式开工;该厂委任在英国学习纺织技术多年的山边丈夫为技术指导,购入最先进的机器设备,并首次使用蒸汽动力,实现了拥有1.05万纱锭的大规模生产,堪称当时第一流的企业。该厂吸取了官办企业的经验教训,全面加强经营管理,实行昼夜操作,附以高额分红刺激职工的生产积极性,结果连年盈利,成为私人企业兴起的先声。继大阪纺织厂后,一批近代纺织企业应运而生。到1886年,2000纱锭以上的洋式纺织厂已达18家,大阪纺织厂则已发展到拥有3.16万纱锭的规模。③ 1887年到1890年间,纺织业的投资高达1500万日元,占同期各种企业投资总额的40%。④ 在铁道铺设方面,私营铁道从无到有,1889年时,总长达到672英里,超过了总长为541英里的国有铁路。

---

① 楫西光速前揭文,第334页。
② 岩波讲座:《日本历史》近代3,岩波书店,1967年版,第48页。
③ 古岛敏雄:《产业史》3,山川出版社,1981年版,第264页。
④ 守屋典郎前揭书,第105页。

到1892年，私营铁道迅增至1322英里，为同期国有铁道（总长为557英里）的两倍多。[①] 在矿业开采方面，从1885年起，私营采矿量全面超过官营，在社会采矿总量中所占的比重分别达到：金53.5，银81，铜100，铁54.2，煤82.6。[②] 总之，这股伴随着股票投机的兴业热潮，从铁道、纺织、矿业，一直扩展到其他行业和领域，乃至"一个公司成立，旁边又成立一个公司，甚至还没有调查有无利益可图，就先办起公司，刚刚说是开办公司，就收到许多订购股票的申请书，其数额超过预定股额，而且不等开办手续完备，申请书就有了价格，热狂地进行交易"[③]。如所周知，日本资本主义的一大特点是财阀（或称大资产阶级）势力强大，垄断国家经济。这也是明治政府一贯推行的重点扶持、保护政策的结果。官办企业的处理，正是实施这一政策的重要步骤，致使财阀势力急剧膨胀，成为明治政府制定、推行内外政策的社会经济基础。日本资本主义的另一特点是军事工业的相对发展。自明治之初，发展军事工业就已被明治政府作为实现"强兵"的重要手段；军事工业以外的官办企业的处理，使明治政府得以集中更多的精力和资金，加速军事工业的发展，并由此把国家直接掌握军事工业、私人经营民用工业的经济体制固定下来。此后的军事工业，被整顿为两大陆军工厂和两大海军工厂，以及这些工厂的属厂，其技术设备和规模始终保持领先地位。到甲午战争前期，日本已经形成了独自的军工体系，并能用国产钢材研造村田步枪、各种火炮、铁甲战舰等先进武器，使得经济发展尚很落后的日本，军工生产已经接近或达到了世界先进水平。这种情况一直延续到二次世界大战战败。

恩格斯曾经指出："国家权力对于经济发展的反作用可能有三种：它可以沿着同一方向起作用，在这种情况下就会发展得比较快……"[④]日本

① 楫西光速前揭书，第6页。
② 石塚裕道前揭书，第259页。
③ 守屋典郎前揭书，第98页。
④《马克思恩格斯选集》第4卷，人民出版社，1972年版，第483页。

表 2-1　官办企业处理一览表

（单位：日元）

类别	拍卖企业	处理时间	投资额	库存资产额	处理价格	收购人	所属会社
矿山	高岛煤矿	1874.12	393,848		550,000	后藤象二郎	三菱矿业
	足尾	1877.3				古河市兵卫	古河矿业
	油户煤矿	1884.1	48,608	17,192	27,944	白势成熙	三菱矿业
	中小坂铁矿	1884.7	85,507	24,380	28,587	坂本弥八	废止
	小坂银矿	1884.9	547,476	192,000	273,659	久原庄三郎	同和矿业
	中岛煤矿	1884.9			50,000	岩崎弥之助	三菱矿业
	院内铜矿	1885.1	703093	72,993	108,977	古河市兵卫	古河矿业
	阿仁铜矿	1885.3	1,673,211	240,772	337,766	古河市兵卫	古河矿业
	大葛金矿	1885.6	149,546	98,902	117,142	阿部潜	三菱矿业
	斧石铁矿	1887.12	2,376,625	733,122	12,600	田中长兵卫	日铁矿业
	三池煤矿	1888.8	757,060	448,549	4,590,439	佐佐木八郎	三井矿山
	幌内煤矿	1889.12	2,291,500		352,318	北海道煤矿铁道	北海道煤矿汽船
	佐渡金矿	1896.9	1,419,244	445,250	{1,730,000		
	生银银矿	1896.9	1,760,866	966,752	（含大阪制铁所）	三菱	三菱矿业
造船	兵库造船所	1887.7	816,139	320,196	553,660#	川崎正藏	川崎造船
	长崎造船所	1887.7	1,130,949	459,000	527,000	三菱	三菱造船

（续表）

类别	拍卖企业	处理时间	投资额	库存资产额	处理价格	收购人	所属会社
化学	深川水泥制造所	1884.7			61,742	浅野总一郎	浅野水泥
	梨本村砖瓦制造所	1884.7	101,559	67,965	101	稻叶米藏	
	深川砖瓦制造所	1884.7			12,121	西村胜三	品川砖瓦
	品川玻璃制造所	1885.5	294,168	66,305	79,951	西村胜三等	
纺织	界纺织所	1878.2			25,000	肥厚孙左卫门	泉州纺织
	广岛纺织所	1882.6	50,000		12,570	广岛棉织会社	贝冢纺织
	爱知纺织所	1886.9	58,000			筱田直方	1890 年烧毁
	新町缫丝所	1887.6	130,000		150,000	三井	钟渊纺织
	富冈制丝所	1893.9	310,000		121,460	三井	片仓工业
其他	札幌酿造所	1886.12			27,672	大仓喜八郎	
	纹龟制糖所	1887.3	258,492		994	伊达邦成	札幌啤酒
	三田农具制造所	1888.1			33,795	岩崎由次郎	1896 年解散
	播州葡萄园	1888.3	8,000		5,377	前田正名	东京机械制造所
	阿利袜园	1888.3					

资料来源：盐泽君夫、后藤靖：《日本经济史》，有斐阁，1977 年版，第 266 页，第 1 表。楫西光速：《日本经济史大系》近代上，东京大学出版会，1965 年版，第 325 页，第 11 表。

＃此处取楫西光速的数字。此数字日本学者记述不一，盐泽君夫记载为 188,029 日元。

资本主义从无到有迅速发展的史实表明，明治政府是沿着经济发展的同一方向起作用的权力。较之于其他落后国家的政府，明治政府的“明智”不只在于它能够建立官办企业，还在于它建立官办企业的目的一开始就是明确的：为了率先进行工业试验，积累经验，为民间资本主义的发展准备条件。①

三、产业革命的进程和特点

关于日本产业革命的始点和终点，日本学界一直存在分歧，争论的主要焦点是以何为标准确定产业革命是否完成。以大内力为首的一派认为，只要以棉纺织机器工业为代表的生活资料生产确立了统治地位，就意味着产业革命的完成，学界称此为“棉纺织工业说”；而以山田盛太郎为首的另一派则认为，产业革命的完成应该以机器生产在生活资料和生产资料两大领域均取得统治地位为标志，即所谓的“两部类说”。本书认为，日本产业革命的起点是在19世纪80年代中期，因为当时不但初步建立了适应近代社会经济发展的财政金融体系和公司制度，有了一个相对稳定的制度环境和社会环境，而且掀起了一场兴办近代企业的高潮，以蒸汽动力机械的采用为标志，机械纺织和铁路建设等新型生产技术和生产方式被急剧地移植进来并迅速扩散，表明产业革命的时代已经到来。日本产业革命基本完成的时间下限是在1910年前后，之所以使用“基本”这一限定性用语，是因为产业革命本身是一个较长的历史过程，其内涵相当丰富。从技术发展的角度看，传统的观点认为，蒸汽动力（与此相对应的是轻工业，典型例证是英国）在生产领域的广泛应用标志着产业革命的完成。然而，这种意义上的革命也是一种相对的概念，因为革命还在“继续”，其后又发生了电力革命、电子革命、原子能革命和信

① 原文刊于《南开学报》1985年5期，此处有删节。

息革命。探讨日本的产业革命时一个不可忽视的问题是，当其产业革命启动时，以电力为先导的重工业革命已经开始在英、法等先进国家兴起，这就使日本的产业革命出现了蒸汽革命刚刚展开便又开始了电力革命的现象，两者在相当程度上是交叉和并行推进的，这也是许多后起国家开展近代化所共有的一般性特点。

从日本的情况看，产业革命一旦启动，其发展的速度是相当快的。也就是说，日本在 1886 至 1910 年的 25 年时间里，走完了原生型产业革命发生国大约用一个世纪的路程。这是因为后发国虽然起步很晚，但却具有“后发优势”，可以直接学习、移植和效仿世界上最先进的生产技术和生产方式，从而实现跳跃性的发展。

（一）产业革命的进程

日本的产业革命经历了三次大的循环周期，并先后发生了三次经济危机。

第一次产业发展高潮是从 1886 年开始的，纺织工业和铁路建设牵动了这次高潮的到来。在 1886 至 1890 年的五年间，由于民营纺织企业纷纷建立，全国纺织设备的纱锭数由 5.9 万只增加到 27.8 万只，棉纱产量由 1.6 万包猛增到 10.5 万包。[①] 与纺织业相比，兴建铁路热潮来势更猛。纺织企业投资规模最大的不过几十万日元，而同期新建的多家私立铁路公司初始资本规模就相当大，往往是以千万日元为单位，以致政府铁道局局长井上胜不无忧虑地发出了“近来流行铁道病”的感叹。1890 年，日本爆发了步入近代社会以来的首次经济危机。这场危机是因纺织工业的大发展导致生产能力过剩引起的，危机的主要表现是企业产品价格下降，产品积压，进而不得不采取减少开工的措施。

第二次产业发展高潮发生在中日甲午战争及战争结束之后，兴办企

① 桥本寿朗、大杉由香：《近代日本经济史》，岩波书店，2000 年，第 85 页。

业、扩大投资的热潮超过以往，这与日本战胜中国获得 2.3 亿两白银赔款的刺激直接相关。有关资料表明，在 1895 年 7 至 12 月的半年左右时间里，钟渊纺织的股票上涨 24%，日本邮船股票则上涨 30%，一时间“股票成金”。1895 年，日本全国新建企业 316 家，注册资本 3.36 亿日元，增资企业 84 家，增资额 0.47 亿日元。1896 年新建企业 1199 家，注册资本 8.04 亿日元，增资企业 169 家，增资额 0.98 亿日元。银行业也出现了前所未有的繁荣，由 1894 年的 700 家银行、0.37 亿日元资本金，增加到 1897 年的 1223 家银行、1.48 亿日元资本金。① 这种繁荣局面在 1897 年后一度降温，但随后再次反弹并维持到 19 世纪末。1900 年，日本发生第二次经济危机，棉纺工业和煤炭业首当其冲，随后波及到铁路、商业和金融业，制丝业也未能幸免；同年发生的世界性经济危机导致整个国际市场萧条，因此以出口为主的日本丝业生产损失惨重。与上一次危机相比较，这次危机持续的时间较长，直到日俄战争爆发前都未能摆脱相对萧条的局面。这次危机还表明，在世纪转换的 20 世纪初，日本经济已经作为世界资本主义经济的一部分运转了。

1904 年爆发的日俄战争再度刺激了经济的膨胀，并在 1906 至 1907 年出现了第三次产业发展高潮。这次景气的特点是，除了铁路、纺织业、海运业外，发送电、化肥、造纸、水泥、面粉、制糖、啤酒等产业的发展非常显著。1907 年下半年，由于世界经济危机的爆发，日本迅即被卷入而陷入经济危机。这次危机除了对海运、造船、水泥、煤炭及电力等少数生产部门影响较轻外，对轻工业等几乎所有生产部门的打击都很沉重，因此被称为日本资本主义发展史上第一次“全面的”经济危机。② 石井宽治则进一步指出，这次危机“不仅是日本资本主义确立的指标，也是其向早熟的帝国主义转化的指标”③。

---

① 桥本寿朗、大杉由香：《近代日本经济史》，岩波书店，2000 年，第 115—116 页。

② 长冈新吉：《明治危机史序说》，东京大学出版会，1971 年。

③ 石井宽治：《日本经济史》，东京大学出版会，1993 年版，第 190 页。

（二）产业革命的数量分析

在1886至1910年的产业革命时期，日本经济取得了长足发展。首先，看一下该时期宏观经济的表现。据表2-2可知，25年间，国民总生

表2-2　日本产业革命时期主要经济指标的变化　（单位：亿日元）

年份	国民总生产（亿日元）	物价指数	对外贸易		人口（万人）
			出口	进口	
1985	8.06	32.4	0.38	0.37	3831
1886	8.00	28.5	0.50	0.41	3854
1887	8.18	30.3	0.54	0.59	3870
1888	8.66	29.8	0.67	0.74	3903
1889	9.55	31.6	0.72	0.73	3947
1890	10.56	33.7	0.58	0.91	3990
1891	11.39	32.3	0.81	0.70	4025
1892	11.25	30.1	0.93	0.78	4051
1893	11.97	30.4	0.91	0.99	4086
1894	13.38	31.4	1.16	1.33	4114
1895	15.52	34.4	1.39	1.42	4156
1896	16.66	37.8	1.20	1.89	4199
1897	19.57	42.2	1.70	2.43	4240
1898	21.94	45.7	1.73	3.16	4289
1899	23.14	43.1	2.27	2.24	4340
1900	24.14	48.5	2.17	2.92	4385
1901	24.84	47.4	2.66	2.63	4436
1902	25.37	49.3	2.73	2.79	4496
1903	26.96	51.7	3.07	3.27	4555
1904	30.28	52.9	3.29	3.82	4614
1905	30.84	55.0	3.35	5.02	4662
1906	33.02	56.0	4.39	4.37	4704
1907	37.43	61.9	4.52	5.12	4742
1908	37.66	59.8	3.99	4.61	4797
1909	37.80	57.4	4.37	4.31	4855
1910	39.25	57.6	5.02	5.21	4918

资料来源：安藤良雄编：《日本近代经济史要览》，东京大学出版会，1981年，第2—4页。

产由 8.06 亿日元增长到 39.25 亿日元，增加 4.9 倍。人均产值由 21 日元[①]增长到 79 日元（当时的日元与美元比价大致为 1∶1），增长 3.8 倍。对外贸易的增长速度更快，进口增长 13 倍，出口增长 14 倍，25 个年度中，13 年入超，12 年出超，出入超相平的结果是累计入超 0.56 亿日元，说明产业革命时期日本的对外贸易基本上保持进出口平衡的状态。

其次，看一下产业革命时期各产业的发展情况。据表 2－3 可知，在产业革命起点的 1885 年，农业在国民经济中占有主要地位，产值占 45.2%，其次是商业，占 37.7%，说明当时的商品经济及商业的发展已经处于较高的水平。25 年后的明显变化是，农业产值的比重变成 32.5%，降低近 13 个百分点，工业产值增长了 8.6 倍，其在国民经济中所占的比重则由 11.5%增加到 21.5%，增加 10 个百分点，非农林水产业的产值已经达到 67.5%，表明 1910 年前后的日本已经初步成为工业化国家。值得注意的一点是，这一时期农业的产值也增长了三倍多，特别是在 1890 年之前，其增长速度甚至比其他产业还要快，但是其后便一路下跌，其原

表 2－3　日本产业革命时期各产业产值及比重的变化　（单位：亿日元）

年份	农林水产业	工业	建设业	交通通讯	商业服务业	合计
1885	3.39(45.2)	0.86(11.5)	0.24(3.2)	0.18(2.4)	2.83(37.7)	7.50(100)
1890	4.96(48.4)	1.21(11.8)	0.36(3.5)	0.21(2.1)	3.50(34.2)	10.24(100)
1895	5.67(42.7)	1.93(14.5)	0.48(3.6)	0.39(2.9)	4.82(36.3)	13.29(100)
1900	8.58(39.4)	3.65(16.8)	0.97(4.5)	0.85(3.9)	7.72(35.4)	21.77(100)
1905	8.77(32.9)	4.77(17.9)	0.86(3.2)	1.44(5.4)	10.85(40.8)	26.69(100)
1910	11.19(32.5)	7.41(21.5)	1.57(4.6)	2.30(6.7)	12.01(34.7)	34.48(100)

资料来源：安藤良雄编：《日本近代经济史要览》，东京大学出版会，1981 年，第 8 页。

（）内数字为在国民经济总产值中所占的比重（%）。

① 日本学者南亮进以 1965 年的美元汇率为基准计算的结果是，1886 年日本的人均产值是 136 美元，若此 1910 年日本的人均 GNP 便相当于 1965 年时价的 512 美元了。参见南亮进《日本的经济发展》，东洋经济新报社，1981 年，第三页表。

因不外两点。其一，近代工业等各产业的发展速度更快，这是产业革命的必然结果；其二，明治初期的地税改革确曾一度起到了解放生产力的效果，因此带来了十年左右的农村经济快速发展期，但其后由于寄生地主制的发展，农村经济到日俄战争前后明显放慢了发展速度。

再次，看一下交通运输业的发展。铁路是国民经济的动脉，也是近代社会兴起的最主要的交通手段。日本的第一条铁路是1872年建成的东京新桥至横滨的铁路，全长29公里。进入产业革命时期，铁路建设热潮经久不衰，成为国民经济中发展速度最快的部门之一。据表2－4可知，到1910年，铁路线路总长已经超过8000公里，从当时的国力考虑，这种发展速度惊人。1905年时民营铁路总长是国有铁路的两倍。日俄战争后，日本政府从军事上的意义考虑，强制实行铁路国有化政策，结果1907年国有铁路与民营铁路一下子变成7153公里比717公里。

表2－4　日本产业革命时期铁路建设的发展　　（单位：公里）

年度	国有铁路	私有铁路
1872	29	0
1877	105	0
1883	292	101
1887	484	472
1890	984	1365
1895	1052	2731
1900	1626	4674
1905	2562	5231
1906	4978	2722
1907	7153	717
1910	7838	823

资料来源：三和良一：《概说日本经济史（近现代）》，东京大学出版会，2002年，第73页。

船舶制造是该时期堪与铁路发展媲美的新兴产业。明治政府认为，海洋国家日本无论从“富国”还是从“强兵”的角度考虑，都必须加快海运业的发展，因此在建造蒸汽船舶上下了很大力气。据表2－5可知，1885

年日本全国的造船量只有1500吨，船舶需求主要依赖进口，但是到日俄战争前夕，国内造船量已经与国外进口量持平。到1910年，全国拥有船舶的总吨位已经达到122万吨，25年间整整增长了20倍。

表2-5　日本产业革命时期蒸汽船舶的增长　　（单位：万吨）

年度	国内制造		进口		年末船舶数量及总吨位	
	艘数	总吨位	艘数	总吨位	艘数	总吨位
1885	19	0.15	7	0.70	228	5.96
1890	30	0.43	10	0.83	335	9.38
1895	47	0.56	35	4.31	528	33.14
1990	53	1.53	13	2.85	859	53.42
1995	103	3.01	100	13.87	1390	93.21
1910	71	3.56	20	4.03	1703	122.41

资料来源：三和良一：《概说日本经济史（近现代）》，东京大学出版会，2002年，第71页。

最后看一下主要工业品及出口商品的生产情况。据表2-6，25年间，煤炭增加12倍，铜增加49倍，生铁增加94倍，粗钢增加252倍，棉线增加41倍，生丝增加36倍。如此的发展速度，一方面说明这些产品的生产在起步时生产力水平相当低，因此一经引进先进技术，便带来了产值的倍数增长。另一方面则说明，产业革命时期日本在基础性工业品和出口商品的发展上下了大力气，成效显著。

表2-6　日本产业革命时期主要工业品的发展　　（单位：万吨）

年度	煤炭产量	铜产量	生铁产量	粗钢产量	棉线产量	生丝产量
1885	129	1.0	0.2	0.1	0.4	0.2
1890	260	1.8	1.9	0.2	2.2	3.5
1895	477	1.9	2.3	0.2	6.9	6.4
1900	743	2.5	2.1	0.1	12.2	7.1
1905	1154	3.5	12.5	10.6	16.6	7.3
1910	1568	4.9	18.8	25.2	18.2	11.9

资料来源：安藤良雄编：《日本近代经济史要览》，东京大学出版会，1981年，第13页。

（三）日本产业革命的特点

关于日本产业革命的特点，中外学者已经有很多论述。我国学者万峰指出，日本的产业革命属于东方后进国的类型，具有四个突出的特征：即在"外压"条件下实行的革命；通过移植西方近代资本主义的产业和经济制度而不是以原有的资本主义萌芽和一定成熟的工厂手工业为基础开展起来的；军事工业在产业革命中起主导作用；领导产业革命和资本主义工业化的力量是士族和受过封建武士道德观教育的所谓民间优秀人才。① 这一分析对于把握日本产业革命的特点很有参考价值。

从更加广阔的视野审视后发国日本的产业革命，作者认为其具有以下六个主要特点。

第一，它是一种国家主导型的产业革命。

国家主导型的概念是相对于民间主导型的意义上使用的。以英法为代表的欧洲产业革命，是近代科学技术和资本原始积累发育到一定程度的必然结果，是按照事物发展的一般规律自然推进的过程，革命的主要推动力量是私人资本。日本的产业革命则不然，且不说其资本主义经济的发育远未达到可以发生"革命"的程度，即使其"革命"前所必要的原始积累也是在国家权力的强制性作用下自上而下急剧进行的。

日本的国家主导型产业革命可以通过以下史实来说明。首先是国家主导下产业革命制度环境的创造，即在破除阻碍资本主义经济发展的各种封建制度的同时，引进和建立了适应近代经济发展的法律法规，从而为私人资本的成长和产业革命的展开创造了必要的制度条件；其次是国家在引进和采用近代工业生产技术方面所发挥的主导作用，近代意义上的工业生产最初是在官办企业（包括明治维新前的幕藩工业）而不是在民间进行的，国家率先充当了近代工业的"产妇"，起到了对民间的"示

① 见万峰著：《日本资本主义研究》，湖南人民出版社，1984年，第132—134页。

范”效果，进入产业革命时期以后，国家资本也不是在减退，而是大举扩张，既包括由军工厂、制铁所、铁路、电信电话等国营企业所构成的“产业资本形式的国家资本”，也包括由日本银行、特殊银行和大藏省存款部等构成的“贷款资本形式的国家资本”①；再次是国家主导下的资本创造，它是以国家权力为背景，通过地税改革获得原始资本，再通过赎买政策将国家资本转移支付给原来的统治阶级士族以及特权商人，同时给与其他各种便利和特权，甚至将国有资产直接下放给他们经营，竭力扮演了私人资本的“助产婆”和“保姆”角色，从而改变了一部分人的阶级属性，人为地栽培了一个承担产业革命任务的资产阶级。

第二，它是一种径直移植型的产业革命。

当欧洲先进国家已经掀起产业革命高潮之时，日本的原始积累还在缓慢进行，生产力的发展差距悬殊。但是明治维新以后，日本迈开了急剧追赶的步伐，这种追赶不是那种沿袭英法产业进步顺序的线型垂直式追赶，而是一种齐头并进式的水平移植，因此具有起点高、规模大、速度快的若干特征。

从产业技术的移植和引进看，日本的做法是瞄准最先进的技术。以纺织机械为例，工业革命的发源地英国最初就是靠纺织业起家的，其纺织技术的进步从 1767 年发明“珍妮”纺纱机开始，历经水车式纺纱机、“缪尔”走锭精纺机、“斯洛司尔”翼锭精纺机阶段，到日本发生明治维新时，英国普遍使用的是更先进的“缪尔”自动走锭精纺机。因此日本在产业革命的 80 年代，主要是引进英国的这种纺织机。但是，当时美国又发明了效率更高的环锭精纺机，于是日本又把目光转向美国，急速进行技术更新。1887 年英式自动走锭精纺机在全国纺织机械中还占 87%，而到 1890 年就已被美式环锭精纺机所超过。同年后者比例达到 65%，到

① 石井宽治：《日本经济史》，东京大学出版会，1993 年，第 243 页。

1898 年更升至 94%。[①] 也就是说，在采用这项最新纺织技术方面，即使与英国相比，日本的差距已不明显。

欧洲的产业革命是依靠科学技术的进步，沿着由轻工业领域向重工业领域扩展的方向展开的，呈现了梯次推进的特点。日本的产业革命则没有、当然也没有必要沿着相同的途径进行，而是采取了一并拿来主义的做法。当时电灯、电话、电机、电讯、发送电等以电力革命为基础的生产技术在世界上问世的时间还不长，但它一开始就成了日本产业革命时期的主要内容。例如，1882 年美国发明了电灯，并安装在华尔街上，同年美国还开始了水利发电。日本则在四年后的 1886 年由东京电灯公司生产出电灯并安装使用，十年后的 1892 年建立了京都蹴上水利发电所。[②] 近代兵器和船舶制造技术的移植情况也大致类似。

径直移植型的产业革命一方面加快了日本改变后进面貌、追赶先进国家的进程，另一方面也使日本近代经济出现了若干发展不平衡的现象。首先是产业间发展的不平衡，工业经济和农业经济发展速度迥异，农村近代化的进程缓慢；其次是同一产业部门内部的近代化步伐不一，新兴企业与大量传统手工业并存，两者之间的技术装备及生产率差距急剧扩大，工业生产部门的二重结构问题日益突出；再次是产业间关联技术的不衔接，这也是水平引进方式和近代经济跳跃性发展过程中难以回避的问题。

第三，它是一种军工优先型的产业革命。

日本对近代西方先进生产技术的学习和移植，最初是从所谓幕藩工业开始的，为了对抗外来威胁，幕藩工业的主要内容是兵器制造。80 年代后，明治政府实行官办企业下放政策时保留了军工企业，进入产业革命阶段以后，军工企业除了数量上有限外，在企业的单位规模、扩张速

① 参照万峰《日本资本主义研究》，湖南人民出版社，1984 年，第 177—179 页

② 参见南亮进《日本的经济发展》，东洋经济新报社，1981 年，第 98 页。

度、资金投入、技术力量等单项指标上遥遥领先于民间企业。

首先看一下军工企业的规模。据1902年的一项统计数字，同年全国拥有1000人以上职工的各类大型企业共有54家，其中民营企业41家，职工数超过5000人的企业只有足尾铜矿（7224人）和三菱造船所（5058人）两家。而在13家国有企业中，9家为军工企业，其中职工数最多的是吴海军造兵厂6633人，横须贺海军造船厂5880人，吴海军造船厂5745人。[①] 另据1909年的统计，当时全国职工超过3000人的企业有30家，其中14家5000人以上的大企业中不仅包括5大军工厂和国营八幡制铁所，而且前3位超大型企业也均为军工企业所包揽，即吴海军工厂20917人、东京炮兵工厂12561人、横须贺海军工厂11569人。[②]

其次看一下军工企业的扩张速度，表2－7很能说明问题。仅仅十年间，陆海军工厂的职工人数便分别增长了2.22倍和3.13倍，其设备动力则分别增长了9.26倍和14.96倍。

表2－7　军工厂的扩张

军工厂名称		职工人数（人）			动力机械马力数（马力）		
		1899年	1909年	增长倍数	1899年	1909年	增长倍数
陆军	东京炮兵工厂	6874	12561	1.83	3352	19642	5.86
	大阪炮兵工厂	2877	8075	2.81	1455	25858	17.77
	包括其他的合计	10795	23947	2.22	5115	47350	9.26
海军	横须贺	3832	11569	3.02	402	6139	15.27
	吴	6383	20917	3.28	2320	32833	14.15
	佐世保	2510	5591	2.23	446	3672	8.23
	舞鹤	—	3762	—	—	5592	—
	包括其他的合计	14278	44658	3.13	3323	49713	14.96

资料来源：三和良一：《概说日本经济史（近现代）》，东京大学出版会，2002年，第70页。

① 高村直助编：《近代日本的轨迹8　产业革命》，吉川弘文馆，1994年，第6—7页表。
② 石井宽治：《日本经济史》，东京大学出版会，1993年版，第221页。

再看一下国家对军事工业的资金投入。由于这种投入是包含在军费开支之中，暂时只能参照历年的军费开支情况来说明。统计表明，产业革命时期，日本的国家财政总开支对国民总生产的比重不断提高，由1890年的11%增加到1910年的38%，年度总开支额由1890年的8.2亿日元增加到1910年的56.9亿日元，增长了6.9倍。同期，军费开支（不包括战时临时军费）也在同步增长，由2.5亿日元增加到18.5亿日元，增长了7倍多。[①] 除了对军工企业的直接投入外，日本还由国家出资建立了八幡制铁所，实行铁路国有化，向与军事工业相关的所谓国防经济部门投入了大量资金。

最后看一下军工企业的技术力量。近代武器装备的制造不仅需要一定的科学技术，而且是以重工业的发展为基础的。产业革命时期，日本政府在大量购买西方先进武器的同时，为了建立独立的军工体系，为军工企业配置了最先进的技术和设备，同时大力收揽人才，从而使军工企业具备了独立开发生产武器装备的能力。例如，1880年发明村田式步枪，1889年批量生产连发式村田步枪，1898年生产山炮、野战炮，1910年自我设计生产的排水量1.935万吨的"萨摩号"战舰下水。1912年以后，大部分武器装备已经实现国产，并且结束了进口外国军舰的历史。重要的一点是，军事工业的发展还带动了金属制造及机械制造工业的进步，从而对民用工业产生了间接性但又极为重要的影响。

第四，它是一种财阀垄断型的产业革命。

在明治初期的原始积累阶段，日本政府通过前述的种种扶植政策，培养了三菱、三井等最早的一批私人资本政商。进入产业革命阶段后，为了尽快使本国资本具备与外国竞争的能力，日本政府不断推出鼓励资本集中和重点产业的企业大型化政策，从而导致政商资本的急剧扩张。到19世纪末20世纪初期，重量级的政商先后通过资本兼并和资

① 石井宽治:《日本经济史》，东京大学出版会，1993年版，第193页。

本联合，实现资本重组，建立了家族统治、多角经营的超大型资本垄断集团，同时也完成由政商向财阀的转变。到第一次世界大战前夕，三井、三菱、住友、安田四大财阀已经牢牢地确立了自己的垄断地位。例如，1909年，三井、三菱两家公司的矿产额就占了日本全国各种矿产总额的20％，私人垄断的程度已相当高。有关财阀垄断的情况，后文将作详细阐述。

第五，它是一种对强者依赖型的产业革命。

日本开始产业革命时，正是“世界工厂”英国称霸的时代，因此英国便自然地成为日本首要效仿的楷模和依赖对象。此外，后起的德国和美国对日本也具有重要的分量。这种依赖从经济的角度看，首先是对强者的先进科学生产技术的依赖，再就是产业资金的依赖。

对强者先进科学生产技术的依赖典型地反映在日本对欧美的垂直型贸易结构上。统计资料表明，产业革命时期日本大量引进的生产机械，100％来自欧美，在1892、1902、1912三个年度中，三个最大的机械进口来源国及其所占的分额（指数为100）依次为英国46、46、50，德国20、16、25，美国13、31、21。① 在引进生产机械和技术的同时，日本还高薪聘用了大批欧美技术专家。

对强者的依赖还表现在产业资金的供给上。日本开始产业革命时还是个典型的农业国，因此面临着资本积累严重不足与急速开展产业化必须大量投入资金的两难课题。从近代以来后起国家产业革命的实践看，解决这一难题通常有两种选择：一种是主动或被迫地放开市场，允许外商直接投资，结果往往是在加快了产业化进程的同时，国民经济也相当程度地被外国资本所控制，有的甚至沦为殖民地。产业革命时期的日本没有选择这条道路，而是自始就对外国资本的直接渗透层层设防，阻止其到日本进行直接投资，这一方针一直持续到战后的20

---

① 石井宽治、原朗、武田晴人编：《日本经济史》第2卷，东京大学出版社，2000年，第6—7页。

世纪70年代初才有所改变。再一种选择是国外借款，这也是日本在产业革命时期为解决资金不足问题所采用的主要办法。国外借款包括国家海外公债、国家担保的私人公司海外债以及外国人在日本国内的放贷等多种形式。统计数字表明，1897年日本的国外负债只有4300万日元，此后直线上升，到1914年内外债务总额已达到25.83亿日元，出现了债务危机。当时的对日债权国主要是英国，它是日本海外资金的主要提供国，法国和美国也不同程度地通过市场认购公债方式为日本提供了产业资金。

值得注意的是，产业革命时期日本对强者的资金依赖并不仅限于经济目的，在1904至1905年的日俄战争中，日本花掉了15亿日元军费，其中约6.9亿日元是英镑公债。为了与俄国争夺东北亚地区的霸权，报"三国干涉还辽"之仇，日本蓄谋已久，先于1902年与英国达成"日英同盟"，"傍"上了最强者，随后上演了英国背后出钱、日本出兵打仗的历史一幕。

第六，它是一种对弱者掠夺型的产业革命。

日本在进行产业革命时，本身还背负着一系列不平等条约的重压，但这并未妨碍其对周边更加贫弱的国家和民族的掠夺。它在对强者依赖忍让的同时，对弱者毫不客气地采取了疯狂侵略掠夺的政策，甚至在其国力还不够强大之时，便迫不及待地向"次强"的俄国提出挑战。

对弱者的掠夺从贸易结构上可见一斑，它也是一种垂直型贸易，只是与日本对欧美贸易的情况正相反，日本处于上游。产业革命时期日本的进口中，食品、纤维原料、矿产原料等一次性产品主要来自亚洲贫弱国，比重高达70％—80％，其中从中国的进口又占亚洲同类进口商品的一半左右。与此形成鲜明对照的是，同期从亚洲进口的机械类商品为零。在出口方面，亚洲是日本重化学工业品的主要接收地，在日本的化学工业品、金属制品和机械出口中，亚洲所占的比重相当高，其中机械类达到95％以上。

表 2-8　日本产业革命时期的外贸商品与地区结构

地区	出口					进口				
	一次性原料		重化学工业品			一次性原料			重化学工业品	
	食品	原材料	化学	金属	机械	食品	纤维	矿产	化学	机械
亚洲	35　62	83　69	54　53	87　51	94　97	88　91	86　62	64　73	18　11	0　0
朝鲜	1　3	2　8	0　7	8　6	1　23	15　4	0　0	0　11	0　0	0　0
中国	12　24	31　23	9　16	15　19	3　30	30　23	48　11	62　40	3　0	0　0
欧洲	12　6	10　20	7　25	13　36	3　3	4　3	1　4	35　18	77　81	87　79
英国	6　2	5　5	3　10	12　16	0　2	1　1	1　3	34　8	32　46	46　50
法国	3　0	1　1	1　4	0　12	0　0	1　0	0　0	0　0	5　4	4　1
德国	4　0	3　6	3　9	0　5	0　0	1　1	0　0	1　6	37　28	20　25
美国	43　23	6　8	37　11	0　12	0　0	4　6	2　6	1　3	5　4	13　21

资料来源：根据石井宽治、原朗、武田晴人编《日本经济史》第 2 卷（东京大学出版社，2000 年）第 6—7 页表制作。

注：(1) 本表各栏中的数字为在同类商品中所占的比重，指数为 100。由于本表省略了亚洲、欧洲、美国以外的统计，所以纵列指数之和不足 100。

(2) 本表各栏中的前一个数字为 1892 年的统计，后一个数字为 1912 年的统计。因此了解特定年度中各种商品的地区结构时，应看纵列数字；而在了解各地区不同时期的商品结构变动趋势时，应看各栏目中并列的两个数字。

产业革命时期日本对弱者的殖民掠夺除了通过一般的贸易方式外，更采取了赤裸裸的武力强夺手段。在这一时期，日本先后发动了甲午战争，参加八国联军镇压义和团的战争，发动日俄战争，三次侵略战争不但一再迫使中国割地赔款，在中国内地获取了大量利益和权力，还把朝鲜纳入到自己的版图。因此，日本的资本主义发展与产业革命，也是在对弱邻进行血腥侵略和疯狂掠夺的基础上实现的。①

四、产业革命时期的宏观经济政策操作

从 1880 年松方正义主持财政改革及处理官办企业的“殖产兴业”政策转变为标志，近代日本度过资本主义原始积累期，进入了相对意义上的产业革命期自由竞争阶段。在这一阶段，国家已主要不再扮演“产妇”

① 原文刊于《南开学报 1985 年第 5 期》及拙著《日本近现代经济史》第三章。

角色，而是重在宏观调控经济，并为此采取相应的内外经济政策。

（一）金本位制的建立

产业革命时期，金融政策的一大举措是变银本位制为金本位制。

19世纪80年代初期松方正义主持财政改革时，日本改变金银复本位制，建立了银本位制度。此后直到90年代后期，由于世界白银产量急速增加而黄金产量相对下降，金贵银贱的局面不变，金银比价由1879年的1∶18，变成1889年的1∶22和1894年的1∶32。①

银价下跌对实行银本位制的日本同时存在着正反两方面的影响。有利的方面是促进了出口，因为银价的下跌意味着日元在国际汇兑市场上被低估，日本商品有了价格上的竞争优势。同时，汇率被压低，理论上还具有抑制进口的效果。不利的方面是，产业革命时期旺盛的市场需求，导致日本的外贸始终是进口大于出口，而在进口商品结算时，由于日元汇率被低估，日本显然又处于不利地位。对此，日本政府在1893年就成立了货币制度调查会，专门研究银本位制对现实经济的利弊，然而调查会的委员各执一词，无法形成统一意见，结果1895年提交的调查会报告书原封不动地把不同意见上报给政府，即15名委员中赞成修改银本位制度者8人，反对修改者7人。

金本位制的支持者们除了经济上的判断外，另一个重要的理由是出于政治考虑。英国在1816年便实行了金本位制，70年代后，德国、美国等世界上的主要国家也先后改行金本位。日本政府认为，金本位还是银本位标志着一个国家在国际上的信用等级，只有实行金本位制才会提高日本的国际地位，跨入一流国家。但是，实行金本位的前提条件是国家要有足够的正币准备，而当时日本最大短板恰恰是黄金储备不足。

---

① 中村隆英：《明治大正期的经济》，东京大学出版会，1985年，第46页。

1894 至 1895 年，日本发动了侵略朝鲜和中国的甲午战争，清政府战败并被迫签订《马关条约》，日本不但夺取了中国台湾和澎湖列岛，而且获得了 2.3 亿两库平银的战争赔款和“赎辽费”。这是一笔相当于清政府两年多财政收入的庞大资金，它是清政府以关税为担保向英国借取的。当时，清朝赔款连同其利息折合 3.6 亿日元，是 1894 年日本政府财政支出(0.78 亿日元)的 4.6 倍！日本在这场战争中发了横财。也正是以这笔血腥掠夺的财富为基础，日本才得以在 1897 年断然实行了金本位制，实现了梦寐以求的夙愿。这一结论是有据可查的，松方正义在“金本位制实施方针”中有如下一段自白：“据下关媾和条约第四条第二款，从清国领收之赔款为军费赔款、利息及辽东半岛赎偿金计 343193608.013 日元，据 1894 年 12 月之调查，既定使用额①为 290257013.868 日元，尚余 52936594.145 日元，加上赔款利息 32076051.829 日元，计有 85012645.974 日元用途未定，可以此铸造金币，兑换 1 元银币。”②

（二）两次“战后经营”

产业革命时期，日本的财政政策以甲午战争为界，前后发生了很大变化。如表 2－9 所示，甲午战争之前，中央和地方的财政支出在国民经济总支出中所占的比重不超过 10％，战后直线上升，1907 至 1910 年同比达到 25.6％，相对廉价的“小政府”变成了昂贵的国家机器。

① 据大藏大臣松方正义在 1895 年 8 月 15 日的“明治二十八年财政计划意见书”，文中所谓“既定使用额”的分配情况是：5500 万日元冲销甲午战争临时军费，5000 万日元陆军扩军费，13000 万日元海军扩军费，500 万日元国营制铁所经费，5000 万日元备用军费。见中村隆英：《明治大正期的经济》，东京大学出版会，1985 年，第 87 页。

② 安藤良雄编：《日本近代经济史要览》，东京大学出版会，1981 年，第 70 页。

表 2-9 甲午、日俄战争后财政支出的扩大

（表内数字为对国民总支出比重）

项　目	甲午战争前（1890—1893 平均）	甲午战争后（1897—1900 平均）	日俄战争后（1907—1910 平均）
中央和地方财政支出	9.8	17.3	25.6
其中：			
直接军费	2.1	5.3	5.1
广义的军费	3.2	6.4	8.9
中央税收	5.9	3.0	8.8
中央和地方税收	8.7	8.3	12.5

资料来源：中村隆英：《明治大正期的经济》，东京大学出版会，1985 年，第 83 页。

财政扩张是根据国家扩军备战总战略的要求进行的，其扩张的高峰发生在甲午、日俄两次侵略战争之后，日本经济史上称之为两次“战后经营”，财政支出急剧扩大的领域是扩大军备、殖民地经营、产业投资及其基础设施的改善，但重中之重是加强国防经济。下面看一下两次“战后经营”时期为扩充军备而扩大财政支出的情况。

日本在甲午战争中的胜利，对于其近代化道路的走向具有决定性的影响，因为这场战争使日本尝到了侵略的甜头，更加相信“强兵”才能“富国”，军部的地位空前提高，军国主义路线从此占据了统治地位。正因如此，日本对甲午战争中到嘴的肥肉得而复失刻骨铭心，因此卧薪尝胆，战争一结束便急不可待地开始了更大规模的军备扩张，以报“三国干涉还辽”之仇。① 当时制定的军备扩张计划包括，陆军在 7 年内组成 12 个师团，海军在 10 年内建立以 6 艘战舰和 6 艘巡洋舰为基干的“六六舰队”。1896 至 1903 年的陆海军扩军费达到 3.75 亿日元。与此同时，军工厂规模大力扩充，人员和设备大量增加。

① 历史事实上，其后的日本先后对俄国、德国和法国进行了报复，即 1904 至 1905 年的日俄战争，第一次世界大战期间出兵夺取德国在中国山东的殖民地及其在太平洋上的三个群岛，第二次世界大战中出兵夺取法国在印度支那的殖民地。

10年后，日本在日俄战争中打败了强敌，但其军备扩张的步伐非但没有停止，反而迈得更快。战后的“帝国国防方针”制定的新目标是，陆军进一步增加到25个师团，海军则要建立以8艘战舰和8艘巡洋舰为基干的“八八舰队”，并且明确了实现武器国产化的目标。1905至1913年陆海军扩军费为4.73亿日元。①

但是，急速增长的庞大军费开支还不是国防经济的全部内容。产业革命后期日本的国家财政在其他与国防相关的诸多领域也进行了大规模的投入。例如，甲午战争后使用部分战争赔款兴建的国营八幡制铁所，其目的之一就是生产军用钢材，对此，当时的农商务大臣榎本武扬直言不讳，他在“设立制铁所意见”中说：“本业设立之要点，首要目的是制造军器材料，故暂时可不必考虑收支费用，而在于造出特殊钢材，且制品种类上亦有须严加保密者。”②结果，在日本政府的一手操作下，建立了当时民间无论从资金还是技术上都难以承办的大型钢铁企业，直到第一次世界大战前，八幡一家的钢材产量就占全国总产量的90%以上。再如，日俄战争后的铁路国有化政策，也是从保证国防运输的需要出发的，日本政府为此投入了更大的一笔资金。

产业革命后期，由于财政扩张的速度大大超过经济增长和税收自然增加的速度，出现了巨大的财政亏空问题。对此，日本政府采取了增加国民税收和举借内外债两种对策。

国民增税从甲午战争后的1896年就已经开始，1898年又进行了第二次增税，其后不仅税率仍在提高，而且不断出现新税目。结果，人均租税负担由1897年的324日元，增加到1909年的878日元，即使把物价上升的因素考虑在内，12年中负担率也整整加重了一倍。③

① 桥本寿朗、大杉由香：《近代日本经济史》，岩波书店，2000年，第140—141页。
② 安藤良雄编：《日本近代经济史要览》，东京大学出版会，1981年，第68—69页。
③ 桥本寿朗、大杉由香：《近代日本经济史》，岩波书店，2000年，第142页。

尽管如此，仅凭增加税收还远远不能解决财政困难，因此便开始大量发行政府公债。表 2－10 显示了产业革命时期日本政府扩大公债发行的进程。国内公债由 1885 年的 2.33 亿日元增加到 1914 年的 10.58 亿日元，其中包括近 2 亿日元的金禄公债和近 5 亿日元的收购私铁公债；国外公债主要是从日俄战争开始筹措的，由 1903 年的 1.91 亿日元猛增到 1914 年的 15.25 亿日元。这样，到第一次世界大战爆发前，日本的国内外债务为总计 25.83 亿日元，与其在海外的债权抵冲后，纯债务额约 20 亿日元，负债率为 1914 年日本国民总产值的 25%和国家一般财政支出的 202%①，已经陷入严重的财政危机状态。

表 2－10　产业革命时期日本的国家债务　　（单位：亿日元）

年度	国内债务	国外债务	合计
1885	2.33	0.08	2.41
1893	2.64	0.03	2.67
1896	3.77	0.00	3.77
1903	3.70	1.91	5.61
1905	8.70	12.35	21.05
1909	13.49	12.59	26.08
1914	10.58	15.25	25.83

资料来源：石井宽治、原朗、武田晴人编：《日本经济史》第 2 卷，东京大学出版社，2000 年，第 92 页。

（三）近代型产业政策的登场

产业革命时期推行的最具特点和实效的产业政策，主要表现在以下三方面。

一是建立政府特殊金融机构，根据国家制定的产业发展方向和目标，向政策上扶持发展的主要经济部门和企业倾斜性地提供产业资金。

后发国的产业革命普遍存在着资金供给不足的问题，特别是在产业

① 参照安藤良雄编《日本近代经济史要览》（东京大学出版会，1981 年），第 2—4 页统计算出。

革命的起步阶段，资金短缺构成了限制经济发展的瓶颈。为了缓解产业资金供给、特别是长期资金供给不足的问题，日本政府于 1897 年成立了日本劝业银行和农工银行，1900 年又成立了兴业银行，其中劝业和兴业两家银行都是可以发行债券的银行，其债券大部分为大藏省存款部购买，因此实际上都属于国家的政策银行。两家银行的业务范围很广，涵盖农业、工业和公共部门，但主要对象是大企业。在二战结束以前，这两家银行的资本金和贷款额在全国银行业中都占有相当重要的地位。

二是通过财政、税收手段扶植特定产业的发展。最具代表性的事例是为了加快发展海运和造船业，在 1896 年同时颁布了《航海奖励法》和《造船奖励法》。

造船业是日本急欲发展的重点产业，但是当时钢材等主要原材料必须依赖进口，制造成本很高，特别是大型船舶的建造，价格上无法与英国抗争。为了早日实现船舶制造的国产化，《航海奖励法》明文规定："造船奖励金向 700 至 1000 吨船舶支付每吨 12 日元，向 1000 吨以上船舶支付每吨 20 日元，若船舶的蒸汽机械一并制造，则按照实际马力数每马力支付 5 日元。"①由此日本民间掀起了一股造船热，国内造船总量由 1895 年的 5.6 万吨，增加到 1910 年的 35.6 万吨。其中，1901 年至 1914 年的新建船舶中，享受造船奖励的大中型船舶占有很大比例，1914 年的比例是 69%。② 另据统计，到产业革命完成前夕，民间造船厂享受造船奖励的 700 吨以上新建船舶共 105 艘，计 31 万吨③，并且在造船技术方面已经赶上了世界先进水平。

加强海运能力无论从商务观点还是从军事观点看，都是日本政府梦寐以求的。因此《航海奖励法》规定，向 1000 吨以上、航速 10 节以上的商船支付财政补贴金，并对政府指定的几条远洋航线实行专项补贴。由

① 安藤良雄编：《日本近代经济史要览》，东京大学出版会，1981 年，第 72 页。
② 安藤良雄编：《日本近代经济史要览》，东京大学出版会，1981 年，第 87 页。
③ 安藤良雄编：《日本经济政策史论》(上)，东京大学出版会，1973 年，第 178 页。

于有这种补贴，日本邮船公司终于在 1899 年挤入欧洲航线同盟，并与英国公司展开竞争。但是日本学者指出，当时“如果没有补助金就会是赤字”①。据统计，1900 至 1913 年，日本政府共向民间海运公司财政支付补助金 1.4 亿日元。由于有国家政策的强力支持，日本的海运业发展迅速，日本的海运公司先后开辟了孟买（1893 年）、西雅图（1896 年）、旧金山（1898 年）、南美西海岸（1905 年）等多条远洋航线，不仅在日本的对外贸易上发挥了重要作用，而且带动了国内造船业的发展。在产业革命开始阶段的 1885 年，日本全国船舶拥有量只有 6 万吨，到产业革命结束期的 1910 年，已增加到 122 万吨，成为世界上屈指可数的海运大国。

三是对技术要求高、投资大且资本回收期长、现实盈利预期低且风险大的重要产业，当民间资本踌躇不前时，国家投资直接兴办。这种明治初期曾经采用的做法，在产业革命时期照行不误，其典型案例是国家投资建立八幡制铁所。国家操办钢铁制造业，即是强化国防经济的需要，也是出于一种无奈，因为当时民间资本不愿意去冒风险。实际上，在建立八幡制铁所之前，日本政府曾劝说三井、岩崎两家最大的财阀向钢铁业投资，却被断然拒绝②，这一事物发展的过程无疑是很能说明问题的。

（四）殖民地统治的经济政策

产业革命的过程是日本资本主义形成和确立的过程，同时也是日本资本主义向帝国主义转化的过程③，这一转化是通过资本输出和对外发动侵略战争实现的。通过甲午、日俄战争，日本将台湾、朝鲜、库页变成自己的殖民地，并且在中国东北（日本当时称“满州”）享有特殊权益，从而一跃成为殖民帝国。

---

① 桥本寿朗、大杉由香：《近代日本经济史》，岩波书店，2000 年，第 142 页。
② 石井宽治：《日本经济史》，东京大学出版会，1993 年，第 230 页。
③ 山田盛太郎：《日本资本主义分析》，岩波书店，1934 年，第 12 页。

朝鲜自古以来就一直是日本觊觎的首要对象，也是中日两国争夺的焦点。公元7世纪，朝鲜半岛上同时向唐朝称臣的三个国家新罗、百济和高句丽之间发生内战，日本出兵支援百济攻打新罗，唐朝应新罗请求出兵增援，663年，唐、新罗联军在白江口一战中彻底击败日军，换取了半岛近千年的平安。1592至1598年，丰臣秀吉两次派遣大军侵略朝鲜，并扬言征服中国400州县，献北京给天皇作厚礼，中朝联军抵抗日军的战斗惨烈无比，终因丰臣突然病亡而双双收兵。明治初年的“征韩论”一时被压制，也只不过是“内治”和“外征”何者优先的分歧，及至其资本主义的发展初见成果的19世纪末20世纪初，先后发动甲午、日俄两次战争，在打败清朝后控制了朝鲜，打败俄国后把朝鲜变成日本的“保护国”即事实上的殖民地，最后在1910年干脆把朝鲜并入日本版图。

这一时期日本对朝鲜的经济统治和殖民掠夺主要是通过以下形式进行的。首先是彻底垄断朝鲜的对外贸易，当时日本迫使朝鲜签订了不平等条约，剥夺了朝鲜的关税自主权，并在开放城市和港口建立了日本人居留地，日本商人完全控制了朝鲜的对外贸易。1894至1905年的统计数据显示，十年间朝鲜出口贸易的80%—90%、进口贸易的60%—70%是与日本进行的，出口商品主要是稻米和生金，进口商品则主要是日本的棉布。① 其次是资本输出，在朝鲜大规模铺建同时具有重要军事和经济意义的铁路，1897至1900年修建的京城至仁川的铁路是在日本政府的主导下进行的，日本政府投资180万日元，日本民间投资只有47万日元。1901至1904年修建的京城至釜山铁路是以民间资金为主，但日本政府的投资也多达378万日元。其后，日本又在朝鲜修建了南北贯通的京城（汉城＝首尔）至新义州的铁路，从而建立了军事上控制朝鲜的枷锁、经济上掠夺朝鲜财富的吸血管。最后是直接性殖民掠夺，大量移民到朝鲜经营土地。1908年，日本政府特批成立东洋拓殖股份公司，这

① 详见石井宽治《日本经济史》，东京大学出版会，1993年，第267页表。

是一家贯彻执行国家政策的"国策公司",政府出资30%,事业内容是经营朝鲜的土地,赚取土地收入。到1914年,该公司占有的朝鲜土地为:水田46642町(1町=100公亩),旱田18753町,加上其他土地,共70243町。公司的土地经营收入也与年俱增,1908年为15万日元,1916年达到82万日元。① 东洋拓殖公司对朝鲜土地资源的掠夺还只是其殖民掠夺的一部分,据统计,到1915年,日本移民在朝鲜占有的土地面积已超过20万町,其中耕地面积17万町,占朝鲜全国耕地总面积的5.4%。②

甲午战争后,中国台湾被割让给日本,开始了整整50年苦难的殖民地岁月。与甲午战争后朝鲜一步步变成日本殖民地的经历不同,日本对台湾的统治是依据《马关条约》进行的,因此一开始就肆无忌惮地血腥镇压台湾军民的顽强抵抗,用刺刀建立了台湾的殖民地秩序。

日本在台湾实行的是直接统治,其统治机构是台湾总督府。为了把台湾经济纳入日本的殖民经济体系,日本政府采取的殖民经济政策是,第一,官民合资成立台湾银行,强制台湾人民使用台湾银行券,从而完全控制了台湾的金融,并将其纳入日本货币圈。第二,从军事和经济掠夺的目的出发,修建纵贯全岛的铁路干线。第三,根据日本经济发展的需要安排台湾的经济结构,使台湾成为食糖生产原料的产地,从而导致台湾经济的畸形发展,并加深了对日本经济的依赖。20世纪初期,由于台湾总督府采用了财政补助金的刺激手段,日本私人资本纷纷到台湾建立糖厂,先后成立了台湾制糖、明治制糖、东洋制糖、盐水港制糖等多家大公司,加强了对台湾的资本掠夺。第四,为了维持殖民统治,在财政税收上不断加强对台湾人民的搜刮。日本占领台湾初期,台湾总督府的财政开支相当部分依赖国内财政拨款,为了现地解决财政收入问题,一面加强对台湾人民的剥削,一面实行鸦片、樟脑和食盐等专卖,结果从1905

① 安藤良雄编:《日本近代经济史要览》,东京大学出版会,1981年,第89页。
② 安藤良雄编:《日本近代经济史要览》,东京大学出版会,1981年,第90页。

年以后，总督府的财政已经独立而不再需要国内拨款。值得注意的是，在总督府的这种现地财政收支平衡中，包括对日本企业的巨额财政补贴。有关统计显示，1901 至 1906 年，台湾总督府仅对台湾制糖一家公司的财政补贴就高达 256 万日元。① 可见，日本对台湾的惨酷掠夺又以这种形式转移支付给了私人资本。

日俄战争之后，中国东北的殖民权益被日本和俄国瓜分。根据 1907 年 7 月 30 日日俄两国签订的密约，两国以长春为界划分了势力范围，长春以北的“北满”铁路继续由俄国经营，以南的“南满”铁路和各支线、以及由大连和旅顺为中心的“关东州”地区则让与日本。由此，日本获得了对关东州、南满铁路及沿线附属地的统治和矿业开采权，并拥有铁路沿线的驻兵权。对于两个帝国主义强盗肆意践踏中国主权的侵略行径，软弱无能的清政府除了予以追认外无计可施。

日本在中国东北采用了所谓“三头政治”的统治方式，即陆军管辖下的关东都督府、外务省派出的领事馆和南满洲铁道股份公司（简称“满铁”）三大统治机构，它们分别行使着维持殖民统治和殖民掠夺的职能。

东北的经济发展基础条件及其资源条件是台湾无法比拟的，因此日本对东北的经济掠夺规模更大。其主要手段和方式为：第一，于 1906 年建立南满洲铁道股份公司，初期计划投资 2 亿日元，其中政府出资 1 亿日元。“满铁”名义上是股份公司，实际上政府拥有决策权和命令权，使用“股份公司”之名而避开国营名义的主要原因，是防止英美刁难。“满铁”是殖民侵略的急先锋，其投资除了铁路事业外，还涉及到商业及煤铁矿开采等几乎所有领域，初期活动最积极的财阀是三井。第二，大肆掠夺东北资源，当时最主要的商品是大豆和豆饼，同时加快了对抚顺煤矿和鞍山铁矿的开采。日本向东北出口的主要商品则是棉纱和棉布。第

① 桥本寿朗、大杉由香：《近代日本经济史》，岩波书店，2000 年，第 111 页。

三，大量移民，到 1914 年，东北的日本侨民已经达到 16076 户[①]，其主要集聚地是关东州及“满铁”沿线城市。

另一方面，由于日本在东北采取排他性殖民统治，英美在东北的权益受到排挤，而日本对英美的一再交涉毫不让步，于是昔日的同盟关系开始出现裂痕，从而埋下了二战时日本向英美开战的种子。[②]

① 安藤良雄编:《日本近代经济史要览》，东京大学出版会，1981 年，第 91 页。

② 节选自拙著《日本近现代经济史》第三章。

第三章　两次世界大战期间的经济政策

第一次世界大战后日本经济的发展，外部受到凡尔赛—华盛顿体系约束，内部受到三次经济危机的冲击。此间经济政策的操作，促进了产业集中和私人资本垄断，基础薄弱的重化学工业得以快速发展，但却未能起到社会安定的效果。社会贫富差距的加大，阶级矛盾的加深，以及对外经济扩张引起的民族矛盾激化，成为日本法西斯运动兴起及对华武力扩张的经济原因。

一、一战后国际环境与日本

第一次世界大战是人类史上的一场浩劫。战后，美英联手构建了"盎格鲁-萨克逊称霸"的国际秩序，日本倍感压抑，但因与美英的差距悬殊，只能暂时蜷曲在美国主导的世界体系之下。

（一）战时日本的火中取栗

19 世纪的世界是英国称霸的时代，进入 20 世纪后，英国霸权接连受到后起强国的挑战，帝国主义国家间围绕 19 世纪中叶大致形成的殖民地势力范围的再瓜分和反瓜分斗争，以 1914 年 6 月奥地利皇太子在萨拉热窝被杀为导火线，于同年7月底演化为第一次世界大战。

一战中形成了以德、奥等同盟国为一方，以英、法、俄等协约国为另一方的两大帝国主义阵营，当上述各国在欧洲展开全面厮杀时，日本瞅准机会，以日英间有同盟关系为借口，于8月23日对德宣战。9至11月间，出兵占领德国在中国的租借地胶州湾和青岛，控制胶济铁路，并夺取了太平洋上的德属马绍尔、马利亚纳和加洛林等群岛。

与此同时，由于欧洲战场胶着，列强无暇东顾，而袁世凯统治下的中国处于南北对立的混乱状态，日本认为大举向中国扩张权益的时机已到。1915年1月，大隈重信任首相的日本政府向中国北洋政府提出了臭名昭著的“二十一条要求”，即：要求中国承认日本继承德国在中国的权益以及日本在山东的铁道铺设权；同意日本对旅顺、大连租借地以及南满铁路、安东铁路享有的权利延长99年，以及日本在中国东北南部和内蒙古东部地区享有各种特殊权益；同意日本对汉阳、大冶、萍乡的铁、煤矿进行垄断性开采；承诺不向其他外国割让沿海地区及岛屿；中国政府聘用日本人作政治、经济和军事顾问，中国军队使用日本造武器，日本参与中国的地方警务，中国的铁路、矿山、港口建设需要外资时首先与日本协商，承认日本在中国各地的医院、寺院、学校的土地所有权以及在中国的宣教自由等。[①] 结果，在日本的武力威胁下，袁世凯政府除了最后一项外竟全部接受，于同年5月9日（“国耻日”）与日本签署了卖国协议。[②]

袁世凯死后，为了控制段祺瑞政府，进一步扩大在华权益，1917至1918年，日本政府以“西原借款”的名义，先后向段祺瑞政府提供武器借款、交通银行借款、有线电讯建设借款、吉会铁路借款等计1.77亿日元，其中武器借款3200万日元。[③] 与此同时，日本政府还曾设计了一个更大的“和平侵略”中国计划，即通过向段政府提供武器和派遣日本军事教

① 历史学研究会编：《日本史史料4　近代》，岩波书店，1997年，第317—318页。

② 由于中国民众的强烈反对和英国的抗议，协议中暂时不含第五方面的内容。

③ 小山弘健、浅田光辉：《日本帝国主义史》（上），新泉社，1985年，第280页。

官，在军事上取得对中国军队的控制权和指挥权；通过向中国提供官办制铁厂贷款并派遣日本技师，确保日本的钢铁来源；通过组织中日银行联合融资团向中国铁路事业投资来排挤其他列强，实现日本对中国铁路交通命脉的垄断；通过日本借款实现中国的币制改革，从而将中国经济纳入日元圈。① 这样，日本就可以得到“二十一条要求”中中国没有承认的那部分权益。但是，由于这一计划的内部意见协调尚未完成一战已经结束，该计划只好暂时搁置。

一战期间，日本除了在中国攫取了大量权益外，还充当了帝国主义镇压苏维埃革命的远东宪兵。1917 年俄国发生十月革命后，协约国决定出兵干涉，约定日本出兵 1.2 万人。但日本却出动 7.3 万兵力，占领了苏维埃俄国西伯利亚贝加尔湖以西的三个州，直到美国等撤军一年以后的 1921 年 5 月，日本才最后一个退出西伯利亚。

（二）战后国际政治体系与日本

第一次世界大战以协约国的胜利告终，英美主导下召开了凡尔赛媾和会议和华盛顿会议，从而确立了“盎格鲁-萨克逊称霸”的战后国际政治新秩序。

1919 年 1 月召开的凡尔赛媾和会议主要讨论了对德、奥等战败国的战后处理问题，并重新划分了欧洲各国的边界。会议期间，以西园寺公望为全权代表的日本代表团所关心的是日本在大战中猎取的权益得到追认，因此强硬要求会议承认日本接管德国在中国山东及赤道以北太平洋诸岛屿的殖民地权益，并以不满足要求日本将不加入国际联盟相威胁。出席会议的中国代表以中国对德宣战后中德两国旧条约自动失效为据据理力争。结果，会议没有对山东问题形成决议，日本的野心未能得逞。

① 参见大森德子论文“关于西原借款”，《历史学研究》，1975 年，第 419 号。

1921年11月，历时三个月的华盛顿会议拉开序幕。会议的内容是讨论远东、太平洋地区问题以及海军裁军问题，会议的成果是签署了7个条约12项决定，其中包括：1921年12月13日美、英、法、日四国签订的《关于太平洋岛屿的属地、领地的四国条约》（简称"四国条约"）；1922年2月6日美、英、中、日、法、意、荷、比、葡九国签订《关于中国问题的九国条约》（简称"九国条约"）；1922年2月6日美、英、日、法、意五国签订《关于限制海军军备的华盛顿条约》（简称"海军裁军条约"）。由此，确定了美国主导下的战后远东及太平洋地区的国际政治秩序，亦称华盛顿体系。

在华盛顿条约体系中，与日本关联最大的是"九国条约"和"海军裁军条约"。

"九国条约"规定，承认中国的主权独立和领土完整，支持中国通过渐进方式实现政治统一，同时各国要在门户开放、机会均等的原则下，采取统一步调应对中国提出的恢复关税自主权及取消治外法权等要求。条约还规定，日本将战时抢占的山东省权益归还给中国，并收回"二十一条要求"中第五部分的内容。这一条约否定了大战中日本在中国获取的新权益，反映了美英对日本扩张的警惕和限制。不过，条约未涉及日本在中国的其他既得权益的事实表明，维持现状、对日协调仍然是美英对日政策的核心。

"海军裁军条约"规定了主要强国拥有主力战舰的数量和比例，即美英可以各拥有主力战舰52.5万吨左右，单舰规模不得超过3.5万吨，舰炮口径不得超过406毫米。以此为基准，美、英、日、法、意五国主力战舰的比例是5∶5∶3∶1.68∶1.68。[①] 这一条约意味着战后日本作为世界第三海军大国的地位得到了承认，同时也意味着美英事实上承认了日本在西太平洋地区的海上霸权，因此出席会议的日本全权代表加藤友三郎

① 安藤良雄编：《日本近代经济史要览》，东京大学出版会，1981年，第105页。

是以“欣然”的心情在条约上签字的。然而，日本军部的“扩军派”仍不满足，认为条约压制了日本的军备发展。此后直到30年代初期，日本军部“扩军派”与“条约派”势力的较量愈演愈烈，并对日本政局和财界产生了深刻影响。

战后国际政治体系的建立，在承认战后日本政治军事大国地位的同时，也规定了日本在美英联合称霸下的次强帝国地位。并且，值得注意的是，华盛顿会议后，英国以国际联盟的建立为由，宣布1902年以来的日英同盟关系不再继续。从政治学的意义上说，战后的整个20年代，是日本为突破限制、改变次强地位而养精蓄锐的蛰伏期。

（三）战后国际经济格局与日本

第一次世界大战是资本主义发展史的重大转折点，它标志着英国主导的“不列颠制霸”时代结束和美英共同主导的“盎格鲁-萨克逊制霸”时代的开始，这个时代的世界经济格局已经出现了若干变化。

战后经济格局的最大变化，是资本主义经济发展中心由英国移向美国。战前的英国是世界最强大的工业国和贸易国，充当着国际经济分工组织者的角色。英镑作为国际决算的基础货币，占据不可动摇的统治地位。但是一战以后，英国昔日风光不再，不得不把世界经济的头把交椅让与美国。当疲惫不堪的欧洲各国将主要精力转向经济恢复时，美国依靠其强大的经济实力，开始在欧洲经济复兴的过程中扮演主角，走上了世界经济领导者的舞台。美国资本对战后资本主义经济的支配是通过下述途径实现的：德国为了恢复经济，只能仰赖美国借款，再以赔偿方式将美国资本流向英法；英法向美国偿还战时债务，从而实现了资本还流。在此过程中，美元上升为国际结算的基础货币。

战后世界经济的另一重大变化是在经济结构的调整上展现的。20世纪前世界上发生的主要战争，几乎都具有依靠敌对双方主力的决战来决定战争胜负的特点，胜负的关键主要取决于参战各方的武器装备、人员规模和战斗素质。一战是一场长期消耗战，是综合国力较量的“总体战”，飞机、坦克、潜水艇等首次使用的新武器，需要有强大的工业生产力、特别是重工业的支撑。因此，重化工业成为战后各强国经济发展的重中之重。

战后日本军事上已经跃居资本主义世界前三强的位置，但与其他列强相比，经济发展的差距依然明显，这在下述主要经济主要指标的对比中可以窥知一斑。按美、英、德、法、日五国的排列顺序，1920 年，第一产业人口比重依次为 27%、7%、30%、29%和 55%，第二产业人口比重为 34%、50%、42%、36%和 22%，这表明日本在五大强国中工业化程度最低，农业国色彩最重。再看最具代表性的产品产量或生产能力，1927 年，五国的粗钢产量依次为 4900 万吨、890 万吨、1540 万吨、460 万吨和 360 万吨，日本排在末位，产量仅为美国的 1/14 和英国的 3/5。同年，五国棉纺工业的设备生产能力依次为 3670 万锭、5730 万锭、1080 万锭、960 万锭和 600 万锭，日本的差距同样明显。经济指标中，日本占优的项目是经济增长率，1900 至 1920 年的 20 年间，增长速度明显高于英、法、德而与美国匹敌。①

经济上相对弱势，决定了日本在一战后不得不继续依赖美英强国，并在政治上与美英保持“协调”。

二、跛行发展的经济

从第一次世界大战爆发到日本发动侵略中国东北的“九一八事变”期间，日本经济出现了空前景气和连续危机的两重天局面。据日本学者大川一司推算，这一时期国民经济的实质增长率，1913 至 1920 年为年均 4.5%，而 1920 至 1929 年降至年均 1.9%。

---

① 三和良一:《概说日本经济史(近现代)》，东京大学出版会，2002 年，第 99—100 页。

(一) 战时经济的异常发展

1915 至 1919 年,借助第一次世界大战的“天佑”,日本出现了长期景气。

战时世界经济由买方市场向卖方市场的转变,引起了供求失衡和价格上涨,这给远离欧洲主战场的日本带来了诸多益处。

一是对外贸易大举扩张。大战爆发后,欧洲各国纷纷忙于筹集战略物资,对外市场竞争能力弱化。相比之下,日本的进口压力大为减轻,出口竞争力骤然加强,五年间,贸易黑字累计 14 亿日元。

二是贸易外间接收入大增。战时货物需求的骤增和战争对商船的破坏(战时世界船舶总运力损失 30%),导致运力紧张和海上运费猛涨,对于拥有强大海运能力而又没有战争损失的日本来说,这是赚取间接性贸易收入的大好良机。据测算,战前日本商船承运的进出口货物为出口 50%,进口 40%,而 1918 年进出口承运比均超过 85%。海上运费的价格,1914 年 7 月至 1917 年 9 月的三年时间里竟然上涨了 21 倍①,一时间“船生金”成为流行语。② 1914 至 1920 年,日本的贸易外收入余额为 6 亿日元,其中相当部分靠的是海运收入。

三是国家财政状况大为改善。截至战争爆发前的 1914 年 7 月,日本的对外债务为 19.6 亿日元,对外债权 4.5 亿日元,纯外债超过 15 亿日元。到 1918 年末,变成对外债务 16.4 亿日元,对外债权 19.3 亿日元,纯债权近 3 亿日元,一场战争使日本由一个沉重的对外负债国变成了债权国。③ 国家正币(黄金)储备则由 1914 年的 3.4 亿日元猛增到 1920 年的 21.8 亿日元,增长了 6 倍多。④

---

① 桥本寿朗、大杉由香:《近代日本经济史》,岩波书店,2000 年,第 175 页。

② 有泽广巳监修:《昭和经济史》,日本经济新闻社,1976 年,第 5 页。

③ 三和良一:《概说日本经济史(近现代)》,东京大学出版会,2002 年,第 88 页。

④ 安藤良雄编:《日本近代经济史要览》,东京大学出版会,1981 年,第 100 页。

四是重化学工业大发展。战前，日本的重化学工业与欧美列强相比明显处于劣势。由于主要原材料及制造业的生产成本过高，无法与西方强国竞争，因此不得不仰赖进口，国产化的目标急难实现。进入战时，欧洲强国唯恐自给不足，几乎停止了有关产品的出口，于是日本的进口压力减轻，客观上为推进重化学工业发展及加快国产化步伐提供了契机。例如，与 1914 年相比，1920 年机械工业的工厂数量增长 2 倍，达到 3640 家，职工数增长 3 倍，达到 22 万人；船台数由 20 个增加到 1918 年的 157 个；发动机由 1.6 万马力一下子增加到 4 万马力。① 一战期间，重化学工业的增长速度是轻工业的 2.5 倍，船舶和电力机械的制造已经基本实现国内自给。

五是企业发展迎来黄金时代。开战第二年，日本经济一片繁荣景象。“兜町大景气、接连暴涨再暴涨”“股市坚挺、人气沸腾”“船价高不见顶”，《中外商业新报》（即现在的《日本经济新闻》）上这些醒目的文章标题，如实地映照了当时经济景气的火暴气氛。据日本银行统计局公布的数字，全产业主要企业的分红率和资本利润率两项指标，1914 年分别为 10％和 15％，1917 至 1920 年的四年中升至分红率的 25％左右和资本利润率的 40％以上。② 其中，海运和造船业的资本利润率在 1918 年竟分别高达 192％和 167％。③ 企业大幅度盈利，强烈地刺激了股市，股票价格直线上升。到 1915 年 12 月，股价已经涨到开战时的 3 倍，继 19 世纪 80 年代中期出现的第一次“股票热”后，“股票成金”现象再次重演。1915 年 1 月，日本染料制造公司上市，原本计划发行 10 万新股，结果却出现了认购 8574 万股的奇特场面。企业盈利和股市坚挺产生的相互刺激作用，带来了企业投资的扩大和新企业簇生。据统计，1921 年日本的注册

① 中村隆英、尾高煌之助编：《日本经济史 6　二重结构》，岩波书店，1989 年，第 282 页。

② 详见安藤良雄编《日本近代经济史要览》，东京大学出版会，1981 年，第 100 页“全产业事业公司利益率的变动”表。

③ 有泽广巳监修：《昭和经济史》，日本经济新闻社，1976 年，第 4 页。

公司中，57％是战时成立，数量多达 1.9 万家。[①] 与此同时，企业的投资规模成倍增长，1914 年，工矿、交通、银行业的计划投资总额为 2.5 亿日元，其后翻番增长，1918 年为 26.8 亿日元，1919 年为 40.7 亿日元，1920 年为 51.1 亿日元，六年间规模扩大了 20 倍。[②]

六是资本输出急剧扩张。战时欧美强国竞争能力的弱化，不仅缓解了对日本国内市场的压力，而且由于其在日本以外地区的贸易、投资能力的下降，为日本通过“替代出口”和“替代资本输出”，进而挤占列强的传统市场，提供了机会和空间，战时日本对华贸易和投资的急剧增长，便是以此为背景实现的。

（二）1920 年危机

日本的战时景气是因为大战期间市场供求关系的变化引起的，其景气局面的形成机制是：卖方市场出现→出口价格上涨（如日本海运业国内物价指数 1920 年已接近战前的 3 倍）→贸易商利润大增→出口品生产企业利润增加→企业增资扩大生产→企业数量和规模扩大→熟练劳动力供给不足→工资上涨（一战期间日本的平均工资上涨了 1 倍左右）→物价上涨。这是景气状况下经济发展的一种正相传导链，其运转是以市场需求过旺为前提的。

大战结束后，经过一年左右的战后经济恢复调整期，世界经济发生了两大变化。其一，欧洲各国经济经过短暂的调整，逐渐恢复元气而杀回国际市场，市场供求关系开始向战前状态回归；其二，卖方市场向买方市场的回归，意味着竞争重新加剧，而商品竞争的主要依据是价格。战后初期，各国的国内物价虽然仍在上涨，但与战时相比，涨幅明显下落。战时，日美两国物价的上涨幅度几乎完全同步。但是，到 1920 年，日本

---

① 桥本寿朗、大杉由香：《近代日本经济史》，岩波书店，2000 年，第 168 页。
② 中村隆英、尾高煌之助编：《日本经济史 6　二重结构》，岩波书店，1989 年，第 281 页。

物价指数升到265，美国升到227，两者相差近40个点，日本在战后物价的调整上已经落后了一大步。

1920年3月15日，东京股票市场股价暴跌，以此为转折点，一战期间的长期景气宣告结束，经济危机骤然降临。

危机的发生机制与战时景气的形成机制正好呈逆时针方向运动，其传导链是国际市场供求关系转向买方市场→日本商品因价格过高丧失竞争力→大批滞货出现并导致出口商经营亏损→企业采取生产减量、劳动减员措施并出现倒闭现象→不良债权发生并导致银行歇业和倒闭→劳资矛盾深化，这是一种典型的多米诺骨牌效应。

经济危机发生后，股票及主要产品价格在1920年10至12月纷纷跌入最低点，其下跌率为股票55%，棉线60%，生丝70%，砂糖47%，铜37%，生铁30%，煤炭24%，稻米56%，批发物价指数36%。① 可以说这是日本进入近代后发生的最为严重的经济危机。

在这场危机中损失最惨重的是与出口贸易直接相关的商社和生产企业。铃木商店是战时异军突起的康采恩，在金子直吉的率领下，该公司曾创造过贸易额与三井物产并驾齐驱的业绩，并且向樟脑、制糖、制钢、制粉等制造业进行了大量投资，其发展目标是要与老牌财阀三井、三菱“三分天下”。但是，由于事业投资规模过大，盈利预期过高，因此危机袭来后严重亏损，此后一蹶不振，不久便彻底退出了历史舞台。其他如经营生丝的茂木商店、经营砂糖的增田商店、经营大豆的古河商事，以及高田商会、阿部商店等，均出现巨额经营亏损而濒于倒闭。大阪的石井定七在战时景气时靠股票、米谷和棉线等“三品”投机生意大发战争财，危机发生后资不抵债，成为远近闻名的“欠债王”。受企业经营效益恶化的影响，银行业出现大量不良债权，21家银行歇业整顿。

面对危机，日本政府紧急通过日本银行扩大融资拯救市场，融资额

---

① 中村隆英、尾高煌之助编：《日本经济史6　二重结构》，岩波书店，1989年，第291页。

达到破纪录的 2.6 亿日元。到 1920 年底，经济下滑的局面基本得到控制，日本经济的发展进入慢性萧条期。

（三）关东大地震与 1927 年金融危机

1923 年 9 月 1 日，日本关东地区发生 7.9 级大地震，震中心在东京、神奈川和千叶等城市人口稠密的地区，人员伤亡和财产损失严重。据官方统计，死亡和失踪者约 13.3 万人，负伤者 10.4 万人，烧毁房屋约 44.7 万户，财产损失总额约 55 亿日元。由于地震对工厂和公共设施造成严重破坏，城市功能一度陷入瘫痪状态。

地震发生后，日本政府采取了一系列紧急措施，先后颁布了维持治安令、非常征用令、延期支付令、日本银行震灾票据贴现损失补偿令，取缔暴利令，免除米谷进口税令，免除生牛肉及蛋类进口税令、临时物资供给令等。在灾后的混乱期，还发生了滥杀在日朝鲜人事件以及无政府主义者大杉荣全家被宪兵杀害的事件。

在震灾对策中，震灾贴现票据对其后经济的运行影响深远，并成为引发 1927 年金融危机的导火索。地震发生后，为了救济受灾者，使其重建家园，帮助受灾企业恢复生产活动，日本政府授权日本银行在 1 亿日元的亏损额度内发行贴现贷款。据此，日本银行在灾后半年内向普通商业银行发放了 4.3 亿日元借款，而在从商业银行拿到大宗贷款的债务者中，包括铃木商店、久原商事等一批灾前就已破绽百出的大公司，这些公司搭上了灾后救济的便车，救灾贷款实际成了救济贷款。

按照政府的原定计划，震灾贷款的还付截止期是 1925 年 9 月，其后又两次延长还贷期限，到 1926 年末，仍有 2 亿多日元贷款无法收回，其中台湾银行的拖欠款占了一半。在台湾银行放出的震灾贷款中，3/4 是贷给了铃木商店，总额 7190 万日元。

1927 年 3 月 14 日，众议院预算委员会审议追加预算方案时，大藏大臣片冈直温在政友会议员吉植庄一郎的严厉追问下，不慎走嘴说出“今天中午渡边银行已经关闭”一语，导致还在正常营业的渡边银行在储户挤兑下破产。接着，汹涌而来的挤兑风潮导致44家银行歇业，铃木商店的经营破绽曝光，台湾银行随之成为储户挤兑的对象。台湾银行与普通银行不同，它是“国策银行”，一旦破产，局面将无法收拾。为此，日本政府紧急制定了拯救台湾银行的法律，通过日本银行向台湾银行紧急融资2亿日元，帮助其度过了危机。然而，拥有65家企业和近6亿日元总资产的大财阀铃木商店难逃厄运，在这场危机中永远地消失了身影。①

1928年1月，日本实行新的银行法。新法规定银行资本不得低于100万日元。在随后展开的银行整改运动中，小银行或者合并，或者被兼并，全国银行数由1926年的1417家锐减到1929年的878家。在此过程中，金融资本加速向三井、三菱、安田、住友和第一劝业等五大银行集中，1929年，五大银行在全国普通银行资本额、吸收存款额及贷款额三项指标上所占有的比率，分别为23%、35%和28%，与危机前的1926年相比，三项指标均上升了4至5个百分点。②

（四）昭和经济危机

1929年10月24日，美国纽约华尔街证券市场股票暴跌，资本主义史上影响范围最广、历经时间最长、打击最为沉重的经济危机突然降临。翌年，大危机的狂飙席卷日本。

在这场大危机中，号称“永远繁荣”的美国损失惨重，1929至1932年，美国工业产值下降了46%，英国下降16%，德国下降47%，法国下降28%。从失业率看，美国一度高达28%，几乎三个人中便有一人失业。

这场危机对日本的打击也相当沉重，其中尤以蚕丝和棉布的生产及贸易行业为甚。蚕丝一向是日本出口创汇的头号产业，其出口主要面向

① 详见安藤良雄编《日本近代经济史要览》，东京大学出版会，1981年，第112页铃木商店资产表。

② 详见安藤良雄编《日本近代经济史要览》，东京大学出版会，1981年，第113页。

美国。美国发生危机后，对绸缎等奢侈品的需求锐减，从而导致国际市场生丝价格直线下跌。1929 年 9 月每包 60 公斤的生丝价格是 1330 日元，1930 年 10 月降到 540 日元，下跌率达 60%。[①] 生丝价格的暴跌，不仅影响到日本的有关生产企业，导致经营亏损以及减薪减员，而且直接伤害了农村中蚕农的利益。1930 年春蚕产量大增，但蚕价暴跌，蚕农"丰年不丰收"，生活陷入困境。

危机期间，资方除了采取减少生产的一般措施外，还普遍通过降低工资、裁减员工的办法减少开支，把危机转嫁给劳动者。这种情况不仅在中小企业大量发生，就连造船业中居于龙头老大地位的川崎造船厂也因船舶订单锐减，采取了解雇 2980 名职工的非常措施。据官方发表的数字，危机期间失业者达到 150 万人，职工工资下降了 10%—15%。[②]

从世界范围看，1929 年经济危机的破坏性是史无前例的，但是从日本的情况看，还是能够发现一些与美国等不尽相同的特点。

一是在主要国家中，日本是最先摆脱危机的国家。从批发物价、工业生产和出口额三项指数的变动看，日本的低谷均出现在 1931 年，而美、英、德、法四国的三项指标大多是在 1932 年进入低谷。

二是在分析日本为何能够最先摆脱这场大危机的原因时，日本学者列举了昭和危机前日本经历了金融危机的考验和产业合理化运动，资本主义有了"坚韧性"和"自律性恢复"能力。[③] 这一见解值得进一步考证。

三是 1931 年 9 月日本制造了侵略中国东北的"九一八事变"(日本称"满州事变")，是 1932 年日本能够比欧美各国先行一步走出危机低谷的重要原因。侵华战争扩大了"需求"，刺激了生产和供给，使得日本的工业生产指数在 1931 年降到最低点的 92 以后，1932 年回升到 98，1933 年达到 113，而 1931 年美、英、法、德四国还在 64、88、61 和 81 上徘徊。

---

① 有泽广巳监修:《昭和经济史》，日本经济新闻社，1976 年，第 53 页。

② 小林良彰:《昭和经济史》，索迪克出版社，1989 年，第 20 页。

③ 桥本寿朗:《大恐慌时期的日本资本主义》，东京大学出版会，1984 年，第 382 页。

三、战后经济政策的动向

1918至1931年，是日本政治史上的所谓“政党政治时期”，各种政党分化重组频仍（后期形成政友会和民政党两大政党），政府（内阁）变动了10次。

这一时期，由于凡尔赛—华盛顿体系的制约，日本的对外政策方针依然是与美英“协调”，因此军备扩张速度有所节制。在国内政策方面，两大政党虽然都是资产阶级利益的忠实代表，但在轮流执政时采取的经济政策却不尽相同，前者推行“积极财政”，后者主张“财政紧缩”；前者不甚关心金本位制的恢复，后者则倾尽全力付诸实施。

（一）金融政策的误算

一战爆发后，欧美主要国家先后停止了金本位制，日本则在1917年颁布了黄金出口禁令，停止了金本位制。战后，美国于1919年率先恢复金本位制，其后德国、英国、荷兰、瑞士、加拿大、比利时和意大利等在1924至1927年恢复，主要资本主义国家中，只有法国和日本没有恢复。

金本位制具有很强的市场自动调节功能，是一国经济实力及其稳定性的象征。在日本看来，金本位制是资本主义强国的符号，因此势在必行。一战后日本迟迟没有恢复金本位制的根本原因，是代表资产阶级利益的国家统治者在追求短期利益和长期利益的看法上存在分歧，在汇率标准的制定上，金融资本和工业资本的立场存在着尖锐的对立，由于双方都在力图影响政府制定符合自己利益的政策，结果使问题变得更加复杂。

关东大地震后，回归金本位制的争论焦点集中在按旧平价还是新平价恢复汇率的问题上。石桥湛山、高桥龟吉、小汀利得、山崎靖纯等以《东洋经济新报》为阵地频繁发表意见，极力主张按新平价恢复金本位制,其依据是,美元与日元的市场汇率已由战前的0.495∶1升至0.45∶1,因此按照这一汇率恢复金本位制,可以保持日本商品的对外竞争力。石桥等“四人帮”的新平价论受到了工业资本家的欢迎,但却遭到银行资本家的强烈反对,因为新平价将导致日元汇率下跌,若此将意味着金融资本持有的债权缩水,其手中握有的资本在向中国投资时将面临贬值。优先考虑大资本的要求还是照顾中小资本的利益,成为日本政府难以决断的两难课题。

1928年,法国宣布恢复金本位制,日本的国际压力骤然加大,是否恢复金本位制,已经成为日本在国际上能否保住面子的政治问题。1929年7月滨口雄幸担纲的民政党内阁成立后,加速了恢复金本位制的准备工作。1929年11月21日宣布,从1930年1月11日起,按照旧平价恢复金本位制。

但是,无论从按旧平价恢复上讲,还是从时机的选择上看,这项经济决策都犯了重大的错误。同年10月“黑色星期四”的美国股市崩盘后,前所未有的大危机已经到来,而当时日本政府却错误地认为,美国景气趋冷后利息必然下调,因此正是日本恢复金本位制的大好时机。结果,当经济危机发展为世界大危机后,日元汇率高估的问题在空前激烈的贸易战中暴露无遗,日本的处境更加艰难,不得不在1931年12月13日宣布黄金出口禁令,再次停止金本位制。

(二)财政政策的转换

一战结束至20世纪30年代初期,日本的财政政策经常因政权的更迭而变化,并且带有很深的政府主管大臣财政理念的烙印。民政党内阁大藏大臣井上准之助以推行紧缩财政闻名,而多次出任政友会内阁大藏大臣的高桥是清以推行“积极财政”著称。前者是古典派财政学的忠实信徒,后者则是日本资本主义发展史上第一个凯恩斯式的反古典派财政学的实践者。因此,“井上财政”和“高桥财政”一直是学界进行对比研究的典型素材。

战后紧缩性财政与扩张性财政的基调变换多次发生，但对照鲜明的是井上、高桥担任大藏大臣的时期。

1929 年 7 月，滨口雄幸民政党内阁成立伊始，即宣布财政紧缩、清理国债和解除黄金出口禁令为经济政策的三大重点。在大藏大臣井山准之助的主持下，1929 年度的中央财政预算被削减 5%，制定 1930 年度预算时，预算额比上年度再减少 9.3%。① 财政紧缩是与即将出台的恢复金本位制政策配套实施的，日本政府的设想是，财政紧缩带来的需求减少效果，会促进企业降低生产成本，从而把居高不下的国内物价拉下来，在此基础上恢复金本位制，将使财政运营和金融管理双双实现“健全化”。但是，1929 年经济危机爆发后，生产和贸易急剧萎缩，企业经营大面积亏损，国家税收减少，之后关东军发动了“九一八事变”，于是扩大军费开支、增加军需生产成为压倒一切的任务，财政紧缩政策已不合时宜。随着政府的更迭，财政政策也发生了逆转。

民政党内阁垮台后，高桥是清连任犬养毅、斋藤实和冈田启介三届政府大藏大臣职务四年之久，他推行的是与井上截然相反的扩张性财政政策。高桥上任后，在“匡救时局”的口号下，政策上连出三招，一是禁止黄金出口、停止金本位制；二是提高 29 种物品进口关税，使从量进口税率比 1931 年提高了 4.2%，其中生铁等重化学生产原料和机械、汽车零部件的进口关税由 30%提高到 42%②；三是推行财政扩张政策，1932 年度预算规模达到 20 多亿日元，一下子比上年度增加了 34.7%，其增支主要用于军费和救济农村。

财政支出的扩大，使财政收入不足的矛盾更加突出。对此，高桥的做法是大量发行公债。与以往的做法不同，高桥财政下的公债不是由社

① 大石嘉一郎编：《日本帝国主义史 2　世界大恐慌期》，东京大学出版会，1987 年，第 100 页。
② 大石嘉一郎编：《日本帝国主义史 2　世界大恐慌期》，东京大学出版会，1987 年，第 105—106 页。

会认购，而是完全由日本银行认购。高桥的政策思想是，如果按照常规由社会认购公债，如由普通银行和大藏省存款部认购，不但达不到增加货币供给量的效果，还会引起利率提高，只有增加货币流量，才会激活经济，改变危机局面，等到经济状况好转以后，再把日本银行持有的公债向社会发售，实现货币回笼，进而取得经济稳定效果。这一政策实施后，日本银行通过财政渠道扩大了资金供给，社会资金供给不足的局面得到改观，银行贷款利息也随之多次下调，企业经营状况趋于好转，国民经济于1932年爬出危机的低谷，1933年工业生产恢复了较高的增长率。

对于高桥的财政政策，日本学者褒贬不一。三和良一认为，高桥的公债政策既保证了包括军费在内的创造需求的财源，又扩大了刺激景气的资金供给，收到了"一举两得"的效果。① 桥本寿朗评价说，高桥的经济政策是"先于凯恩斯的凯恩斯政策"②(凯恩斯的名著《货币与利息的一般理论》是四年后问世的)，"是在重建金本位制失败、凡尔赛—华盛顿体系崩溃后世界体系发生转变、国际制约弱化的情况下，后发的弱势资本主义国家采取的经济发展政策"，同时这种"需求管理政策"又是"无意识地"实施的。③ 然而，货币供给量只有与实体经济相符时，货币的价值才能保持稳定状态，流动性过大，必然导致通货膨胀。高桥财政是通过扩大日本银行认购公债和扩大货币发行的方式实施的，因此也就无法避免通货膨胀和政府债务过重，其负面效果迟早会反映出来。

（三）产业政策的变动

一战以后，为了加速重化学工业的发展，增强企业的国际竞争能力，日本政府以产业合理化的名义加强了产业政策操作，不仅对当时的产业结构和企业经营产生了重要影响，其政策思想和手段还直接影响到其后

---

① 三和良一：《概说日本经济史》(近现代)，东京大学出版会，2002年，第131页。

② 桥本寿朗：《现代日本经济史》，岩波书店，2000年，第36—37页。

③ 大石嘉一郎编：《日本帝国主义史2　世界大恐慌期》，东京大学出版会，1987年，第110、104页。

的战时统制经济和第二次世界大战以后产业政策的实施。

产业合理化政策是一战后从德国学来的。德国战败后，国民经济一度陷于崩溃，但是由于开展了全民性的产业合理化运动，到20年代末期完成了新一轮工业生产技术的更新改造，奇迹般地实现了战后经济复兴。日本注意到了德国的变化，1927年金融危机过后，把产业合理化提到政府的议事日程。1929年7月，浜口雄幸内阁首次把产业合理化列入经济政策的重点。1930年1月，成立产业合理化最高领导决策机构临时产业审议会，浜口首相任会长，农林、商工两大臣任副会长，委员由大藏大臣等内阁成员与数名财界巨头担任，干事会成员则清一色地由各省选派的一名局长组成。因此，这是一个典型的官主导、政财结合的机构。1930年6月，商工省内增设专门掌管产业合理化行政事务的临时产业合理局，商工大臣兼任该局长官，事务官由商工省局级官员兼任，并聘请大河内正敏、中岛久万吉等财界、学界名人担任顾问。

产业审议会的职责是"调查审议产业合理化及其他振兴产业的重要事项"①，具体事项包括：哪些产业企业应该统制，方法如何；为促进产品规格的统一和单纯化，改善生产技术及其管理方法，提高效率，应采取哪些措施；为实行产业合理化，应怎样改善产业金融；如何普及推广使用国产品等。

但是，当日本政府大张旗鼓地宣传并制定产业合理化实施方案时，世界经济危机爆发，在大危机的冲击下，日本已无法按部就班地推行产业合理化政策，只能择其重点，解决燃眉之急。临时产业合理局的官员认为，要摆脱危机，除了企业自身加强科学管理、不断降低生产成本外，政府必须介入，加强对产业的重点统制，促进企业的联合和合并。商工省工务局长兼临时产业合理局第二部部长、1931年升任商工省次官的吉野信次认为："近代产业虽然主要是通过自由竞争发展到现在的，但其种

① 加藤尚文编：《日本经营史料大系》3（组织・合理化），三一书房，1989年，第99页。

种弊害已日趋明显，维持完全的自由不可能把产业从目前的混乱中解救出来，产业需要全盘发展计划和统制的政策。”①在这种政策思想的指导下，临时产业合理局拟定的《重要产业统制法》于1931年4月被批准实施。这部法律的核心内容是：其一，重要产业须按国家要求组成卡特尔，其前提条件是保证同行业有2/3以上企业加入，或加入卡特尔企业的生产、销售额在同行业中的比例超过2/3。政府在融资斡旋、原料进口等方面对加入卡特尔的企业予以关照，同时有权审查、批准或否决卡特尔内企业在追加投资、生产减量、市场分配、价格垄断等诸方面的共同行为，并可强制未加入卡特尔的同业企业服从卡特尔的协议。其二，政府有权指定重点产业。1931至1936年，商工省以公告形式，先后宣布26种行业为重要产业，其中包括钢铁制造业、煤炭开采业、机械制造业、石油精炼业、水泥制造业、化肥制造业、棉花化纤纺织业等。该法颁布后，企业合并、兼并的资本集中过程加速，全国建立了以财阀企业为核心的数十个同业卡特尔组织，财阀的势力急剧膨胀，成为产业合理化政策的最大受益者。

四、垄断经济的困境

一战至“九一八事变”前后，日本的经济发展如过山车，几次危机过后，资本集中和重化学工业进程加快，产业结构、收入分配结构以及对外贸易结构均发生显著变化，其结果不仅使日本国内社会矛盾激化，而且使日本与中国的民族矛盾日趋紧张。

（一）技术进步与产业结构升级

第一次世界大战爆发前，日本已完成了工业革命，但从产业人口构成、三大产业产值、工业生产中重工业的比重以及工业生产设备的国产

① 吉野信次：《日本工业政策》，日本评论社，1935年，第313页。

化水平等国民经济的主要指标看，与欧美强国存在相当大差距。因此，缩小与欧美的技术差距，实现重化学工业生产设备的国产化，是战后日本经济发展的主要目标。

这一时期的技术引进是通过购买技术专利、与外国技术合作、与外国合资以及进口品仿制等多种方式进行的。人造纤维、硫氨、石油精炼、内燃机、发电机、电力机械、工业电缆、航空发电机、飞机整机制作、螺旋桨等是该时期技术引进的重点。池贝制铁所参考美国和德国技术，开发生产了精确度更高的G型旋盘。铁道工业以美国的机车为样本，制造了牵引力更大的C52型机车，从而完全停止了外国机车的进口。钢铁制造技术也有明显进步，八幡制铁所开始建设500吨产量的大型高炉，由于解决了贫矿炼铁的技术问题，满铁在鞍山开始实施高炉炼铁计划。电力事业的发展也很显著，1915年，日本的发电量为57万千瓦，到1930年增加到391万千瓦，15年间增长了26倍①，从而有力地支持了重化学工业的进步，促进了各种电力机械制造业和炼钢、水泥等耗电工业的发展。

据商工省调查，到20年代末30年代初，日本在质量、价格上可以和欧美竞争且具有充分生产能力的主要重化学工业品种有：铁轨、绝缘电线、铁桶、铁管、成型钢材、棒钢、有线及无线电信机、蒸汽涡轮、内燃机、水车、发电机、变压器、电机、轮船、铁路机车、铁道车辆、合成染料、人造纤维、普通玻璃。质量和价格都具有国际竞争力但生产能力较低的品种有：生铁、铁板、特种钢材、纺织机械、汽油、碱灰、烧碱、硫氨、汽车轮胎。能够生产但质量和价格无法与欧美相比的品种有：各类汽车、光学玻璃、厚板玻璃等。②

与工业技术的长足进步相联系，一战以后，日本经济在产业结构上

① 桥本寿朗：《现代日本经济史》，岩波书店，2000年，第47页。
② 山崎隆三编：《现代日本经济史》，有斐阁，1985年，第32页。

发生了不小的变化。先看就业人口，1920 至 1930 年 10 年间，农村就业人口下降了 4 个百分点，1930 年第一产业就业人口的比重降至 49%。第二产业就业人数虽然有所增加，但比重几乎没有变化。同期，第三产业就业人口增长较快，意味着农村就业人口的转移主要是被第三产业所吸收。再看国民产值中各产业所占比重的变化。1915 至 1930 年的 15 年间，农林水部门组成的第一产业由 29%降到 18%，降低了 11 个百分点；制造、交通建设等组成的第二产业由 37%提高到 45%，提高了 8 个百分点；服务业等第三产业则略有提高。这表明同期第二产业的发展速度远远高于第一、三产业，国民经济的发展主要是由工业牵动的。最后看一下重化学工业在第二产业的制造业中的位置变化。1926 至 1931 年的五年间，制造业中纤维品等轻工业生产比重由 62%降到 58%，下降 4 个百分点。重化学工业的比重则由 26%上升到 29%，提高了 3 个百分点。考虑到战后国际裁军条约对扩大武器生产的限制作用，应该说重化学工业的这种发展速度是不低的。另据统计，到 1931 年，日本重化学工业已经接近自给的水平，即化学 92%，金属 97%，机械 97%。① 日本学者也认为，“20 年代是重化学工业通过引进外国技术并进而实现国产化的时代”②。不过，还应该指出，20 年代日本的重化学工业虽然取得了很大进展，但是全力发展重化学工业还是在发动侵华战争以后。

（二）垄断体制的加强

1920 年后发生的经济危机如同大浪淘沙，战前战时成立的企业不得不接受一次洗礼，二流财阀铃木商店等一批企业退出历史舞台，而以三井、三菱为首的财阀垄断资本却在激烈的角逐中更加强大。30 年代初期，日本确立了私人资本垄断体制。

---

① 大石嘉一郎编：《日本帝国主义史 2　世界大恐慌期》，东京大学出版会，1987 年，第 120 页。
② 山崎隆三编：《现代日本经济史》，有斐阁，1985 年，第 31 页。

卡特尔是资本垄断的一般形式，是同行业企业为维护垄断利润而达成的组织性合作，其主要活动方式和手段不是组织性兼并或资本集中，而是通过契约或协议，在生产数量、产品价格、销售区域等问题上达成一致，采取共同行动。一战前日本的行业卡特尔组织只有 7 个，活动也不是很频繁。1929 年经济危机以后，卡特尔垄断加强，截至 1932 年，日本已有 83 个卡特尔，其中的 48 个卡特尔组织是在 1930 至 1932 年间成立的，重化学工业部门的卡特尔为 64 个。卡特尔的迅速发展，也是日本政府推行的产业政策的结果。为了缓和同业间过度竞争，控制物价下跌，日本政府在 1931 年 4 月接连颁布了两项重要法律：一是前述的《重要产业统制法》，它是推进大企业合作与联合的法律。二是《工业组合法》，它是强制要求中小企业加入卡特尔的法律，其对象包括生产火柴、酱油、砖瓦、玩具等日用生活品的企业。

相对于卡特尔，资本垄断的更高形态是行业辛迪加。一战后，日本若干行业部门都出现了少数垄断性大企业。例如，1931 年(个别数字是 1932 年)，钟渊等五家纺织厂的棉纱和棉布产量已分别占全国产量的 46%和 49%。王子、富士和桦太三家造纸企业占全国产量的 87%。台湾、明治、大日本和帝国四家制糖企业占全国产量的 63%。日本制粉和日清制粉两家企业占全国面粉生产的 82%。浅野、小野田和盘城三家水泥制造企业占全国产量的 62%。八幡制铁所一家占全国生铁产量的 42%和钢材产量的 53%。三菱等七家造船企业占全国产量的 87%。日立、三菱、富士等五家企业生产的电机占全国产量的 90%。三池等七家企业占全国煤炭产量的 55%。足尾等五家企业的铜产量占全国的 95%。东京电灯、东邦电力等五家企业的发电量占全国的 61%。三井、三菱、安田、住友、第一劝业五大银行的吸收存款额和发放贷款额分别占全国的 38%和 30%。①

① 山口和雄：《经济学全集 12　日本经济史》，筑摩书房，1972 年，第 254—257 页。

与行业部门的资本垄断相比较，康采恩级的跨行业财阀资本垄断进一步强化，其中最具代表性的是老牌财阀三井和三菱。[①] 三井财阀，拥有持股公司三井合名，三井银行、三井物产、三井矿山、三井信托、三井生命、东神仓库六大直系公司和王子制纸、钟渊纺织、芝浦制作所、三越等十大旁系公司，下辖东洋棉花、东洋人造纤维、日本制粉、台湾制糖、郡是制丝、釜石矿山、台湾煤矿、上海纺织、汤浅电池、三信建筑、大正海上火灾以及富士制纸、日本制钢所等 76 家大企业，总资本额 8.49 亿日元。三菱财阀，拥有持股公司三菱合资，三菱造船、三菱制铁、三菱矿业、三菱商事、三菱银行、三菱海上火灾、三菱信托、三菱制纸、旭硝子、东山农事十大直系公司，日本邮船、明治制糖、麒麟麦酒等 11 大旁系公司，下辖三菱电机、三菱航空机、三菱仓库、富士电力等 40 家大企业，总资本额 5.92 亿日元。尽管与三井、三菱相比相形见绌，但同期其他财阀资本也都有不同程度的发展。1930 年，安田的总资产为 3.63 亿日元，住友为 1.88 亿日元，大仓为 1.49 亿日元，川崎为 0.96 亿日元，古河为 0.71 亿日元。这样，进入 30 年代以后，日本真正进入了财阀统治的时代。

（三）阶级矛盾的激化

与垄断资本的空前发展相对照，城市工人阶级和农村佃农无产者的生活状况日益恶化，被压迫阶级的反抗愈加激烈。

1918 年 7 月，由于日本政府决定出兵西伯利亚干涉苏维埃革命，引起米价急剧上涨，引发了全国规模的“米骚动”运动。这场运动是以同年 7 月 23 日富山县鱼津町渔民家属阻止大米外运为导火线爆发的，其后的两个月间，日本全国 37 个市 134 个町 139 个村发生民众示威或暴动，混乱局面一度导致政府更迭。

进入战后经济危机频发期，战时骤然膨胀起来的资本主义经济也进

① 以下数据资料引自有泽广巳监修《昭和经济史》，日本经济新闻社，1976 年，第 70—71 页。

入调整阶段，而危机与调整的最终承受者则是下层民众。战争期间，第二、三产业就业人数增加了250万人左右，到1919年，非农业就业人口已经超过1000万人。在危机和慢性萧条的20年代，资方摆脱危机的常用手段是增加劳动强度和时间、降低工资及解雇，由此激起了工人阶级的强烈反抗。据统计，1914至1931年间，劳资纠纷逐年增加，1916年发生108起，参加斗争的总人数为8000人，1920年发生282起，3.6万人参加，1930年达到高峰，发生906起，8万多人参加。[①] 这一时期工人运动的目标是提高工资、反对降低工资、要求按期发放工资以及反对解雇等经济上的要求，并且是以前两项要求为主。当时影响较大的工人运动有东京市电、钟渊纺织等大企业的罢工斗争。

工人运动多由工会组织发动，到1931年，日本全国共有818个工会，会员37万人，组织率为8%，在当时的工业国中处于较低水平，主要原因是政府的镇压和组织内部不团结。当时全国性工会组织有左翼的日本劳动组合评议会，中派的全国劳动组合同盟和右翼的日本劳动总同盟。三大工会中，左翼工会在1928年被政府勒令解散，其后多次重建但屡遭镇压。右翼工会主张与资方合作，并在“九一八事变”后表态支持战争。中派工会则在事变后发生了主战派和反战派的分裂，从而弱化了组织工人运动的能力。

农村贫困是20年代日本社会最为尖锐的问题，特别是1929年经济危机发生后，蚕茧、稻米等农产品价格急剧下跌，农民入不敷出，生活更加贫困。在东北农村，甚至出现了农家少女卖身求生的惨景。有泽广巳主编的《昭和经济史》写道，“据闻东北某村妙龄少女1/4被迫卖身，以至于村公所设立了卖身洽谈处，挂有‘卖身者请来此洽谈’的招牌”[②]。

贫困农民为了改善生活处境，开展了以减轻租税为主要内容的斗

---

① 三和良一：《概说日本经济史》（近现代），东京大学出版会，2002年，第106页。

② 有泽广巳监修：《昭和经济史》，日本经济新闻社，1976年，第59页。

争，1920年408次35万人，1925年2208次135万人，1931年3419次81万人。[①] 农民运动多由农会组织，20年代后期至30年代初，农会数保持在4000左右，全国性农会组织有左派的全农全国会议，中派偏左的全国农民组合，中派偏右的日本农民组合总同盟，以及右派的日本农民组合。这些全国性农会组织，不仅相互对立，而且内部不断分裂，因此未能很好地发挥组织作用，致使这一时期的农民运动只能孤立、分散地进行，无法形成大规模的农民运动。30年代以后，农民斗争次数有所增加，但参加斗争的人数和规模反而出现了萎缩现象。

无产阶级政党和农会在天皇制的压迫下始终处于弱势，无法从根本上解决土地问题，也无法帮助贫苦农民摆脱困境，这就客观上为民间右翼势力和下级军官在拯救农村、改造国家口号下发起法西斯运动留下了土壤和空间。

（四）垄断资本的对外经济扩张

经济危机的频发和阶级关系的紧张，意味着垄断资本的发展遇到了瓶颈，于是扩大资本输出便成为摆脱其困境的途径。1913至1932年，日本的对外贸易规模增长一倍以上，贸易结构也出现了若干变化。在外贸的对象区域及国别方面，与战前相比，进口：欧洲所占比重由30降到10，北美由19增至28，亚洲由47增至51，非洲等其他地区增加了10个点左右。出口：欧洲减少9个点，美国增加9个点，亚洲增加13个点。[②] 可见，日本外贸的地区结构已由战前的亚洲、欧洲、北美（主要是美国）三个重点地区，变成了亚洲和北美两个重点地区。

在进出口商品结构方面，从欧洲的机械类进口减少，从美国的同类进口显著增加。从亚洲各国进口工业原料及农产品同时出口机械及工

① 山口和雄：《经济学全集12　日本经济史》，筑摩书房，1972年，第269页。
② 参照三和良一《概说日本经济史》（近现代），东京大学出版会，2002年，第8-1表和第11-4表。

业品的状况没有变化。

在贸易收支方面，一战后多数年度入超，造成正币储备急剧减少。其中对欧洲贸易仍然是连年入超，唯独对英国贸易出超。对美贸易开始连年出超，之后随着机械类进口增加而出现入超。对亚洲贸易总体上始终保持出超基调。

一战以后，由于中国民族工业的发展，日本的对华出口压力增大。为此，日本资本开始大举进入中国，在中国投资设厂，以便利用日本的技术和管理经验，使用中国的丰富资源和廉价劳动力，降低生产成本，压倒中国民族工业，占领中国市场。这样一来，日本不仅与中国的民族工业产生了正面冲突，而且与其他列强争夺中国市场的矛盾也日益尖锐化了。有关统计表明，迄 20 世纪初，日本的对华投资还微乎其微，但 1914 年已占外国对华投资的 14%，继英、俄、德之后列第四位。此后，日本投资急剧增长，到 1931 年，其对华投资已占外国对华投资的 35%，与最大的对华投资国英国并驾齐驱。①

从日本对华投资的区域看，1914 年以前重点是中国东北，官民合资的“满铁”堪称代表。其后加快了在中国内地投资的步伐，重点城市是上海、天津、武汉和青岛。20 年间，日本对华资本输出额由 3.85 亿日元猛增到 17.48 亿日元，扩大了 4.5 倍。②

从日本对华投资的产业分布看，在东北是掠夺煤铁资源并组织重工业生产，在内地则主要向盈利较大的纺织业部门投资。一战后，日本的“在华纺”与中国的“民族纺”竞争激烈，民族纺在工厂数量、设备能力和生产规模上始终占据优势，但使用国产棉进行粗纺生产，利润较低，部分采用精纺的公司也因依赖日本的商社进口印度棉而提高了生产成本。“在华纺”多使用印度进口棉进行精纺生产，其原料进口为同系财阀商社

---

① 高村直助：《日本资本主义史论》，密涅发书房，1980 年，第 138 页。

② 长冈新吉等：《近代日本经济史》，日本经济评论社，1980 年，第 142 页。

承担，因此盈利水平较高。可以说，近代中国的民族工业是在日本和欧美资本强力挤压的缝隙中艰难地发展生存的。

日本对华资本输出及利润的扩大，刺激了垄断资本进一步向中国扩张的欲望，日本政府则利用和制造各种机会，为垄断资本的经济扩张保驾护航。1927 年和 1928 年，日本政府曾以保护侨民为借口，悍然向中国山东出兵，激化了中日间的矛盾。

综上所述，一战后日本经历了三场经济危机的冲击，在应对危机的过程中，经济政策的操作促进了私人资本垄断和国家资本垄断，产业结构急剧向重化学工业倾斜，但却未能起到社会安定的效果。国内社会矛盾的深化和对外关系的紧张，成为其后日本内部矛盾外部解决、进而铤而走险走上武力侵华道路的重要动因。①

① 原文刊于《世界近现代史研究》2014 年第十一辑。

第四章　二战后的经济改革

第二次世界大战结束后，日本在外力的强制下被迫进行了民主化、非军事化改革。经济改革的核心是制度的解构和重构，由此引起经济体制的变化，进而深刻地影响了战后经济发展理念和运行方式。

一、经济发展的政治学

近代经济发展过程中，市场和国家公共权力被分别喻为“看不见的手”和“看得见的手”，两者宣称的理论绝对性，已经在古典的自由放任资本主义和高度集中的计划经济实践中露出了破绽。作为资本主义后发国，二战后的日本如何认识和处理市场与国家权力的关系，或许是解开其战后经济何以迅速崛起的一把钥匙。

（一）课题的选择与“切入”

古典经济学历来主张，自由放任的市场经济是资本主义发展的基本准则。在自由资本主义阶段，这一理论曾被视为不容置疑的教条。然而，随着资本主义本身固有矛盾的发展，市场经济这只“看不见的手”的局限性暴露无遗，经济危机的频发，从根本上打击和动摇了所谓“千古不变”的资本主义体制。特别是当世界上第一个社会主义国家苏联建立以后，似乎已敲响了资本主义制度灭亡的丧钟。

然而，第二次世界大战以后，本已呈现“垄断、腐朽、垂死”衰兆的资本主义，反而出现了前所未有的“稳定”和所谓“小阳春”现象。除了科技革命引起生产力飞速发展等原因外，西方各国加强对国民经济的干预也是不容忽视的重要一因。其干预的历史可追溯到战前美国的“罗斯福新政”。换言之，这种干预就是经济政策。毫无疑问，经济政策研究已构成世界范围的资本主义经济发展史研究不可或缺的重要一环。

在这种研究中，日本是只值得重点解剖的“麻雀”。

近代历史表明，日本作为一个日本史上“早产”、世界史上“晚产”的后起资本主义国家，其资本主义发展自始与国家权力的干预和推动密切相关。在日本早期资本主义即原始积累阶段。国家不仅扮演了私人资本主义经济的“助产婆”和“保姆”，其本身也曾兼任过“产妇”。明治中期以后，虽曾出现过“自由经济”时代，但一转即逝。进入 20 世纪后，日本经济急剧走上资本垄断和国家垄断的道路。到 1931 至 1945 年的 15 年对外侵略战争期间，国家对国民经济的干预从规模到深度皆可谓登峰造极。可以说，抛开国家干预即经济政策的研究，就不可能写就一部日本近代经济史。

1945 至 1955 年是日本战后史上的复兴时期。这个堪与明治维新相比的重要时期，构成了日本资本主义发展新的出发点。这是因为，十年中，日本经历了丧失国家主权到恢复主权和独立的过程，通过一系列改革，对战前政治经济制度进行了总清算。仅从经济领域而言，十年中不仅完成了萎缩及通胀经济向稳定及增长经济的转变，而且基本完成了战争经济向和平经济、财阀垄断经济向民主经济、统制封闭型经济向自由开放市场经济的体制性转变。复兴期经济领域的巨大变化，不只在于经济量的简单恢复，更在于经历了一场“制度创新”，由此构筑的有别于战前的“战后型经济体制”，为其后出现的经济高速增长奠定了基础。

从历史的经验看，在社会发展变革的转折时期，上层建筑对经济基础的反作用特别明显，甚至可以上升为矛盾的主要方面。其结果往往会调整或改造生产关系与生产力的关系，推动经济发展。日本战后复兴期的经济政策恰好提供了这样一种实例。显然，把这一时期的经济政策作为研究对象，既可从一个侧面揭示战后日本经济“成功”的奥秘，也有助于深入解剖战后资本主义再生的原因。此外，由于日本所处的“欠发达”经济位置和“东亚资本主义”的人文地理特征，其经济赶超的途径及其政策操作方面的经验教训尤其值得重视。我的博士学位论文《日本战后复兴期经济政策研究》便是基于上述思考立为选题的。

历史的发展本身未必为后人展示清晰的轨迹，史学研究的必要性即在于此。复兴期的经济政策包罗万象，错综变幻，要理出其运作及变化的头绪，首先须考虑研究方法即如何“切入”的问题。论文在进入正文考察之前，分别在序章和第一章做了如下处理和说明。

序章指出，经济政策是个极其庞大复杂的体系，它内含着无数个相同或不同次元的政策体系，这些体系间相互作用、相互影响，有时甚至表现出一种互为主从的关系，这是一种纵横交错的立体结构。根据经济政策的性质和作用，可将其划分为调整型政策和改造型政策两种类型。前者是在现行经济制度和经济体制约束下推行的，它只能引起事物的量变，起着维持、完善现存制度及体制的作用；后者则突破了现行制度、体制的框框，并通过本身的长期化、凝聚化、法律化，改变旧制度并形成新制度，进而通过这种“制度创新”，引起部分乃至整个经济体制的变化。这种改造型政策的操作力度和方式，也是判断经济领域是否发生“改革”“变革”还是“革命”的基本依据。

把经济政策划分为上述两种类型，也就明确了经济制度和经济体制也是经济政策研究的内容，并且在战后复兴这样一个特殊历史时期，它必须被放在重点研究的位置。

序章对经济政策思想和经济计划与经济政策的关系做了定位。即思想源于实践而又指导实践，它直接影响了复兴期的经济决策，经济计划虽属于预经济的“软措施”，但一般展示了与作为“硬措施”面目出现的经济政策相同的方向。因此在进行政策研究时，也必须把两者纳入研究范畴。

第一章题为“制约复兴期经济政策的诸因素”。设立此章的目的在于，尽管这里探讨的是政治过程对经济过程、即国家权力在战后日本经济复兴与发展中的作用，并强调经济政策的必要性和有效性，但并不意味着赞同所谓“政策万能”观点。相反，论文同时强调“存在”对“意识”的决定意义。这种制约复兴期经济政策操作的客观“存在”，包括日本国内的和国际的、战前的和战后初期的、经济的和非经济的各种因素。本章从战前遗产和战后初期的经济环境两个侧面进行了分析。

分析结果表明，到 1945 年日本战败时，从劳动力、国民财富、生产设备能力等“有形积累”，到人口素质、组织技能、政策经验等“无形积累”，日本的“积累水平”与战后复兴的基准年度（1934—1936 年平均）相比并无大差别，甚至可视为处在同一水平线上。这笔巨大的战前“遗产”对战后复兴的作用不可低估。

另一方面，战后初期的经济环境极其严峻。战败的直接后果是丧失主权，国家处在外国军队占领之下，海外殖民地归还宗主国，加之贸易限制继续，战争赔偿即行，生产急剧下降，物资供给绝对不足，恶性通货膨胀爆发。现实“环境”的制约，成了经济复兴的矛盾主要方面。

打破现实“环境”的制约，把战前遗存下来的巨大“潜能”变成“显能”，既是经济政策操作的依据，也是其政策即期目标。

复兴期经济政策的特殊性在于政策主体的二元性，因此，论文对该时期经济政策的考察，是沿着美国政府及其对日占领当局和日本政府这两条主线并行而相互联系地展开的。

（二）占领时期美国的对日经济政策

1945 年 8 月日本投降至 1952 年 4 月《旧金山和约》生效的近七年时间为美国对日军事占领时期。论文第二、三章分别对占领前、后期美国的对日经济政策进行了实证考察。这种“两个阶段”的分期是根据美国对日占领政策的变化确定的，以1949年初的道奇计划为界，前期占领的总方针是非军事化、民主化，为此目的所推行的所谓战后改革，广泛涉及到政治、思想、文化、经济乃至社会的各个领域；而后期的占领方针是以经济稳定、自立和复兴为重点，同时又是前期非军事化、民主化政策某种程度倒退的过程。

第二章探讨了美国对日占领政策的形成、特点与变化，占领前期的经济改革（农地改革、劳动改革、解散财阀与排除经济力量过度集中、财政金融制度改革），赔偿政策及其对日本经济复兴的态度。鉴于国内学界对该时期的经济改革等问题已多有阐述，这里仅拟叙述论文中关于美国对日占领政策转变的观点。

在美国对日占领政策是否发生过转变及何时转变问题上，中外学者间存在分歧。笔者的看法是，这种转变确曾发生，但它是个渐变而非突变的过程。美苏冷战的展开，美国国内的反纳税负担和日本国内进步运动的压力，是政策转变的初始原因。这种转变的迹象首先反映在增加对日援助和缓和日本战争赔偿问题上。1948年初美国国防部长罗亚尔的声明，标志着美国政府决策层在对日占领方针的转变上已经取得认同，但在如何转变，如何协调各种关系上尚未形成总体规划。例如，在排除经济力量过度集中问题上占领军总司令麦克阿瑟与本国政府的步调不一致便发生在罗亚尔声明之后。前者出于削弱竞争对手和“对抗社会主义的最为有效的替代手段”①考虑，主张“排集”，以避免“通过革命暴力的流血来扫除经济力量集中的事态”。② 后者的判断却是“排集”“损害了日本的产业制造能率，延缓了日本自立的进程”③，不利于占领目标的实现。

① 大藏省昭和财政史室编：《昭扣财政史——从终战到媾和》第3卷（美国的对日占领政策）。东洋经济新报社，1976年，第364页。

② 有泽广巳、稻叶秀三编：《资料·战后二十年史》2（经济），日本评论社，第112页。

③ 大藏省昭和财政史室编：《昭和财政史——从终战到媾和》第17卷（资料1），东洋经济新报社，第61—66页。

结果，前者臣服上命，“排集”半途而废。是年，美国政府先后派遣陆军部长斯特莱克和道莱帕，国务院企划部长凯南，联邦储备制度委员会要员扬格等分别率团赴日考察，回国后递交了庞大的调查报告和政策性建议。以此为基础，美国最高决策机构国家安全委员会于 1948 年 10 月 7 日做出决定，即《关于对日政策的劝告——极秘 NSC13－2 号》文件。决定的核心内容是，“今后对日政策的主要目标是经济复兴”①。两个月后，对日占领当局又向日本政府发出《日本经济安定计划》的指令。这表明，美国的对日占领政策，已由 1948 年初的认识、方向性转变，发展到同年底的完成总体协调而付诸全面行动的实施阶段。

第三章考察了道奇计划、夏普税制改革和美日经济合作问题。这里着重叙述关于道奇计划的分析和观点。

以往的研究普遍把关注点放在道奇通过什么紧缩手段使日本经济“一举稳定”，以及这种稳定是否为“真正的稳定”问题上。

笔者在分析中强调了两点，一是道奇计划使日本由“通胀经济转向稳定经济”，但其政策手段并非一味地“紧缩”，而是有“紧”也有“缓”。超平衡财政、强化税收、停止复兴金融公库贷款业务属于经济紧缩措施，并构成道奇计划下经济政策的主格调。但增加美国对日经济援助，维持财政补贴和扩大商业银行金融贷款等缓和措施却不甚为人重视，甚至被笼统地打入紧缩措施名单。这不只是实证研究方面的疏漏，而且可能导致理论上的错误结论。道奇计划的实施过程体现了一种政策与策略的辩证法，无论是“紧缩”措施还是“缓和”手段，都不外是实现经济稳定的首要目标。正因如此，推行道奇计划的“紧缩”之年，日本经济才得以在实现“一举稳定”的同时，继续保持了工业生产的较高恢复增长率。道奇的这些旨在使日本经济稳定的做法，不仅具有实践意义，也为政策学研究

---

① 大藏省财政史室编：《昭和财政史——从终战到媾和》第 17 卷（资料 1），东洋经济新报社，第 79—81 页。

提供了一个范例。二是道奇计划构成了战后日本统制、封闭型经济向自由开放市场经济转换的出发点，它直接促进了旧体制向战后型新经济体制的“转轨”，以及战后型经济体制与国际经济体制的“接轨”进程。其证据是，仅在推行道奇计划的一年左右时间里，便废除了物资、物价领域的大部分统制，十余家政府统制公团相继解散，市场经济在新的制度框架下开始恢复机能。与废除国内经济统制的举措同步，道奇计划期间，不仅为日本制定了1美元兑换360日元的统一汇率，使日元成为国际上可兑换的货币，而且实际也把外贸进出口及外汇管理权交还日本政府，解除对民间贸易的限制。从而在货币和制度两个方面，为日本经济重新与国际经济的“对接”准备了必要的条件。这些史实表明，道奇计划不仅对实现经济稳定的短期目标具有重要意义，而且对构筑战后型日本经济体制并把日本经济重新纳入世界经济体系，也具有长远的历史意义。

（三）复兴期日本政府的经济政策

对日本政府经济政策的考察是在第四章至十章进行的。

第四章考察了复兴期的10个“经济计划”，论证了计划与政策间的表里关系。即计划源于对现实经济形势的判断及对未来的展望，受过去及现实政策实践的影响，并一定程度地反过来规制政策行动。这一时期“经济计划”的特征是：数量多，计划的“趋势加速”，随机性，对美趋从性，落后性，以及均未作为正式计划实施等。关于计划的意义，直接影响了现实经济政策的制定实施，为正式经济计划的出台积累经验等。

第五、六章考察了复兴期的产业政策，重点是1947至1948年推行的倾斜生产方式和50年代上半期的产业合理化。

通过对倾斜生产方式的产生及其实施过程的实证考察，论文对这一政策的评价持客观而审慎的态度。一方面指出它是在特殊历史条件下产生并适应当时日本国情的产业政策，也是一种被动的、无可奈何的选择，其意义或许只在于揭示了一种解决经济问题的思路，绝不意味其方法可以照搬。另一方面指出它并非是现代产业政策，因为从其政策对象看，对煤炭产业的扶持，虽具有以基础产业带动相关产业发展的积极意义，但却违背了产业结构优化原则；从政策手段看，是以物资、物价、资金、劳动的全面统制为前提，这种对市场机制的否定在正常的经济发展状态下本不足取；从政策思想和目标上看，限制技术更新，是以增加劳动投入的方式实现增产的数量第一主义。

第六章以较大篇幅论述了产业合理化的由来与本质，政策的形成变化过程，产业合理化时期的产业行政与“官民合作”方式，产业合理化的政策体系及其实施效果。以此为基础，指出了产业合理化在日本战后产业政策史和经济发展史中的位置。

从产业政策史的角度分析，在优先发展基础、重点产业及倾斜配置资源的思路和完成经济复兴的即期目标等方面，产业合理化与倾斜生产方式间存在着政策上的连续性和类似点。但是，从产业合理化强调生产技术与设备的现代化，着眼于培养国际竞争力和“贸易立国”的观点出发，它的特点更在于一种对“质”的追求，而非量的实现。其政策扶植对象并非仅以是否为重点产业划线，还要看经营效益上是否属于“优秀企业”。其扶植手段的变化则在于放弃水平式财政补贴，大力推行有偿财政融资和倾斜税制。因此，从本质上说，产业合理化已构成日本战后产业政策的原型。

从日本战后经济发展史的角度来分析，复兴期制定的产业合理化政策，在高速增长时期全面推行，迄今仍有重大影响，所不同的只是深度和广度。从经济现代化的意义上看，复兴期的产业合理化虽然还停留在“点”与“线”的规模上，但却决定了战败后的日本经济不仅实现了量的恢复，而且发生了质的改造，从而在经济的自然恢复力“基本耗尽”的同时，又为经济起飞储备了更大能源，正式揭开了战后经济高速增长的序幕。

产业合理化本身是一种“无色的”“技术性的”“手段性的”存在，这一点决定了它的科学价值和普遍意义。而从另一个侧面看，在阶级社会里，没有“无色的”政策。日本的产业合理化便显示了以微观领域资源分配的某种“不合理”来换取宏观经济的“合理”，以短期经济的“不合理”来谋求长期发展的“合理”，以社会公正的某种“不合理”来换取经济上的“合理”等种种特征。此外，正如“保护费用递增产业”煤炭业的衰落那样，日本在推行产业合理化政策过程中，也不是没有事与愿违的失败教训。

第七章为复兴期的贸易政策，追述了战后贸易体制的变动及对外贸易的展开过程，指出日本涉外经济政策的显著特点是积极引进外国先进技术，消极对待外资（外国投资领域限制和控股比例限制）。后者反映了维护经济自主性的自我保护意识，同时也构成对外经济壁垒状况长期不能改变的一个原因。

第八章为复兴期的财政、租税、金融政策。本章较为详细地考察了战后十年财税金融制度及其政策运作的过程，重点分析了财政投融资和租税特别措施的结构与作用，从而阐明日本政府在资本积累及产业资金供给方面所进行的大力度、倾斜性政策操作的实态。

第九章为复兴期经济循环与调整，重点对“1954 年经济调整”进行实证考察，作为主要收获，一是指出这次调整或曰“1954 年经济危机”处于战后经济循环第一周期与第二周期相交位置。认为战后日本的经济循环始自道奇计划时期，其标志是巨额库存滞货的出现，它表明危机已在流通领域发生，只是由于朝鲜战争“特需景气”的出现才中止了流通危机向生产危机的蔓延。“1954 年危机”是继道奇“危机”和“特需景气”之后出现的，它意味着前一循环周期的结束和新的循环周期的开始。二是指出“1954 年危机”的基本动因虽然源于资本主义经济固有矛盾，直接导火线却是国际收支状况恶化，很大程度上是日本政府人为的经济调节所致。这种调节加速了危机的爆发，但也缓冲了危机可能给国民经济带来的更大破坏。正是在这一意义上，特将“1954 年危机”称作“经济调整”。三是这次经济调整的意义在于，它是战后以来首次由日本政府独自进行的效果显著、影响深远的成功的调整。其直接效果是进一步理顺了经济发展中的矛盾关系，使调整翌年出现了无特需收入的国际收支平衡、无通货膨胀的经济增长、无超贷现象的资金供给等所谓“三种理想的发展”①，从而完成了经济复兴到高速增长的历史性过渡。这次调整在战后经济政策史上的意义还在于，它重新恢复了道奇计划后一度动摇的“平衡财政”原则并使之贯彻到后十年，揭开了以政府贴现率操作为主手段的金融政策新阶段。此外，正如其后的经济发展所呈现的“走走停停”局面那样，日本政府根据国际收支的晴雨表反复进行的“紧缩”或“缓和”的宏观政策操作，可以说直接源于 1954 年经济调整的经验。

第十章为复兴期的政策思想及其论战，考察了国际上经济学流派及战前日本经济学在战后的影响，复兴期不同阶段中日本经济学者的政策见解、思想论战及其与经济决策的关系。指出日本的经济学及其政策思想同其文化上的多元性一样，兼容并包，呈现出较强的混合性和实用主义特点。

(四) 贯穿论文的三个基本观点

通过对日本战后复兴期经济政策的历史的、综合性考察，得出如下结论：该时期经济政策的操作是“改造型政策”和“调整型政策”并施，但“改造型政策”的操作居核心位置，设置副标题“兼论经济体制改革”也是出于这一用意。

以往的研究并非不重视“改造型政策”的侧面，但从其研究角度、分析方法乃至结论上，仍留有较大商榷余地。例如，论及战后改革，一般人都把目光集中在美国及其对日占领当局的战后初期非军事化、民主化改革上，日本政府在改革中的地位和作用，或者全然不顾，或者轻描淡写。改革的期限往往被截止到美国对日占领政策转变的 1948 年，最迟是被

① 经济企划厅：《经济白皮书》(1956 年度)，至诚堂，1956 年，第 2—4 页。

截止到朝鲜战争爆发前后。而关于改革的结果之一战后经济体制的形成问题，却很少见到较为系统的论述，整体影像模糊。

对此，论文提出“二元政策主体”“十年改革”和“战后型经济体制形成”等三种内在关联的理论观点。这些认识来自对复兴期经济政策的实证考察，并反过来构成这种考察的理论性指导。这些观点有多少合理性？能否站得住脚？著者诚恳期待着中外学者批判。

先谈“二元政策主体”说。这里指美国对日占领当局和日本政府，之所以将二者都视为政策主体，首先是由“直接军事占领”和“间接统制”这一当时的历史特点决定的。即一方面美国及其对日占领当局握有可以排除远东委员会干预的“中间指令权”和对日管理权，可以按照自己的意志制定推行各种政策；一方面日本政府的“权限”仍被保留，并且继续“在国内行政方面行使正常的政治职能”，“保持”在国民经济管理方面的“指导责任”。① 其次，占领时期不等于复兴期，占领结束后，日本政府成了唯一的“政策主体”，这一点无需赘言。

复兴期政策展开的过程表明，在战后初期阶段，两个政策主体的活动曾分别侧重于“改造”和“调整”的不同领域。但这种局面很快因美国对日占领政策的转变而改观。战后复兴的过程，也是日本政府逐渐由“被动的”“片面的”政策主体，变成基本独立的、唯一的政策主体的过程。而过分强调对日占领当局的主体作用乃至将其视为唯一“政策主体”的观点，不可能全面揭示日本战后复兴的历史。

再谈“十年改革”说。关于战后初期美国及其对日占领当局在日本推行的非军事化、民主化改革已多有论述。笔者基本同意赋予其“改革”的定性。但需要补充的是，在分析“占领改革”时，应把道奇计划和夏普税制改革也纳入考虑范围。二者虽与“非军事化”改革无直接关系，但却

---

① 外务省特别资料部编：《日本占领及管理重要文书集》第1卷(基本篇)，东洋经济新报社，1949年，第96、106页。

可视为“民主化”改革的延伸，因为二者的实施仍具有“改造”经济制度及经济体制的意义。进一步说，在评价“占领改革”时，须把握改革的全过程，而不能取头舍尾。具体说来，占领中后期出现的“排集”半途而废、限制工人运动、缓和战争赔偿、催促日本重整军备等实例，无不反映出占领改革进两步退一步的特征，对占领改革的评价也只能基于这种“毕竟进了一步”的观点上进行。并且，仅从经济角度而言，还不能说通过这种占领时期的改革便使日本战后经济制度及体制“定型”。

因此，重要的一点是，美国及其对日占领当局推行的战后或“占领”改革，并不能代表日本战后改革的全部。占领时期所未完成的一部分改革任务，是在日本政府主持下于 50 年代前期继续完成的。1951 年 5 月李奇威发表的允许日本政府修改“占领改革立法”声明，以及随后成立的“政令咨询委员会”所开展的大规模审改诸法活动，便是改革仍在继续的明证。如后所述，长期规制战后日本经济秩序的基本经济制度和体制正是通过该时期的改法、立法而形成确定的。

最后谈一下“战后型经济体制形成”说。经济体制是由一定的社会经济制度规定的关于资源配置的方式，其本身内含着制度的侧面和形式(方式)的侧面。战时日本的经济体制明显呈现出军事经济、财阀垄断经济、统制经济和封闭经济四大特点。这些特点的转变，既是战后经济体制改革的历史任务，也是衡量“战后型”经济体制是否形成的标志。

战时经济体制向战后经济体制的转变是一场破旧立新的过程，改革引起的制度创新无疑是研究的重点。但是并不意味可以否定或忽视制度的“连续性”。同样，由于“二元政策主体”并存，必须同时探讨美国及其对日占领当局和日本政府在战后经济体制形成中的地位和作用。

战后型经济体制是通过两个阶段的改革逐步形成的。在战败至 1948 年的第一阶段，美国及其对日占领当局推行了旨在使日本非军事化、民主化的全面改革。废除军事工业措施(军工企业的转产与赔偿)和战后宪法中不允许重整军备的规定，农业改革、劳动改革、解散财阀等措施和立法，都具有根本上改变战前经济制度的性质，其结果是一定程度地完成了战前（战时）军事、财阀垄断经济向和平、民主经济的体制性转变。

1949 年的道奇计划至实现战后复兴的 1955 年前后，是经济体制改革的第二阶段。道奇计划揭开了统制经济向自由市场经济、封闭经济向对外开放经济的体制性转变的序幕，但这种转变的完成却是经日本政府之手于 50 年代上半期实现的。其主要根据是：在对内经济制度方面，日本政府继续开展道奇计划以来的废除统制工作。到 1952 年，各种经济统制的法令、法规基本废除，政府统制机构全部解散，1931 年以来长达 20 年的统制体制宣告瓦解。

与此同时，重新规制市场运行机制的各种经济制度、法规纷纷出台。在产业制度方面，通过指定产业发展优先顺序和大幅度修改《禁止私人垄断法》，确定了战后型产业结构政策和产业组织政策的基调；在财政制度方面，从法律和执行机构方面建立起财政投融资体系；在租税制度方面，放弃夏普税制改革的公平原则，全面推行所谓“租税特别措施”的倾斜税制；在金融制度方面，全面修改或颁布新的银行、证券、信贷法，建立了较为完善的政府金融与民间金融、长期金融与短期金融相结合的金融体系。在对外经济制度方面，继 1950 年颁布《外贸外汇管理法》和《外资法》后，又陆续颁布其他涉外经济法律、法规和实施细则，修改《关税法》，先后加入国际货币基金组织和关贸总协定，从而在建立涉外经济制度体系的基础上，完成了体制上与国际经济的对接。

这样，到战后复兴期结束的 1955 年前后，一个具有“和平、民主、自由、开放”特征而又“受某种计划调控”的战后型市场经济体制基本形成。

上述内外经济制度的变革及由此形成的产业、财政、租税、金融、外贸、外资等次级经济制度和“体制”，在其后的高速增长期（至少到 1965 年为止）基本保持不变，这也是战后型经济体制在战后复兴期十年间形成的有力反证。

终章综合归纳分析了日本战后复兴期经济政策的基本特点和现实借鉴意义。即以“改造”为重点的政策操作结果，是形成了有别于战前、战时的新型经济体制，这一体制构成了战后经济长期、持续高速增长的重要基础；复兴期经济政策的又一目标是谋求经济的发展（复兴）与平衡（稳定），而在实施过程中则呈现了发展与平衡优先次序的交替变换（币原内阁时期的稳定优先→倾斜生产时期的发展优先→道奇计划时期的稳定优先→朝鲜战争时期的发展优先→1954 年前后的稳定优先）；经济政策的制度性手段（如产业发展优先顺序、政策金融、政策税制、技术引进及外资外汇制度等），反映了极强的自我保护意识和追求经济增长的指向，特别适应后发国的经济赶超。从这个意义上说，日本战后复兴乃至高速增长时期的经济政策，展示了一种赶超型政策的范式。这种范式之所以成立的历史条件中包括，自身所处的“落后”但也“有利”的环境，外部世界先进“模式”的存在及其对日本经济赶超的理解、容忍或支持。但是，时过境迁，对业已成为超级经济大国的现代日本来说，昔日颇为有效的这种赶超型政策范式已遇到来自内外两面的严峻挑战。①

二、战后经济改革三论

第二次世界大战结束后，战败国日本以惊人的发展速度重新崛起，创造了世人瞩目的经济“奇迹”，而导致“奇迹”出现的重要基础和出发点便是战后推行的政治经济改革。显然，阐明日本战后改革的过程、特征及其效果，不仅是揭开日本“奇迹”之谜的一把钥匙，而且对后发国为实现经济赶超而进行改革也具有极为重要的现实借鉴意义。

然而，在有关日本战后经济改革的研究上，一些基本性的“定论”仍需重新审视，更有一些本来极为重要但却被忽略的问题需要探讨。下面

① 原文刊于《世界历史研究年刊》1995 年。

将不拘成论阐述三点看法。

（一）谁是战后经济改革的推行者

在有关战后初期日本经济的研究中，美国政府及其对日占领当局主持包办战后经济改革的观点几成定论，无论日本、美国还是中国学者，似无人从正面对此提出质疑。然而这一结论有违史实，明显存在片面性。

就日本战后经济改革而言，美国政府及其对日占领当局确曾主持推行了战后初期的农地改革、解散财阀和劳动改革等，故称其为推行经济改革的政策主体是适当的。问题是战后经济改革不仅限于这三大经济改革，也未因这三大改革的结束而中止，其他发生在经济领域的所有一切变革并非都是由美国对日占领当局主持推行的，日本政府在改革中所发挥的重要作用也须给予客观评价。在战后经济改革过程中，实际上并存着美国对日占领当局和日本政府两个政策主体，即"二元政策主体"。这是笔者的第一个论点。

从政策论的观点出发，政策本身具有调整和改造两种功能。所谓调整型政策，一般指维护现存制度并在现存体制约束下推行的政策，它只会引起事物的量变，起着完善现存制度和体制的作用；改造型政策操作的结果则意味着一种质变，它会突破现行制度和体制的约束，并且其本身可以长期化、凝聚化、法制化，从而在破坏和改造旧制度、旧体制的同时，形成新制度、新体制，引起部分的或整个经济制度、体制的变化，因而往往是制度创新过程，人们可以根据这种政策操作的力度和方式，判别在社会政治经济领域里是发生了"改革"还是"革命"。同时，无论何种类型的政策操作，都必然有一个推行该政策的政策实施主体，这一主体在通常情况下只能由该国的政府承当。但是日本的特殊性在于，战后占领时期并存着美国对日占领当局和日本政府这样两个政策主体，并且在经济政策的运作方面，也并非所有政策都具有"改造型"性质，旨在对经济进行过程性调整的政策操作，其幅度之大同样堪与任何时期媲美。如果说战后初期的两三年间推行改造(改革)型政策的政策主体是美国对日占领当局,那么也可以说,在间接统制的占领政策下,制定和实施调整型政策的政策主体主要是日本政府。忽视这一点,日本战后初期经济及历史的研究就只能是一种不完整的、片面的研究。然而,以往的研究显然过分偏重于占领当局一方而忽略了日本政府的作用。这里强调“二元政策主体”的意义之一即在于此。

重要的是,日本政府作为经济政策的主体之一,即使在占领时期,其活动范围也并不仅限于“调整型”政策领域,它同时也是推行“改造型”政策的主体之一。在以往的研究、特别是在我国的日本研究中,几乎完全忽略了这一点。当然,这也是最易引起争论的问题。

历史研究的科学性在于它是一门实证科学,靠史实说话。首先,在日本战后经济改革问题上,有证据表明,早在结束对日占领之前,美国政府及其对日占领当局就已允许和承认日本政府进行改革。在 1945 年 8 月日本战败投降到 1952 年 4 月旧金山对日媾和条约生效的所谓占领时期,美国的对日占领方针于 1948 年前后发生了根本性变化,即把日本这一敌对国视为盟友和附庸国,企图把日本变成美国“对付今后远东可能发生的其他极权主义威胁的屏障”①。在这一方针下,美国国家安全委员会于 1948 年 10 月就日本问题通过一项秘密决议,决定“不再制定新的改革立法”,“占领军总司令若认为日本人着手的改革符合占领总目的,则不应加以妨碍”。“应缓和对日本政府实施或正在准备实施的改革政策的统制,并应使其改革坚定而慎重地进行”②。1951 年 5 月 1 日,李奇威接替麦克阿瑟担任占领军总司令不久,便在一项特别声明中公然宣称,给予日本政府根据“过去的经验和现在的状态”“重新审查根据总司

① 美国陆军部长罗亚尔语。大藏省编:《昭和财政史——从终战到媾和》第 17 卷(资料),东洋经济新报社,1981 年,第 66 页。

② 大藏省编:《昭和财政史——从终战到媾和》第 17 卷(资料),东洋经济新报社,1981 年,第 79—81 页。

令指令颁布实施的现行法令的权限”①。这表明，早在占领期远未结束的1948至1949年前后，美国政府便有意识地停止了战后初期的非军事化、民主化改革，并逐步把实施改革的权力交给日本政府，从而也让出了自己在改革中的主体地位。

其次，日本政府也确实进行了经济改革而不只是调整。1951年5月6日，即占领军总司令李奇威发表特别声明后的第五天，日本政府便匆匆设立了政令咨询委员会，其中心任务就是审议、修改战败以来由美国占领当局主持制定的各种法律法规，其中最先着手的工作便是修改《禁止垄断法》《事业者团体法》及与解散财阀有关的经济法律。其后，日本政府又在修改上述法律的同时，颁布实施了一批新的经济法律，从而使战后经济改革继续向纵深发展。

第一，修改垄断法。《禁止私人垄断及确保公正交易的法律》(简称《禁止垄断法》)和《排除经济力量过度集中法》(简称《排集法》)，是在美国占领当局的主持下，于1947年4月14日和12月18日先后颁布的。这两部法律的产生可视为美国占领当局推行经济改革的主要成果，其中《禁止垄断法》是规制产业组织形式及产业秩序的基本法，它的重要意义在于，自资本主义制度在日本扎根以来首次破天荒地从法律上对私人资本加以限制，以图推进经济民主化，防止资本过度集中。然而，从日本政府到日本财界，一开始就百般抵制这两部法律的出台，它们认为美国是在把日本作为反托拉斯的试验场，意在彻底削弱日本垄断资本及其在国际市场上的竞争力。因此，当占领当局放宽对日限制后，刚刚恢复部分自主权的日本政府便急不可耐地“根据国情”，把矛头指向《禁止垄断法》。1949年和1952年，日本政府两次对《禁止垄断法》进行小范围改动，恢复独立后的1953年6月则彻底排除顾虑，对该法进行了第三次

① 大藏省编:《昭和财政史——从终战到媾和》第17卷(资料)，东洋经济新报社，1981年，第100页。

“极大幅度的”修改。其要点是：允许成立萧条卡特尔和合理化卡特尔；放宽私人持股、干部兼任、企业合并等防止私人垄断的限制；承认一定条件下的销售价格契约；废除《事业者团体法》等。这里的问题是，既然《禁止垄断法》是美国占领当局在日推行经济改革的产物，那么日本政府对该法的修改不是一种倒退或反动吗？似此又何以称之为改革？其实解释这个问题并不难，战前日本没有类似的法律，私人垄断资本无限膨胀，以致对日本社会政治经济产生了不可低估的负面影响。战后由美国占领当局制定的《禁止垄断法》被大幅度修改后，也并非像有些日本学者所说的那样完全变得“徒具虚名”①，法律本身的存在毕竟使无所顾忌的私人垄断行为受到限制，这与战前相比仍是一种变革和进步。至于原法被修改，也未必能说明修改法就不再具有改革性质，从当时情况看，占领当局主持制定的《禁止垄断法》矫枉过正，确实走过了头。事实上，由于修改《禁止垄断法》，加速了日本企业向系列化、大型化发展的并合聚拢过程，以致最后形成享誉世界的六大企业集团和数十家超大型系列企业，它们在战后日本经济发展过程中发挥了巨大作用，而在此过程中，战前那种财阀家族垄断经济的现象并未出现，这与战后日本有一部《禁止垄断法》不无关系。

第二，改革财政金融制度。战后初期，美国占领当局废除了战时金融法规及其金融机构，强行解散了台湾、朝鲜等特殊银行，停止日本兴业、劝业银行等半官半民金融机构的业务，力图按美国方式，使资本市场的直接资金供给成为企业筹资的主要方式，结果一度出现了商业银行长期资金供给的空白。从 50 年代初起，日本政府修改制定了若干金融法规，恢复重建兴业银行、长期信用银行等长期资金供给机构，并运用大藏省资金运用部资金，成立了直接由政府掌管、当时全国规模最大的融资机构开发银行。1953 年，又建立了财政投融资制度，实施被称作“政府第

① 井村喜代子：《现代日本经济论》，有斐阁，1994 年，第 117 页。

二财政预算”的财政投融资计划。这些改革在间接资金供给为主、市场经济基础上的国家金融监控与直接财政资金运作等方面，已经完全改变了美国占领当局的初衷，但又明显有别于战前的旧制度。事实证明，这套极具日本特色的财政金融制度，特别是财政投融资制度在战后日本的经济发展中曾发挥了举足轻重的重大作用。如果说战后财政金融改革包含“破旧”和“立新”两个方面，则可以说美国占领当局主要是完成了“破旧”工作，而“立新”的任务则主要是由日本政府完成的。

第三，修改税法。1949 年至 1950 年，美国政府派遣夏普赴日，主持进行了以所谓“公平”“简化”为原则、直接税为中心的税制改革。夏普税改虽然在日本战后税制史上具有深远意义，但却不能说战后税制由此定型。50 年代前半期，日本政府以现行税制“不适合国情”“实行上有许多难点”“所得税负担过重”①为由，对税制进行了较大幅度的修改，其中最引人注目的是为促进产业发展所建立的一套以租税特别措施为核心的产业税制体系，亦称倾斜税制，内容包括企业资产再评估与特别折旧制度，现代化机械设备特别折旧制度，重要物产免税制度，进出口贸易特别减免税制度，企业准备金与专项基金制度等五大类。倾斜税制的实施，实际上否定了夏普的公平税制原则，但是对于扶植保护幼稚产业发展，实现夕阳产业转移，起到了极为重要的作用。

（二）战后型经济体制何时形成

战后日本经济的高速发展，无疑需要某种经济体制的支撑。欧美学者早就注意到这一问题，但是其研究重点只是放在这种体制是什么及其怎么样上，80 年代以前最具代表性的观点是日本“异质论”，实际上是以欧美标准衡量日本。80 年代以后形势突变，日本体制赞美论鹊起，不仅被视为发展中国家学习的样板，而且连美国学者 A・布莱因达为首的一

① 日本租税研究会：《战后的税制与租研的活动》，明文印刷社，1958 年，第 23 页。

批经济学家也开始承认，日本模式非但不是“异端”，而且“具有某种普遍意义”。[①] 在日本和我国，则可见到“混合经济体制”[②]、“行政导向型市场经济”[③]等解释。近年来，由于日本泡沫经济崩溃后破绽百出，关于战后型经济体制的评价骤然间发生 180 度大转变，它似乎又成了导致当前一切不良经济现象的罪恶之源。但是，笔者对这种云来雾往般的议论只想付之一瞥。一种事物的是与非总是随着时空变化而变化的，此是彼非，没有永恒的真理，若以其现在显露的消极面而连根否定其确曾有过的积极面，绝不是历史唯物主义的科学态度。

但这里所要解决的主要问题是，相对于日本战后型经济体制是什么、怎么样的种种分析和评论，关于这种体制何时形成、怎样形成的研究，不仅在我国还刚刚开始，“即使在日本也还没有真正展开”[④]，而这一问题不解决，其他研究某种意义上毋宁说便成了无源之水、无本之木。对此，笔者提出的第二个论点是：日本战后型经济体制是在 50 年代中期的 1955 年前后形成的。

有比较才有鉴别。所谓战后型经济体制是相对于战前型经济体制而言的。换句话说，关于战后型经济体制形成的考察，必须以战前体制为对象，确认其经济体制的哪些主要构成部分发生了变化，大体在何时完成了变化并相对定型。

概言之，战前日本的经济体制具有以下四大特征。[⑤] 其一，军事经济。战前军国主义的发展是以其军国主义经济为基础的，明治以来，在

---

① 《经济学领域的“反古典革命”》，《参考消息》1993 年 3 月 12 日第 7 版。

② 中日经济专家合作编辑：《现代日本经济事典》，中国社会科学出版社，1982 年，第 146 页。

③ 马洪：《什么是社会主义市场经济》，中国发展出版社，1993 年，第 300 页。

④ 东京大学经济学部长石井宽治语。见拙著《日本战后复兴期经济政策研究——兼论经济体制改革》序二，南开大学出版社，1994 年。

⑤ 我国学者左中海在其主编的《日本市场经济体制》（兰州大学出版社 1993 年）一书中，也指出了日本早期市场经济的四大特征，即国家性、垄断性、封建性和军事性。笔者认为，国家性的提法过于抽象而不易把握其内涵，垄断性和封建性的提法可以成立，反映的都是其经济非民主性的侧面。

“富国强兵”的总方针下，日本始终把军事工业放在优先发展位置，以致经济上虽属二三流，军事上却具备了一流、准一流强国的实力，用日本学者香西泰的话说，实际上走了条“通过强兵富国”的道路。其二，封建性垄断经济。这主要表现在农村的寄生土地所有制、劳动者的无权状态及财阀的家族统制等。其三，统制经济。一般认为，战前日本的统制经济是以1927年的金融危机和1929年的经济危机为起端，经过1931年以后的准经济统制时期，于1937年中日战争爆发后进入全面统制时代的。在战时经济统制时代，自由市场经济所固有的基本特征已面目全非。其四，封闭经济。封闭经济本非日本所愿，只因对外侵略的不断升级而被反锁了国门。日本对美开战后，由于美国及其同盟国中断了对日经贸往来，并实行严厉的经济封锁政策，日本成了孤家寡人，对外经贸往来几乎完全中断。上述四大特征的转变，既是战后日本经济体制改革的重大历史任务，也是衡量战后型经济体制是否形成的基本标志。

战后经济体制改革的第一阶段是由美国占领当局进行的，在非军事化、民主化的总方针下，重点是改造战前日本的军事、封建性垄断经济体制。其主要措施是，解散军队及其军政、军令机构，拆除军用装备和设施，军工企业关停并转，清除经济界军国主义分子，取消直接、间接为军事服务的政府经济行政管理部门和金融机构，推行农地、劳动和解散财阀等经济民主化改革。

战后经济体制改革的第二阶段以1949年的道奇计划为起端，重点是改变战前的统制、封闭经济体制，而实际操作并基本完成该阶段历史任务的则是日本政府。如前所述，到1948年末，美国政府已经确定了停止非军事化、民主化改革的方针，并开始把下一步改革的主导权交还给日本政府，道奇计划实际上是美国直接主持战后日本经济体制改革的最后一次行动，同时也是一次未完成的行动，后续工作是在日本政府主持下完成的，并且在相当程度上脱离了道奇路线。50年代前五年依然是经济制度废旧立新的重要时期，在对内经济制度方面，广泛涉及物资、物价、资金、劳动等各个领域的统制法律、法规被废除，15 家政府统制公团被解散，长达 20 年的统制经济体制被瓦解，市场经济恢复了机能；在对外经济制度方面，允许民间开展对外贸易，实现汇率统一，并先后加入国际货币基金组织和关贸总协定，迈出了向开放经济转变的决定性一步。重要的是，这种统制经济向自由经济、封闭经济向开放经济的转变是伴随着经济制度改革进行的，而不是向战前型“自由”“开放”体制的简单复归，此间制定或修改的《禁止垄断法》《资金运用部资金法》《产业投资特别会计法》《租税特别措施法》《外汇法》《外资法》等诸多重要经济法规，含有相当多的改革即制度创新成分，从而构成了战后型经济体制有别于战前的法制基础。

这样，到 50 年代中期，伴随着战后经济复兴任务的完成，战前型的以军事、封建性垄断、统制、封闭为基本特征的经济体制，被以和平、民主、自由、开放为基本特征（或指向）的新型体制所取代，战后型经济体制基本形成。从宏观角度看，这是一种以市场经济为基础但又受国家的计划性调控、承认“自由”原则但又不允许“放任”的体制；从微观的侧面看，战前没有或不占主导地位的一系列企业制度，如终身雇佣制，年功序列工资制，企业工会制度，主银行制与间接金融为主方式、法人企业制度等等，大体上也都是 50 年代中期确立的。此外，与此相关的一个问题是，在谈论战后日本的政治体制时，人们对“55 年体制”一词不会陌生，其一般含义是指在 1955 年前后，形成了自民党长期执政的局面和稳定支持保守政治的社会基础，并且在劳动运动上也基本确定了“春斗”的形式。现在看来，由于战后型经济体制也是在 1955 年前后形成的，因此对“55 年体制”的内容和含义进行新的解释，不仅必要，而且可能。

（三）战后经济改革止于何时

迄今为止，无论中国还是日本学界，在论及日本战后改革时，无不将其下限即改革的结束期限定在 1948 年美国改变对日政策前后。在有关研究上最具影响的东京大学社会科学研究所编8卷本《战后改革》首卷序中明确写道："所谓战后改革，直接指的是第二次世界大战后在同盟国的占领下由美国主导实施的日本经济、政治及法律制度方面的民主改革。"[①]在我国，田桓著《日本战后体制改革》堪称我国日本研究学界的代表作，该书同样是把日本战后改革作为美国所推行的改革来把握的，其结果当然也是把美国停止改革作为战后改革的终点，甚至道奇计划也被排除于考察范围之外。[②]

然而，笔者的看法并不尽然。对此提出的第三个观点是：日本战后经济改革历经十年，而经济改革的完成，同时也意味着整个战后改革的结束，进而也可说明日本的战后改革历经十年。

经济改革的核心问题是制度改革，除了所有制的基本方式外，还广泛涉及经济体制，产业制度、贸易制度、财政制度、税收制度、金融制度等诸多领域。衡量改革的标准是看原有制度是否发生了质变，或是否产生了原来所没有的新制度，判断改革的终点则要看制度的变动期是否进入相对静止状态，即变动期发生质变或新生的制度是否已处于一种相对稳定的持续状态。

在美国占领当局主持推行的经济改革中，只有到1951年才基本结束的农地改革比较彻底，它一举消灭了战前半封建性质的寄生土地所有制。劳动改革进中有退，在相继颁布"劳动三法"后的1947年，旨在限制工人运动的政令、法规也开始出笼，占领当局的真实意图是要把日本工人运动置于一种不弱不强的状态。解散财阀和"排集"虎头蛇尾，有违初衷。对这三大改革总体上只应作谨慎的积极评价。至于美国占领当局所作的其他制度性改革，似可作如下评价：在统制经济向市场经济的转换和对外经贸制度改革上，帮助日本政府开了个头；在财税制度改革上，

① 东京大学社会科学研究所编：《战后改革》第1卷(课题与视角)序，东京大学出版会，1974年。

② 田桓：《日本战后体制改革》，经济科学出版社，1990年。

虽然有破有立，但新的财税制度体系尚未形成，而是处于一种继续变动改革的状态；在金融制度改革上，只是在“破”上小有举措，大量工作毋宁说是日本政府进行的。因此，美国占领当局在日推行的改革，只能说是一场未完成的改革。

这种未完成的改革是在日本政府主持下继续完成的。事实上，前文已经某种程度地说明了这一问题，垄断法的修改，财税金融制度体系的建立及战后型经济体制的最后形成，是经日本政府之手实现的，这一过程以 1953 年国内正式实施财政投融资制度、1955 年加入关贸总协定而与国际经贸体制全面接轨为标志结束的。在此过程中，日本政府所进行的改革也包括“根据国情”对美国主导的改革成果的“再改革”。①

三、战后型经济体制的形成

近年来，随着日本经济的长期低迷和经济改革的进行，重新审视和评价日本战后经济改革成为学界关注的问题，而争论的焦点则集中在战后改革及其经济改革是否等同于美国占领当局在日本推行的改革？战后日本的经济体制怎样形成、其是否等同于“1940 年体制”等问题上。

（一）战前、战时经济体制的基本特征

日本“战后型”经济体制的概念，是在区别它既不同于其战前及战时实行的体制、也不同于欧美发达国家现行体制的意义上使用的。因此，在探讨战后型经济体制怎样形成、何时成型及其特点等问题前，有必要对日本战前、战时实行的经济体制及其特征作一概括，以便为战后型经济体制的探讨提供可比性参考。

毋须赘言，日本是在近代经济的发育尚不成熟的情况下，因欧美列

① 本文原载南开大学历史系成立 75 周年纪念文集，南开大学出版社，1997 年。

强“商品加大炮”的威胁，被迫接受资本主义生产方式，走上资本主义道路的。这就决定了世界史上晚产、日本史上早产的日本资本主义必然带有若干独自的特征，其在经济体制上的反映主要有以下四个方面。

其一，军事经济在国民经济中始终占有特殊地位。在明治政府提出的“富国强兵”“殖产兴业”“文明开化”三大口号中，“富国强兵”居于首要位置，而从近代日本先后发动甲午战争、日俄战争、全面侵华及太平洋战争的历史过程看，它实际上走了一条“强兵富国”、最终“强兵败国”的道路，强兵是一项重中之重的国策。

强兵须以强大的军事经济为基础。从明治初期开始，日本政府便以幕藩工业为基础，建立起一批近代军工企业，同时大力发展与国防密切相关的铁路、通讯、钢铁和海运造船业，即使在推行官营企业民营政策时，军工及上述相关产业也未受触动。第一次世界大战后，日本的扩张欲望受到凡尔赛—华盛顿体系的约束，为了打破“白阀的专扈”①，实现向大陆扩张的梦想，日本在未来的战争必然是总体战的思想下，加快了重化学工业的发展步伐，并于二战前夕建立起独立的军工生产体系，使经济上尚属二流的日本具备了一流军事强国的实力，日美开战后，已有80％的企业从事军工生产，国民经济的军事化达到登峰造极的地步。

其二，垄断经济下国民经济的畸形发展。在日本，垄断的产生和发展始终与国家的政策导向密切相关。明治初期，三井、三菱等一批豪商及有政治背景的士族在政府的大力扶持下成为“政商”，甲午、日俄战争后，“政商”完成了向近代“财阀”的转变，第一次世界大战前后，又出现了鲇川、大仓等一批从事军工生产及殖民地经营的“新财阀”。经历了1927年金融危机和1929—1932年的世界经济大危机后，垄断的规模和速度均进入前所未有的发展阶段。据统计，1937年，仅三井、三菱、住友三大

① 参照陈秀武著《日本大正时期政治思潮与知识分子研究》第二章，中国社会科学出版社，2004年。

财阀及其下属公司的实徼资本额就占了日本全国的 12.1%，1945 年更骤升至 25.6%，其中在日本全国金融业中所占的比率为 1937 年的 15.6%和 1945 年的 32.4%，在重工业中所占的比率为 1937 年的 4.5%和 1945 年的 31.7%①，日本成了财阀统制的天下。

其三，对内经济统制，即实行统制经济。19 世纪 80 年代，日本通过推行"松方财政"完成了一次经济政策的转变，之后进入所谓自由资本主义发展阶段，并于 19 世纪末完成了以近代纺织业为代表的轻工业革命。但是，这个阶段极为短暂，进入 20 世纪后，私人垄断即财阀垄断获得急速发展。私人垄断的弊端随着经济危机的频繁爆发暴露无遗，至上世纪 20 年代末 30 年代初，"自由"但不可"放任"、必须对资本主义进行"修正"的观点成为当时经济思想的主流，而将这一思想付诸实践的主要是政府官僚和军部，其手段是修改现行经济制度，推行统制经济。

统制经济的本质是国家垄断。这种统制是通过制定《重要产业统制法》《临时资金调整法》《输出入品等临时措施法》《军需企业法》《国家总动员法》《生活必须物资统制令》等法令强制推行的，其统制机构除了政府各主管省厅外，还有分属于各省厅监督和领导的各种统制会，统制会的触角则伸到中央和地方的各个角落，乃至于所有企业和家庭。在日本全面侵华至最后战败的八年间，经济统制遍及生产、流通、分配、消费等国民经济的各个领域，传统意义上的自由市场经济已经面目全非。

其四，对外经济封闭。德川时代的日本实行闭关锁国政策，经济发展缓慢。被迫开国后，日本却分享了近代科技和经贸交流的利益。二战中由于日本发动侵华战争，损害了其他列强在中国的殖民权益，导致对外贸易被全面封锁，而对外经济交流路径的堵塞，既是导致其最后战败的重要因素，也是制约其战后经济复兴的重大障碍。

军事性、垄断性、统制性、封闭性的四个特征，作为战时经济体制的

---

① 大石嘉一郎编:《日本帝国主义史》第 3 卷，东京大学出版会，1994 年，第 246 页。

遗产留给了战后，战后日本的经济体制是否发生了变化，这些变化是否可以定性为“改革”，改革又是通过谁之手、怎样的过程实现等问题，可以通过与战前、战时经济体制的比较来阐明。

（二）美国主导的战后经济改革

在占领时期美国对日推行的一系列改革中，经济改革及其成果对于战后型经济体制的形成具有决定性的意义。

传统经济学认为，资本、劳动和土地是近代经济发展的三大基本要素，这些要素的构成和配置一般是通过制定相关的经济制度固定下来的。一定的经济要素构成和配置，不仅会影响到经济发展的进程，也会决定国民经济的性质。美国主导的经济改革正是以修改日本的基本经济制度为重点，围绕着资本、土地和劳动三大问题展开的，史称农地、劳动、解散财阀三大经济改革。

关于农地改革的必要性，美国的前提认识是，半封建性的土地所有制度，不仅造成农村经济凋敝和农民生活的贫困，导致日本社会长期不稳定，而且也是滋生军国主义的温床。1945 年 12 月 9 日，占领当局发表了被称为“农民解放令”的《关于农地改革的备忘录》，以便通过改革，“排除促进经济民主化的障碍”，“打破几个世纪以来在封建压迫下使日本农民奴隶化的经济桎梏”。①

在美国的压力下，日本政府被迫进行大力度的农地改革，根据 1946 年 10 月颁布的《建立自耕农措施法》和《农地调整法》，国家征购全部不在村地主的土地，在村地主则视其是否亲自耕作及地区的差异，允许其保留部分土地（不耕作者 1 町步、耕作者 3 町步，北海道相应为 4 町步和 12 町步），余者国家征购。国家再以征购价格和 30 年分期偿还的条件，

① 大藏省财政史室编：《昭和财政史——从终战到媾和》第 17 卷（资料 1），东洋经济新报社，1981 年，第 41 页。

将土地售给无地或少地的佃农、半自耕农。到1949年农地改革基本结束时，共征购地主土地193万町步，占改革前出租地总面积的80%，430万佃户购得土地，全国自耕地面积一下子增至耕地总面积的90%。[①]

农地改革正值日本战后恶性通货膨胀时期，大米的价格五年内上涨了28倍。土地的征购和出售价格由于是以1946年为标准，因此到1950年，扣除通货膨胀率后的实际地价已降到原价的5%—7%[②]，这就是说，农地改革是在美国占领当局的强大压力下，以和平方式，通过近似于没收的价格征购了地主土地、再以近似于无偿的价格把土地分配给农民，一举消灭了半封建的土地所有制。

农地改革的直接经济效果是在日本建立了自耕农经济，彻底消灭了农村中盛行的封建剥削现象，有利于改善农家经济，加快了农村经济商品化的进程，进而扩大了国内市场，适应了战后资本主义经济发展的需要。其政治效果则在于，农村中居人口多数的佃农通过农地改革而获得土地，成为"有产者"，又因"有产"而"安居乐业"，用美国学者的话说：它使日本农村由过去的"过激主义或超国家主义的温床"，变成了"保守主义的苗圃"。[③]

关于劳动改革，美国注意到战前日本财阀垄断、法西斯主义的猖獗与民主力量的过弱有关，而民主力量过弱的重要原因，又在于劳动阶级长期处于经济上无力量、政治上无地位的状态。从培植民主主义势力以对抗可能再生的军国主义这一目标出发，美国在《初期对日占领方针》中明确的劳动政策是，创造有助于自由、民主主义的劳动运动发展的形势，促进以团体契约为基础的新型劳资关系，制定民主主义的劳动法规。

---

① 李玉、马新民：《战后日本的农地改革》。见中国日本史研究会编《日本史论文集》，三联书店，1982年，第514—532页。

② 大藏省财政史室编：《昭和财政史——从终战到媾和》第17卷（资料1），东洋经济新报社，1981年，第79—81页。

③ 埃莱诺·哈德莱：《1983年看占领下的经济改革》。见袖井林二郎编《世界史中的日本占领》，日本评论社，1985年，第195页。

据此政策方针，战后初期废除了战前、战时禁止和镇压工人运动的法令法规，解散了镇压工人运动的秘密警察机构，释放了政治犯和工运领导人，各种工会组织重新恢复活动，日本迎来了战后初期工人运动的高潮。

1945 年 12 月、1946 年 9 月和 1947 年 4 月，在占领当局的监督指导下，日本政府先后颁布了《工会法》《劳动关系调整法》和《劳动标准法》，史称“战后劳动三法”。法律规定，劳动者的团结权和争议权受法律保护，资方不得干涉工会的活动。设立劳动委员会，斡旋、调停及仲裁劳资争议。对劳动者的有关劳动条件、工资待遇、失业、人身伤亡处理、禁止强制劳动、排除中间剥削、禁止妇女和童工夜间劳动、男女同工同酬等事项，法律上也都作了明文规定。

战前日本的工人阶级，政治上没有地位，经济地位更差。劳资关系中，保留着许多封建性的传统和习惯，特别是在土木工程、矿山、水产乃至一些纺织部门中，工人的人身处于一种半自由的状态，克扣工资、体罚现象司空见惯。战前的日本没有一部保护工人权益的立法，工人及工会的反抗活动一再遭到残酷镇压。战后“劳动三法”从法律上规定了劳动阶级的基本权利，这在日本历史上是破天荒的，其进步意义值得肯定。但是必须指出，美国占领当局主持进行的劳动改革，其本意并不是要让工人当家作主，而是要通过这一改革，寻求日本社会各种力量发展的平衡，当日本的工人运动超过美国占领当局所认为必要的规模和限度时，便受到了严厉的限制和镇压。1947 年占领当局禁止“二·一全国大罢工”、取消公务员团体争议权和交涉权、提出“工资三原则”等，使劳动改革的成果大打折扣。

关于解散财阀及相关的经济改革。美国认为，“所有的财阀都是军国主义者”①，“财阀是最大的战争潜力”，它们使对外“侵略和征服成为可能”。② 因此，解散财阀一开始就是对日占领政策的重点，《初期对日占

① 大藏省财政史室编：《昭和财政史——从终战到媾和》第 3 卷（美国的对日占领政策），东洋经济新报社，1976 年，第 314 页。

② 历史学研究会编：《日本同时代史》第 1 卷（战败与占领），青木书店，1990 年，第 186 页

领方针》明文规定："支持对一直统治着日本国大部分工商业的产业及金融大康采恩实行解体的计划。"①

财阀作为一种"垂直的、同族的、封闭性的垄断组织"②，主要是通过财阀家族对资本和经营的直接控制实现垄断的。1946 至 1947 年进行的解散财阀工作也正是围绕这两个重点展开的。

为了打破财阀对资本的垄断，强令各财阀解散其控股公司，并将股票、债券等有价证券上缴给国家控股公司整理委员会，该委员会再根据分散化、大众化、民主化的原则，制定各类承购者承购上限，并按照公司内部职工、证券发行所、公司所在地居民、招标出售、经纪人推销、委托销售的优先顺序，对有价证券进行了公开处理。据统计，在此次改革中，有 42 家控股公司被解散，到 1951 年 6 月，实际处理的股票为 2.33 亿股，总金额为 141 亿日元。

为了排除财阀家族对企业经营的统治，在公布指定解散的财阀名单时，控股公司整理委员会同时公布了 56 名必须离开现职的财阀家族成员名单。1948 年 1 月通过的《排除财阀家族同族统治办法》再次确认上述成员 10 年内不得重新任职。除此之外，在 1947 年开展的大规模清洗军国主义分子运动中，财界领导人及企业干部有 1535 人被"清洗"。③

作为解散财阀、打破垄断的纵深措施，在占领当局的要求下，日本于 1947 年 4 月和 12 月先后颁布实施《禁止私人垄断及确保公正交易的法律》(简称《禁止垄断法》)和《排除经济力量过度集中法》(简称《排集法》)。1948 年 2 月，又根据上述法律，指定 325 家工矿、服务业企业或公司为"排集"对象，限期"分割"。但是，"排集"并未按原计划进行，冷战爆发后，美国改变了对日占领政策，即认为解散财阀及排除经济力量过度

① 日本外务省特别资料部编：《日本占领及管理重要文书集》第 1 卷(基本篇)，东洋经济新报社，1949 年，第 102—104 页。

② 历史学研究会编：《日本同时代史》第 1 卷(战败与占领)，青木书店，1990 年，第 187 页。

③ 大藏省财政史室编：《昭和财政史——从终战到媾和》第 3 卷(美国的对日占领政策)，东洋经济新报社，1976 年，第 296 页。

集中，虽然“削弱了战争能力，但也损害了日本的产业制造能力，延缓了日本自立的进程”，不利于实现美国设想的使日本成为“对付今后远东可能发生的其他极权主义威胁的屏障”目标。① 结果，只有 17 家被指定企业受到“分割”处理，“排集”半途而废。

尽管如此，通过解散财阀和排除经济力量过度集中等改革措施，还是使日本的经济制度发生了根本性变化，即资本占有制度上，由战前的财阀家族私人垄断，变为社会分散占有，最后走向法人垄断；在企业（公司）的组织制度上，由战前的财阀家族统治，变为经营者统治，实现了所有与经营的分离，特别是财阀家族成员退出现职后，为一批有能力的经营者走上高层管理岗位创造了条件。可以说，改革为近代以来裙带性财阀资本主义向战后法人资本主义的转变奠定了制度性基础。

（三）日本继续的经济改革

长期以来，在有关日本战后改革的研究中，无论在日本、美国还是中国，美国政府及其对日占领当局主持包办战后改革的观点成为定论。颇具影响的东京大学社会科学研究所编八卷本《战后改革》首卷序中就明确写道：“所谓战后改革，直接指的是第二次世界大战后在同盟国的占领下由美国主导实施的日本经济、政治及法律制度方面的民主改革。”②然而这一结论与史实出入很大，存在片面性。

就日本战后经济改革而言，美国政府及其对日占领当局主持推行了战后初期的农地改革、解散财阀和劳动改革，其作用和意义有如前述。问题是战后经济改革不仅限于这三大经济改革，也未因这三大改革的结束而中止，其他发生在经济领域的所有一切变革并非都是由美国对日占领当局直接主持推行的，日本政府在改革中所发挥的重要作用也不容忽

① 大藏省财政史室编：《昭和财政史——从终战到媾和》第 17 卷（资料 1），东洋经济新报社，1981 年，第 64—66 页。

② 东京大学社会科学研究所编：《战后改革》第 1 卷（课题与视角）序，东京大学出版会，1974 年。

视。在战后经济改革过程中，实际上并存着美国对日占领当局和日本政府两个政策主体，即“二元政策主体”。

日本政府之所以也能成为战后日本经济制度和经济体制变革的政策主体之一，是由对日占领的特殊性质决定的。在直接军事占领和间接行政统治的占领方针下，日本政府得以继续行使国家管理职能，尽管在占领初期其政策选择的幅度很窄且受到占领当局的限制。不过，1948 年美国的对日占领方针发生根本性变化后，这一状况也随之发生重大变化。同年 10 月，美国国家安全委员会就日本问题通过一项秘密决议，决定“不再制定新的改革立法”，“占领军总司令若认为日本人着手的改革符合占领总目的，则不应加以妨碍”。“应缓和对日本政府实施或正在准备实施的改革政策的统制，并应使其改革坚定而慎重地进行”。[①] 1951 年 5 月 1 日，李奇威接替麦克阿瑟担任占领军总司令不久，便在一项特别声明中公然宣称，给予日本政府根据“过去的经验和现在的状态”“重新审查根据总司令指令颁布实施的现行法令的权限”[②]。这表明，1948 至 1949 年前后，美国政府已有意识地停止了战后初期的非军事化、民主化改革，并逐步把实施改革的权力交给日本政府，从而也让出了自己在改革中的主体地位。

实际上，日本政府在获得上述授权后，明显加快了经济改革和调整的步伐。1951 年 5 月 6 日，即占领军总司令李奇威发表特别声明后的第五天，日本政府匆匆设立了政令咨询委员会，其中心任务是审议、修改战败以来由美国占领当局主持制定的各种法律法规，其中最先着手的工作便是修改《禁止垄断法》《事业者团体法》及与解散财阀有关的经济法律。其后，日本政府又在修改上述法律的同时，颁布实施了一批新的经济法

① 东京大学社会科学研究所编:《战后改革》第 1 卷(课题与视角)序，东京大学出版会，1974 年，第 79—81 页。

② 东京大学社会科学研究所编:《战后改革》第 1 卷(课题与视角)序，东京大学出版会，1974 年第 100 页。

律，从而使战后经济改革继续向纵深发展。

《禁止私人垄断及确保公正交易的法律》和《排除经济力量过度集中法》作为规制产业组织形式及产业秩序的基本法，是美国占领当局推行经济改革的主要成果。然而，从日本政府到日本财界，一开始就百般抵制这两部法律的出台，它们认为美国是在把日本作为反托拉斯的试验场，意在彻底削弱日本垄断资本及其在国际市场上的竞争力。因此，当占领当局放宽对日限制后，日本政府便急不可待地“根据国情”，把矛头指向《禁止垄断法》。1949 年和 1952 年，日本政府两次对《禁止垄断法》进行小范围改动，恢复独立后的 1953 年 6 月，则彻底排除顾虑，对该法进行了第三次“极大幅度的”修改。其要点是：允许成立萧条卡特尔和合理化卡特尔；放宽私人持股、干部兼任、企业合并等防止私人垄断的限制；承认一定条件下的销售价格契约；废除《事业者团体法》等。这里的问题是，既然《禁止垄断法》是美国占领当局在日推行经济改革的产物，那么日本政府对该法的修改是否是一种倒退或反动，若此又能否在改革的范畴下讨论问题？其实解释这个问题并不难，战前日本没有类似的法律，私人垄断资本无限膨胀，以致对日本社会政治经济产生了不可低估的负面影响。战后由美国占领当局制定的《禁止垄断法》被大幅度修改后，也并非像有些日本学者所说的那样完全变得“徒具虚名”①，战前型财阀家族垄断的局面并未复活，法律本身的存在毕竟使无所顾忌的私人垄断行为受到限制，这与战前相比仍是一种变革和进步。至于原法被修改，也未必能说明修改法就不再具有改革性质。从当时情况看，占领当局主持制定的《禁止垄断法》矫枉过正，确实走过了头。事实上，由于修改《禁止垄断法》，加速了日本企业向系列化、大型化发展的并合聚拢过程，以致最后形成享誉世界的六大企业集团和数十家超大型系列企业，它们在战后日本经济发展过程中发挥了巨大作用。

---

① 井村喜代子：《现代日本经济论》，有斐阁，1994 年，第 117 页。

战后初期,美国占领当局废除了战时金融法规及其金融机构,强行解散了台湾、朝鲜等特殊银行,停止日本兴业、劝业银行等半官半民金融机构业务,力图按美国方式,使资本市场的直接资金供给成为企业筹资的主要方式,结果一度出现了商业银行长期资金供给的空白。从50年代初起,日本政府修改制定了若干金融法规,恢复重建兴业银行、长期信用银行等长期资金供给机构,并运用大藏省资金运用部资金,成立了直接由政府掌管、当时全国规模最大的融资机构开发银行。1953年,又建立了财政投融资制度,实施被称作"政府第二财政预算"的财政投融资计划。这些改革在间接资金供给为主、市场经济基础上的国家金融监控与直接财政资金运作等方面,已经完全改变了美国占领当局的初衷,但又明显有别于战前的旧制度。事实证明,这套极具日本特色的财政金融制度,特别是财政投融资制度在战后日本的经济发展中曾发挥了举足轻重的作用。如果说战后财政金融改革包含"破旧"和"立新"两个方面,则可以说美国占领当局主要是完成了"破旧"工作,而"立新"的任务则主要是由日本政府完成的。

1949年至1950年,美国政府曾派遣夏普赴日,主持进行了以所谓"公平"和"简化"为原则、直接税为中心的税制改革。夏普税改虽然在日本战后税制史上具有深远意义,但却不能说战后税制由此定型。50年代前半期,日本政府以现行税制"不适合国情""实行上有许多难点""所得税负担过重"①为由,对税制进行了较大幅度的修改,其中最引人注目的是为促进产业发展所建立的一套以租税特别措施为核心的产业税制体系,亦称倾斜税制。内容包括企业资产再评估与特别折旧制度,现代化机械设备特别折旧制度,重要物产免税制度,进出口贸易特别减免税制度,企业准备金与专项基金制度等五大类。倾斜税制的实施,实际上否定了夏普的公平税制原则,但是对于扶植保护幼稚产业发展,实现夕阳

① 日本租税研究会:《战后的税制与租研的活动》,明文印刷社,1958年,第23页。

产业转移，起到了极为重要的作用。

1949 年推行的道奇计划，首要政策目标是稳定日本经济，但在重新构筑战后型经济体制上也同样具有重大历史意义，而以往的研究却相对忽视了这一点。道奇计划基本实现了经济稳定的既定目标，同时也拉开了改变统制、封闭经济体制的序幕，但后者的政策操作及体制转变的完成，却主要是在日本政府的主持下实现的。50 年代前五年依然是经济制度废旧立新的重要时期，在对内经济制度方面，广泛涉及物资、物价、资金、劳动等各个领域的统制法律、法规被废除，15 家政府统制公团被解散，长达 20 年的统制经济体制被瓦解，市场经济恢复了机能；在对外经济制度方面，允许民间开展对外贸易，实现汇率统一，并先后加入国际货币基金组织和关贸总协定，迈出了向开放经济转变的决定性一步。重要的是，这种统制经济向自由经济、封闭经济向开放经济的转变是伴随着经济制度和体制的改革进行的，而不是向战前型“自由”“开放”体制的简单复归，此间制定或修改的《禁止垄断法》《资金运用部资金法》《产业投资特别会计法》《租税特别措施法》《外汇法》《外资法》等诸多重要经济法规，含有相当多的改革即制度创新成分，从而构成了战后型经济体制有别于战前的法制基础。

（四）战后型经济体制的形成、结构和特征

战后日本的经济制度及经济体制改革，意味着经济领域发生了一次革命性的变革。这场变革并不是以往所强调的那样由美国对日占领当局单方策划和推动的，另一个“政策主体”日本政府也发挥了重要作用。既然经济改革是在“两个政策主体”的主导下进行的，那么对战后经济改革的完成期及“战后型经济体制”的成型期也有必要重新定位。

可以认为，战后经济改革并未因美国对日占领政策的改变而告终结，而是在日本政府的主持下以修改占领期立法和制定新法及相关机构

的形式继续进行。战后经济的制度性框架是在1955年前后固定下来的。① 与日本战后政治史中经常使用的“55年体制”相对应，战后型经济体制也可以称为“55年体制”。给“55年体制”增加一层经济史上的含义，前提在于有一定历史根据，而其更深远的意义则在于，从这一视角出发，或许能更加客观而全面地重新审视战后改革的历史过程。

经济体制的基础是由一定的经济所有制度决定的。但是，体制的构成还有其他若干因素。为了便于分析，不妨把经济体制划分为宏观经济体制和微观经济体制两大范畴，前者一般指国家的宏观调控体制，后者指企业体制。那么，具体说来，所谓战后型的经济体制在宏观和微观两个方面是一种怎样的结构，具有哪些特征呢？

宏观经济体制涉及到产业管理体制、金融体制、财政体制、租税体制以及对外经济体制等诸多次级体制，与西方国家相比，战后日本宏观经济体制中所具有的独自特点是通过这些次级体制体现的。

战后型产业管理体制的特点，主要是通过其有关产业组织和产业结构的法律制度体现的。颁布《禁止私人垄断及确保公正交易的法律》，标志着近代以来日本首次出现了一部规定产业组织的基本法，是一个历史性的进步。但是，该法经日本政府1949至1953年的三次修改，取消了原法中对成立卡特尔、私人持股、干部兼任、企业合并等问题的严格限制，使这部法律更多地体现了日本式“禁止私人垄断”的特征，即相对支

① 关于本书作者提出的日本战后型经济体制形成于1955年前后的观点，请参见杨栋梁在所著《日本战后复兴期经济政策研究——兼论经济体制改革》（南开大学出版社，1994年）、《经济发展的政治学》（收于世界史研究年刊编辑部编《世界史研究年刊》总第1期，世界历史杂志社，1995年）、《日本战后型经济体制的形成及其特征》（收于北石编《战后日本五十年》，东北师范大学出版社，1995年）中的有关论述。最近，日本学界也出现了类似的见解，桥本寿朗在论述战后日本企业体系的形成时指出，这一体系是“1955年前后确立的”，“确切地说，战后体系是在1949年开始启动的恢复市场经济的过程中，从制度和现状入手对美国占领政策的影响进行修正之后才予以确立的，美式制度的日本化构成了在1955年前后形成的日本式企业体制的雏形”。（见桥本寿朗、长谷川、宫岛英昭《现代日本经济》，戴晓芙译，上海财经大学出版社，2001年，第16页。日文原著由有斐阁1998年出版）

持资本集中和组织的大规模化。在规定产业结构的有关制度中，一些临时性的法律最能体现日本特色。如在50年代，日本先后颁布了《企业合理化促进法》(1952)、《煤炭业合理化临时措施法》(1955)、《纤维工业设备临时措施法》(1956)、《振兴机械工业临时措施法》(1956)、《振兴电子工业临时措施法》(1957)。60年代曾拟出台《振兴特定产业临时措施法》，因来自各方面的阻力太大而搁浅。与这些法律相配套，政府及其下属省厅的有关政令、省令也具有强制实行的准法律效力。根据这些法律或政令、省令，国家大力扶持新兴、主导产业，而对传统、夕阳产业进行了转移，在发达国家中，日本政府介入产业发展的力度和深度具有代表性。

战后型金融体制的构建主要是在日本政府的主导下实现的，美国占领当局虽然在"破"的方面采取了一定措施，但是并未在"立"的方面采取实质性行动。规定战后型金融体制的有关立法，是集中在50年代前期完成的，即1950年颁布《住宅金融公库法》《日本进出口银行法》，1951年颁布《日本开发银行法》《证券投资信托法》《相互银行法》《信用公库法》，同年将大藏省存款部改为资金运用部，1952年颁布《长期信用银行法》《贷款信托法》《农林渔业金融公库法》，1953年颁布《中小企业金融公库法》。这些法律确定了战后金融制度具有如下特点：第一，利率由中央银行制定，以避免行业内无序竞争；第二，金融机构分业管理，单一经营。不允许银行、证券、信托、保险业相互兼营。银行业实行长、短期金融业务分离，如城市银行不得经营长期贷款业务，而长期信用银行则不能经营短期贷款业务等。第三，对内外金融市场实行分离管制。根据50年代初期制定的"外汇法"和"外资法"，国家对外汇实行管制，国内货币不能直接与国际货币自由兑换，对外贸易实行外汇额度审批制，这种制度直到60年代中期实行贸易自由化和70年代初期实行资本自由化后才逐步改变。第四，行政指导，其方式有中央银行进行的协调融资和窗口指导。此外，与战后的金融制度及相关政策有关，证券市场长期低迷，间接金融成为资金供给的主要渠道，这一点与欧美乃至大危机以前的日本是有明显区别的。

战后型财政体制的构建是从 1949 年推行道奇计划开始的，此后，道奇的均衡财政思想成为战后财政的基本指针。从一般财政规模和管理体制看，日本特色也并不突出。战后财政体制中最具日本特色并有别于欧美国家的内容是财政投融资。日本学者认为，它“是财政机构的资金和政府掌握下的资金按照一定计划所进行的投资和融资”①，相当于“第二预算”，实际上构成了“战后财政制度的骨骼”②。这一制度起始于 1953 年，原资主要来源于国民邮政储蓄存款、简易保险、养老金。这些资金由大藏省资金运用部等政府有关机构管理，其中相当部分被作为财政投融资使用，其使用规模、融资条件、融资对象等皆由政府决定，而不需经过国会审议。有关统计表明，财政投融资制度建立后，融资总规模不断扩大，由上个世纪 50 年代相当于一般财政支出的 30%，增加到 60 年代的 40%，目前这一比例已升至 50%左右。由日本政府直接掌握的这笔极其庞大的财政性资金，成了其调整资源分配、贯彻经济政策的有力手段，这是在其他资本主义发达国家中极为罕见的现象。

战后型租税体制也是从夏普推行税制改革开始的，通过改革，实现了中央与地方的分税制，税目也得以简化。但是，租税体制的构建并未就此止步。毋须赘言，50 年代推出的一整套租税特别措施，才真正体现了战后型税制的特点。

战后型对外经济体制是以 1949 年 12 月 1 日颁布的《外汇及外国贸易管理法》和 1950 年 5 月 10 日颁布的《关于外资的法律》为基础建立起来的。《外汇及外国贸易管理法》(简称《外汇法》)，是对外经贸活动的基本法，目的是“为谋求对外贸易的正常发展，确保国际收支平衡、货币稳定以及外汇资金的最有效利用，而对外汇、外贸以及其他对外交易实行

① 远藤湘吉:《财政投融资》，岩波书店，1974 年，第 2 页。
② 宫本宪一:《社会资本主义》，有斐阁，1969 年，第 367 页。

必要的管理，以有助于国民经济的复兴和发展”①。该法的核心是有关外汇集中管理、按照预算分配使用的规定，据此，日本政府得以对外汇实行集中管理和分配使用，并成为平衡国际收支乃至调节经济景气变动的有力武器。《关于外资的法律》(简称《外资法》)是关于外国资本在日本进行投资、生产、销售等各种经济活动的基本法。该法规定，“凡有助于日本经济自立与健康发展及改善国际收支的外国资本准其进入(第1条)”②。其中，有助于改善国际收支、有助于重要产业或公共事业发展、有必要更新或继续进行的重要产业或公共事业方面已有的技术援助为优先批准内容，将给日本经济带来不良影响的外资不受欢迎。此外，法律还规定，外资在日本的持股比例不得高于50%，对日直接投资必须是合资形式并且能在合资时带来新技术。③

微观经济体制亦即企业体制，关于日本战后型企业体制的特点，中外学者已有较多论述，归纳起来，可以从企业内体制和企业间关系的体制和习惯来把握。前者包括终身雇佣制度，年功序列工资制度和企业内工会，即所谓日本式经营的三种“神器”。后者包括长期交易、相互持股、主银行制度、企业系列和企业集团等。

根据上述种种特征，可以认为，日本战后型经济体制是一种既区别于战前、又不同于欧美的政府调控型市场经济体制。物资、资金、技术等供给长期不足的经济局面，是这一体制得以成立的客观条件。

(五)“1940年体制”论批判

在探讨日本战后型经济体制时，无法回避近年来在日本学界颇具影响的“战时源流说”和“1940年体制”论。

1993年，冈崎哲二、奥野正宽编《现代日本经济体制的源流》一书出

① 通产省编:《通商产业政策史》第17卷(中译本)，中国青年出版社，1995年，第58页。
② 通产省编:《商工政策史》第10卷，商工政策史刊行会，1972年，第238页。
③ 鹤田俊正:《战后日本的产业政策》，日本经济新闻社，1984年，第120页。

版。该书开宗明义地写道:终身雇佣、年功工资、企业内工会等所反映的“日本式劳使关系”,轻股东重职工的“日本式经营”,以主银行为核心的“银行系列”及相互持股,承包等“企业系列”,没有明确依据但却深入到经营细节的政府对民间的“行政指导”等等,这些经济制度和经济习惯构成了“现代日本经济体制”。而“构成这一体制的许多重要部分,是在20世纪30至40年代前期日本经济的重工业化和战时经济化的过程中诞生的”①。“现代日本的经济体制,是战时创造的体制,是通过官僚制定的经济计划并以企业及企业集团为实行组织来实现的体制。”②

这部以东京大学和一桥大学学者为主体合作完成的学术著作,不仅观点刺激,其比较制度分析和计量经济史学的研究方法也颇具特点,因此在学界反响极为强烈。

两年后的1995年5月,一桥大学教授野口悠纪雄著《1940年体制——兼论“战时经济”》一书出版。野口在该书序言中写道:“构成现在日本经济的主要因素是战争时期产生的”,“我认为日本经济体制依然是战时体制,并为之命名为1940年体制”。接着,野口阐述了以下两条立论理由:其一,“这一时期日本产生了与以往不同的制度,日本型企业、间接金融为主的金融体系、直接税为主的税收体系、中央集权的财政制度等日本经济的特点,在日本原本并不存在,而是根据战时经济的要求被人为地导入的”;其二,经济体制的连续性问题,与战前、战后不连续的正统观点相反,战后的“人事和工作方法全部是连续的”,“不仅制度上的连续性令人吃惊,更重要的还在于官僚及企业家意识的连续性”。野口进一步指出,“这一体制的基本观念是生产优先主义和否定竞争,并且这一观念直至现在仍发挥着巨大影响”③。

在具体论证上述观点时,野口以1940年为分界线,列举了经济体制

① 冈崎哲二、奥野正宽编:《现代日本经济体制的源流》,日本经济新闻社,1993年,第2页。
② 冈崎哲二、奥野正宽编:《现代日本经济体制的源流》,日本经济新闻社,1993年,第4页。
③ 野口悠纪雄:《1940年体制——兼论战时经济》序言,东洋经济新报社,1995年。

若干子体系的如下变化，即企业经营方面股东权利的削弱，终身雇佣制及年功序列工资体系在全国范围的制度性扩大，白、蓝领员工参加的企业内工会的普及，制造业中的承包制；金融体制方面由直接金融为主向间接金融为主的转变；官僚体制方面行业统制会、营团、公社、公库等组织的出现，官僚思想的变化；财政制度方面发生的以直接税为中心及中央集权主义的变化；土地制度方面《粮食管理法》《借地法》《借宅法》的颁布，使地主的权利被大大削弱，等等。

与冈崎等人的研究相比，野口的著作视野更宽、提出的问题更尖锐、社会影响更大，但是从学术性及严谨度讲，后者不具可比性。两者的共同点在于观点相似，都力图证明战后体制是陈腐的战时体制，应予彻底改革。

针对这两部著作的观点，日本学界已有相当多的批评。笔者的基本看法是，其许多论述有一定根据，值得参考，但其核心观点不能肯定。

“战时源流说”和“40 年体制论”强调的战时经济体制与战后经济体制相联系的观点是值得重视的。由于“总体战”需要，战时的国家经济统制骤然加强，在一切为了战争的口号下，增加生产成为企业经营的第一目标，一批经营者开始走上管理者的舞台。由于大批青年应征入伍，劳动力供给紧张，企业为稳定企业员工，采取了终身雇用、年功工资等措施。战时经济的动荡，使国民的金融资产更多地选择了相对保险的邮政储蓄，而金融统制则使国家控制资金的流向成为可能，间接金融及为企业指定融资机构的主银行制度得以发展。与此同时，战时官僚的权力及官僚机构膨胀到极点。这些观点对于纠正以往日本学界占主导地位的战前、战后“中断说”的偏颇是有说服力的，传统观点确实存在着过高评价战后改革、特别是美国占领当局主导的改革问题。

但是，“战时源流说”和“40 年体制论”都存在明显的缺陷，这些缺陷最明显地表现为以下两点。

第一，所谓构成战后经济体制的主要子体系产生在战时的观点是不全面的，因为在考察这些子体系的生成过程时不难发现，其萌芽至少可以追溯到第一次世界大战结束后的20年代，人类社会首次上演的“总体战”、战后苏联实行的计划经济、欧洲各国开展的以加强政府权力为背景的产业合理化运动，以及日本国内的种种社会经济问题，是促使其经济体制发生变动的内外条件。事实上，体制的变动正是从这个时代开始的，1927年金融危机时日本银行法的修改所引起的制度变化，以及由此发生的金融界大分化、大改组，便是铁的史实。行业统制会的出现则更早。

第二，无视或低估战后改革对经济体制的作用和影响，是持“战时源流”和“40年体制”论者所犯的致命错误，也是其治学上偏于武断、过犹不及的表现。农地改革、解散财阀和劳动改革，已经触动了战前、战时经济制度的根基，对这些根本性变化视而不见，或做淡化处理，都不是学者应有的严肃态度。

笔者认为，日本战后型经济体制经历了一个萌芽、生长、基本定型和发展的若干阶段。从时间发展的顺序看，大致可划分为20世纪20年代的萌芽阶段，30年代至40年代前期的生长阶段，1945年战败至1955年前后的定型阶段，以及此后的进一步完善和发展阶段。因此，战时只是战后型经济体制形成的一个重要阶段，战时经济体制的某些要素对战后体制产生了重要影响，但两者具有前文论述的四大本质性区别，不能混为一谈，就像人和猴子的关系一样，按照社会进化论的观点，人的先祖曾经是猿猴，抛开猿猴时代的历史，就无法解释人类的产生，但谁也不会同意现在的人类就是猿猴的说法。①

① 原文刊于日本《青山经济论集》2004年3月号及《南开大学学报》2004年第5期。

第五章　复兴期的经济政策

1945 年至 1955 年是广义的日本战后经济复兴期，此间可以细分为前期的经济改革与经济重建阶段，后期的复兴阶段。纵观整个经济复兴期，政策操作的力度和效果值得关注。

一、战后经济的起点

长期以来，人们从各种角度出发，试图揭开战后日本经济“成功”的奥秘，但是如果对其“起点”缺乏基本认识，就容易导致认识的偏颇。那么，战败后的日本经济处在怎样的起点上？真的如许多著述中所说的“一片废墟”“白手起家”吗？

（一）战争损失的计量分析

言及战后日本经济起点，首先须搞清日本在第二次世界大战中的损失问题。因为“历史不外是各个世代的依次交替，每一代都利用以前各代遗留下来的材料、资金和生产力”[①]来从事新的生产活动。一般说来，

①《马克思恩格斯选集》第 1 卷，人民出版社，1972 年，第 51 页。

战争损失不外是人与物的损失。

关于人员伤亡，战后主要有如下两种统计。据1948年经济安定总部发表的《我国的战争损失》，日本仅在太平洋战争期间，便有155万军人及其家属、30万平民死亡，总计185万人。却不说这一统计明显存在着低估死亡人数的倾向，即使从其统计的有效年限看，也是很不全面、很不合理的。其后，根据国会的要求，厚生省援护局又重新进行调查，并于1964年3月1日公布新的统计结果，即自1937年7月7日发动全面侵华战争，至1945年8月15日宣布战败投降，军人及其家属死亡194万人；从宣布投降至海外人员返回日本本土期间，又有18万军人及其家属死于非命。故军人及其家属死亡人数为212万人，平民死亡人数约90万人。这就是说，在发动全面侵华战争的八年间，日本约有300万军人、家属及一般平民成为法西斯主义的殉葬品。这也意味着每五个日本家庭或每25个日本人中，便有一人死于战火。①

关于"领土"的丧失。明治以来，日本先后用武力抢占了台湾、南库页岛和朝鲜，其版图扩张了一倍。1931年，再用武力把两倍于日本本土的中国东北地区变成其殖民地。由于战败，上述区域纷纷独立或解放，日本的疆域又龟缩到明治以前的规模，南端的冲绳、北方的四岛还分别处在美苏占领之下。

关于物的损失，据经济安定总部发表的《太平洋战争及我国的损失综合报告书》，直接及间接国家财富损失额643亿日元，损失率为25%。其中建筑物及家庭私有财产损失率为24.5%和20.5%，工业机械、船舶损失率为34.2%和80.6%。② 此外，所有海外资产亦因战败而被强制就地赔偿。当时日本政府曾做过一种测算，若按1935年的国民总收入及年均15%的资本积累率，要把国家财富积累恢复到原来的最高水平，至

① 正村公宏：《战后史》上，筑摩书房，1987年，第109—110页。

② 香西泰：《高度成长的时代》，日本评论社，1989年，第41页。

少需要 15 年时间。①

（二）两种比较基准

在分析战争损失和战后经济复兴起点时，一直存在着两种既有联系又有明显区别的比较基准，即若统计战争损失额及损失率，则把太平洋战争爆发后一度达到的最高财富积累额及最高设备生产能力与战败时的相应数字作为一对比较权数；而在考察战后经济复兴的经济指标时，却是以全面侵华前的 1934—1936 年的平均指数、或 1937 年的经济规模为基准。两种比较基准的并存，容易使人产生混淆。为了认清战后经济的起点，辨明这两种比较基准各自的含义及其相互关系显然是必要的。

战后，远东委员会曾作出决议，规定日本的生活水准不得超过其发动“九一八事变”前的规模。后又将该限定更改为其全面侵华前 1934—1936 年的平均水平。结果，1934—1936 年的平均经济指标即被视为日本战后经济复兴的基准。因此，战败时与全面侵华前的经济比较应该是考察战后日本经济起点的主要依据。

尽管如此，战时最高经济规模与战败时的比较决非没有意义。因为它不仅能反映战争损失状况，而且毕竟也能反映战前日本经济曾经达到的规模，而这些与战后日本经济的起点是不无内在关系的。

鉴于上述理由，不妨把普遍公认的 1934—1936 年平均经济规模作为日本战后经济复兴的下限基准，而把战时一度达到的最高经济规模作为经济复兴的上限基准。这样，无论从哪个角度看，战后经济的起点都易于辨明了。事实上，按照这两种基准，战后日本的经济复兴分别是在朝鲜战争期间的 1952 年及揭开经济高速增长序幕的 1955 年前后实现的。

① 有泽广巳、稻叶秀三：《资料·战后二十年史》2（经济），日本评论社，1966 年，第 4 页。

（三）“有形资本”的积累

有形资本亦即国家总财富，是可以量化的、以物的形态表现的资本。所有生产资料、生活资料、社会公共及私人设施和财产等均属于这一范畴。据前述统计资料，日本在发动全面侵华战争前的1935年，国家财富积累总额为1868亿日元，战时最高点曾达到1942年的2531亿日元，1945年战败时为1889亿日元。[①] 这三个数字间说明了什么问题呢？其一，日本从全面侵华到发动太平洋战争期间，资本积累仍在急剧增长，并且这种积累大于战争消耗，国家财富积累额增长了35.4%；其二，太平洋战争爆发至战败投降期间，战争消耗大于积累，国家总财富较之发动太平洋战争初期的1942年减少25.3%；其三，在八年对外侵略战争中，前期积累大于消耗，后期消耗大于积累。总体上看，战败时国家财富积累仍比战前的1935年增长1.1%。这说明八年战争中新增积累几乎全被战争消耗所抵消，至战败时，资本积累仍基本维持在战前的水平上。

让我们具体考察一下战败时残存的“有形资本”实态。战争末期，日本全土遭到美国空军的“地毯式”轰炸，广岛、长崎更遭到原子弹的洗劫。但是由于战局变化甚快，天皇很快便作出“降伏”决断，东条等鼓吹的“本土决战”“一亿玉碎”终未实现，结果使日本避免了一场更大的灾难。统计资料表明，战败时与国民经济息息相关的铁路运输系统和发电设施（特别是水电）几乎完好保存下来，铁道线路总长略有增长，线路维护完好，运营正常，机车数由1937年的4142台增至5848台，增加41%，货车车皮由7.5万节增至12万节，增加41%，客货运输量分别达到战前的3.39倍和3.15倍。[②] 水力发电能力则由战前的398万千瓦，增加到607

---

① 香西泰：《高度成长的时代》，日本评论社，1989年，第41页。

② 美国战略轰炸调查团：《日本战争经济的崩溃》（日译本），日本评论社，1972年，第253页。安藤良雄：《近代日本经济史要览》，东京大学出版会，1979年，第12页。

万千瓦，增加61.7%。① 据说，战后美国在调查对日战略轰炸效果时，对日本铁路交通及发电设备的运营良好状况甚为吃惊，承认它是美国战略轰炸的一大失败。船舶大部分毁于战火，但港口设施及各大船厂却损失轻微。工业，特别是重工业，是战争中损失最大的部门，但同时也是战时发展最快的部门。至战败时，工作母机由2.2万台增至5.4万台，为战前的245%。如与1937年相比，其他主要工业部门设备生产能力是，生铁由300万吨增至560万吨，增长86.6%；钢材由650万吨增至770万吨，增长20%；铝由1.7万吨增至12.9万吨，增长658%；铅由2.8万吨增至4.8万吨，增长71%。而过磷酸钙、水泥、棉纺及纤维品生产则下降了42%—81%。②

由此看来，仅从“有形资本”残存情况看，完全有理由说日本战败时的资本积累与战前是处在同一水平线上的。既然如此，对战前日本的经济规模、特别是它在世界经济中的地位也应有个基本的把握和估价。根据有关研究，日本作为“年轻的进步非常快的新兴资本主义国家”③，到1936年前后，汽车产量居世界第八，钢产量居世界第六，船舶总吨位居世界第三，棉纱产量居世界第二，人造纤维产量及纺织品出口额居世界之首，其经济发展已接近世界先进国家水平，是称霸东亚的资本主义政治、经济大国。④ 不了解这一点或低估这一点，就无法理解26倍于日本本土、6倍于日本人口的中华民族抗战为什么只能是一场持久战，也无法理解日本法西斯何以胆敢挑起太平洋战争，并能在扩大侵华兵刃东南亚的同时，与美、英等强国血战四年之久。第二次世界大战是一场综合国力的较量，日本的资本积累因战争而停滞了八年，但是除美国是战争的“暴

① 美国战略轰炸调查团：《日本战争经济的崩溃》（日译本），日本评论社，1972年，第251页。香西泰：《高度成长的时代》，日本评论社，1989年，第42页。

② 安藤良雄：《近代日本经济史要览》，东京大学出版会，1979年，第150页。

③《列宁全集》，第251页。

④ 参见柳长生《战后日本经济不是在“一片废墟”基础上发展起来的》，《世界经济》，1989年，第12期。

发户”外，德、意自不待言，英、法等国也莫不伤痕累累，经济发展都陷于停滞或倒退，战后都面临医治创伤、恢复经济的艰巨任务。因此，除美国外，很难说战争拉大了日本与其他资本主义强国间在战前就有的差距。

（四）“无形资本”的遗存

所谓“无形资本”的积累，是相对“有形资本”而言的，它是以“人的资质”为核心、难以量化的一种“积累”。这种积累是战火所无法摧毁的，除非人类灭绝。在经济学关于生产的三要素中，人是不可缺少的重要因素，因为人类的生产活动本来就是结成一定生产关系的人与生产资料的结合、人作用于物的结果。

诚然，战争夺去了 300 万日本人的生命，损失不可谓小。但是人口统计表明，八年战争期间，日本国内人口净增 866 万人，战后又有 600 万军人及其家属从海外返回本土，结果战败后的日本人口由 1937 年的 6334 万骤增到 7800 万①，一度出现了一千余万失业、半失业大军，处于严重的就业不足、劳动力过剩状态。因此战争的人员伤亡对战后日本经济没有太大影响，对此恐无异议。

人口与经济发展之间存在一种互相制约的辩证关系，但是单纯以人口多寡来判断对经济发展是否有利的观点未必是科学的，关键要看人口的素质，而衡量人口素质的基本尺度是教育。早在一百年前的封建时代末期，日本的国民教育就已达到较高程度。在明治初期的 1873 年，儿童就学率已达到 28%；与当时最发达的工业国英国不相上下，其教育水准令法国人感到“面赤”。到 1940 年，义务教育普及率已高达 99.6%，社会总人口在校学生比率为 24%，高于美国（22%）而远远超过英国（14%）。②

---

① 正村公宏：《图说战后史》，筑摩书房，1989 年，第 48 页。

② 南亮进：《日本的经济发展》，东洋经济新报社，1984 年，第 11—12 页。

以教育为基础的“人的资质”还表现在劳动态度、生产技能及生产的组织管理经验等各个方面。日本人素有勤劳、吃苦的传统，战前资本主义的发展，对欧美先进生产技术的积极引进效仿，不仅产生了数量庞大的产业工人队伍，培育出各种训练有素的熟练工人和科技人员，而且造就了一批三井、三菱那样具有国际竞争能力的财阀及大型企业。例如，第二次世界大战期间，日本设计生产出一种“续航能力、速度、运动性能都很出色”，“几乎所有方面都比欧美各国的战斗机先进的”零式战斗机，首次在中国战场亮相时，曾令在华美国空军不知所措。其后在太平洋战场上，“零战”大逞淫威，创下一机击毁 64 架敌机记录。据说战后该飞机的主任设计师崛越二郎还曾据此申请过博士学位。[①] 这个例子说明，战前日本存在着像崛越二郎那样出色的科技人才。这种人才如同“零战”不可能只由崛越一人设计而只能由他所领导的团队共同完成一样，在各行各业广泛存在，不是几个人，而是一大批人。飞机制造是一项综合技术，它包括动力系统、通讯导航系统及火力系统等，在机械、材料等方面都有较高要求。在设计、生产过程中，有效的协作及严密的组织管理是不可缺少的。“零战”这一凶悍的杀人武器随着战败而毁灭了，但是生产设计它的人及其技术和管理经验却不可能被一起抛入历史的垃圾堆。对这笔巨大的“无形资本”在战后经济发展中所起的作用是不能低估的。

日本战败时，其资本主义发展已有近 80 年的历史，这个国家的政府在指导本国资本主义经济发展方面已经积累了不少经验，它也是作为一笔“无形资本”遗留给战后的。如所周知，封建末期的日本是在欧美列强“商品加大炮”政策下，被“逼”上资本主义道路的。同时，由于其资本主义发展具有本国“早产”、世界史上“晚产”的特点，迫使它走了一条与英、法等老牌帝国不同的发展道路。简而言之，其最大特征是国家权力对国民经济的强力干预。在长期实践中，国家在如何扶植保护私人资本主义

---

① 饭田经夫等:《现代日本经济史》，筑摩书房，1976 年，第 92—98 页。

经济、如何选择并优先发展重要产业、如何引进利用外国资金技术、如何进行财政金融政策操作以及如何进行经济统制等方面，积累了丰富的经验和沉痛的教训。但是，无论从何种意义上讲，它都是留给战后的一笔“无形资本”。

（五）战后初期制约经济复兴的诸因素

日本战败时，无论从“有形资本”上看，还是从“无形资本”上看，资本积累的水平和规模与战前相比并无大的差异。如此说来，既然在经济基础方面战败后与战争前基本处在同一起点上，还有什么“战后经济复兴”可言呢？问题当然不是如此简单。

事实上，战败后日本的经济状况是极其险恶的。与1934—1936年相比（年均指数为100），1945年8至12月间，工业生产急速下跌，其中生产资料生产仅及战前同期的1/10，生活资料生产为战前同期的1/4左右。试以钢铁业为例，1946年，高炉、平炉开工率只有2%。① 国民生产总值是衡量国家经济规模的重要指标，战败之年因横跨战时战后两个时期，加之战后初年的混乱状态，缺乏可靠的统计数据，但1946年仅及战前的一半左右。② 生产的极度萎缩，使失业人口骤增，并引起物资奇缺、物价飞涨、黑市猖獗，战后仅一年多时间，消费者物价便上涨八倍多，而黑市价格又是同期公价的七倍以上。③ 平民百姓过的是变卖家产、朝不保夕的“剥笋生活”。总之，当时的日本确是一种满目凄凉、民不聊生的悲惨景象。

日本经济的破败根本原因在于发动那场罪恶的战争，并使战败后的日本经济处在一种极其不利的内外环境之中。

其一，国家处在外国军队占领下而丧失了主权。日本作为战败国将

① 历史学研究会编：《日本同时代史》第1卷（败战与占领），青木书店，1990年，第203页。
② 安藤良雄：《近代日本经济史要览》，东京大学出版会，1979年，第3页。
③ 中村隆英：《昭和经济史》，岩波书店，1989年，第198页。

受到怎样的惩罚，国家的前途命运何在，很大程度上还是未知数。国家发展目标的丧失、国民心理的恐慌及麻木状态，必然对现实经济活动产生强烈影响。

其二，自战败之年起，美国占领当局便在日本急剧推行非军事化、民主化改革，清洗各界军国主义分子。这对战前垄断日本经济的财阀企业及其代表人物来说无异于大难临头。既然自保尚嫌不虞，何暇顾及经营？

其三，占领及战后改革，使日本社会政治经济体制处在急剧转变之中，在破坏、改造旧体制到建立新体制并使之发挥机能的过程中，各种矛盾都趋于表面化、尖锐化。前述生产、分配、消费的逆循环现象正是在这种特殊历史条件下产生的。

其四，战时日本经济曾被强制纳入战时经济统制轨道，80％的企业直接或间接从事军工生产。战后，日本虽被允许进行和平经济生产活动，但是由于战争的破坏，企业的转产迁移、设备的修复等等，不仅需要巨额资金，而且需要时间，而在“国家、企业、家庭经济开支皆为赤字”①的条件下，短期内解决这些问题又谈何容易。

其五，根据同盟国的决议，日本必须进行战争赔偿，在有关赔偿计划制定实施前，日本军工企业及财阀大型企业的有关工厂设备须停产封存、等候处理。据估计，这批工厂数超 1000 家，其设备生产能力约占全国工业的 1/3。不难理解，这批荟萃战前日本工业生产技术及设备精华的军工企业停产封存，对当时的日本经济将产生多么重大而现实的影响。

其六，战败后海外殖民地的丧失，同盟国采取的严厉经济封锁政策，几乎把一向依赖海外市场和资源的日本逼入绝境，使人力、设备方面拥有一定条件的日本经济面临无米之炊。这个道理其实很简单，在国民经

① 经济企划厅调查局编：《资料经济白书 25 年》，日本经济新闻社，1972 年，第 20 页。

济的资源供给上，海外资源的断绝不能单纯地用减法来计算，而应该考虑其乘数效果，设想海外铁矿石的供给一旦断绝，必将对钢铁及其他所有铁金属制造工业等下游产业的生产产生一系列连锁性影响。

综上所述，尽管日本在第二次世界大战中归于惨败，但是家底并未输光，只是由于战败后所处的国际环境极其不利才导致战后的经济危机，从而使前述的“有形资本”及“无形资本”的积累只能作为一种“潜在的资本”或“潜能”存在，不能得到“量”的实现。但是，战前留下的这笔可观的遗产，一旦具有决定性意义的外部制约条件得到改善，“潜能”获得解放，战后经济的恢复和发展必然展示出新的面貌。从这个意义上说，美国对日占领政策的转变对战后日本经济的起步具有决定性意义。从内部条件和外部制约两个侧面分析战后日本经济的起点，不仅对搞清问题本身是必要的，而且有助于进一步揭示战后日本经济高速增长的根本原因，同时愈加使我们认识到争取有利的国际环境对一国经济发展的重要意义。①

二、战争赔偿

1931 至 1945 年，日本对中国等亚太国家和地区发动了连续 15 年的侵略战争②，造成该地区约 2000 万人死亡，物资损失难以数计。③ 中国是这场侵略战争的最大受害者，据统计，仅在 1937 至 1945 年日本全面侵华的八年中，便有 2100 万人被打死打伤，1000 余万人被残害致死，直接经济损失 620 亿美元，间接经济损失 5000 亿美元。④ 毫无疑问，日本

---

① 原文刊于《外国问题研究》1993 年第 1 期。

② 此为日本进步学者的提法。见江口圭一着《十五年战争小史》，青木书店，1992 年。

③ 据田桓《日本战后体制改革》(经济科学出版社 1990 年，第 3 页)载，仅 1937—1945 年间，日本给各国造成的人员死亡数字是，中国 1000 万人，朝鲜 20 万人，越南 200 万人以上，印尼 200 万人，菲律宾 105 万人，印度 350 万人，新加坡 5000 人，新西兰 11625 人，其他国家不明，以上计 1882 万人。同期，日本因战争死亡约 300 万人。

④ 国务院新闻办公室：《中国的人权状况》，中央文献出版社，1991 年，第 2—3 页。

必须对自己的侵略行为所造成的严重后果负责，也理当向受害国进行战争赔偿。

时光荏苒，在日本战败投降半个世纪后的今天，日本的战争赔偿问题仍未划上句号，一些国家至今仍保留着索赔权，劳工、“慰安妇”等民间索赔问题也还远未了结。

为了21世纪亚太地区的和平与发展，应该正视问题的存在，以积极态度和向前看的精神，公正合理地解决日本战争赔偿的遗留问题。笔者对日本赔偿问题的历史考察，也是从这种观点出发的。

（一）日本赔偿的基本方针

1945年7月26日，美苏英中四国联名发表《波茨坦公告》。公告敦促日本立即无条件投降，并在其第11条中提示了盟国关于日本战争赔偿的政策框架，即“日本将被允许维持其经济及可以进行公正实物赔偿的产业，但使其得以重整军备而发动战争的产业不在此限”①。这项原则性规定有两个要点：其一，日本必须进行战争赔偿，其赔偿手段是“实物”；其二，赔偿规模不是相应于侵略国给被侵略国造成的损失而定，即不是古典的、复仇主义的等价赔偿，而是控制在使日本既可维持和平生产和生活、又不具备对外侵略能力的限度之内，这也充分体现了对日作战同盟国一开始就采取了宽大为怀的人道主义态度。最大问题是，公告中阐述的赔偿规模及限度将来如何判别、由谁决定等等。

自不待言，所有遭受日本侵略的主权国家都拥有对日索赔权，具体赔偿方针理应由各索赔国共同协商制定。但在事实上，对日索赔方针及赔偿计划的大权一开始就掌握在美国政府手中。这是因为，日本投降后，盟国对日本的占领，实际上成了美国的独家占领，盟军总司令及其总

① 大藏省财政史室编：《昭和财政史——从终战到媾和》第17卷（资料1），东洋经济新报社，1981年，第5页。

司令部唯美国政府之命是从，而盟国对日占领与管理的最高机构远东委员会，由于种种原因，迟于 1946 年初才正式成立，且不说其成立后基本由美国所操纵，仅从其成立的时间看，已是在日本投降数月之后。在此期间，美国对日占领当局已通过其“中间指令”[①]的特权，接二连三地制定和推行了包括赔偿问题在内的日本占领政策，并迫使远东委员会予以承认或事后追认。

早在日美开战后的第二年，美国政府的有关机构就已开始秘密研究制定打败日本后对日占领及索赔的政策性问题。[②] 完成对日军事占领不久，又先后在 1945 年 9 月 22 日的《初期对日方针》和同年 11 月 1 日发给占领军总司令麦克阿瑟的《基本指令》中正式阐明美国的对日索赔立场，即“日本国应有领域外的日本资产按有关盟国的决定引渡”，“引渡日本和平经济及占领军补给所不需要的现存资本设备及设施”。[③]

1946 年初，远东委员会成立并开展工作，因种种原因，直到 1947 年 6 月 19 日才作出《远东委员会对投降后日本之基本政策的决议》，其中第四部分第四项“赔偿与归还”明载：“为惩处日本之侵略行为起见，为公平赔偿各盟国因日本而受之损害起见，为摧毁日本工业中足以引起重整军备之日本战争潜力起见，此项赔偿，应由日本以其现存之资产设备及设施抵付之，或以其现存及将来生产之货物抵付之……各项赔偿应不妨碍日本解除军备计划之实施，并不损及支付占领经费与维持人民最低限度之生活标准。各国自日本总赔偿额中之分配额，应从广大的政治基础上予以决定，并对各要求国因日本侵略而受之物资破坏、人民死伤及所受损害之范围，予以适当考虑，至于各国对击败日本之贡献，包括抵抗日本

---

① 中间指令亦译临时指令。此指美国政府可以以远东委员会名义向对日占领当局发出指令，在远东委员会对同一问题作出正式决议之前，这种“中间指令”即为有效。

② 详见大藏省财政史室编《昭和财政史　从终战到媾和》第 1 卷（总论・赔偿与终战处理），东洋经济新报社，1990 年。

③ 外务省特别资料部编：《日本占领及管理重要文书集》第 1 卷（基本篇），东洋经济新报社，1949 年，第 106 页。

侵略之程度与期间，亦应在适当考虑之中。”①

从《波茨坦公告》到远东委员会的正式决议，可以认为对日作战同盟国的日本赔偿方针经长期酝酿协商已经确定，其要点如下：

（1）不搞报复性的等价赔偿。

（2）通过赔偿使日本在经济上不再具有发动侵略战争能力。

（3）实施赔偿后，日本仍可维持最低生活水平并开展和平经济活动。②

（4）实物赔偿。

（5）通过广泛协商，公正合理地将赔偿物分配给各索赔国。

（二）初期赔偿计划

比之于盟国的对日索赔方针，索赔计划更具实质性意义。与日本赔偿方针的形成过程一样，初期的日本赔偿计划也是沿着先由美国提出方案、后经远东委员会审议确定的程序制定的。

1945年11月初，美国总统杜鲁门召回美国赴德赔偿谈判首席代表埃德温·W·鲍莱，同时任命鲍莱为总统特使兼日本赔偿使节团团长。11月13日，鲍莱使节团一行十余人到达东京，在先期抵日的美国对日战略轰炸调查团的配合下，详细研究了由占领军总司令部和日本政府提供的日本经济资料，考察了日本各地百余处工业设施，鲍莱及使节团的部分成员还分别到中国、朝鲜等日本占领地进行了实地调查。12月7日，即日本偷袭珍珠港四周年纪念日，美国政府公开发表鲍莱使节团拟定的《日本赔偿即时实施计划》，俗称“鲍莱中间报告”或“鲍莱中间赔偿计划”。随后，美国政府将这一赔偿计划提交远东委员会讨论。

1946年5至12月，远东委员会以“鲍莱中间赔偿计划”为基础逐项

① 《对日和约问题史料》，人民出版社编辑出版，1951年，第29页。

② 当时远东委员会规定的“日本最低生活水平”为1930—1934年日本的平均生产生活水平。

审议，并陆续作出多项日本赔偿决议。从决议内容看，除个别修改外，远东委员会基本接受了以“鲍莱中间赔偿计划”为蓝本的美国提案。其要点是：①

（1）拆除所有军工厂设备并用于赔偿（拆除率 100%）。

（2）允许保留年产 1.5 万吨铝的轧制设备，余者拆除（拆除率 17%）

（3）允许保留年产机械 2.5 万台的工作母机，余者拆除（拆除率 50%），并准其保留 35 万台各类机械（拆除率 47%）。

（4）允许保留年产硫酸 350 万吨的生产设备（拆除率 26%）。

（5）允许保留年产 15 万吨商船及维护 300 万吨船的设备设施（拆除率为 79%和 43%）。

（6）允许保留年产值为 3250 万日元（1943—1944 年价格）的轴承生产设备（拆除率 73%）。

（7）允许保留年产生铁 200 万吨、钢坯 350 万吨、钢材 277.5 万吨的生产设备（拆除率分别为 29%、39%和 47%）。

（8）允许保留年产苛性苏打 98.5 万吨及苏达灰 63 万吨的生产设备（拆除率为 44%和 31%）。

（9）允许保留年发电 210 万千瓦的火力发电设备（拆除率约 50%）。

（10）拆除所有人造石油、人造橡胶设备（拆除率 100%）。

根据这一赔偿计划，鲍莱估计日本的赔偿总额约 30 亿美元（不含在外资产）。显然，比之于日本在侵略战争中给亚太各国造成的巨大损失，这一数字微不足道，实难补偿于万一。那么果真按此计划实施，将会给日本经济带来什么影响呢？一方面，远东委员会审议鲍莱赔偿方案时，许多国家代表都认为赔偿过轻，不足以根除日本再次发动战争的危险。而另一方面，日本政府却一再向占领当局陈情，认为赔偿过重，日本将由此跌落为农业国，乞求缓和赔偿。对此，鲍莱使节团的中间赔偿计划报

① 产业政策史研究所编印：《产业政策史研究资料》，1979 年，第 23—24 页，第 51 页。

告书中有如下一段耐人寻味的表述，即“日本未经最后一战便宣布投降，许多人便认为日本已经没有工业力量了。……然而，日本的绝大部分工业设施，事实上仍然是面向战争的。尽管破坏严重，日本的工业设施仍超过和平时期的民需所能被允许的限度，许多设备尚能使用，其过剩部分必须拆除。这种拆除只在于彻底解除日本的武装，并不意味着彻底剥夺日本的工业力量”。报告书还进一步举例说明，“在日本的炼钢、机床制造及以钢铁为原料的机械制造业中，迄今仍保留着两倍于1931年侵略中国东北之时的状态良好的生产设备”[①]。从现今的有关经济统计资料看，鲍莱报告书的看法绝非言过其实。

在鲍莱使节团提出日本赔偿中间计划至远东委员会付诸审议期间，指定赔偿工厂的工作也在同时进行。1946年1至10月间，占领当局先后指定389家军工厂、506家民间工厂及人造橡胶等企业为赔偿对象，命令指定赔偿工厂对现存设备、设施善为保管，等待拆除命令，为实施赔偿计划初步做好了准备。有关统计表明，迄1950年初，先后接到赔偿指定命令的工厂计1229家。[②] 另一方面，当远东委员会审议“鲍莱中间赔偿计划”之时，美国政府的有关机构也在对“鲍莱中间赔偿计划”进行审议和修改，并于1946年11月17日公开发表《鲍莱最终赔偿报告书》。这样，到1946年末，美国及远东委员会已大体完成了对日索赔计划工作。然而在具体实施赔偿计划时却遇到了种种障碍，最终使日本的战争赔偿半途而废。

（三）赔偿计划的挫折

对日索赔计划历经磨难大体确定后，离实施赔偿计划尚有一段艰苦历程。问题倒不在于实施赔偿时需要大量复杂的技术性工作，也未必在

① 产业政策史研究所编印：《产业政策史研究资料》，1979年，第14—15页。

② 产业政策史研究所编印：《产业政策史研究资料》，1979年，第30页。

于日本政府如何狡辩陈情，而是由于在赔偿物的分配问题上，各索赔国意见不一，争吵不休，迟迟不能达成协议。这是其一，其二，问题的根本症结则是以冷战为背景的美苏间的争夺，结果使这一问题错综复杂，以致贻误了时机。

赔偿问题的焦点之一，是日本在中国东北资产的处理。苏联出兵打败日本关东军后占领中国东北，随后苏军将该地区日本留下的重要机械设备尽行拆除，运回国内。苏联的做法引起许多国家不满，美国政府也于 1946 年二三月间接连续向苏方提出抗议，要求苏联在有关各方达成协议之前不得擅自行动，但苏联置之不理。到鲍莱受命于同年 4 月再次赴中国东北视察时，苏军的拆除工作已经完成，所到之处一片狼藉。据鲍莱估计，被苏联运走的机械设备价值约 8 亿美元。① 苏方坚持认为，日本在满洲的资产系苏军的战利品，不能视为赔偿，并要求实施日本赔偿计划时，苏联应获得日本国内赔偿物的一定份额。美国及一些盟国则认为，苏联在中国东北的"战利品"只应限于武器，其他机械设备应引渡给对东北拥有主权的中国。该问题虽经长期争论，最后仍然不了了之。日本在中国东北资产的归属问题长期悬而未决，直接影响了索赔国之间赔偿分配额谈判的进程。

美苏间在赔偿问题上的对立，只是战后两个政治大国间展开冷战的一个侧面。早在对德国的战后处理问题上，美英等国便与苏联出现严重分歧。1946 年 3 月 5 日，英国首相丘吉尔访美时发表了"事前无疑得到杜鲁门总统支持"②的"铁幕演说"，影射苏联实行警察专制。进入 1947 年后，由于美国推出对共产主义实行"封锁"的杜鲁门主义，实施援助欧洲、旨在抵御共产主义浸透的马歇尔计划，苏联封锁柏林，美苏冷战已由唇枪舌战变为剑拔弩张。与此同时，中国内战爆发后革命势力的迅速增

① 产业政策史研究所编印:《产业政策史研究资料》，1979 年，第 51 页。

② 饭田经夫等:《现代日本经济史》上，筑摩书房，1976 年，第 22 页。

长及日本国内工人阶级的发展壮大，亦使美国政府坐卧不安。在美国国内，在野的共和党在中期选举中获胜，抨击政府对共产主义抵制不力，对日占领加重了美国公民的负担，一时间，所谓“冷战理论”和“纳税者理论”甚嚣尘上。正是在这种背景下，美国逐步改变了对日占领政策，其证据之一就是出尔反尔，无视由自己提案并经远东委员会审议通过的日本赔偿计划，单独行动，减轻日本的战争赔偿。

1947 年 1 月 28 日，美国将陆军部副部长斯特莱克为首的日本赔偿特别委员会派往日本，以“重新研究整体赔偿计划”。一个月后，该委员会便向美国陆军部及日本占领军总司令递交了一份报告(即“第一次斯特莱克报告书”)。报告书从“日本是资本主义的民主主义与共产主义决战的战场，美国如不能在这场决战中取胜，将永远失去在远东的有利地位”①的观点出发，建议彻底修改鲍莱赔偿计划，大幅度缓和日本赔偿，

1947 年 4 月 3 日，在日本赔偿问题上已另有他图的美国政府，运用其手中掌握的对日占领“中间指令权”，单方面宣布立即实施 30%赔偿计划(后述)。这一行动的公开理由，一方面是迫于多数索赔国的压力，一方面则是出于尽快解决赔偿问题以便让日本放手复兴经济，进而减轻美国的财政压力。实际情况则是，美国此时已抱定“不搞大规模赔偿”②，部分实施赔偿计划，只是为了作出姿态，掩人耳目，暗地里正在为进一步缓和赔偿作准备。

果然，同年 7 月末，第二次斯特莱克赔偿调查团再赴日本，但调查报告却秘而不宣，迟迟不予发表。1948 年初，美国陆军部长罗亚尔在旧金山的长篇演说中声称，美国的对日占领目的已经实现，今后的目标是加快日本经济复兴，使其成为“对付远东今后可能发生的其他极权主义威

① 历史学研究会:《日本同时代史》第 2 卷(占领政策的转变与媾和)，青木书店，1990 年，第 9 页。

② 产业政策史研究所编印:《产业政策史研究资料》，1979 年，第 77 页。

胁的屏障"[①]。这表明美国的对日占领方针已经转变。在这种背景下，美国已不需要在日本赔偿问题上遮遮掩掩。1948 年 2 月 18 日，"第二次斯特莱克报告书"发表。报告书"从正面否定了鲍莱方案的基本原则"[②]，将日本赔偿计划规模一下降到原鲍莱赔偿计划的 67%。

但是，大大倒退的"第二次斯特莱克赔偿计划"仍不能满足美国的远东政策及对日政策的需要。1948 年 3 月 20 日，名义团长为民间人士琼斯顿、实际是以另一位美国陆军部副部长道莱帕为首的使节团又被派往日本。5 月 18 日，"琼斯顿报告书"发表，由此日本赔偿计划再降至鲍莱方案的 26%。

有关研究资料表明，根据鲍莱的最终赔偿计划方案，日本的赔偿总额为 24.7 亿日元(1939 年价格)，"第二次斯特莱克赔偿计划"总额降至 16.5 亿日元，"琼斯顿赔偿计划"总额再降至 6.6 亿日元。[③] 由于美国政府于 1949 年 5 月 12 日单方面下令停止"中间赔偿"，日本的实际赔偿额比"琼斯顿赔偿计划"额还要少得多。

无需讳言，围绕日本赔偿问题，各索赔国间的分歧延缓了赔偿的进程。但最根本的原因则在于两个大国的争夺。一个大国的自私行为和消极态度，影响了索赔谈判的进展，另一个大国实际掌握着对日索赔的主导权，但却同样不顾各索赔国的利益，出尔反尔，把缓和日本赔偿当做扶植日本复兴、对抗共产主义的一个砝码。结果，只有蒙受日本侵略巨大灾难的索赔国被剥夺了对日索赔的权利。

---

① 大藏省财政史室编:《昭和财政史　从终战到媾和》第 17 卷(资料 1)，东洋经济新报社，1981 年，第 64—66 页。

② 大藏省财政史室编:《昭和财政史　从终战到媾和》第 3 卷(美国的对日占领政策)，东洋经济新报社，1976 年，第 359 页。

③ 中村隆英:《昭和经济史》，岩波书店，1989 年，第 191 页。前引《产业政策史研究资料》，第 60—63 页。

(四) 战争赔偿与经济复兴

如前所述，从 1946 年初开始，对日占领当局分批指定赔偿工厂。1947 年 4 月，美国下令实施 30%赔偿计划，其分配比率是，中国 15%，菲律宾 5%，荷属印度(印尼)5%，英属远东殖民地 5%。

1947 年 12 月 29 日，第一艘载有赔偿物资的海康号船离开日本长浦湾开往中国。翌年 1 月，向印度尼西亚、菲律宾发出第一批赔偿物资。到 1950 年最后一艘赔偿船驶离日本为止，共拆除运走日本的机械设备 53946 台，特种测量器械 3198 台，按 1941 年价格测算，约 1.65 亿日元。其中中国获得赔偿物为 8935 万日元，印度尼西亚 1903 万日元，菲律宾 3132 万日元，英属远东殖民地 2546 万日元。① 因此，这一时期日本的实际赔偿额仅相当于鲍莱最终赔偿计划的 6.7%。

与前述的千余家指定赔偿工厂的数字相对照，实际拆除并被用于赔偿的只有下述 17 家军工厂，即陆军仙台制作所，十条制造所，泷野川制造所，相模造兵厂，千种制造所，鹰来制造所，大阪造兵厂播磨分所、白滨分所、香里分所；海军多贺城工厂，横须贺工厂，第一海军技术厂，丰川工厂，吴工厂，第二十一海军航空队，川棚工厂。② 在鲍莱赔偿计划和远东委员会日本赔偿决议中被指定为首批赔偿对象的财阀企业资产，在这次赔偿行动中却毫发无损。

另一方面，就在实施拆除赔偿行动的同时，取消赔偿工厂指令的工作也在同步进行，更多的指令赔偿工厂虽然暂时仍被定为赔偿对象而听候发落，但又允许其开工生产。特别是在“第二次斯特莱克报告书”发表之后，这种逆措施的步伐明显加快。到 1950 年 3 月，共有 385 家指定赔偿工厂被列为和平产业，开始从事正常生产活动。③ 而在尚未解除赔偿

① 产业政策史研究所编印:《产业政策史研究资料》,1979 年,第 80 页。

② 产业政策史研究所编印:《产业政策史研究资料》,1979 年,第 86 页。

③ 产业政策史研究所编印:《产业政策史研究资料》,1979 年,第 30 页。

指令的856家工厂中，647家照常生产，只有209家封锁待命。[①] 据有关统计，这批仍在开工生产的待赔企业，在日本全国经济中占有举足轻重地位，其部分待赔工厂产量在全国各行业中的比重是，火力发电66.8%、生铁55.3%、粗钢37.6%、轴承38.4%、织机30.7%、苛性苏打61.8%、盐酸56.1%、汽车32.4%。[②] 解除部分工厂的赔偿指令并允许指定赔偿工厂开工生产，无疑对加快战后日本经济的复兴起了重要作用。这一问题的本身也证明，美国及其对日占领当局在宣布实施30%赔偿计划之时，已经从心底否定了未来100%实施赔偿的初旨，进而又使30%临时赔偿计划中途搁浅。

1949年底到1951年初，随着东亚各国民族解放运动的迅猛发展及朝鲜战争的爆发，美国愈加重视日本这颗"棋子"的作用，政治上积极准备对日媾和，军事上一再催促日本重整军备，经济上以"日美经济合作"为口号，一面把日本经济纳入美国的全球战略计划，一面把东南亚让给日本开发，至于日本的战争赔偿问题，美国的态度已完全变成"不赔偿主义"。

美国的这种态度引起许多国家、特别是东南亚国家的极大不满。菲律宾直到1950年3月仍坚持索赔40亿美元的强硬立场。鉴于东南亚诸国在"东西"对抗中所处的特殊战略地位，亦为了早日实现对日片面媾和，美国迫不得已在赔偿问题上做了些许让步。1951年9月8日，在美国一手操纵下签订对日媾和条约。其第14条规定，日本的战争赔偿可在日本经济能够自立的前提下以劳务赔偿方式进行，其具体内容由日本与有关索赔国协商解决。[③] 这一规定把索赔国与赔偿国的权利与义务关系变成了平等协商关系，粗暴践踏了《波茨坦公告》原则和远东委员会的

① 产业政策史研究所编印：《产业政策史研究资料》，1979年，第41页。

② 产业政策史研究所编印：《产业政策史研究资料》，1979年，第135页。

③ 大藏省财政史室编《昭和财政史　从终战到媾和》第3卷（美国的对日占领政策），东洋经济新报社，1976年，第526页。

有关决议。菲律宾代表痛愤地指出："支付赔偿乃是遭受日本破坏的小国取得补偿其损失的唯一方式，而本条约对赔偿却严加限制。"①

如果按照对日媾和条约的赔偿条款，日本决不会继续支付赔偿，而由美国操纵的联合国也不会予以追究。但是由于新中国成立后，日本已经失去了其经济上不可缺少的东亚地区的最大市场，不得不秉承美国的旨意去"开发"东南亚，于是赔偿便成了日本打入东南亚的"诱饵"。

日本与东南亚各国间的赔偿谈判迟至 1955 年才重新开始，历时十余载，先后与缅甸、菲律宾、印度尼西亚和南越达成协议，以劳务和实物方式，分别向上述四国支付赔偿 2 亿美元(缅)、5.03 亿美元(菲)、2.23 亿美元(印尼)和 0.39 亿美元(南越)，合计 9.65 亿美元。此外，日本还以无偿经济援助方式向上述国家及韩国提供了 4.31 亿美元资金。加上前述的日本国内拆除设备赔偿，除被没收的殖民地物资外，第二次世界大战后日本的战争赔偿仅此而已。

二战结束已经整整 50 年，如今的日本已成为世界上经济最发达、最富有的国家。为了实现下个世纪亚太地区及整个世界的持久和平、稳定与发展，日本应该认真考虑解决战争赔偿的遗留问题，而不是躲躲闪闪。唯当如此，才能进一步赢得世人信赖，树立现代日本的新形象。②

三、道奇计划

40 年代后期，第二次世界大战的硝烟尚未散尽，美苏间的"冷战"便已急速展开。美国为抵制和对抗共产主义势力的"浸透"，首先在欧洲实施了"马歇尔计划"，接着又在日本推行了马歇尔计划的翻版道奇计划，其结果是加快了包括战败国德、日在内的有关诸国的经济复兴。

马歇尔计划姑且不论，道奇计划因其在战后日本经济发展中占有极

---

① 信夫清三郎编：《日本外交史》下，商务印书馆，1980 年，第 786 页。

② 原文刊于《日本研究》1995 年第 3 期。

其重要的地位，历来受到有关研究者的重视。然而有关分析角度各异，评价褒贬不一。日本学者有泽广巳等认为，实施道奇计划后出现的稳定蕴含着“稳定中的危机”。中村隆英指出，道奇计划之所以有效地控制了通货膨胀，就在于此前的“中间稳定”业已奠定了必要基础，而“中间稳定”的恢复生产与抑制通货膨胀一齐抓的设想，要比一味制止通货膨胀的道奇计划“更周密”。欧美学者波顿则干脆认为道奇计划是一种“逆时代潮流的错误政策”，造成了“延缓产业复兴”的后果。

与上述低调评价相对照，最近日本一些学者的研究引人注目。浅井良夫在一篇论文中指出，道奇计划的意义在于实现了三个稳定，即“劳资关系的稳定”“作为对内稳定手段的通货稳定”和“对外经济关系的稳定”。[①] 而三和良一和山崎广明则在大型研究丛书《通商产业政策史》中强调，道奇的基本设想是实现日本经济的复兴、稳定与自立，其三大政策支柱是：(1)控制国内总需求，降低过剩购买力，扩大出口；(2)制定单一汇率，取消补贴，恢复市场机制，促进合理化；(3)依靠政府储蓄和对日援助提供民间投资资金，扩大生产。[②] 显然，这“三个稳定”论和“三大支柱”说已相当程度地超出了以往的认识。

与上述分析及其结论有所不同，笔者认为，道奇计划作为美国扶植日本加快实现经济复兴、自立的重大举措，意在使日本实现如下三个转变，即通胀经济向稳定经济的转变，统制经济向市场经济的转变，封闭经济向开放经济的转变，并且不同程度地实现了这些转变，或决定了这种转变的根本方向。其中，后两种转变带来了经济运行机制乃至经济体制的重大变化，意义可谓深远。下面沿着这种角度试加阐述。

(一) 道奇计划的出笼

日本战败初期，美国占领当局在非军事化和民主化的总方针下，对

---

① 浅井良夫：《道奇计划的历史意义》，日本《土地制度史学》135 号，1992 年 4 月。
② 通商产业省编：《通商产业政策史》第 1 卷(总论)，通商产业调查会，1994 年，第 204 页。

日本进行了广泛涉及政治、经济、思想文化及社会等领域的一系列重大改革，而对日本的现实生产活动与战后经济复兴，虽非像《基本指令》中规定的那样“不负任何责任”和“义务”，①但也未将其作为占领政策的重点。

为度过经济混乱与生产衰退的难关，打破原材料奇缺，开工不足、物资供给匮乏，通货膨胀日烈的恶性循环，日本政府在 1947 至 1948 年间推行了著名的倾斜生产方式，集中力量增加煤炭、钢铁等基础产业生产，从而使国民经济重新进入再生产循环的轨道。到 1948 年，工业生产指数已由战败初年的 30％左右回升到 60％以上，严重的经济混乱、生产滑坡局面已经过去。

然而，倾斜生产时期的经济恢复，是在一种极不正常的体制庇护下实现的，各种不稳定的因素仍极大制约着日本经济的复兴，这主要表现在：

其一，对外经济的封闭性与依赖美援。近代以来日本资本主义经济发展的一个特征是严重依赖海外市场，而第二次世界大战中日本的对外侵略扩张，又招致美国及其他对日作战同盟国实行贸易封锁，使日本受到致命性打击。日本战败投降后，盟国的对日贸易限制仍未解除，日本的外贸、外汇业务处在占领当局的直接管理监督之下，除少量生活必需品外，工业设备及生产原料的进口被控制在最小限度。在生产原料匮乏，工业生产面临无米之炊的困境中，日本政府被迫采取了以开发国内资源为重点的倾斜生产方式政策。正如日本学者香西泰所言，这是一种“因贸易封锁而被迫实施的进口替代政策”②。但这种政策归根结底只是权宜之计，因为煤炭这种“唯一可以利用的”有限资源迟早耗尽，届时还必须通过对外贸易和国际分工寻求生路。

① 外务省特别资料部编：《日本占领及管理重要文书集》第 1 卷（基本篇），东洋经济新报社，1949 年，第 136—138 页。

② 小宫隆太郎等编：《日本的产业政策》，东京大学出版会，1985 年，第 29 页。

限制进口导致原料紧缺，开工不足，生产下降，物资匮乏，进而又使出口大为萎缩。据统计，1945 至 1948 年间，进出口额为 15.14 亿美元比 5.35 亿美元，赤字额为 9.79 亿美元。这笔巨额贸易亏空是靠美国对日援助弥补的。同一时期，美国对日援助物资总额已达到 10.58 亿美元，占日本进口总额的 69.9％。①

显然，只要对日贸易限制的大门不被彻底打开，日本经济便没有出路，也就无从谈论真正的稳定、复兴、自立与发展。

其二，对内严厉的经济统制。日本的经济统制始于昭和初期经济危机时期，全面侵华后根据“总体战”的需要全面付诸实施。战后初期，虽废除了部分战时统制法，解散了各种统制会，但因经济状况恶化，从 1946 年初起又全面恢复统制，倾斜生产方式的实施，实仰赖于经济统制的庇护。这种统制的主要方式有：

物资统制。统制范围包括煤炭、钢铁等几乎所有生产资料物资，以及粮食等主要生活资料。统制物资从生产到配给均处于政府的计划和严格管理监督之下。

物价统制。根据《物价统制令》，几乎所有商品均被强行规定公定价格，统制品种按分类计，最多时达万余种。为控制物价总体水平，日本政府指定煤炭、钢铁、粮食等为稳定线物资，要求这些物资按政府公价配给，其亏损部分享受财政补贴，时称价格调整费。同期，日本政府还向进出口贸易提供了巨额补贴。两项合计，财政补贴费在历年国家财政总支出中占 20％以上。②

资金统制。长年对外侵略战争的结果，使战败初期日本的“国家财政、重要企业及国民家庭开支皆为赤字”③，再生产投资资金告急。为保证倾斜产业的资金需求，日本政府设立复兴金融公库，两年间通过复金

---

① 经济安定总部 1952 年度《经济白皮书》，至诚堂，1952 年，第 7 表。

② 经济企划厅编：《战后日本的资本积累与企业经营》，至诚堂，1957 年，第 19 页。

③ 经济企划厅编：《资料・经济白皮书 25 年》，日本经济新闻社，1972 年，第 20 页。

投放了1260亿日元政府贷款，约占全国设备贷款总额的70%，其中煤炭、电力、海运、钢铁四大产业接受的政府贷款，分别占其贷款总额的98.1%、92.9%、84%和73.4%。① 可以说，重点产业的生产，基本是靠政府财政资金启动的。

劳动统制。劳动管理与劳动力供给，本来是依靠市场的自动调节和私人企业的自主行为，但是在统制体制下，政府多方面介入。最典型的实例是国家管理煤矿，即私有国营，煤矿生产全面按政府计划进行。与此同时，国家还直接插手解决矿工的生活、待遇、住房问题，制定劳动规章制度，派遣政府官员到工作现场监督指挥生产等等。

经济统制只是特殊时期应付特殊问题的极端手段，存在种种弊端。无论在何种社会制度下，只要是正常发展时期，统制决不是理想的方法。废除统制，恢复市场机制的功能，是当时面临的严峻课题。

其三，通货膨胀的持续发展。日本战败不久即爆发了恶性的通货膨胀，经过一阵徘徊，日本政府在通货稳定优先还是生产恢复优先之间选择后者。在推行"生产第一"的倾斜生产期间，尽管通过多种手段控制物价上涨，通货膨胀率仍居高不下，两年间消费物价上涨七倍，与战败至1946年间的上涨率匹敌。② 除了供给绝对不足的根本原因外，造成通货膨胀的直接原因，在于日本政府的财政金融政策。一是前述的巨额贸易、物价补贴，它使国家预算连年赤字；二是政府的财政贷款，当时赤字运营的政府财政本已拿不出余裕资金，然而为保证倾斜产业的资金供给，政府还是放出巨额财政贷款，其资金来自政府公债收入（复金公债），而认购70%复金公债的日本银行除增发纸币外别无他途。所谓"复金通货膨胀"就是这样发生的。

通货膨胀的恶果最终只能嫁祸于国民。由于工资的上涨赶不上物

① 经济企划厅编：《战后经济史（经济政策编）》，大藏省印刷局，1976年，第100、102页。

② 正村公宏：《图说战后史》，筑摩书房，1989年，第65页。

价上涨的速度，劳动者生活维艰，工人运动此伏彼起，经济不稳定又引起社会的不稳定。这就是实施道奇计划前日本社会、经济的实况。

另一方面，就在1947—1948年两年间，国际政治格局及远东地区的形势巨变。1946年底至1947年初，美苏两个二战时的盟友分道扬镳。冷战的序幕一经揭开便愈演愈烈，在此过程中，美国彻底改变了对日占领政策。

美国对日政策的转变首先表现在非军事化、民主化改革的停顿方面，再就是从1947年起一再放宽日本赔偿计划，同时增加对日物资援助。到1948年初，美国陆军部部长罗亚尔索性发表声明，公然声称要把日本变成对抗共产主义威胁的堡垒。① 同年，中国的革命形势迅猛发展，人民解放军转入战略反攻阶段，美国政府意识到“中国正迅速落入共产主义统治之下”②，加紧了调整其远东战略的步伐，于是日本这颗棋子的作用更显重要。与此同时，美国国内在野的共和党在1947年中间选举中获胜，抨击政府的援日政策加重了美国公民的纳税负担。在“冷战理论”和“纳税者理论”的鼓噪下，美国政府走马灯似地派遣陆军部副部长斯特莱克和道莱帕，国务院企划部长凯南、联邦储备制度理事会调查统计局副局长扬格等要员赴日考察，并根据其建议，最后完成政府内部对日政策的意见调整。1948年10月7日，美国国家安全委员会正式做出《关于对日政策的劝告——极秘NSC13－2》决议，决定停止在日本的一切改革，“今后对日政策的主要目标是经济复兴”③。12月10日，美国政府又以“中间指令”形式，向占领当局部署了《日本经济稳定计划》，这是继“NSC13－2号”决议后有关对日经济政策的纲领性文件。

这份俗称“经济九原则”的计划，要求日本政府“采取坚决果断而综

① 大藏省财政史室编：《昭和财政史——从终战到媾和》第17卷（资料1），东洋经济新报社，1981年，第64—66页。

② 饭田经夫等：《现代日本经济史》上，筑摩书房，1976年，第22页。

③ 大藏省财政史室编：《昭和财政史——从终战到媾和》第17卷（资料1），东洋经济新报社，1981年，第79—81页。

合性的政策”，制止“全面而持续的通货膨胀”，以“保证尽快准备能够确定单一汇率的各种条件”。为达此目的，必须实现预算平衡；加强税收；控制金融贷款；稳定工资；加强物价统制；加强外贸外汇管理；改善配给制度；增加生产；提高粮食配给效率。[①] 如果对“经济九原则”的内容略加分析则可以看出，这一计划的实施步骤是先实现稳定，再统一汇率，解除贸易限制，使日本回到国际经济社会。而实现稳定的重要手段，是进一步加强统制、计划与管理。这里，计划本身忽视了对内经济机制与对外经济机制的衔接问题，即对日本正在实行的经济统制，与其说是尽快使其缓和乃至废除，倒不如说是嫌其统制不够，效率不高。这说明“经济九原则”规定的政策体系尚欠完整性。

但是，受命来日本推行经济稳定计划的约瑟夫·M·道奇却根据自己的丰富经验，灵活地把握美国政府提示的“原则”，对日本经济进行了一场大刀阔斧的改造。

（二）稳定经济措施

以往的研究大多存在一种倾向，即道奇计划是以财政紧缩为重点的全面经济紧缩，经济稳定正是通过诸种紧缩措施实现的。这种观点无疑有正确的一面，但是并不全面，甚至存在错误的偏向，许多重要的史实也被忽略了，因此极有必要澄清。

笔者认为，道奇为实现日本经济的稳定可谓机关算尽，但其采用的手段和方法却不可用“紧缩”一词所概括，实际上是有“紧”也有“缓”。简单地说即“三紧四缓”。

“三紧”措施具体表现在：其一，编制“超平衡紧缩预算”。道奇认为，国家财政预算不平衡是导致通货膨胀长期化的总祸根，因此，解决日本

---

① 大藏省财政史室编：《昭和财政史——从终战到媾和》第17卷（资料1），东洋经济新报社，1981年，第83页。

的通货膨胀问题，一不能搞苏联式的物资统制，二不能像西德那样货币贬值，只能通过财政平衡来实现。[①] 结果，道奇亲自主持编制的 1949 年度日本国家财政预算自战后以来首次出现黑字，黑字额为 1569 亿日元。若与 1948 年度的 1419 亿日元赤字相比较，则更能感觉到 1949 年度预算确是个紧缩预算[②]，这个预算无疑对整个国民经济带来紧缩性效果。

其二，强化税收是经济紧缩的又一重要手段。1948 年，日本中央及地方税收总额占国民总收入的 25.9%，已创战后新纪录，实施道奇计划的 1949 年，这一比例被提高到 28.5%，创下“明治、大正、昭和年代以来”日本税收率的“最高”纪录。[③] 强化征税不仅支撑了超平衡财政的实现，而且直接影响到企业利润和国民消费，使社会资金供给更为吃紧。

其三，停止复兴金融公库贷款业务。如前所述，复金财政贷款是倾斜生产方式时期重要产业资金供给的主渠道，它一方面支撑了重点产业的生产恢复，一方面又助长了通货膨胀的蔓延。道奇认为，政府投资很难产生民间投资那样的良好效果，“会进一步助长通货膨胀”[④]，因此断然下令停止复金新增贷款，并限期收回放款。结果仅用一年时间，复金的千余亿日元债务便全部还清。

应该说，以财政预算为主的上述三项措施，构成了道奇计划下经济紧缩的主格调。对此，以往的研究者已有较为充分的论述。问题在于下述的四项缓和措施尚未引起应有的重视，有些论者甚至囫囵吞枣地将之列入“紧缩”名单。这四项措施是：

其一，维持财政补贴。1949 年 3 月，道奇在记者招待会上发表了对日本经济的看法，他阐述的一个重要观点是，“现在（日本）采取的国内方

---

① 池田勇人：《平衡财政》，实业之日本社，1952 年，第 215—216 页。

② 经济企划厅编：《现代日本经济的展开——经济企划厅 30 年史》，大藏省印刷局，1976 年，第 56 页。

③ 猪木正道：《吉田茂的执政生涯》，中国对外翻译出版公司，1986 年，第 297 页。

④ 大藏省财政史室编：《昭和财政史——从终战到媾和》第 18 卷（资料 2），东洋经济新报社，1982 年，第 38—39 页。

针政策，既不合理，也不现实。日本经济如同踩高跷（竹马）一样两脚不着地，高晓的一条腿是美国援助，另一条腿是国内补贴金。如果这两条腿抬得过高，就有跌倒而折断颈骨的危险，因此有马上斩断之必要”①。这就是道奇有名的“日本竹马经济论”。许多人只是鉴于道奇这番话，便把斩断这两条“竹马”之腿也视为道奇计划的主措施之一。然而史实并非如此。

在1949年度财政预算中，各种补贴金总额破纪录地达到2149亿日元，占财政总支出的25%。据载，大藏省最初的方案是，新年度价格调整费仅700亿日元，但经道奇修改后，一下子提高数倍。当然，道奇的补贴金预算中包含了贸易补贴金。尽管如此，该年度的贸易、价格补贴费仍比上年度的两项支出总和多出46亿日元。② 在补贴金问题上，道奇所做的只是将以往“看不见的”贸易补贴正式编入预算，并未使出“马上斩断”的绝手。

其二，增加对日援助。这一点与国内补贴金的处理方法类似。道奇计划实施前，美国政府的有关部门确曾表示过日本经济若不实现稳定便停止对日援助的强硬态度，但同时也许诺只要日本经济稳定，援助行将继续。看一下美国对日援助的变动情况便知，其具体数额是：战败至1946年1.93亿美元，1947年4.04亿美元，1948年4.61亿美元，实施道奇计划的1949年5.35亿美元。③ 显然，事实与道奇的有关言论相反。

尽管如此，并不能因此说道奇在补贴金和美援问题上立场模糊。从长远观点看，其本意确要砍断这两条“竹马”之腿，而现实的首要任务是实现稳定。在此意义上说，暂时保留乃至加长这两条“竹马”之腿虽属权宜之计，但亦与实现稳定的目标并行不悖。这里体现了一种即期目标与

---

① 通商产业省编：《通商产业政策史》第2卷（第1期战后复兴期1），通商产业调查会，1991年，第404页。

② 通商产业省编：《通商产业政策史》第2卷（第1期战后复兴期1），通商产业调查会，1991年，第415页。

③ 经济安定总部1952年度《经济白皮书》，至诚堂，1952年，第7表。

长期目标、政策与策略的关系，或许可以认为，这正是道奇的经验之所在。

其三，设立美国对日援助回头资金。实施道奇计划前，美国对日援助已逾 10 亿美元，但是这笔收入多未回收，有限的回收款也被纳入贸易资金特别会计中，既不明确，使用上亦多不当。1949 年，在道奇主持下特设美援回头资金特别帐目，规定该项资金用于"直接而迅速地偿还政府债务及作为经济重建发挥作用的资本投资"①。同年，该项会计的千余亿日元资金一部分用于偿还政府债务，另有数百亿日元用于产业投资，从而实际上一定程度地弥补了复金贷款停止后财政投资的空白。

其四，金融缓和。道奇计划下货币供给与资金流动状况的特点是财政紧缩、金融缓和。黑字预算与复金国债的还付，造成 841 亿日元财政资金还流，社会流动资金减少，企业普遍感到资金难，怨叹之声日甚。如果任其下去，势必影响生产，进而引起就业减少、社会不稳。结果，从 1949 年 6 月起，在财政紧缩的同时，金融政策大为缓和，日本银行利用政府还付的大笔复金债，通过城市银行扩大对民间的贷款，并多次降低放款条件（如缓和高利率限制、降低贴现率等），积极参与国债、公司债的市场买入操作，组织协调融资等。同年日银新增放款额达 829 亿日元，与财政还流资金额大体持平。应该说，在道奇计划的紧缩之年，之所以仍能保持一定的工业生产增长率，与这种"财政还流资金通过金融渠道再次放出"②的金融缓和政策直接相关。

对当时的金融缓和措施，道奇似乎没有发表什么公开言论，是否得到他的同意尚无从考证。但可以判断他至少采取了默认态度。不过，当 1949 年底至 1950 年初银行普遍出现放款过多现象时，道奇及对日占领

① 中村文隆："道奇路线至朝鲜动乱期工业化政策的展开"，明治大学政经研究所《政经论丛》52 卷 2、3 号。

② 通商产业省编：《通商产业政策史》第 2 卷（第 1 期战后复兴期 1），通商产业调查会，1991 年，第 417 页。

当局终于向日本政府提出了警告。

上述“三紧”措施也好,“四缓”措施也罢,都是道奇根据日本经济的具体情况开出的处方。即根据“病人”的诸多症状,有的“一刀割除”,有的缓而治之,但中心目标是明确的,即一切为了实现经济稳定。

但是,道奇计划的意义不仅在于实现经济稳定的即期目标,更大的意义在于要改变日本的经济运行机制和体制,实现经济机制及体制上的“转轨”与“接轨”。

(三) 经济运行机制的“转轨”与“接轨”

近代日本资本主义的发展虽然在若干方面有别于老牌资本主义国家,但也同样建立起资本主义生产方式,依靠市场机制使近代经济获得长足发展。但是如前所述,昭和经济危机及侵略中国东北以后,自由市场经济转向国家垄断的统制经济,对外开放的经济逐渐因其侵略战争的升级而被关闭了大门。可以说,1931 年起日本连续发动 15 年侵略战争的过程,既是其政治上走向彻底孤立直到最后破产的过程,也是其内外经济机制变形、脱离“常轨”的过程。直到实施道奇计划的 1949 年初,这种“变形”“脱轨”的机制基本未动。

应该说,“经济九原则”已明确提示了将封闭的日本经济与国际经济接轨的方向,其手段是制定稳定的统一汇率,使日元具有国际兑换性,并规定只有具备经济稳定的前提条件后,方可实施统一汇率计划。

为使日本经济与国际经济“接轨”,道奇从两个方面展开行动。一是统一汇率,改变现行外贸体制;二是缓和、废除经济统制,恢复市场机制,使日本国内经济机制与国际经济的自由市场机制“接轨”。

首先,关于统一汇率和外贸体制的改变问题。1948 年,美国政府曾派遣扬格使节团赴日调查汇率问题。使节团在回国报告书中指出,多重汇率是造成日本通货膨胀的主要原因之一,为使日本扩大出口,实现经济自立,必须统一汇率,并建议美元与日元比价为 1 美元兑换 270—330

日元。到1949年初，由于物价又有上涨，估计进出口汇率为1美元比330日元。但在同年4月确定单一汇率时，却变成1美元兑换360日元。道奇是有意压低日元比价的，一方面是考虑到通货膨胀有使日元进一步贬值的可能性，另一方面就是要让80%的日本商品在这一汇率下有出口竞争力。① 重要的是，由于汇率的统一，不仅使日本外贸活动和结汇核算方便易行，而且通过把日元变成可兑换货币，密切了日本经济与国际经济的关系。

外贸体制转变的核心问题是占领当局将日本贸易的管理权交还日本政府，变国营贸易为民间贸易。道奇莅日不久，即责成日本政府成立外汇管理委员会，研究草拟新体制下外贸、外汇管理的法律、法规。1949年10月28日，占领当局宣布日本民间贸易进口于同年12月1日、出口于翌年1月1日全面放开。12月29日，又将外汇管理权及6700余万美元外汇结余全部归还日本政府。12月1日，日本政府颁布《外汇及外国贸易管理法》《外汇特别会计法》《外汇管理委员会设置法》及《阁僚审议会令》，通过这"三法一令(政令)"，确立了以民间贸易为主体、以国家外汇管理为基本特点的新外贸体制。在此前后，日本还颁布了《外资法》。统一汇率与外贸外汇管理权的转移，相应法律法规的建立，意味着战时以来对外封闭的日本经济重新开放。以此为基础，日本于50年代中期加入国际货币基金组织和关贸总协定，成为美国主导的布雷顿森林体系的一员。进入60年代以后，日本又走上贸易、资本全面自由化的道路。与这一经济开放的过程相一致，日本经济迅速完成复兴，并进入高速增长时期。

其次，关于解除经济统制、恢复市场机制问题。古典经济学认为资本主义的发展是通过自由竞争和市场这只"看不见的手"自发调节实现

① 大藏省财政史室编:《昭和财政史——从终战到媾和》第3卷(美国的对日占领政策)，东洋经济新报社，1976年，第429页。

的。1929 年的世界经济危机虽使这种观念得到一定改变,开始强调国家干预的作用,但并未否定自由竞争的"原理"和市场机制。相反,随着第二次世界大战的结束,勿宁说重新确立了市场竞争的"秩序"。

然而,战后直到倾斜生产方式时期的日本经济已经远远脱离自由市场竞争的常轨,而若继续保持经济统制,无疑不能与国际资本主义经济对接。也就是说,国内经济运行机制必须适应对外开放的需要而改变。

不过,"经济九原则"并未明确要求日本废除经济统制,从其指令的内容看勿宁说相反。因此可以认为,是道奇在执行经济稳定计划时,灵活地把内外经济机制的衔接问题统一起来加以处理,推进了废除统制的进程。此外,有证据表明,重新执政的自由党政府在废除统制方面也采取了与道奇合作的积极态度。

在道奇的监督指导下,废除统制工作急速展开。贸易统制缓和已如前述,民间贸易放开后,国家主要通过外汇管理制度实行目标管理,原则上不限制民间贸易行为。资金统制的废除主要是通过停止复兴金融贷款业务进行的,由于堵住了财政融资的主渠道,并提倡商业贷款,资金统制大为缓解。物资统制的废除进展也很快,1949 年 4 月,指定生产资料为 233 种、生活资料 57 种,一年后,分别减少到 49 种和 16 种,废除率为 79%和 72%。价格统制在 1949 年 4 月时按中分类多达 10715 种商品,一年后即减至 941 种,废除率 91%。[①] 由于废除统制,专事统制业务的 15 个政府统制公团先后结束了自己的使命。到 1950 年 4 月,有 8 个统制公团被解散,余下的 4 个统制公团到 1951 年 3 月也销声匿迹。

道奇对经济统制的否定,事实上也就是对 1947 年以来日本政府全力推行的倾斜生产方式政策的否定。因为诸项统制措施的相继废除,终使完全仰赖统制的倾斜生产"皮之不存,毛将焉附",难以为继。迫于这种形势,日本政府于 1949 年 9 月 13 日正式作出《关于产业合理化》的决

① 有泽广巳、稻叶秀三编:《资料·战后二十年史》2(经济),日本评论社,1966 年,第 49 页。

议，它意味着一项新的产业政策的诞生。

从 1949 年 2 月到 1950 年朝鲜战争爆发的一年多时间，可视为广义的道奇计划实施期。在此期间，道奇多次来日，亲手帮助日本政府制定了两个年度的财政预算，并推行了上述的诸项政策。那么，其效果如何，意义何在呢？

其一，“通胀经济”向“稳定经济”的转变。第二次世界大战以后，“日本经济是坐在一辆摇摇晃晃的破车上走过来的”①，通货膨胀一直像恶魔一样缠扰着日本。但是，实施道奇计划仅一年，便基本控制了通货膨胀。国家财政预算，1949 年度首次出现黑字；货币发行量，比之于上年度增加 43%，1949 年度减少 0.4%；货币流通量，比之于上年度增加 40%，1949 年度仅增加 5.7%②；国民储蓄，紧缩之年反而由上年的 6.5%（与国民收入之比）增加到 8.3%③；物价上涨率，生产资料价格 1947、1948 年为 130%和 99%，同期生活资料价格为 128%和 50%，而到 1949 年则骤降至 18%和－10%；公价与黑市价之比由 1948 年度的 1∶2.8 降至 1950 年初的 1∶1.3 左右；工资增长率，1948 年度为 159%，1949 年度仅 14%④；工业生产，1949 年度比上年增长 25%，国民生产总值亦增长 7%。⑤ 这样，便出现了通货、物价、工资、生产相对稳定的局面。

之所以说相对稳定，是因为这种稳定中还存在着许多学者业已指出的“危机”。即失业增加，库存滞货已高达 1000 亿日元以上，经济危机大有从流通领域向生产领域蔓延之势，是随后爆发朝鲜战争的“天助神佑”，吹散了笼罩日本经济的阴霾。

---

① 道奇语。见有泽广巳、稻叶秀三编《资料・战后二十年史》2（经济），日本评论社，1966 年，第 71 页。

② 经济企划厅编：《战后经济史（总观篇）》，大藏省印刷局，1958 年，第 249 页。

③ 前揭《现代日本经济的展开——经济企划厅 30 年史》，第 580—581 页。

④ 前揭《资料・战后二十年史》2（经济），第 75 页。

⑤ 前揭《资料・经济白皮书 25 年》第 52 页。《现代日本经济的展开——经济企划厅 30 年史》，第 578—579 页。

不管怎么说，以道奇计划为转折点，日本经济走上了稳定复兴、自立与发展的道路。道奇确定的平衡财政原则，虽然也时有偏差，但却被日本政府一直坚持实施到1965年“国债财政”为止。

其二，封闭经济向开放经济的转变。封建末期以来，日本人为的锁国和开国各有两次。德川幕府的锁国被欧美列强用“商品加大炮”打开后，日本走上了资本主义道路。二战期间因日本的侵略扩张，日本被反锁国门，尝尽苦头。道奇计划的实施，使日本重新回到美国主宰的国际经济社会，得以推行其“贸易立国”政策，进而实现经济高速增长。从这个意义上说，道奇计划可称为日本的第二次“开国”计划，而“开锁”者便是道奇。

当然，“锁国”之门被打开之后，并不意味着日本经济已经全面开放，而只是走出了第一步，其后的路程还很长，但这却是向经济全面开放转变所迈出的决定性一步。

其三，统制经济向自由市场经济的转变。通过实施道奇计划，“各种有形的限制被一个个解除，市场手段和自由企业体制开始发挥作用”①。以此为契机，日本经济继战后初年的民主改革后，又进入一个新的重建市场机制、调整乃至改革经济体制、制度的重要时期。具体说来，除这里论及的外贸制度、体制外，产业组织及财政、税收、金融制度的改革和调整也是在50年代初期进行的，从而在实现经济复兴的过程中，又逐步建立了适应经济高速增长的“机制”。②

四、“倾斜生产方式”辨析

倾斜生产方式作为战后初期日本政府强制推行的一项产业政策，历来受到有关研究者的重视。应该说，有关这一政策形成、实施过程的实

---

① 大来佐武郎：《发展中经济类型的国家与日本》，中国对外翻译出版公司，1981年，第114页。

② 原文刊于《南开学报》1995年4期。

证性考察及其得与失的理论性探讨已经比较深入。尽管如此，笔者仍认为有必要从新的角度、用更广阔的视野重新认识倾斜生产方式的性质、特征，以及它在战后日本经济发展史中的地位和现实借鉴意义。

（一）倾斜生产方式是特殊历史时期的产物

1945年日本战败投降后，日本社会进入一个非常历史时期。作为战败的直接后果，便是经济危机的全面爆发。与战前（1934—1936年平均）同期相比，工业生产下跌速度惊人，1945年8至12月间，生产资料生产指数为10，生活资料生产指数为25，许多重要工业企业或因被指定作为赔偿对象或因原材料不足而处于歇业状态。生产的急剧萎缩，引起社会供求关系严重失衡，到1946年底，消费物价上涨八倍多，黑市价格涨势更为凶猛，为同期公价的七八倍。生产和消费的恶性循环，已经把日本国民经济逼到濒临崩溃的边缘。

如何摆脱经济危机，恢复经济稳定？"留守政府"东久迩内阁的办法是，为防止企业因资金不足破产和金融危机的连锁效应，紧急发放266亿日元"军事补偿费"和295亿日元金融贷款。结果不但未能扼制生产的急剧滑坡，反而因信用管理严重失控，导致通货膨胀恶性发展。

其后，币原内阁转而采取了强化信用管理的"经济危机紧急对策"，强迫国民过"500日元生活"，通货膨胀虽曾一度得到控制，但时隔不久，通货膨胀又以更为凶猛之势卷土重来。

1946年5月，石桥湛山出任吉田内阁大藏大臣，他认为当时的通货膨胀不是因需求过大发生的，因此单靠通货紧缩政策是不能解决问题的，国家财政的目标应该是"给国民工作，使产业复兴，实现完全就业，加强国民经济活动"。① 结果，恢复和发展生产成为吉田内阁经济政策的核心，通过设立复兴金融公库发放政府贷款、恢复价格补偿金等所谓"积极

① 正村公宏：《图说战后史》，筑摩书房，1987年，84页

财政政策”予以配合。但是，这一政策也未取得立竿见影的效果，不但通货膨胀进一步加剧，生产也于同年 9 月呈现停滞倾向。

东久迩内阁的政策姑且不论，币原内阁经济政策的失败，在于它采取的是头疼医头、脚疼医脚的办法，在超乎寻常的短缺经济下，如果不改变生产萎缩、供给不足状况，单靠加强信用管理，是堵不住通货膨胀的狂涛的。石桥湛山的“积极政策”虽然也在实践中受挫，但却不能因此否定其政策的合理性。石桥阐述的单靠流通、分配领域的经济紧缩不能消除通货膨胀，只有发展生产、扩大就业才能解决根本问题的观点，是符合当时日本经济实际、抓住了问题本质的。但是，一种政策从出台、实施到取得成效有一个周期。在这个过程中，惯性原理还将继续发挥作用，甚至会以更为剧烈的形式表现出来，特别是在生产极度萎缩与恶性通货膨胀互为因果的两难状况下更是如此。事实上，从其后日本政府推行的经济政策看，除了实施方法和手段上更加系统完善外，主体上并未脱离石桥所确定的路线。因为在石桥所推行的“积极政策”中，已明确提出重点支持煤炭、粮食增产，建立并开始实行价格补贴金与复兴金融贷款制度，倾斜生产方式已初具雏形。

正当石桥的“积极政策”严重受阻，日本政府重新彷徨于政策选择的十字路口之时，对美申请进口物资谈判取得进展，并构成战后最初的产业政策——倾斜生产方式得以确定的直接契机。

1946 年 7 月，内阁总理吉田茂拜会麦克阿瑟时，痛陈经济面临资金和原材料短缺两面夹击的苦衷，恳求美国网开一面，紧急援助日本一批物资，以使日本度过难关。据记载，当时麦克阿瑟表示同情，要求日本政府先提交一份进口物品申请单。

然而，当时的日本几乎无所不缺，各省厅提交政府的进口物品竟达数百种之多，压缩后仍有 90 余种。提交给占领当局，不但得不到批准，还难免遭到训斥。帮助政府解开这一难题的是吉田茂的私人咨询组织——午餐会，其中的主要成员有有泽广巳、大来佐武郎等。最后，在午餐会的建议下，吉田于 8 月 30 日将包括 20 种物品的紧急进口援助申请递交给占领军总司令部。

然而，总司令部 9 月 18 日的答复是：可以进口盐、生铁和汽油，钢材原则上可以进口，但年内因美国国内市场尚很紧缺，进口无望；其他如铅、锡、铜、重油、电车、羊毛等申请均未获准。总司令部认为，美国虽有能力向日提供重油，但那样将“阻碍（日本的）煤炭生产”，并批评日本政府“在煤炭增产措施及重要资材的重点分配方面没有付出足够的努力，要求日本方面反思”①。

据有泽广巳的回忆，当时午餐会成员认为，在申请进口物品中，对经济复兴至关重要的是钢材和重油，而这两种物品竟一个未获批准，钢材因世界性短缺尚可理解，重油本可进口却未获批准，必须努力争取。他们建议吉田总理一定设法说服总司令部改变“进口重油会阻碍煤炭生产”的看法。理由是进口重油用于炼钢，增产的钢材投入煤矿，这样煤炭产量一年内可增加 30%，达到 3000 万吨。煤炭增产又可以反过来促进炼钢、火力发电及化肥生产的需要，使工农业生产出现转机，国民总生产则可以一举恢复到 1930 年的水平。果然，麦克阿瑟原则接受了吉田的建议，表示日本如能产煤 3000 万吨，美国就会提供重油。

为此，1946 年 11 月 5 日至翌年 1 月底，以有泽广巳为委员长的煤炭小委员会共举行 16 次会议，从各种角度反复探讨生产 3000 万吨煤炭的可能性及政策问题。

有泽在 1946 年 12 月 10 日发表的《挽救日本经济的败局》一文中，从生产内部循环的角度出发，指出不解决生产问题，就无法实现经济的复兴与稳定，而工业生产的“隘路”在于原材料严重短缺。在国际市场被封闭的情况下，只有煤炭才是可以发掘利用的工业基础原料资源，因此，当

① 有泽广巳监修，中村隆英主编：《资料・战后日本的经济政策构想》第 2 卷（倾斜生产方式与煤炭小委员会），东京大学出版会，1990 年，第 60、62 页。

务之急是“把一切经济政策都集中地倾斜于发展我们能够处置的、唯一的基础性原料——煤炭生产上”，以此为杠杆，改善其他基础产业之间的原材料生产和供给，以带动整个产业的全面复兴。有泽称这种经济是“向煤炭倾斜的经济”，并把通过计划和组织来推进煤炭生产的理论称作“倾斜理论”①。同月初，占领当局终于批准日本政府第二次紧急物资进口申请，其中包括每月对日出口重油 1.3 万千公升。

1946 年 12 月 27 日，吉田政府作出《昭和 21 年度第四季度基础物资供给计划及实施要领》决议，确定 1947 年煤炭生产目标为 3000 万吨。决议指出，为了突破经济危机，必须断然实行重大的政策转变，这种转变“将带来日本经济重建的决定性契机”，为此今后“国内的一切施策将集中地指向煤炭的增产”。这一决议标志着战后最初的产业政策——倾斜生产方式的诞生。

（二）以统制为前提的政策实施要点

倾斜生产方式作为日本战后非常时期的产物，其推行的成功与否，不仅关系到日本能否摆脱经济危机，而且关系到日本经济未来的命运。为此，日本政府是竭尽死力、下了赌注的，作为政策的实施手段，则是非同寻常的经济统制。直接领导实施该项政策的，是 1946 年 8 月正式成立、有“经济内阁”之称并令人“闻风丧胆”的经济安定总部。

为确保倾斜生产方式贯彻实施，经济安定总部建立了一套完整的国民经济统制体系，利用国家政权的权威，强制推行重点扶植发展煤炭、钢铁等产业的倾斜政策。

第一，物资统制与倾斜。根据《临时物资供需调整法》（1946 年 10 月 1 日）、《指定生产资料分配手续规程》（1946 年 11 月 20 日）和《指定配给物资分配手续规程》（1947 年 2 月 5 日）等三项法令，政府对主要生产资

① 正村公宏：《图说战后史》，筑摩书房，1987 年，第 87 页。

料和生活资料实行直接统制。生活资料统制的直接目的，是为了维持人民最低限度的需求，以防止出现更大的社会动乱。生产资料统制则是为了把极为有限的资源，通过政府的组织管理，集中用于恢复核心产业生产。

根据《指定生产资料分配手续规程》，政府指定的重要生产资料品种有 17 大类，其中包括煤炭、焦炭、钢材等。1947 年 2 月，又增加工业用褐煤和建筑材料两大类，达到 19 大类 142 种。此后，指定范围继续扩大，最多时达到 250 种。

重要生产资料的统制与倾斜分配为推行倾斜生产方式提供了可靠保证。以煤炭业为例，当时其对钢材和水泥的需求 80％—90％能得到供应保证，而其他行业的需求供给率仅为 20％—30％。在生活资料的配给方面也是如此。当时一般国民及普通产业工人的生活配给状况很差，甚至规定配给份额也经常出现减量、缓供情况，而煤炭工人及家属生活用品却能保证供给，特别是粮食。此外，煤炭工人在住房方面也得到优先照顾，1947 年全国住宅建设计划新建住宅 13 万户，其中 1/4 用于解决煤矿工人困难。

第二，物价统制。物价统制是从 1946 年 3 月币原内阁颁布的《物价统制令》开始的（即所谓“三・三物价体系”）。以生活资料为重点，控制物价上涨、以维护社会稳定是这一政策的基本特点。经“石桥财政”时期的扩大产业补贴金，到倾斜生产方式开始实施，物价统制政策不断调整、完善，从而在片山（哲）内阁时期，形成了新的物价政策，即所谓“七月物价体系”（1947 年 7 月公布实行）。同币原内阁的物价统制政策相比，新政策在进一步加强生活资料价格统制的基础上，重点加强了生产资料的价格统制，即确定现行物价为 1934—1936 年平均水平 65 倍的价格稳定线。煤炭、钢铁、化肥等基础物资为稳定线物资，当稳定线物资的生产成本超过稳定线价格时，其超过部分由国家实行财政补贴。价格调整与一般财政补贴两项加起来，总额达到 1947 年的 450 亿和 1948 年的 1141 亿日元，占同期政府财政总支出的21%和24%。这种价格统制倾斜政策，对于保证重点产业的垄断利润，恢复扩大再生产具有重要意义。同时，由于基础物资的物价相对稳定，使相关产业生产成本费用的增长得到一定的控制，起到了总体上抑制通货膨胀的作用。

第三，资金统制。根据1947年3月开始实施的《金融机关资金通融准则》及《产业资金贷款顺序表》，政府金融机关的贷款，必须按照政府指定的产业资金贷款顺序，优先提供给最重要的产业。周转资金贷款，必须在严格审查借贷一方的生产前景、库存材料及资金状况的前提下方可进行。设备资金贷款，只能用于现有设备的维修和改造，原则上尽量控制购买新设备。复兴金融公库(简称复金)贷款作为经济复兴的重要产业资金，只能面向难以从一般金融机关获得贷款的产业或企业。关于产业资金贷款顺序，日本政府把产业分成甲、乙、丙三大类。甲类1为煤炭、褐炭、生铁、钢、化肥，甲类2为有色金属矿、石棉、纺织品、印染等，乙类为介于甲、丙之间的一般产业，丙为丝绸业、金属家具制造业等。显然，甲类1正是倾斜生产所确定的重点产业，也是资金需求量最大、资金周转期最长的产业部门，在一般金融机关资金短缺的状态下，向这些产业部门提供长期资金的任务，便由复金承担下来。

据统计，复金在1947、1948年的贷款分别为535亿日元和725亿日元，占同期全国金融贷款总额(一般银行、复金、公司债及股票总和)的48%和22%；其中产业设备资金贷款额为232亿日元和683亿日元，占同期全国金融业产业资金贷款总额(一般银行、复金、公司债及股票)的72%和65%。1949年3月，在几大重点产业部门设备资金贷款总额中，复金贷款所占的比例分别为煤炭98.1%，钢铁73.4%，化肥64%，电力92.9%，海运84%。

第四，劳动统制。这项措施似乎没有引起一般研究者的注意，但是，它与推行倾斜生产政策却有紧密的关系。一般说来，在资本主义制度下，国家除了制定有关劳动立法外，对劳动管理是很少介入的。而在这一时期，日本政府却介入得很深，1947 年 10 月决定的《煤炭增产特殊政策纲要》便是一例。该文件在指导方针中指出，"为了最大限度地提高产煤能力，必须充实井下设备和劳动力，建立劳动规章制度，强制实施 24 小时工作制"。对生产效率高的劳动者，特别是井下工人，在工资等方面给予优厚待遇。在实施要领中，提出了保证矿工的生活物资配给，井下劳动现场工资制等措施。在如何实行三班制或两班制生产的条目中，甚至明确地写上了交接班必须在坑道口当面进行等内容。[①] 作为内阁的决议详细到如此程度，应该说是不多见的。一度引起朝野舆论大哗的《煤矿国家管理法》动议也是在这个时期产生的。

（三）倾斜生产方式再评价

自 1946 年底至 1949 年初，倾斜生产方式约推行两年时期，其效果如何呢?

首先看一下作为倾斜生产重点的煤炭、钢铁等产业的生产情况。1946 年，煤炭产量为 2038 万吨，比战败时的 1945 年下降 950 万吨，减产 32%。1947 年、1948 年分别增加到 2933 万吨和 3478 万吨，两年间，煤炭产量增长 70%。粗钢产量 1946 年为 56 万吨，1947、1948 年为 95 万吨和 172 万吨，两年间增长 207%。化肥生产在 1947 年有较快恢复的情况下，1948 年又增产 38%，达到 102 万吨。

再看一下同期的工业生产和国民总生产情况。与 1946 年相比，1947、1948 年的工业生产分别比上年度增长 18%和 34%，1948 年的生产指数(1934—1936 年平均)已由 1946 年的 39.2%上升到 61.8%。同期，国民生产总值也比两年前增长了 23%。不难看出，在实施倾斜生产方式的两年里，国民经济的恢复出现了一个小高潮，而煤炭、钢铁等基础产业的恢复速度，大大高于其他产业的水平，基本实现了突破一点，带动

---

① 有泽广巳、稻叶秀三主编:《资料・战后二十年史》2(经济)，日本评论社，1963 年，第 56 页.

相关产业、搞活全盘经济的初期设想。到1948年底,供给紧张的形势已有所改观,劳动大众的粮食供应已有基本保证,依靠变卖衣服、家当糊口度日的“剥笋生活”已经结束,最严重的经济危机已经过去。然而另一方面,倾斜生产方式又是在通货膨胀的基础上实施的。如前所述,倾斜产业的资金来源绝大部分是由政府金融机关复兴金融公库提供的,而政府本身并没有多少资金。在1946—1948年三年中,政府出资仅250亿日元,占同期复金资金总额的13%。余下的87%,即1680亿日元是通过发放政府公债筹措的。如果政府公债是被社会,如商业银行或企业法人、私人所购买,就不会引起社会资金总量的变动,也不会发生通货膨胀。然而在当时的情况下,社会根本不具备这样的认购能力。结果70%的公债是由日本银行购买,总额达1156亿日元。而作为国家信用管理机关的日本银行本身,也没有认购如此巨额公债的能力,除了增发纸币外别无选择。所谓“复金通货膨胀”就是这样发生的。与1946年相比,1947—1948年度的消费物价上涨幅度虽有所减慢,但仍保持了较强的增长势头,两年间增长了七倍。这说明,倾斜生产方式虽一定程度地促进了生产的恢复,但并未从根本上解决通货膨胀问题。换句话说,它正是导致同一时期通货膨胀长期化的直接原因之一。

由此看来,倾斜生产方式作为战后初期推行的产业政策,得失是很分明的。其最大的“得”是在战后初期全面经济危机的重围中,以煤炭、钢铁等原材料和能源的基础产业为突破口,杀开一条血路,首先摆脱了生产萎缩危机,以此为契机,使日本经济开始走上复兴和扩大再生产的道路。其最大的“失”在于助长了通货膨胀,没有实现社会经济的稳定局面。这是迄今为止学术界的一种普遍认识。

然而,在战后世界经济业已取得数十年迅速发展的今天,我们应该以怎样的视角重新认识日本当年推行的倾斜生产方式呢?

第一,倾斜生产方式是在特殊历史条件下产生并适应当时日本国情的一项特殊产业政策。所谓历史条件特殊,是指政治上国家处于被占领状态，政府虽存，对外却丧失了主权；经济上对外往来基本被切断，内部危机四伏、濒临崩溃。在这种状况下，如果外部环境得不到根本改善，那么无论何等高明的经济政策，也不可能一下子全面扭转经济危机局面。只能通过局部的改善，来逐步达到改善全局的目的。但是哪些是影响全局的"局部"，并非是容易把握的问题。倾斜生产方式也是在先期政策实践的教训和挫折中总结探索出来的。以煤炭、钢铁为重点的倾斜生产，在客观条件极为不利的国际环境的同时，找到并充分利用了当时国内所能利用的相对有利条件，无论从生产循环，还是从现有人才、技术设备及资源条件的有效运用看，都称得上是一种明智的选择。但是必须清楚，倾斜生产方式同时也是一种被动的、迫不得已的选择。正如某位日本学者所说，它是对外经贸交往基本断绝情况下采取的"被迫的进口替代政策"①。谁都知道，日本以开发国内贫乏资源来发展经济决非上策，问题是日本当时不具备参予和分享国际分工的必要条件。从这个意义上说，倾斜生产方式如果离开其特殊的历史前提，就很难说具有可能性和合理性，它也许只是提示了一种在特殊条件下解决特定问题的思路。

第二，倾斜生产方式是在一种不正常的经济体制庇护下实施的，并反过来维护了这种体制的存在。市场竞争机制本身尽管存在种种缺陷，但它却是促进近代世界经济发展的有效"形式"。日本作为资本主义国家的一员，本来也是以市场机制为"原理"的，但是为了度过战后经济危机，又不得不实行全面经济统制。这种统制对实现倾斜生产的目标是极为有效的，同时也人为地制造和维护了一种不公平的竞争环境，否定了商品价值规律，从发展的观点看，倾斜生产方式以及它所依据的经济统制，迟早要随着经济发展的正常化而退出舞台。事实上，1949 年的道奇计划，正是要在日本重新建立起一种与世界经济联系的市场机制，同时也是对倾斜生产方式政策的否定，使之"皮之不存，毛将焉附"。从这个

① 小宫隆太郎等:《日本的产业政策》，东京大学出版会，1985 年，第 32 页。

意义上说，倾斜生产方式只是一种临时的、过渡性的产业政策，并不具有普通性的借鉴意义。

第三，倾斜生产方式并非现代化的产业政策。在评论倾斜生产方式的性质时，曾有一位日本学者认为它体现了战后产业政策的原型。[①] 这种观点是值得商榷的。一般说来，产业政策包括产业结构政策、产业组织政策、产业扶持保护政策以及产业的技术开发与投资政策等等。如果用更为简洁的语言表述，战后日本的产业政策就是推进产业结构和组织高度化、现代化的政策。但是倾斜生产方式却很少具有这种特征。从政策的对象看，虽然包括了钢铁等其后实现重化学工业化的基础产业，但是不久即成为“夕阳产业”的煤炭业却是政策扶持的第一重点；从政策手段看，是以经济统制为前提，国家包揽，只要属于政策倾斜的产业企业，则不管其经营效果如何，一律予以扶持。这与后来产业合理化时期采用的以鼓励竞争为前提、重点产业企业也须视其经营实绩择优扶持，直接财政价格补贴转为优惠税制等做法大相迥异。从政策思想和目标看，倾斜生产方式时期强调资金投入主要用于设备修复，明令限制生产技术及设备的更新改造，是以增加劳动投入的“人海战术”实现增产的“数量第一主义”，这就很难使人感受到哪里具有现代产业政策的意味。

第四，倾斜生产方式的借鉴性是受一定社会制度局限的。从本质上说，倾斜生产方式是以国家权力为背景，以暂时容忍或放任通货膨胀及损害一般产业企业、人民大众的利益为代价，而强制推行的资本再积累政策。这种做法在国家垄断资本主义制度下并非鲜见，但对实行不同社会制度的其他国家来说，并非是都能效仿的。[②]

① 正村公宏:《日本经济论》，东洋经济新报社，1978 年，第 65 页。并见鹤田俊正《战后日本的产业政策》，日本经济新闻社，1984 年，第 31 页。

② 原文刊于《财经论坛》1993 年第 4 期。

五、1954 年经济调整

在战后日本经济的发展中，1954 年是个值得重视的年份，它前承战后经济复兴基本完成的终点，后启经济高速增长的始点，战后日本经济由复兴期向高速增长期的转变，正是通过这一年的经济调整实现的。这是战后日本政府首次独立实施全面调整，无论在战后日本经济发展史还是经济政策史上，都具有特殊意义。迄今，国内学界对这次经济调整未予关注，甚至日本学界的相关研究也不多见。这里拟从经济政策史的角度出发，对此次经济调整做一实证性的考察，以图从一个侧面揭示战后日本的宏观经济政策与经济“起飞”的内在联系。

（一）经济调整的背景

第二次世界大战结束后，日本沦为战败国。长期发动侵略战争的结果，不仅导致国民经济千疮百孔，几乎到了崩溃边缘，而且不得不接受战后初期美国占领当局强制推行的经济改革和战争赔偿。对日本来说，这是一个生产不足、物资奇缺、恶性通货膨胀等国民经济严重失控的极其艰难的时期。为度过这一难关，战后政府曾采取了一些控制通货膨胀、增加生产的应急措施，但是由于积重难返，顾此失彼，在经济复兴的道路上步履蹒跚，甚至在包括德、意等战败国在内的资本主义各国中也是最慢的。[①] 战后日本经济复兴的重大转机，很大程度上取决于美国对日占领政策的战略性转变，亦即美国根据“纳税者理论”和“冷战理论”，把占领初期推行的非军事化、民主化和“对日本的经济复兴及日本经济的强

---

① 长冈丰“战后复兴期的成长与循环”。见关西学院大学《经济学论究》第 30 卷 2 号。文章指出，战后资本主义各国工业生产恢复到战前水平的日期是：英国 1946 年，法国 1947 年，意大利 1948 年，西德 1950 年，日本 1951 年。

化不负任何责任"①的方针，转变为把日本扶植成强大的工业国，以充当东亚的反共堡垒。② 缓和战争赔偿，增加对日本的经济援助，派遣道奇、夏普在日本进行财政、税制改革等，便是实施这一新的战略方针，稳定日本经济并加快复兴的步伐，使之早日复归世界资本主义体系的具体步骤。

道奇计划的实施扼制了战后以来的恶性通货膨胀，但却带来了"稳定中的危机"，复为经济复兴蒙上了一层阴影。就在日本政府苦于无计打开沉闷局面的时候，美国又送来一份厚礼，那就是因美国的军事介入而急剧升级的朝鲜战争。

1950 年 6 月爆发的朝鲜战争，对日本来说称得上第一次世界大战以来的又一次"天佑"。战争使日本成为在朝美军的后方物资供应基地，大批"特需"订货给日本带来了"从天而降的大繁荣"，道奇危机时数量巨大的库存滞货一售而光，企业生产和盈利额直线上升③，几十万失业工人也重新找到了工作。此后，特需景气因停战谈判一度受挫，但是随着谈判陷入僵局及战争转向长期化，特需收入继续扩大，并引发日本国内经济的消费与投资景气。

这样，在朝鲜战争的三年里，日本经济取得了战后从未有过的急速发展，矿工业生产和劳动生产率增加了 93%和 90%，国民收入、实际工资、消费水准增加了 31%—40%，进出口额分别增加了 148%和 22%。④如果同战前相比较(基准年度为 1934—1936 年)，则 1953 年各项主要经

①《投降后初期为了日本占领及管理对联合国最高司令官的基本指令》。见大藏省财政史室编:《昭和财政史——从终战到媾和》第 17 卷，东洋经济新报社，1981 年版，第 31 页。

②《罗亚尔声明》。见大藏省财政史室编:《昭和财政史——从终战到媾和》第 17 卷，东洋经济新报社，1981 年版，第 64—67 页。又见《日本经济——战后 20 年》，经济评论临时增刊，1965 年，第 205 页。

③ 据统计，日本 1951 年 4 月的工业生产，较朝鲜战争爆发前的 1950 年 4 月增长 52%，其中机械制造、木材加工、纤维、化学业分别增长 107%、69%、55%和 55%。见经济企划厅调查局编:《资料经济白皮书 25 年》，日本经济新闻社，1972 年，第 56—57 页。主要企业平均分红率由 1950 年度上半期的 9.7%增加到 1951 年度同期的 23.4%。见有泽广巳主编《昭和经济史》中译本，黑龙江人民出版社，1987 年，第 588 页。

④ 经济企划厅编:《经济白皮书》(1954 年度)，至诚堂，第 21 页。

济指标的指数为:矿工业生产 161;农业生产 98;劳动生产率 117;人均实际国民收入 106;输入 81;输出 36。[①] 显然,通过朝鲜战争,日本急剧地进行了新的资本积累,大体上完成了战后经济复兴的任务。

另一方面,朝鲜战争期间,日本政府借助美国对日政策的转变和国内经济形势好转的有利时机,制定并开始实施以电力、海运、钢铁、煤炭四大产业为重点的产业合理化运动。同时还先后设立了开发银行、输出入银行以及各种公团、公库等政府金融机关,发放财政投融资,实施重要机械输入免税及合理化设备特殊折旧制度,进行资产评估等。《垄断禁止法》也从这时起大幅度放宽了限制。这样便在保证产业政策实施,推进经济复兴的同时,基本上建立了日本战后新的财政金融体制及其政策框架,为其后到来的高速增长奠定了基础。也可以说,战后型的日本资本主义体制正是在朝鲜战争期间最后形成的。

朝鲜战争以来日本经济呈现的繁荣景象,是在根基肤浅的基础上实现的。即通过朝鲜战争→特需→外部需求的急速扩大,刺激了内部供给的急速增长,进而带来企业利润和个人所得的增加,并引起扩大再生产的新投资。整个经济变动过程中,表现出前期以特需景气这一“外需”为主、后期向消费投资景气这一“内需”倾斜的特点,但“特需”始终作为经济景气的主要动因发挥着作用。这样的经济发展显然是有别于一般意义上的资本积累、扩大再生产规律的。甚至连当时的欧美各国也认为日本经济不过是一种“虚假的繁荣”,其直接证据是日本的对外贸易收支不平衡。

日本在朝鲜战争期间,除 1953 年外,综合国际收支年年黑字。但若仔细分析具体内容就会发现,输入逐年增加,输出逐年减少,对外贸易收支自 1951 年起连年赤字,并且是以每年翻一番的速度递增。特需收入几乎逐年增加,而综合国际收支却在逐年下降,1953 年首次出现赤字并高达 3.79 亿美元,这意味着一年内国际收支恶化的幅度超过了 5 亿美

① 经济企划厅编:《经济白皮书》(1954 年度),至诚堂,第 21 页。

元。由此造成外汇储备由1952年的11.4亿美元迅速跌至1954年6月的6亿美元左右。①

显然，造成国际收支恶化的直接原因，不在于特需收入的减少，而在于输入过猛和输出减少或停滞。② 此外也不能排除1953年国内农业歉收而增加粮食进口，以及经济萧条下的西欧国家实行输入限制等客观因素。但是，日本之所以国际收支恶化并招致“虚假的繁荣”的酷评，其更为深刻的原因还必须到经济内部存在的尖锐矛盾中去寻找。

其一，高物价体系的维系。战后持续的通货膨胀，使日本与西方国家间拉开了物价上的差距。朝鲜战争爆发后，世界由买方市场转为卖方市场，出现了世界性的物价上涨，日本的高物价问题暂时被掩盖下来。但是从1951年下半年起，世界经济重新进入调整期，价格开始下跌。而日本恰值消费投资景气到来，高物价体系得以维持，与外国的价格差再一次拉开。1953年，除纤维产品外，日本产品价格平均高于国外两成以上。高物价削弱了国产品在国际市场上的竞争力，造成输出停滞和减少，同时因国际物价差所导致的所得效果，反而刺激了投机性输入的增加。

其二，产业基础与企业体质的脆弱性。本来，战前日本的工业发展与英美先进工业国之间就存在着差距，长期侵略战争及战后的被占领状态，使这种差距进一步拉大。以1952年钢铁业劳动生产率为例，生产一吨生铁所需标准劳动时间，日本约为英国的2倍、美国的7倍。生产一吨钢的标准用时，也是英美的2倍和5倍。③ 再如印染业，当时英国从大中型企业的数量到人均生产率，都是日本的一倍以上。④ 最能反映企业

---

① 经济企划厅编:《现代日本经济的展开——经济企划厅30年史》,大藏省印刷局,1976年,第79页。

② 关于1953年国际收支恶化的原因,1954年《经济白皮书》认为与输出的减少无关。但是笔者认为,白皮书作者在经济诊断上犯了一个不应该犯的错误。另一个证据是,1953年的日本经济是增长经济,增长经济下输出反而减少不能不说是一个问题。

③ 经济企划厅编:《经济白皮书》(1954年度),至诚堂,第92页。

④ 经济企划厅编:《经济白皮书》(1954年度),至诚堂,第95页。

实力的是企业资产及资本构成，自有资本构成低，短期负债大恰恰是当时日本企业的特点。1953 年前半期，企业自有资本比率只占 36%，大大低于战前的 61%和同期英、美的 56%及 60%，企业短期负债占 41%，大大高于战前的 19%和同期英、美的 29%及 12%。① 毫无疑问，这样的企业是难以应付经济变动，立足于国际市场的。

其三，财政金融上的问题。如所周知，1949 年道奇曾在日本推行了极其严厉的财政改革，并通过制定超平衡预算，定下了紧缩财政的政策基调。但是随着朝鲜战争后经济规模的不断扩大，所谓积极财政的思想再次抬头，以 1952 年度追加预算为起点，1953 年度预算明显带有扩张性预算的特征。政府在编制预算的方针中声称，“现在没有必要固守财政综合收支平衡的方式，应该通过财政金融谋求有弹性的运营，即使某种程度地运用过去的储蓄资金也要扩大财政措施”②。结果，1953 年度财政预算由 1950 年度的 6645 亿日元增加到 10272 亿日元，其中财政投资贷款的增长尤为显著，1952、1953 年度分别比上年增长了 34%和 26%。③ 财政投资贷款亦即政策金融，它不仅直接向民间提供投资资金，其本身也在创造有效需求，起到了助长经济膨胀的作用。与财政政策相呼应，金融方面也出现了放款过多现象。在膨胀经济下，企业利润增加，并不断追加投资，扩大生产，负债的实际负担反而减轻了。对企业来说，与其增加自有资本，反而不如依赖借贷有利。对城市银行来说，由于可以从日本银行借款，其借贷利率又低于对企业的放贷利率，因此对企业放款越多，自己的盈利也就越大。而作为通货发行与管理机关的日本银行则是以金融缓和为方针，对城市银行实行低存款准备率和低利贷款政策，实行这种政策的支柱无非是依靠信用膨胀。这样就形成了企业依赖

① 经济企划厅编：《经济白皮书》(1954 年度)，至诚堂，第 96—97 页。

② 有泽广巳、稻叶秀三编：《资料・战后二十年史》2(经济)，日本评论社，1966 年，第 175 页。

③ 经济企划厅编：《现代日本经济的展开——经济企划厅 30 年史》，大藏省印刷局，1976 年，第 79 页。

城市银行，城市银行依赖日本银行，日本银行依赖信用膨胀这样一种不稳定的机制。

进入1953年，朝鲜半岛的紧张局势趋于缓和。7月，朝鲜停战协定签字，美国经济旋即进入萧条期。至此，日本政府始意识到事态的严重性，同月发表的1953年《经济白皮书》写道，今后“世界景气的停滞倾向将进一步增强，势必导致输出竞争的激化。所以，现在必须考虑日本经济在没有特需以后应走的道路”①。接着，《经济白皮书》联系世界经济的新动向，将日本同欧美国家作了比较。指出：“这一期间，世界正在进步。终战（战败）八年来，正当我们一味地追求恢复生产的时候，欧美却把复兴的主要方向放在提高生产率上，美国正将其40%的民间投资用于设备更新与近代化，英国为产业的复兴而竭尽死力，法国的“莫奈计划”其实是现代化计划。……日本与欧美各国之间在产业发展上的差距正在扩大。”②这些论断实际上已为其后不久展开的经济调整打出了信号弹。

国际形势的变化，也使财界感到了压力，朝鲜停战前在经济形势判断上莫衷一是的争论逐渐趋于统一，甚至连一贯持乐观论的经济团体联合会和商工会议所也向政府提出了压缩财政规模的建议书。经济同友会则大声疾呼，日本经济现在“正面临着重大的危机”③，督促政府立即采取强有力的调整措施。

基于上述情况，日本政府终于对朝鲜停战后的经济形势及其问题作了全面研讨，其认识的重点在1954年的《经济白皮书》中可窥一斑。

第一，该书以“三个世界第一”的用语概括了1953年经济的特征。即工业生产、国民总生产及输入的增长率为24%、17%和38%，均居世界第一位。该书从日本经济对外依存度极大的观点出发，认定日本经济问题的焦点是国际收支恶化，而国际收支恶化即是日本经济的危机。

① 经济企划厅编：《经济白皮书》（1953年度），至诚堂，第1—2页。
② 经济企划厅编：《经济白皮书》（1953年度），至诚堂，第45页。
③ 有泽广巳、稻叶秀三编：《资料・战后二十年史》2（经济），日本评论社，1966年，第230页。

第二，指出国际收支恶化的原因在于国内存在着超过经济实力的膨胀机制。

第三，产业合理化没有充分展开，产品成本高，国际竞争力弱，导致输出不振、输入剧增、贸易赤字的结果。

第四，财政金融政策的失误。该书指出："1953 年初，或者更确切地说从 1952 年追加预算时起，如果不让前述的纯粹属于国内经济膨胀的因素扩大的话……在适合输入水准的国内经济规模下，战争诱发的景气就会'自然死'，然而当时没有充分认识到这一点，结果打破了均衡，致使国内经济膨胀。"①关于金融政策，该书特别指出了日本银行对城市银行的放款过多控制不力，甚至推波助澜的问题。

最后《经济白皮书》明确断言，"现在是后退一步，打好基础的时期"②。并进一步预言，"从现在起，日本经济必须穿过缩小—正常化—发展这样三座关口"③。1954 年的经济调整便是基于上述认识出台的。

（二）调整政策的展开

1954 年的经济调整自 1953 年 10 月 1 日日本银行宣布实行高利率制度始，于 1954 年 10 月告一段落，为期约一年整。以下本着相互联系的观点，从金融、财政、产业、贸易四个方面简要考察分析一下这次调整的内容、方法及其特征。

加强金融政策力度。其操作手段包括：内阁总理大臣、大藏大臣等政府首脑和日本银行总裁等，通过谈话、演说、声明、通牒等方式，多次向财界及一般国民说明经济危机的实态，表明实行金融紧缩的态度和决心，以引起社会的广泛重视，取得必要的心理效果；进行窗口指导，日本银行先后两次向城市银行发出削减和控制对商社贷款的劝告（第一次劝

① 经济企划厅编：《经济白皮书》(1954 年度)，至诚堂，第 24 页。
② 经济企划厅编：《经济白皮书》(1954 年度)，至诚堂，第 38 页。
③ 经济企划厅编：《经济白皮书》(1954 年度)，至诚堂，第 42 页。

告曾希望削减计划内贷款30%);动用高利率政策,朝鲜战争期间,日本银行对城市银行一直实行低利率贷款政策。1953年10月恢复使用高利率政策后,1954年1月进一步强化,规定低利率的适用比率由原来的100%降至30%。1954年3月再次修改利率,使日本银行对城市银行的贷款利率,由原来的低于城市银行的放贷利率,一下子变成高于城市银行放贷利率2%,从而使日本银行的贷款变成了罚款性的贷款;限制输入的金融措施,对朝鲜战争以来实行的输入优惠制度做了大幅度修改,其中涉及到取消非必须输入品结算票据优惠待遇(共23种类),提高输入品保证金担保率(由10%提高到20%),提高输入贷款利率并缩短还付期限(由1.6钱提高到2.1钱,3至4个月缩短到1个月),全部废除专项外汇贷款制度,基本废除一般期票和工业期票制度等;鼓励输出的金融优惠措施。如降低输出外汇贷款利率(由5厘降至3.5厘),提高政府对输出品的担保率等(提高到10%至15%)。[①] 从时序上看,上述政策的实施大体上可分为两个阶段。即以1954年五六月为界,前期主要通过不断强化高利率制度和大幅度修改输入优惠金融制度,推行金融紧缩政策;后期则在坚持紧缩方针的同时,逐步地、部分地缓和金融限制。在整个调整过程中,政策操作的力度是有所变化的。

实施紧缩财政。财政和金融一样,可以通过控制资金流量,影响国民经济的运行。经济调整的1954年,紧缩财政首先是通过该年度财政预算实现的。政府在编制预算的方针中强调,“在财政经济的运营上,果断采取紧缩重点化方针,坚决压缩国家和地方的财政规模,切实保证财政收支的综合平衡”[②]。根据这一方针制定的1954年财政预算的特点是:压缩财政总支出规模。在所谓一兆日元预算的口号下,总支出额为9999亿日元,比上年度减少274亿日元,首次实现了自朝鲜战争以来财

① 松久弘、山冈喜久男编:《增补战后日本经济政策史年表》,劲草书房,1969年版,第255—330页。

② 北田芳治、相田利雄编:《现代日本的经济政策》上卷,大月书店,1979年,第88页。

政支出的负增长;大量削减财政投融资。由于这笔财政开支可以直接向民间提供资金,增加社会总需求,推动助长了经济发展过热,因此成为预算方针中所指的紧缩重点。在1953年度的财政支出中,财政投融资的增长惊人,比上年度增加了495亿日元,增长率达30%。1954年压缩财政投资贷款的结果,使新批准的贷款额从1953年度的3379亿日元降到2865亿日元,减少了514亿日元,大体相当于1952年度的水平,从而坚决煞住了财政投融资迅猛增长的势头。[①] 实际上,负责向民间提供政府财政投融资的日本开发银行,除保证政府指定的电力海运业的资金供给外,对其他行业的贷款率仅为上年度的40%,原则上停止对新建工程的贷款;调整税制,在保持收支平衡的前提下,降低直接税率,同时为抑制奢侈性消费,增收物品税、酒税、食糖税、汽油税和骨牌税等;经费分配重点化,对外关系费增加,对内关系费减少,对内经费分配中,改变了过去面面俱到、平均分摊的倾向,重点加强了社会保障、治山治水费用的开支;调整中央和地方财政。不过,即使在调整期,中央及地方的一般财政开支水平是相对稳定的,公务员薪金在一般性支出中所占比率甚至有所提高。

推进产业合理化。战后日本的产业合理化运动,是从朝鲜战争爆发前开始的,其实质是通过技术的引进、改造及产业组织的整顿充实,根本改善产业结构的落后面貌,实现工业的现代化。进入1954年经济调整期,合理化政策的实施重点发生了变化,这种变化是在政策当局反复研究推敲的基础上,在同年8月相继发表的经济审议厅《新政策大纲(草案)》和通产省《新通商产业大纲》中体现的。这两个“大纲”及通产省《关于整顿和加强重要产业》规定的新时期合理化运动的目标是,降低生产成本,提高设备的实际工作能力和劳动生产率,同时为增强企业体质及其国际竞争力,进一步缓和《垄断禁止法》的限制,促进同一产业企业间

① 经济企划厅编:《经济白皮书》(1955年度),至诚堂,第135页。

的组织协作乃至合并。[①] 这表明产业合理化运动在1954年调整期发生了两个重大变化，即由此前的相对重视"量的扩大"，转变为强调"质的提高"，由相对重视企业的"技术上的合理化"，转变为强调企业或产业间的"组织上的合理化"。这种政策指导方针上的重大转变，对于日本战后重化学工业体系的确立乃至实现经济"起飞"，具有不可低估的意义。

振兴输出的权宜性措施。1954年经济调整的直接原因是由国际收支的急剧恶化引起的，因此调整期间的对外贸易政策、特别是为振兴输出所采取的临时措施引人瞩目。鉴于日本产品国内价格高，国际市场无竞争力，输出业者缺乏自信、态度消极的现状，为迅速打开输出停滞局面，日本政府于1953年9月开始实行输出补偿连锁制度。当时，船舶和成套设备等被视为在未来国际市场上前景看好的品种，但是现实还缺乏竞争力，输出不仅无利可图，甚至会蒙受损失。因此，政府决定实行上述品种输出与食糖输入的补偿连锁制。即鼓励船舶和成套设备制造业不惜亏本扩大输出，时称"出血输出"，同时给予食糖输入特权，使其补亏为盈。当时国际市场的食糖价格为每吨90美元，而在日本国内售价高达140—150美元，价格差益在50美元以上，这对输出业者无疑是一种强烈的诱惑力。1954年1月至11月，食糖补偿连锁制度先后实施了四次，受益最大的是船舶业和成套设备输出，同年二者的输出合同额分别猛增到1.3亿美元和2亿美元，均比上年度增加了3倍左右。[②] 易货贸易制度也是为了振兴出口，这种制度与补偿连锁制度相似，当时规定适用对象为钢材、鲸油、硫安、硫黄等输出品，食糖、香蕉、菠萝等补偿输入品。此外，由于当时实行国家外汇统制管理，还采取了根据输出成绩分配输入品所需外汇的办法，适用对象包括棉纱、布、人造纤维浆料、电线、小五金、小麦粉及罐头等一般品种。这些为紧急扩大出口而采取的权宜之

① 通产省编:《通商产业政策史》5(第2期自立基础确立期1)，通商产业调查会，1989年，第100—107页。

② 有泽广巳、稻叶秀三编:《资料·战后二十年史》2(经济)，日本评论社，1966年，第210页。

计，在改善外贸收支不平衡方面收到了立竿见影的成效，但是这些做法有利也有弊，因为补偿连锁制实质上是二重汇率的重演，必然导致对外信用的下降，与贸易自由化的方向也背道而驰。另一方面，这种保护输出的特殊贸易制度本身容易助长经营者及输出业者的依赖、怠惰心理，为产业落后状态提供温床，从而抵消长期以来为企业合理化和现代化所做的努力。随着经济形势的好转，日本政府从 1954 年下半年起便逐步修改上述制度，到年底，补偿连锁制完全废除，易货贸易制度经大幅度修改后，有 350 种物品被排除出适用范围。至此，调整时期昙花一现的特殊贸易政策基本寿终正寝。

（三）调整期的经济变动

1954 年经济调整过程中，财政、金融、产业、外贸、商业、中小企业、社会福利保障、劳动等几乎所有经济领域的相关政策都不同程度地发生了变化，但对经济运行产生最大最直接影响的是财政、金融政策，特别是后者。从某种意义上说，金融政策和财政政策一样，犹如国民经济发展的一张晴雨表，能够极为敏感地反映经济形势并反过来影响经济发展的节奏。

调整期的金融政策以 1954 年五六月为界，大体上可以分为两个阶段。前一阶段主要是推行紧缩政策，到 1954 年 3 月，各种严厉的紧缩措施已全部出台，对经济活动的各个领域产生了强大压力，使整个社会形成一种危机来临的气氛，以至于从经济界发出"紧缩既不应一刀切，又须讲究节奏"的怨叹之声。① 转入后一阶段，从输出金融缓和、增加对企业的贷款开始，金融紧缩政策逐步而慎重地趋于缓和，以期新的景气时期到来。

然而，调整期的政策变动与经济变动并不是同步的。1953 年的景气高涨局面并未因紧缩政策的实施戛然而止，而是持续了三个月后，于

---

① 白石孝：《战后日本通商政策史》，税务经理协会，1983 年，第 136 页。

1954年1月才达到顶峰。紧缩政策的效果首先是从批发物价的急剧下跌开始表现的。据经济审议厅调查公布的"每周批发物价指数",1954年2月至8月间,批发物价下跌率为10%。销售不畅导致商业、批发业库存猛增,利润下降,资金周转困难。同时又因金融紧缩而难以获得贷款,商户不得不廉价抛售库存,节制进货。流通部门的不景气,很快便引发了生产部门的产品滞销,库存增加,周转资金拮据,生产减量等连锁效应,使工业生产也于1954年3月转入低谷。

同样,尽管从1954年夏末起调整政策趋于缓和,也未能立刻制止经济滑坡的趋势,萧条局面又持续了三个月后才陷入谷底。

为什么在调整政策的变动与经济变动之间会产生这种不同步现象呢?惯性原理恐怕是最为简单的一种解释。然而这是否反映了经济调整的一般规律呢?这显然是个值得深入探讨的理论课题。

在经济调整的1954年,日本经济发展速度明显放慢。国民经济统计数字表明,除农业外,国民生产总值、工业生产、实际消费水准仅比上年度增长了2.8%、3.5%、4.8%。[①] 这与1953年度的11%、30%、8%的增长率形成了鲜明对照。[②] 一句话,1954年是日本战后经济增长率最低的一年。

这只是问题的一个方面,经济调整的目的,并不在于现实经济增长的快慢,而在于从根本上改善经济发展的环境,为未来经济的"起飞"打下坚实的基础。

(四) 经济调整的现实效果

1954年经济调整的现实效果,可以从对外经济和国内经济两方面来考察。

---

① 经济企划厅编:《现代日本经济的展开——经济企划厅30年史》,大藏省印刷局,1976年,第84页。

② 经济企划厅编:《经济白皮书》(1955年度),至诚堂,第14页。

一是国际竞争力的增强。这主要是通过基本消灭与国际市场商品之间的价格差及改变国际收支不平衡状况表现的。价格差的消灭主要依据两种因素。首先，从欧洲开始的世界性景气回升，使 1951 年下半年以来不断下跌的世界物价，在 1954 年里保持不变或有所上涨，为日本商品接近国际价格提供了有利时机。其次，1954 年经济调整使国内生产规模相对缩小，物价下跌，特别是与输出有关的商品价格，年内内销品下降率为 9%，输出品下降率为 5%。① 内外销商品间一直存在的二重价格现象基本消失。国际国内市场价格的一升一降，使 1953 年时还高于国际市场 20%的国内物价，到 1955 年 3 月仅比美、英高出 1%和 2%。② 与国际间物价差的消失，也为其后放手推行“贸易第一主义”铲除了一大障碍。

国际收支状况的改善经历了如下过程。调整使经济由景气转入萧条，导致市场疲软，产品销售难。内需的“不振”，迫使流通部门不得不到外需上寻求出路，而政府的输出优惠政策恰好为扩大外销开放了绿灯。在这种既打又拉的调整政策下，1954 年的对外贸易根据历年和会计年度两种统计方法，输出比上年增加 4.76 亿美元或 3.57 亿美元，输入减少 1.39 亿美元或 4.75 亿美元。同年特需收入虽然减少了 3.13 亿美元或 1.71 亿美元，仍然实现了综合国际收支 1 亿美元或 3.44 亿美元的黑字。③ 这意味着仅经一年调整，国际收支实现了 3 亿美元(历年)或 6.57 亿美元(会计年度)的改善。

1954 年世界贸易的回升也是日本改善国际收支状况的有利因素。但是有关统计表明，同年世界输出额仅比上年增长 3.7%，而日本的输出增长率却高达 29%。显然，根本原因只能从日本经济内部寻找，换言之，它不外是经济调整的结果。

---

① 经济企划厅编:《经济白皮书》(1955 年度)，至诚堂，第 182 页。
② 经济企划厅编:《经济白皮书》(1955 年度)，至诚堂，第 15 页。
③ 经济企划厅编:《经济白皮书》(1955 年度)，至诚堂，第 37 页。

二是国内经济环境的改善。首先,财政金融的运营走上正常化的道路。关于财政金融在调整时期发挥的重要作用不再赘述,这里强调的是,由于制定紧缩预算及实行财政税收政策的一系列调整,道奇以来财政收支必须平衡的政策思想再次成为财政运营的指导方针。同样,金融运营取得明显的改善,与上年度增发 186 亿日元、增长率 2.6%相比,年内银行券发行量减少 39 亿日元,实现了 0.7%的负增长。① 值得提出的是,经过调整,银行放款过多现象基本得到解决。1953 年 9 月,全国银行贷款率平均 104.9%,11 大银行贷款率为 117.4%。超贷资金主要是依赖日本银行的贷款筹措的,当时城市银行对日本银行贷款的依存率是,全国银行平均 14.8%,11 大银行为 21.9%。显然,这是一种不正常且不稳定的运营。但是,调整后的 1955 年 3 月,全国银行的放款率降至 95.4%,11 大银行降至 102%,对日本银行贷款的依存率也分别降至 8.5%和 13.2%。② 其次,推进了合理化运动向纵深发展。对一般企业来说,经济调整带给它们一种"像战前那样的危机来临感"③以及生产停滞、投资减退、利润减少的客观效果,要想在萧条期谋生存求发展,唯一出路是加强企业自身的调整和改造。结果,经过调整期的考验,从生产方面看,企业的设备效能、劳动生产率、产品质量都有较大提高。如造船业,1954 年实施的第十次造船计划同第五次计划相比,所用工时减少 30%—40%,节省钢材 10%。再如轴承加工业,也取得了提高加工精度 30%、降低工作噪音 20%的成绩。④ 从经营方面看,企业改变了以往过分依赖银行的态度,更加注意充实自有资本,依靠自己的实力,慎重地扩大事业规模。在第三次资产评估时,企业显示了很高的积极性,评估率由上次评估时的 75%提高到 99%。此外,调整期企业内部普遍进行了

① 经济企划厅编:《经济白皮书》(1955 年度),至诚堂,第 154 页。
② 经济企划厅编:《经济白皮书》(1955 年度),至诚堂,第 173 页。
③ 经济企划厅战后经济史编纂室编:《战后经济政策史》(经济政策编),大藏省印刷局,1960 年,第 337 页。
④ 经济企划厅编:《经济白皮书》(1955 年度),至诚堂,第 83 页。

精简管理机构、节俭开支的行政、财政整顿，在调整的前半期即实现一般经费开支比上年同期减少15%。① 产业卡特尔加速重建，是调整期合理化运动的显著特点。战后初期的经济改革，解散了财阀，制定了《禁止私人垄断法》和《经济力过度集中排除法》，并成立公正交易委员会监督实行。朝鲜战争期间，上述法律经过两次修改，有关限制开始缓和。进入1954年经济萧条期，产业卡特尔特别是商业部门的企业大联合加快了步伐。1954年7月，不二商事、东京贸易、东西交易三大商社合并，成立新三菱商事。稍后，旧三井系统的商社大合并也得到批准。同期，硫安、煤炭、纤维、机械制造方面的企业合并或联合也在加紧进行，并一直持续到1955年。最后，调整对国民消费的影响。在调整时期，国民是经济萧条的最终承受者，失业的增加，收入增长的迟滞，以及心理上的巨大压力，使国民消费发生了两个明显变化。即消费水平停滞和储蓄率提高。据统计，城市居民人均收入增长率1953年为25%，1954年降至9%，消费增长率由1952、1953年的16%和12%，降至1954年的2%。② 人均储蓄与收入的比率，由1953年的5.1%增加到6.5%③，这种增长是在收入增长比上年下降14%的前提下实现的。消费上的这种变化，起到了直接为通胀经济降温的作用，并且为扩大再生产增加了本源性资金。

1954年调整为期仅一年，成效是值得评价的。但是同其他事物一样，旧的矛盾不可能一下子解决，即使暂时解决了，新的矛盾也还会产生。经济本身是个极其复杂的过程，一次调整既不能一举成功，更不能一劳永逸。1954年经济调整也是如此，它依然留下一系列问题。

其一，部分解决而未从根本上解决的问题。最具代表性的例证是企业体质的脆弱性。企业自有资本构成低、外部资金依存度高的状况没有因调整而根本改变，现代化企业与落后企业间技术及组织规模上的差距

① 经济企划厅编：《经济白皮书》(1955年度)，至诚堂，第18页。
② 经济企划厅编：《经济白皮书》(1955年度)，至诚堂，第261页。
③ 经济企划厅编：《经济白皮书》(1955年度)，至诚堂，第263页。

没有缩小,毋宁说正在拉大,企业生产成本高、效益低的老大难问题也只是在个别产业的部分企业中得到了改善,产业合理化—工业现代化的路程还很漫长。

其二,暂时解决但无法根本解决的问题。例如,国际收支虽然出现顺差,但那是在有 6 亿美元特需收入的前提下实现的。如果考虑到国际经济景气回升及农业丰收的有利因素,那就更不容乐观。放款过多现象的消失也只能视为经济紧缩期的一时性效果,并没有根本避免它在经济高涨期死灰复燃的制度保证。

其三,经济膨胀期被掩盖、调整期表面化的问题。这表现在雇佣状况恶化与失业的增加。随着经济萧条的深刻化,从流通、纺织部门开始,大批中小企业破产或裁减职工,年间离职人数超过 110 万人,离职率达 14%,为战后以来最高点。纯失业人数 47 万人,失业率为 5.1%。[①] 看来,调整对中小企业及一般国民来说不啻一场恶运降临,这也是自由竞争体制下追求经济合理性与维护社会公正的两难命题。

其四,调整后出现的新问题。一个较好的例子是,调整后金融调节的主要政策手段已经不再灵验。这是因为,在 1954 年调整中,高利率政策作为日本银行金融调节的主要手段,发挥了极为重要的作用。它迫使城市银行一方面节制从日本银行的贷款,甚至全部还清以往的贷款;一方面努力增加自有资金,增强经营的独立性。结果,日本银行放款过多的问题虽然解决了,但是由于城市银行经营独立性的加强,高利率政策丧失了以往的有效性,日本银行对城市银行的金融调节能力大为降低,此后的金融调节必须依靠别的政策手段。

(五) 经济调整在战后经济史中的地位

以上从历史前提、实施过程、调整期经济变动和现实效果四个方面

---

① 经济企划厅编:《经济白皮书》(1955 年度),至诚堂,第 200—201 页。

对 1954 年经济调整的阐述，还仅限于对调整过程本身的议论范围，然而这次短期经济调整的深层意义和长远影响也是不应忽视的。

首先看调整与战后经济“起飞”的关系。当 1954 年的经济调整全面展开之际，人们普遍认为随着战后复失的完成，经济发展速度将大大放慢，以后的经济增长率只能维持在 3%至 5%左右。[①] 悲观论者们没有想到，一个被称为“奇迹”的经济高速增长时代正在到来。越过经济调整及战后经济增长率最低的 1954 年，日本经济迎来了所谓“战后经济最好”的 1955 年。这主要表现在：第一，国际收支大为改善，顺差 5.35 亿美元，实现了无特需收入下一般贸易收支均衡的夙愿。第二，无通货膨胀的经济发展。同年，国民总生产增长 10.8%，工业生产增长 12%，农业生产增长 19%，国民收入增长 10%左右，而以往经济规模扩大时期相伴而来的通货膨胀现象并未发生，全年物价平稳。第三，经济大发展之年，没有出现放款过多现象。据此，《经济白皮书》把 1955 年经济高涨局面称为“数量景气”，并宣布“日本已经不是战后了”，已经进入新的时代。[②]

“数量景气”的到来决不是偶然的，它与经济调整有着紧密的内在因果关系。如果没有调整所取得的改善国际收支状况、物价下跌、放款过多现象消失等整个社会经济环境好转的成效，以“三种理想的发展”为特征的“数量景气”就不会出现。从这个意义上说，没有 1954 年的经济调整，就没有翌年的“数量景气”。

如果按照经济循环论及经济发展阶段论的观点来考察，就可以更为清晰地看到这次经济调整在战后经济发展史上所处的位置。一般认为，战后日本经济大体经历了复兴、高速增长、稳定增长等阶段。不难看出，1954 年经济调整既是消费投资景气与数量神武景气两个经济循环周期的连接点，也是经济复兴与高速增长两大发展阶段的衔接点，无论短期

① 中村隆英：《日本的经济政策论争》(战后篇)，《经济讨论》321 号，1981 年 10 月。
② 经济企划厅编：《经济白皮书》(1956 年度)，至诚堂，第 2—4、42 页。

经济波动的分析，还是长期经济波动的考察，这次调整都处于一个极为重要的位置。换言之，战后日本经济由复兴到“起飞”的过渡，正是通过这次调整实现的，调整直接开启了经济“起飞”的门扉。“起飞”一词形象而生动，但飞机起飞时须耗费大量能源，这就需要起飞前备足燃料，并对各个系统乃至所有零部件做认真检查和维修，此外还需要掌握飞行气象资料。1954 年的经济调整，如同经济起飞前的一次全面检查和加油，同年世界性景气恢复则为起飞提供了良好的“气象”条件。

其次看调整在战后经济政策史上的意义。日本的战后十年中，如果战后初期的民主改革另当别论，大的经济调整共发生两次，即 1949 年的所谓道奇计划和本章所及的 1954 年调整。那么，这两次调整之间有何联系和不同呢？

在进行比较时，应指出两次调整在稳定经济与平衡财政思想，调整政策手段，以及经济紧缩、抑制通货膨胀等现实目标上的相似点，同时两者都给社会经济带来了深刻影响。但是，两次调整间的差异也是明显的。从调整的动因看，道奇计划的实施，与其说是为了使日本经济走上正常化道路，勿宁说是实现美国的战略调整所采取的必要一环。而 1954 年调整则是为改善国际收支恶化状况，整顿经济环境，为经济起飞打好基础。从调整政策的实施主体看，前者是在占领体制下，由占领当局制定和监督实施的，表现出很强的对外依从性或服从性。后者则是由日本政府独自制定实施的。从政策手段及操作特点看，前者是以财政、税收政策为重点，实施过程中手段僵硬。后者则以金融政策为重点，实施过程中具有灵活性。从调整的效果看，前者虽然实现了控制通货膨胀等现实目标，却带来“稳定中的危机”，如果不是朝鲜战争爆发，日本经济何时能摆脱困境是未知数。后者不但实现了改善国际收支的现实目标，而且改善了社会经济环境，为经济高速增长准备了必要条件。最后还须指出，两次调整的前提条件也是不尽相同的。实施道奇计划时，日本经济基础还相当薄弱，紧缩性的调整无异于给体质衰弱的患者做大手术。相比之下，1954 年经济调整时，日本经济经过朝鲜战争时期的迅速发展，已经具有一定实力，如果说这次调整是第二次手术，那么无论患者的承受能力和恢复力还是医师的技术和经验，都是不能和前者同日而语的。

再次，在战后财政金融政策史上，1954 年的经济调整也构成一个小分水岭。战后财政政策的历史，可以 1965 年为界，前后划分为“均衡财政”和“国债财政”两大阶段，而“平衡财政”阶段又可以 1954 年为界，细分为形成期和展开期。① 即由道奇制定、在朝鲜战争期间一度偏离的平衡财政路线，经过 1954 年调整，重新回到原来的轨道。同样，1954 年调整后，金融政策也有明显转变。在此之前，日本银行的金融调节，主要依靠高利率政策，此后则因为前述的原因，变成以官定利率的操作为主，并开始公开市场操作。② 此外，放款过多现象虽屡有发生，但已经具有同以前不同的性质。③

总之，1954 年的经济调整在战后经济政策史上值得大书一笔。通过调整，进一步理顺了制约发展的各种经济关系，取得了“将库存循环作为短期循环来观察，依靠金融紧缩来压缩库存，以克服国际收支恶化的智慧和经验”④，从而使得高速增长时期的经济政策操作变得相对单纯化、简单化了（至少到 1965 年为止）。也就是说，这次经济调整提供了一个具有一定经济发展基础而又明显落后的国家追赶发达国家的成功模式，即资本不足、生产落后→引进先进技术，改变产业结构→国际收支恶化、赤字增加→实施紧缩政策的调整、迫使企业提高效益、扩大出口→国际

---

① 高桥诚：《战后二十年的财政政策》，见日本经济政策学会编《战后二十年的经济政策》，劲草书房，1968 年，第 15 页。

② 经济企划厅战后经济史编纂室编：《战后经济政策史》（经济政策编），大藏省印刷局，1960 年，第 341 页。

③ 土方保：《战后金融政策与金融结构》，见《经济评论》临时增刊《日本经济——战后二十年》，第 80 页。

④ 有泽广巳监修：《昭和经济史》下卷，日本经济新闻社，1970 年刊，第 149 页。

收支状况好转→再次出现投资、引进技术高潮。实际上，1954 年至 1965 年间，日本经济正是按照上述模式经历了三个循环周期，结果使它在 60 年代后期跻身于经济大国行列。①

① 原文刊于日本爱知大学《经济论集》1992 年。

第六章　高速增长期的经济政策

1955 至 1973 年，日本经济实现了被称为“世界奇迹”的高速增长，期间国民生产总值于 1968 年跃居美国之后的资本主义世界第二位，从而实现了近代以来追赶先进国家的夙愿，跨入发达世界大国之列。

日本的高速增长是在市场经济体制下实现的，但这一时期的“市场”，并不是自由放任的市场，而是政府积极介入的“组织化市场经济”①，或如村上泰亮所说的“被切割的市场”。“组织化”和“被切割”的手段便是经济政策，特别是最具日本特色的产业政策。

一、计划经济思想流变

日本型经济体制（或“模式”），像有“计划经济”“股份公司”“官主导”诸说，有人甚至认为，非但不是“异端”，而且“具有某种普遍意义”，尤其对原社会主义国家来说，这种模式更具借鉴的魅力。② 然而，这并非说近代以来的日本经济完全违背了资本主义市场原理和自由竞争原则，而是

① 桶渡展洋：《战后日本的市场与政治》，东京大学出版会，1991 年，第 11 页。

②《经济学领域的“反古典革命”》，《参考消息》，1993 年 3 月 12 日第 7 版。

说较比典型的盎格鲁·撒克逊模式,"计划"在日本经济发展及其体制形成、运作与变迁过程中,显示了更为突出的作用。

"计划"在日本近现代经济发展中颇受"偏爱",既有其起步晚、起点低、生产力发展水平长期落后等基本性原因,也有其历史传承的权威主义、集团主义及家长制文化渊源,近代以来的国际环境及外来经济思想的影响也是不可忽视的一因。自不待言,对近代以来日本计划经济思想及其变迁的考察,有助于认识日本资本主义经济发展的规律和特点。

(一)从"栽培"论到"殖产"说

斯密在其经济学巨著《国民财富的性质和原因》中写道:"每个人都不断地努力为他自己所能支配的资本找到最有利的用途。"①"他追求自己的利益,往往使他能比在真正出于本意的情况下更有效地促进社会的利益。"②斯密的说教是,个人无论出于何种动机,其追求私利的行为必然会产生有利于社会的客观效果。

因此,斯密痛斥垄断,反对国家干预经济。他说:"任何一种学说,如果特别鼓励特定产业,违反自然趋势,把社会上过大一部分的资本投入这种产业或要限制特别产业,违反自然趋势,强迫一部分原来要投入在这种产业上的资本离去这种产业,即实际上都和它所要促进的大目标背道而驰。"③"如果政治家企图指导私人应如何运用他们的资本……是再危险也没有了。"④

在早期资本主义时代,斯密等创立的自由经济学说堪称经典,但这

---

① 亚当·斯密:《国民财富的性质和原因的研究》上卷(郭大力、王亚南译),商务印书馆,1983年,第25页。

② 亚当·斯密:《国民财富的性质和原因的研究》下卷(郭大力、王亚南译),商务印书馆,1983年,第27页。

③ 亚当·斯密:《国民财富的性质和原因的研究》下卷(郭大力、王亚南译),商务印书馆,1983年,第252页。

④ 亚当·斯密:《国民财富的性质和原因的研究》下卷(郭大力、王亚南译),商务印书馆,1983年,第27—28页。

种学说本身具有二重意义。它既是冲破封建制度和思想束缚的藩篱、为新生资本主义鸣锣开道的进步学说，也是在自由的幌子下让弱者撤除防御的强者经济学。而对后者的本质进行无情揭露并予以猛烈反击的是德国学者李斯特。

1841年，李斯特的代表作《政治经济学的国民体系》问世。这是一部在国际自由贸易论及政府干预论等问题上公然与亚当·斯密的经济学说唱对台戏的巨著。

李斯特认为，在英国工业力量已独占世界鳌头的现实情况下，像德国这样工业明显落后的国家，若按斯密的说教敞开国门开展所谓自由国际贸易，无异于少年与壮汉角力，结果不言自明。他坚决反对德国跟在英国人后面吟唱自由贸易之歌，并警告说："事实上最大限度的国际贸易自由，它的结果甚至使国家沦于奴隶的地位。"①

关于如何实现一国的工业化，李斯特反对放任及政府无为。他有如下一句名言："固然，经验告诉我们，风力会把种子从这个地方带到那个地方，因此，荒芜原野会变成稠密森林；但是要培植森林因此就静等风力作用，让它在若干世纪的过程中来完成这样的转变，世上岂有这样愚蠢的办法？如果一个植林者选择树秧，主动栽培，在几十年内达到了同样目的，这倒不算是一个可取的办法吗？"②李斯特的观点是，比之于财富的积累，生产能力的培植更为重要，这就如同一棵结果之树比其生产的果子更重要一样。在德国，这棵工业之树的成长已不能静待自然的衍生，而要通过人工培植，这个植树人就是国家。"作为政治家，此外还首先应当并且必须懂得，怎样才能激发、增长并保护整个国家的生产力；另一方面，他须还懂得这种生产力在怎样的情况下会趋于衰退，处于睡眠状态或被完全摧毁；怎样依靠了国家的生产力，就可在完美的方式下利用国

① 李斯特：《政治经济学的国民体系》，商务印书馆，1983年，第16页。

② 转引自周开年《政府与企业：角色如何安排》，湖北人民出版社，1994年，第71页。

家资源从而争取国家的生存、独立、繁荣、权力、文化与远大的前途。”①

显然，李斯特是站在弱者的立场上，在以敏锐的洞察力观察了欧洲的政治经济形势后，作出上述阐释的。比之于亚当·斯密，他的经济理论对落后的德国来说，少了几分理想化，多了几分现实指导意义。

日本发生明治维新后，明治政府派出高级使节团，历访欧美 12 国，找到了兴邦治国的途径。使节团副使、享有“日本的俾斯麦”之名的大久保利通回国后即向政府提出了著名的《殖产兴业建议书》，内称：“大凡国之强弱，系于人民之贫富；人民之贫富，系于物产之多寡；而物产之多寡，则在于是否勉励人民之工业。归根结底，未尝不在于政府官员之诱导与奖励……宜按国之风土习俗，民之性情知识，制定其方法，以此为今日行政之根本，保持其已开成者，诱导其未就绪者。”②大久保是否知道李斯特的理论无从考证，但他作为一位杰出的政治家，在耳闻目睹的欧美实地考察中，同样领悟到事物的真谛，即经济上落后的日本要想奋起直追，国家不仅要“诱导”和“奖励”工业，还必须“制定其方法”，做“工业之树”的植树人。由此可以窥知，在日本资本主义经济的起步阶段，明治政府就不是放任无为的态度。明治初期大办官营企业，自上而下地推行、扶植和发展资本主义经济便是明证。

（二）大危机时代的计划经济论

日本经过明治 40 余年的发展，确立了其东亚唯一资本主义强国的地位。与此同时，尽管其国家的干预性一直很强，毕竟建立了自由市场经济体制。

但是，从第一次世界大战开始至第二次世界大战爆发期间，与欧美各国所经历的巨大社会变动一样，日本也被逼到重新选择的十字路口。

---

① 李斯特：《政治经济学的国民体系》，商务印书馆，1983 年，第 298 页。

② 大久保利通：《近代史史料》，吉川弘文馆，1973 年，第 117 页。

这种选择包括对现行市场经济体制和制度的再审视，以致在 20 年代末 30 年代初的“昭和维新”“国家改造”运动中，日本朝野围绕着市场经济与“计划”或“统制”经济问题展开一场讨论。其深刻背景是：一战期间各交战国普遍实行了有效的战时经济统制；1927 年金融危机后日本国内政治经济形势的剧烈动荡及 1929 年世界经济大危机所加剧的对自由市场经济信念的动摇；30 年代美国的罗斯福新政；苏联第一个五年经济计划的实施及其巨大成功等。

1932 年 1 月，商工大臣中岛久万吉在《社会政策时报》的显赫位置发表文章，内称：“恕我直言，在中外竞争的舞台里，为使我国的经济地位在将来得以巩固，必须实现迄今业已实行的经济国家主义。即必须实现国家一业制度(Single Industry System)。比如，钢铁、造船业的目标就是在全国分别形成唯一的企业大联合，有关的企业金融背景也将由国家控制，并且，此种单一的企业联合机关须服从根据国家立场制定的年度计划，在其生产、输出政策的指导下行事。”①

小岛精一在同年出版的《日本经济计划论》中则开宗明义地指出：“近二三年间，资本主义备尝苦恼，现已陷入极端衰弱状态，到了必须放弃独自的救济之策而试投计划经济新药的时刻。”“事态至此，吾等已无需议论计划经济的当否，当务之急是更进数步，有组织地提出计划经济的具体方案。”②

相比之下，当时声名大噪的山本条太郎鼓吹的计划经济论内容更具体。他在《经济国家的提倡》一书中写道：“政府的所有机关、所有设施的机能，都应集中在产业国策的建立与伸展上……内阁是推行产业国策的参谋总部，首相的任务是参谋总长、军令部长。”政府官员“所有人等，其首要资格须是产业官，是产业驾驶员。”③

---

① 小岛精一：《日本计划经济论》，千仓书房 1932 年，第 25—26 页。着重号为原文所加。

② 小岛精一：《日本计划经济论》，千仓书房 1932 年，第 5 页。

③ 小岛精一：《日本计划经济论》，千仓书房，1932 年，第 38—40 页。

类似议论不仅限于政府和学界，军部从未来战争必定是总体战的观点出发，极力主张实行计划或统制经济。关东军高级参谋石原莞尔与满铁经济顾问宫崎正义策划的对中国东北的经济统制便是一例。石原上调陆军参谋本部后，又与宫崎正义、古贺英正等组织了“日满财政经济研究会”，向军部和政府施压。

昭和初期的这场大讨论，与同期急剧展开的统制经济互为表里，彼此策应。结果，1937 年全面侵华战争爆发后，日本建立起全面的战时计划、统制经济。

（三）战后“计划”思想的沉浮

日本在二战中归于失败，但这却不意味战时统制经济的结束。1946 年 9 月，外务省特别委员会公开出版报告书《日本经济重建的基本问题》。这是一份在外务省调查局组织下，集知识界精英和政府官僚于一堂，经一年多时间的反复讨论修改，最终汇集成篇的文献，因此它所具有的代表性、权威性以及在当时的巨大影响无可置疑。

报告书浓笔阐述了市场与计划的关系。文中写道：“19 世纪末开始的私人垄断资本阶段已经越过，世界经济已进入国家资本主义阶段，即已进入统制的、有组织的资本主义时代。”①以后的“自由将是一种计划经济下的受限制的‘自由’”，“经济已不能只依靠其自身固有的法则来自然地发展，随着以人的意志来支配经济的倾向不断增强，其实现的方法必然是经济的计划性运营”②。

报告书认为，“在日本经济的民主化中，金融机关及重要基础产业的

---

① 中村隆英编集：《资料・战后日本的经济政策构想》第 1 卷（日本经济重建的基本问题），东京大学出版会，1990 年，第 147—148 页。

② 中村隆英编集：《资料・战后日本的经济政策构想》第 1 卷（日本经济重建的基本问题），东京大学出版会，1990 年，第 148 页。

公共化、相当强度的国家统制是必要的”①。为做好计划工作，“要总结战时统制经济的体验，科学地探究其失败的原因，搜集各国的经济计划，特别是苏联的五年计划、美国的新政、英国的战后复兴计划等有关资料，详细而具体地探讨世界上计划经济运营的失败与成功的经验”；要培养具有“新的头脑”“综合性视野”和“技术常识”的计划人才；要在政府中成立专门研究国内及海外经济、政治、社会等状况的“一大调查研究机关”。

必须指出，这份报告书所阐述的计划经济思想，绝非流于纸上谈兵，而是相当程度地指导了当时的经济重建。

1949 年是战后日本由统制经济向市场经济转变的历史转折点。从当时的社会思潮看，在建立什么样的经济体制问题上，既存在以吉田茂为首的自由党所主张的自由经济论，也存在社会党等主张的经济社会化、国有化论。曾负责芦田内阁“经济复兴计划”制定工作的稻叶秀三在 1954 年的一次演讲中强调说：“我们应使当前政府推行的既无计划性、又无秩序的经济政策组织化、效率化，必须全面克服当今资本主义经济、特别是日本资本主义的封建性和低效率，这也许可称为一种直接的社会主义性质的或社会化的经济政策，但现实中却又是一条必由之路。”他同时指出：“任何制度下都可以实行经济计划。”②岸信介在 1954 年 8 月的一次新党成立筹备会上，曾发表过如下演说：“日本经济没有一个应该怎样重建、重建目标在哪里的计划是不行的。我们虽然也想像以往那样单凭自由放任经济和自由放任政策来重建日本，但那毕竟已不可能。从这种观点出发，我们认为，为重建日本，必须制定一种有计划的产业政策、经济政策，并实行之。”③报载，岸信介发表上述演讲时，曾博得满场喝彩。这不能不使人感到，在废除经济统制、向市场经济复归的当时，日本社

① 中村隆英编集：《资料・战后日本的经济政策构想》第 1 卷（日本经济重建的基本问题），东京大学出版会，1990 年，第 195 页。

② 稻叶秀三、大来佐武郎、向坂正男监修：《讲座日本经济》2（日本的经济政策与经济计划），日本评论社，1965 年，第 15—16 页。

③ 岸信介：《岸信介回顾录——保守联合与安保改定》，广济堂，1983 年，第 145 页。

会、至少在社会的统治层有多么浓厚的“计划”思想土壤！

今天，随着90年代以来日本泡沫经济的崩溃及其经济发展长期走不出低谷，人们对日本型经济体制的评价已经改变，“制度疲劳”论占了上风，一些曾津津乐道于“日本模式”的学者也忽然来了个180度大转弯。但是，我们也看到，就在日本实行所谓“金融大爆炸”“第三次改革”的同时，部分金融机构国有化的现象也在出现。透过这一逆时代潮流而动的现象，依然可以感到当今日本社会“计划”经济思想的强劲底流。①

二、产业合理化

在日本经济何以“成功”的研讨中，以美国学者查默斯・约翰逊著《通产省与日本的奇迹》为代表的欧美学界的研究成果引人瞩目。日本学界对构成高速增长时期核心产业政策的产业合理化研究仍缺乏系统性，笔者将为此作一尝试。

（一）产业合理化的历史进程

产业合理化作为日本政府推行的核心产业政策，始自20世纪20年代末，二战及战后初期停顿，40年代末再次全面推行，直至60年代中期。

追溯日本产业合理化的历史会发现，产业合理化一词并非日本的发明，其作为一种产业政策实施，也并非始于日本。1918年，第一次世界大战结束，德国战败并被迫接受割地赔款的惩罚。在凡尔塞—华盛顿体制的束缚下，德国只能卧薪尝胆，专心经济重建，其重大举措就是开展产业合理化。在“相对稳定”的20年代，德国通过产业合理化运动，整治了战后破败经济，完成了新一轮技术改造和设备更新，企业管理水平提高，恢复了在国际市场上的竞争力。德国的做法及其成果很快引起欧美各国

① 原文刊于南开大学历史研究所成立20周年纪念文集，南开大学出版社，1999年。

的注意，20年代后期，产业合理化成为资本主义世界中最时髦的口号和运动。

当时日本也嗅到了国际经济变动的气息。1927年金融危机以后，产业合理化被提上政府议事日程。1929年9月，商工省大臣俵孙一向商工审议会提出如何开展合理化的咨询，这标志着战前产业合理化的开始。1930年1月，日本政府成立了以首相滨口雄幸为首的产业合理化最高领导决策机构临时产业审议会，“调查审议产业合理化及其他产业振兴的重要事项”[①]。随后，商工省设立了以商工大臣为首长的临时产业合理局，专门掌管产业合理化行政事务。

但是，日本的动作慢了一步。当日本政府决定推行产业合理化时，以1929年10月24日华尔街股票暴跌为起点，资本主义发展史上最严重的经济危机已经爆发，1930年，这股危机的狂飙已席卷日本。在经济危机的冲击下，本来应以技术设备的更新改造为重点的产业合理化政策改变了方向，变成以企业内部“合理化”和产业组织“合理化”为重点的危机对策。

大危机下的企业内部合理化是在政府的支持和倡导下进行的。资方为了渡过危机，想方设法增加工人的劳动强度，降低或拖欠工资，裁减工人，节省开支。官方统计表明，1929至1935年间，日本的工业劳动生产率约增加10个百分点，工资指数却下降约10个百分点[②]，这是企业合理化下强化对工人剥削的铁证。因为这一增一降，几乎与企业内部的技术进步及资本投入无关。

这种消极型的企业内部合理化引起劳资间关系日趋紧张，工人阶级的反解雇、反劳动强化、反降低工资斗争此伏彼起。在实行“合理化”之前的1928年，日本全国各种工会组织的罢工、怠工斗争约400起，而在

① 加藤尚文编:《日本经营史料大系》3(组织・合理化)，三大书房，1989年，第98—99页。

② 参见安藤良雄编《日本经济政策史论》下，东京大学出版会，1976年，第306页图。

推行"合理化"的1930至1932年，斗争次数骤增至每年900起左右。[①]不难想见，当时的合理化留给人们的是怎样一种梦魇般的痛苦回忆。

与企业内部的合理化并行，产业组织的合理化是日本政府大力提倡并强力推行的政策重点。1931年升任商工省事务次官的吉野信次认为："近代产业虽然主要是通过自由竞争发展到现在的，但其种种恶害已日趋明显，维持完全的自由不可能把产业从目前的混乱中解救出来，产业需要全盘发展计划和统制的政策。"[②]吉野的这番议论是颇具代表性的，当时无论是政府还是财界都清楚地看到了如下两个事实：其一，市场并非万能，自由竞争正在给社会经济带来毁灭性的破坏，经济危机的频发，已使国家对经济的干预成为必然；其二，与欧美列强相比，经济上处于劣势的日本只有提高组织化的效率，才有可能在国际市场竞争中争得一席之地，否则难免被各个击溃。

正是出于这种共识，日本政府于1931年4月制定了《重要产业统制法》。该法的核心内容是，重要产行业须按国家要求成为卡特尔，政府则从融资、原料进口、税收方面提供政策性优惠。1931至1936年，商工省先后指定26种行业为重要产业，并在这些行业中建立了卡特尔垄断组织。鼓励卡特尔的产业组织政策，加速了企业合并、兼并的资本集中过程，一方面使大批中小企业没落乃至破产，一方面使财阀资本迅速膨胀。30年代成为三井、三菱、鲇川、浅野等新老财阀大发展的时代。

由于推行上述"合理化"措施，更因日本于1931年发动了侵略中国东北的"九一八事变"，日本于1932年便率先摆脱经济危机，成为"1929年危机"的"轻灾户"。

但是，20年代末开始的产业合理化所带来的社会负效果也是极为严重的，财阀势力的膨胀和劳动阶级的贫困化激化了社会矛盾，军部法西

① 安藤良雄编：《近代日本经济史要览》，东京大学出版会，1981年，第129页。
② 吉野信次：《日本工业政策》，日本评论社，1935年，第313页。

斯和民间右翼势力日益猖獗，他们对外要打破华盛顿体制的束缚，推行其向东亚扩张的强权政治；对内则利用国内民众的普遍不满情绪，提出实行“国家改造”和“昭和维新”，甚至公言打倒政党和财阀，建立天皇、军部法西斯专政。为实现上述对内对外政策目标，他们强烈要求在经济上实行国家垄断，发展重化学工业，以期积蓄实力，将来与英美决战。结果，由于军部激进分子和民间极右势力在30年代中期发动的一连串暗杀和兵变，终使政界屈服，财阀“转向”，并在全面侵华的1937年以后，全面建立起战时经济统制体制，这一体制的另一代名词，就是军部鼓吹的所谓“新产业合理化运动”。

可见，最初企图效仿欧美国家开展的产业合理化，因经济危机的爆发而变形，旋又因法西斯运动的兴起而名存实亡。

1937至1948年间，是日本资本主义发展史上的统制经济时期。其中，前八年是为了支撑对外侵略战争而实行统制，后三年则是为对付极度的经济萎缩、供给不足“危机”而实行统制。总之，这一时期的日本经济处于一种极不正常的状态，产业合理化被迫中断。

1948年，美国改变对日占领政策，决定把扶植日本实现经济复兴作为占领政策的首要目标，使之成为美国在远东地区的反共堡垒。翌年2月，美国政府又将约瑟夫·M·道奇派往日本，推行“经济稳定计划”。战后产业合理化正是在这样的背景下重新开始的。

同年12月28日，第二次吉田（茂）内阁根据美国政府发出的“经济九原则”指令，对现行经济政策作了全面调整，并以经济安定本部提出的草案为基础，正式内定了《综合施策大纲》。大纲中提出了五项重要经济政策，除新物价体系、稳定工资、健全财政金融、缓和统制等项外，第三项为“促进企业合理化”。其具体措施是：(1)促进重要产业和出口产业改善设备与技术，严格遵守工资三原则，推进合理化。政府事业和公共事业也应根据独立核算原则，开展合理化；(2)对经济重建中重要企业的合理化所产生的退职金等整顿资金，将采取由复兴金融公库提供保证贷款的措施。关于设备更新、机械化及技术引进资金，其靠自有资金和发行企业债券所不能解决的部分，政府将提供贷款；(3)通过公共事业努力吸收失业者，并从财政和企业负担方面研究解决对策；(4)为促进企业积累，将提高折旧率，税法上也将采取特殊措施，重要企业以往非属企业责任的赤字，将通过价格或财政上的必要措施解决；(5)以优秀企业为重点，废除资材分配等妨碍合理化的统制，以促进竞争。① 从这些内容看，大纲已提出了产业合理化的基本构思。但从其仍把复金贷款作为主要政策手段看，难免与即将实施的道奇计划发生冲突。

1949 年，是战后初期日本经济复兴的一个重要转折点。道奇计划下推行的超平衡预算、停止复金贷款，减少财政补贴金、缓和统制及制定单一汇率等措施，不仅使日本经济出现了稳定与"稳定中的危机"局面，也等于完全否定了以往实施的倾斜生产方式，制定和实施新的产业政策迫在眉睫。9 月 13 日，吉田内阁根据通产省企业局拟定的《关于制定企业合理化政策》草案，正式作出《关于产业合理化》的决定，并提出开展产业合理化的四项原则和十条意见。四项原则是：(1)确立以合理化为前提条件的、最适合未来产业结构的各项产业指导方针；(2)合理化原则上以迅速接近国际价格为目标；(3)企业内部的合理化，原则上依靠自身的主观能动创造，旨在培养有利于合理化的环境、铲除合理化的障碍；(4)提高效率、积极采用推广先进技术。十条意见是：产业指导方针；合理化的目标；合理化计划的审查与劝告；提高效率与指导；奖励试验研究普及优秀技术；保证合理化资金；铲除合理化障碍；促进引进外资；开展产业合理化运动；设立产业合理化审议会。② 可以认为，日本政府的这一决议，标志着产业合理化作为新的产业政策已经基本形成，余下的似乎只是如何完善、付诸实施的问题了。

---

① 经企厅战后经济史编纂室编：《战后经济史》(经济政策编)，大藏省印刷局，1960 年版，第 161—162 页。

② 高濑庄太郎编：《产业合理化与经营政策》，森由书店，1950 年版，第 320—323 页。

产业合理化作为一项重大的新产业政策能否顺利展开，不仅受现实经济条件的客观制约，还必须有一整套与之配套的经济体制、法律制度、政策体系做保证，而这些基础条件的准备和出台，是需要一定时间的。事实上，直到 1950 年 6 月朝鲜战争爆发前，日本经济正处在道奇计划的萧条期，资本不足、市场狭窄的状况毋宁说反而加剧了。因此，虽然确定了产业合理化政策，但还只是沿袭了裁减人员、增加劳动强度、促进资本集中等消极而陈旧的方法，采用先进技术设备、加强现代化经营管理等真正意义的合理化基本还未展开。①

使产业合理化政策的实施成为可能的直接契机是朝鲜战争。战争一爆发，日本便成了侵朝美军的后方“兵站”，大批的特需订货，使多达 1000—1500 亿日元的库存滞货一扫而光，企业获取了巨大利益，工业生产在战争爆发后第一年便突破战前水平。朝鲜战争的“天佑”，使“道奇萧条”一变为“特需景气”，也使“朝鲜战争前终究不能实施的合理化政策，也进入了如果努力就可以实现的阶段”②。《钢铁合理化计划》《煤炭合理化计划》《电力开发计划》等一系列产业合理化计划，都是从这个时期开始陆续出台而进入实施阶段的。

与此同时，日本政府利用这一有利时机，抓紧了将产业合理化政策体系化、法制化的工作。在先期业已制定多种专项立法的基础上，国会于 1952 年 3 月正式批准通过了《产业合理化促进法》。

战后的产业合理化，经历了一个由点到面不断深化的过程，具体说经历了以下四个阶段。

第一阶段为 1949 至 1950 年 6 月朝鲜战争爆发期间，即所谓道奇计划时期。经济稳定和统制经济向自由市场经济、封闭经济向对外开放经

① 工业技术厅：《技术白皮书》，工业新闻社，1949 年版，第 179 页。

② 有泽广巳、稻叶秀三：《资料·战后二十年史》2(经济)，日本评论社，1966 年版，第 183 页。严格说来，真正的产业合理化是从 1951 年下半年出现经济萧条后大规模展开的。战争初期，企业为高额利润所刺激，普遍追求扩大生产而忽视增加投资。经济转入萧条后，才明显出现了加强内部整顿，利用特需所得进行技术改造更新和增加资本投入的倾向。

济的体制转变，是这一阶段日本经济的总方针、总目标。当时的产业合理化主要局限于企业内部，即在经济紧缩的背景下，开展了以提高劳动生产率、降低生产成本、节省开支为重点的合理化，其结果虽然一定程度地改善了企业的经营管理，却未能在企业技术设备现代化方面得到根本改观，总体上还停留在“表面上的初期合理化时代”①。

第二阶段始自1950年6月朝鲜战争爆发，终于1955年。对日本来说，朝鲜战争是继第一次世界大战后的又一次“天助神佑”，它一扫道奇计划下的经济沉闷空气，巨大的“特需”订货使多达千亿日元以上的库存滞货销售一空，企业收益状况大为改善。本阶段的产业合理化具有以下三个特点：其一，各种合理化政策、法令、计划接连出台，一个较为完整的产业合理化政策体系基本形成；其二，政策实施的重点由前期的企业内部合理化，转向重点产行业的合理化，电力、造船、钢铁、煤炭等基础产业得到优先恢复和发展；其三，以上述四大产业为中心，掀起了战后第一次以引进为主要方式的技术改造与设备投资高潮。日本学者香西泰认为，这一时期的特征是开展了“点”与“线”的合理化。②

第三阶段为50年代后半期。1955年，随着“数量景气”的发生，战后复兴的任务已告完成，日本经济进入高速增长时期。从这时起，“点”与“线”的产业合理化，开始由基础产业向新兴产业扩展，在日本政府的政策支持下，汽车、家电、电子及机械制造行业迅速崛起，重化学工业的基础已经奠定。与此同时，在1955年兴起的提高生产率运动中，以提高产品质量、降低单位生产成本为核心的企业内部合理化继续向纵深进展，日本企业在国际市场上的竞争力日益增强。同期，国民经济年增长率超过10％，到60年代初期，日本已抛掉落后的帽子，成为一个中等发达国家。

① 经济企划厅：《战后经济史》(经济政策编)，大藏省印刷局，1960年，第263页。
② 香西泰：《高速增长的时代》，日本评论社，1989年，第95页。

第四阶段为60年代前半期，当时日本经济的目标是，在对外经济方面，尽快实现贸易自由化，在对内经济方面，实现十年内国民收入倍增。为实现上述目标，产业合理化政策的重点，由以往的企业内部合理化和产行业合理化，转向产业结构政策、产业布局政策和产业组织政策上来，进而在1964年基本实现贸易自由化，加入经济合作与发展组织，跨入发达国家行列。同年，推行15年的产业合理化政策正式为产业结构政策所取代。

战后的产业合理化政策典型地反映了日本政府对国民经济的干预，其主要政策措施如下：

指定产业发展优先顺序。即根据国民经济的发展变化，以政令或省令形式不定期公布重点产业，国家则以此为准，通过各种形式保证有关产业的优先发展。

制定合理化计划。如钢铁、煤炭业合理化计划，电力开发计划、计划造船等等。通过这种由国家主导的"条块"经济部门的率先"合理化"、现代化，从宏观上确保产业结构及资源配置的合理性，并进而带动一般产业的合理化和现代化。

产业组织政策。千方百计放宽《禁止私人垄断法》的限制，鼓励企业间采取限产、限销、限价等自我保护的共同行动，鼓励支持企业联合、兼并、合并，使企业集团在这一时期有了较快的发展。

产业技术政策。在战后推行产业合理化政策的前期，日本政府虽大力宣传技术改造的必要性，同时又认为直接引进外国技术是"最安全、最实际的办法"①。因此，总体上讲，50年代可称为日本在产业技术上的"拿来主义"时代，各种先进生产技术和设备蜂拥引进，大大缩短了日本与欧美发达国家技术上的差距。不过，从50年代后期开始，日本开始注重自主技术开发，进入60年代后，其国产技术设备已占相当比重。

① 通产省:《商工政策史》第10卷，商工政策史刊行会，1972年，第259—260页。

产业资金供给及企业资本积累政策。为推进企业的合理化、现代化，日本政府一方面通过财政投资融资、“协调融资”及外汇集中管理与分配使用制度、外资制度，积极支持企业的技术改造和设备更新；另一方面则通过名目繁多的减免税措施，有重点地向企业让税让利。这种做法又被称为“政策金融”和“政策税制”。

企业经营的政策指导。即一方面制定各种企业经营管理的法律、规则，以及工业品规格与质量标准；一方面通过行使监督、指导权，迫使企业在生产、劳务、财务管理等方面实行合理化。

产业布局政策。这是50年代后期引起重视，进入60年代后进一步加大政策实施力度的重要问题。

纵观日本战前、战后推行的产业合理化，可以发现这两个时期的合理化存在着若干异同点。从相似点看，两度推出产业合理化政策的共同背景是，在经济发展的水平上，日本都处于明显落后的位置，都面临着一个实现经济赶超的历史任务；推出这一政策的思想前提，是看到了“市场的失败”，其主观认识上是要加强国家对国民经济的干预，并希冀通过这种人为的介入，纠正自由经济的某些弊端。从不同点看，战前的产业合理化，重点放在了企业内部合理化和产业组织合理化方面，其实施手段和方法是消极的；而战后的产业合理化是以技术改造和设备更新为重点，其政策对象不再局限于企业内部经营及企业间关系的狭小范围，而是从国民经济的整体观点出发，把产业结构、产业布局、产业关联设施等也作为重要内容。战前的产业合理化政策在“国家利益优先”的口号下，过分强调国家的作用，维护大垄断资本的利益，其实施过程伴随着对国民民主权利的进一步剥夺和对自由市场经济的否定，其结果是建立了统制经济；而战后产业合理化政策的出发点是废除统制经济。其实施过程中相对注意了保证工人阶级基本权利及扶助中小企业等问题，从而建立了一种既有“计划性的”调控又有竞争自由的产业发展秩序。这些差异的出现取决于多种因素，它既是日本国民长期斗争的结果，也与战后初期在国际正义力量的压迫下实行的民主化改革有关，此外，政策当局基于历史的教训和时势的要求进行自我调整也是重要一因。

（二）产业合理化本质分析

我国学界几无正面研究日本产业合理化的成果可能有各种原因，但理论束缚或为一大现实思想障碍。因此，多角度分析产业合理化的本质实属必要。

“合理化”一词源自德国，率先提倡“合理化”政策、开展全民性“合理化运动”的，是20年代曾任德国政府复兴部长和外交部长的沃尔德·拉蒂诺(Wahher Rathenau)。但若追溯这一名词的出现，则至少要上溯到20世纪初。

19世纪末20世纪初，德国著名社会学家、行为理论奠基人马克斯·韦伯在其诸多著述中反复强调，近代以前的社会是一种由亚洲式宗教统治的不合理的社会，近代社会则是尊重科学与效率、法律与理论的社会，是按照客观主义和理性主义原则行事的合理的社会。[①] 他同时认为：“虽然经济理性主义的发展，部分地依赖理性的技术和理性的法律，但与此同时，采取某些类型的实际的理性行为却要取决于人的能力和气质。如果这些理性行为的类型受到精神障碍的妨害，那么，理性的经济行为的发展势必遭到严重的、内在的阻滞。”[②]在其他场合，韦伯还阐述了理性社会是官僚制社会、“合理化”即“近代化”的观点。[③] 韦伯公然为资本主义的合理性辩护自不待言，但他的“理论行为取决于人的能力和气质”“精神障碍”导致“经济行为”“阻滞”等论断却是切中时弊的。德国社会矛盾的发展，终于使它铤而走险，走上了内部矛盾外部解决、挑起第一次世界大战的道路。尽管无从考证韦伯的“理性主义”“合理化”论究竟对德国

① 参见富永健一《现代的社会科学家》，讲谈社，1984年，第411—413页。
② 马克斯·韦伯：《新教伦理与资本主义精神》中译本，三联书店，1987年，第15页。
③ 参见藤冈贞彦《战后日本教育史——现代化的再探讨》(手稿)，第18页。

产生了多大影响，但是在一战结束后的20年代，确是由德国率先开展了“合理化运动”。

日本于20年代末“引进”合理化概念时，政府和财界形成的一种共识是，频繁爆发的经济危机及日益加剧的社会矛盾证明，自由经济已行不通，国民经济需要国家权力出面干预。商工省官员吉野信次认为，“所谓产业合理化，就是从国民经济的全局考虑”。特许局事务官岸信介专程赴欧洲考察产业合理化归国后，只强调了两条合理化原则，即“降低成本”，“否定自由竞争”。① 战前被日本官方奉为产业合理化运动启蒙思想家的太田正孝观点更明了，他认为，“产业合理化意味着资本主义再不能像以往那样生产者和消费者恣意妄为”。“资本主义经济已经走到绝路。……按照现在的资本主义方式走下去，已得不到使资本主义经济持续发展的力量”，“道路只有一条，那就是资本主义的修正，别名合理化运动”，而这种“合理化运动的目标，就是对生产、流通和消费实行某种意义上的统制”。②

战前的产业合理化随着1929年经济危机的爆发和侵华战争的升级而一再变形，并随着二战中日本的失败而销声匿迹，留下了惨痛的教训。在对这段历史的反思中，日本政府得以从新的角度认识到战后产业合理化政策的意义。通产省在1957年发表的《产业合理化白皮书》中指出，产业合理化的基本点是：“企业以最小费用获取最大收益；从国民经济的观点出发，最有效地利用一定的生产要素，最大限度地保持构成要素间的平衡及以此为基础的国民收入，追求经济上的合理性。”③在通产省的有关文件中，还可见到如下内容，即“现在的企业合理化虽然要按资本主义方式进行，但却不能走减少工资→合理化→降低成本→生产增加→利润增加的路线，而是必须采取保证实际工资→合理化→生产增加→成本

---

① 通产省：《商工政策史》第9卷，商工政策史刊行会，1961年，第4—8页。

② 转引自中村静治《日本提高生产率运动史》，劲草书房，1958年，第30页。

③ 通产省：《产业合理化白皮书》，日刊工业新闻社，1957年，第3—5页。

下降→利润增加的方法"[①]。这表明政策当局在战后民主化潮流的推动下，其思想意识和行政观也发生了某种变化。基于上述认识上的变化，日本政府对战后产业合理化的内容做了以下四方面的界定，即企业内部的合理化，企业外部条件的合理化，行业的合理化和产业结构的合理化，并把技术设备的现代化作为合理化的核心。

与上述政策当局的观点相对照，劳动阶级的态度因时因地而不尽相同。在德国，工人阶级主流曾响应合理化主张，采取了与政府、企业合作的态度。与此相反，在 1926 年召开的共产国际第七次大会上，曾做出产业合理化"有助于资本改善其经济，不能支持、也不应该支持"[②]的决议。在战前的日本，除少数御用工会外，工人阶级主流坚决反对合理化。而在战后重新开展产业合理化时，工人运动出现了坚决反对与支持、合作两种立场的分裂。

具体看一下反对产业合理化的代表性观点。

早在 1930 年，著名的马克思主义经济学者有泽广巳就曾著书揭露了产业合理化的本质。他引用了马克思的一段名言：本来，从机械本身看，它可以缩短劳动时间，但若被资本家所利用，却会使劳动日延长；它可以使劳动简单化，但若被资本家所利用，却会使劳动强度增加；它本身意味着人类战胜自然，但若被资本家所利用，却会使人类处在自然的奴役之下；它本身可以增加生产者的财富；但若被资本家所利用，却会使生产者贫困化。[③] 据此，有泽给产业合理化所下的定义是："所谓产业合理化，就是增加剥削程度的诸措施。"[④]

战后，仍有许多进步学者对产业合理化进行了无情的批判。户木田嘉久尖锐地指出："资本主义的合理化，不外是进入全面危机阶段的垄断

---

① 通产省：《商工政策史》第 10 卷，商工政策史刊行会，1972 年，第 37 页。
② J·迪古拉斯编：《共产国际文件》Ⅱ（日译本），现代思潮社，1970 年，第 298 页。
③ 有泽广巳、阿部勇：《产业合理化》，改造社，1930 年，第 19 页。
④ 有泽广巳、阿部勇：《产业合理化》，改造社，1930 年，第 20 页。

资本主义在经济领域的阶级防卫运动，是直接在国家垄断资本主义体系化的政策支持下，以攫取高额垄断利润为目的的垄断资本的超剥削方法。”①

从上述关于产业合理化的截然相反的观点中，应该怎样确认产业合理化的本质，认识其历史及现实的意义呢？

首先，从阶级分析的观点看，资本主义的合理化具有以国家权力为背景、强化剥削和维护垄断资本利益的本质，是所谓“泰罗制”及“科学管理法”的延续和发展。每当资本主义发生经济危机之际，往往也就是资方在“合理化”的名义下，向劳动者转嫁危机之时。对劳动者而言，“合理化”意味着劳动强化、工资减少和失业将至。对力量单薄的中小企业主而言，它甚至也是个意味着企业将被兼并或破产的不详之词。至少战前的合理化已经深深地留下了这种阴影。从这个意义上说，有泽、户木田等人的批判，正确地揭露了资本主义合理化的本质，击中了要害，富有革命性意义。

其次，从社会发展阶段论的角度看，产业合理化作为资本主义经济发展的必然过程，也相对存在合理性。资本主义是个尊重科学、讲求效率、强调资本积累的社会，正因如此，它取得了人类历史上最辉煌的物质繁荣，这是以前的任何社会所无法比拟的。但是，一直视“自由放任”为准则而发展起来的资本主义，在进入垄断阶段后，不断暴露出其固有的破绽，连统治阶级自身也公开承认自由放任已行不通，要求政府干预经济，产业合理化正是适应这种时代要求出台的。这一政策既有强化劳动等消极的侧面，也存在着强调现代科学技术，追求国民经济发展整体平衡等积极的侧面，特别是在战后推行的产业合理化政策过程中，以所得分配等为代表的社会公正问题也逐渐引起重视。因此，从有利于社会经济发展进步的角度而言，没有必要一口否定产业合理化的正面意义。

---

① 户木田嘉久：《合理化问题入门》，劳动旬报社，1969年，第51页。

第三，从政策论的角度分析，产业合理化虽然是在资本主义国家首先兴起的，却不能因此断言它只是资本主义的专利，也不必视其为洪水猛兽。政策本身只是人类征服自然、改造自然的智慧、手段和方法，它确实会因政策制定与推行者的政治立场而染上某种色彩，但不能因此否定其本身固有的方法手段上的、技术上的特有价值。正如前述马克思的精辟论断那样，机械作为近代工业革命的产物，只有当其被资本家所利用时，它才成为强化剥削的工具，但机械本身并不具有阶级性；它作为科学进步的产物，同样也能成为劳动者征服改造自然、为自己谋幸福的工具和手段，无产阶级也绝不会在砸碎资产阶级国家机器的同时，将进行生产的工业机器一同砸烂。事实上，关于这样的问题，社会主义制度的缔造者列宁早就做出了令我们现代人顿彻顿悟的精辟分析。

泰罗制（又译“泰勒制”）是 20 世纪初风靡资本主义世界的一种经营管理制度，它将近代科学技术与近代经营管理结合起来，通过推广标准化操作、定额劳动、现场监督、奖惩工资等手段，力求最大限度地提高生产率、降低成本、增加生产利润（或“剩余价值”），列宁曾痛斥它是一种“榨取血汗的‘科学’制度”①。但是，列宁在指出资本主义的泰罗制所具有的“榨取血汗”的阶级实质时，并未把这种制度中蕴含的“科学”、合理的成分一并否掉。他在 1918 年的《苏维埃政权的当前任务》一文中写道，泰罗制“也同资本主义其他一切进步的东西一样，有两个方面：一方面是资产阶级剥削的最巧妙的残酷手段；另一方面是一系列的最丰富的科学成就，即按科学来分析人在劳动中的机械动作，省去多余的笨拙的动作，制定最精确的工作方法，实行最完善的计算和监督制等等。苏维埃共和国在这方面无论如何都要采用科学和技术上的一切宝贵成就。社会主义实现得如何，取决于我们苏维埃政权和苏维埃管理机构同资本主义最新的进步的东西结合的好坏。应该在俄国研究和传授泰罗制，有

① 《列宁全集》第 18 卷，第 594 页。

系统地试行这种制度,并且使它适应下来"①。从这段较长的引文中,60年前的列宁怎样辩证地分析泰罗制,肯定其科学和进步的一面,怎样把在俄国"试行"和"适应"泰罗制、"同资本主义最新的进步的东西结合"提到社会主义能否实现的高度,已经跃然纸上,无需多余的解释。

令人回味的是,"泰罗制""科学管理法"和"产业合理化"等所固有的这种可以超越经济制度和体制而适用的中性特点,甚至连资本主义国家的政府及其代言人也颇知其妙。在日本,曾在人事院担任要职并享有"日本的泰罗"之名的上野阳一就是一例。上野认为:"产业合理化的原理与技术,无论资本主义还是社会主义,在任何经济体制下都是必要的。""苏联式的社会主义经济的国家也好,日本式的资本主义经济的国家也罢,生产管理的原则别无二致。资本主义利用生产管理的原则,将带来资本主义的繁荣;社会主义利用生产管理的原则,也会带来社会主义的繁荣。"②

由此看来,辩证地对待资本主义的产业合理化是一种科学态度,以往在理论上存在的某些禁区应该彻底打破。

历史是面镜子,也是最好的老师。在对日本战前、战后的产业合理化政策进行如此的考察之后,重新审视几十年来我国社会主义建设的实践和20世纪世界风云的变幻,真可谓感慨万千。

20世纪世界历史的变化惊天动地。本世纪初,随着资本主义的发展进入帝国主义阶段,该制度所固有的国内阶级矛盾、帝国主义国家间的矛盾和压迫民族与被压迫民族间的矛盾空前尖锐,其结果是酿成了人类史上的两次世界大战,并在战后形成了资本主义和社会主义两大阵营。因此,资本主义由盛转衰,社会主义从无到有、蒸蒸日上构成本世纪前50年的基本特征。

然而,当后半个世纪即将结束的时候,人们却看到了另一番情景,本

---

①《列宁全集》第3卷,人民出版社,1972年,第511页。

② 加藤尚文编:《日本经营史料大系》第3卷(组织・合理化),三一书房,1989年,第117页。

已呈现“垄断、腐朽、垂死”等种种衰兆的资本主义垂而不死，衰而不亡，经济上取得了前所未有的稳定发展，而以苏联的解体和东欧的“转向”为代表，社会主义遇到了重大挫折。

这近百年的历史变化向人们昭示了什么呢?

社会主义的兴起和资本主义的“复生”互为对方提供了一个深刻但却有益的启示。这就是:以私有制为基础、以自由放任为准则的市场经济及其资本主义制度，如不进行调整和改革，终必为经济不平等所引发的社会革命所毁灭;同样，在现实生产力水平制约下，发展经济也是社会主义的首要任务，如果不能在这方面取得与资本主义的比较优势，社会主义的前途也将陷入困境。

从后半个世纪的历史进程看，毋宁说资本主义较好地接受了社会主义这个“先生”的教示，正如前文论述的日本所推行的产业合理化政策那样，资本主义国家也效仿社会主义的某些做法，对国民经济进行了种种“计划性”的干预，避免了大的经济波动，基本实现了社会稳定。

反观社会主义的进展，毋宁说教训是深刻的，原因不一而足，但主要原因之一是没有把经济搞上去。不按经济规律办事，甚至完全否定市场机制的作用。回顾我国社会主义建设的历史就不难发现，文革十年“政治挂帅”的失误姑且不论，仅在经济建设上就不知干了多少违背科学、不讲“合理性”的蠢事。直到今天，如何建立现代企业制度、合理配置资源等种种问题仍未得到解决，经济改革的任务尚任重道远。从这个意义上说，在经济发展方面，现在是虚心接受资本主义某些教示的时候了，而日本的产业合理化恰好提供了这样的实例。当然，中国的产业合理化须根据国情进行，要有自己的特色，因此既是一次“补课”，也是一个“创新”过程。这个过程可能很漫长，但是只要解放思想，坚定不移地走下去，中国必将以崭新的姿态出现在21世纪，为人类做出更大贡献。①

① 原文刊于南开大学日本研究中心编《日本研究论集》1，1996年，此处有删节。

（三）产业合理化政策的运行机制

战后初期，在美国占领当局的监督下，日本被迫进行了非军事化、民主化改革，经济改革引起了制度和管理体制变化。但是，直到道奇计划前，由于美国对日政策处在急剧变化之中，经济体制尚未定型。以道奇计划为转折点，日本经济发生了由通胀经济向稳定经济、统制经济向自由经济、封闭经济向开放经济的转变，这些转变与产业合理化政策的推行存在表里关系。产业合理化的根本目标是发展生产力，需要与之适应的生产关系即经济体制做保证。

这一时期的经济体制调整，主要是从政府经济管理机构改革和经济制度、政策的体系化两个方面展开的。

政府经济管理机构的改革，以经济安定本部（以下简称“安本”）的变动最受瞩目。安本于1946年8月成立后，以稳定经济为己任，掌握着制定政策、实行统制的大权，是政府中最有权威的经济官厅，有“经济内阁”之称。1949年6月1日，根据第五次国会通过的《经济安定本部设置法》，安本机构首次进行缩减，由一官房十局，改为一官房七局。原归安本兼管的物价厅、经济调查厅、外资委员会分别独立。一年后，安本再次改组，机构又缩小到下辖五个局。与此同时，安本直接领导的15个统制公团，到1951年3月也相继解散。[①] 1952年4月，媾和条约签订，占领时期结束，日本实现了“独立”。7月31日，安本被解散，代之以经济审议厅。它主要保留了调查分析经济现状、制定调整中长期经济计划和政策、长期经济预测等业务。[②] 机构规模也因此大为缩减，厅下属的局全部取消，改为一厅四部制，定员由鼎盛期的2002人减到399人。1955年7

① 经企厅战后经济史编纂室编：《战后经济史》（经济安定总部史），大藏省印刷局，1964年版，第196—197页。

② 经济企划厅：《现代日本经济的展开——经济企划厅30年史》，大藏省印刷局，1976年版，第74页。

月 20 日，经济审议厅又更名为经济企划厅。

在经济安定本部首次改组的 1949 年 6 月，政府其他行政机构的改革也在进行。原商工省和贸易厅合并，成立通商产业省。法务省机构缩减，文部省改组。新设电力通讯省、邮政省，地方自治厅、国税厅。此外还成立了国有铁道公司和专卖公司等。其中通产省的成立，不仅对推行产业合理化有直接现实意义，而且在其后的经济高速增长时期发挥了愈加重要的作用。

为了促进产业合理化，日本政府在调整机构的同时，还批准成立了一些具有半官半民性质的咨询机构，其中影响较大的是日本银行政策委员会和产业合理化审议会。日本银行政策委成立于 1949 年 6 月，成员包括日本银行总裁和其他银行的代表、安本和大藏省代表、民间专家学者等。其任务是，决定日本银行的经营原则和方针政策，如贷款政策、利率政策、准备金政策及公开市场操作政策等。① 产业合理化审议会是根据日本政府《关于产业合理化》决议的第十条意见，于 1949 年 12 月成立的，也是由政、财、学三方代表组成。在推行产业合理化时期，产业合理化审议会作为通产大臣的咨询机构，积极参与了合理化政策及计划的制定和解释工作。

经济制度、政策的体系化，是通过制定和修改各种法律、制度、规则，在极为广泛的领域内展开的。

第一，财政制度。实施道奇计划前，财政中存在着一个由赤字预算和价格补贴金支撑的膨胀机制。道奇计划后，平衡财政、削减乃至彻底取消补贴金，已成为财政的“原则”和方向。这也决定了以国家财政援助为前提的倾斜生产方式的命运。但是在当时的情况下，完全依靠企业自身的力量去实现产业合理化是不可能的。因此，日本政府在继续坚持以财政资金大力支持产业发展方针的同时，重点加强了如何“合理地”使用

① 朝仓孝吉：《新编日本金融史》，日本经济评论社，1988 年版，第 245 页。

财政资金、并使之制度化的工作。其代表性事例是制定了大藏省《资金运用部资金法》(1951 年 3 月 31 日)和《产业投资特别会计法》(1953 年 8 月 1 日)。前一项法令规定了大藏省存款部资金使用细则,承认这笔占全国一般国民储蓄额 1/5 以上的巨额存款可用于购买证券和债券,间接通过一般金融机构进行长期投资。后一项法令则规定,以发行国债、回头资金、特殊物资缴纳金等为政府特别收入来源,“为重建经济,开发产业,振兴贸易,投放国家资金”①。这两项法令的制定,标志着产业合理化时期以国家为中心的、直接和间接的财政资金供给体制的确立。

第二,租税制度。道奇在推行经济稳定计划时,曾抛出强化征税的杀手锏。接着,夏普又到日本推行了以所得税为中心的税制改革,以图建立一个“永久性的稳定的税制体系”②。然而,为了推进产业合理化,日本政府很快便放弃了夏普的“公平税制”原则,接连修改制定了一系列旨在加速资本积累的税制措施,用“偷梁换柱”③的手法,使夏普税制实际上变成了空壳。新的税制包括重新评估企业资产。这是一场规模很大的资产清查整理活动。1950、1951—1952、1954—1955 年先后进行了三次,其中第三次效果最为明显。这一措施“通过旧机械设备的价值还原,促进了折旧,使新设备的获得变得方便可行”。④ 具体包括:(1)固定资产税减免制度。《企业合理化促进法》规定:凡试验研究用机械设备、现代化的机械设备、减免其固定资产税。所得免税制度,其免税对象是重要物资生产所得和出口所得。例如,重点产业新置设备前两年的生产所得免征所得税。出口所得的 80%或纯利润的 3%实行免税。⑤此外,对部分重要企业的新增资本,也实行免税制度,对此,日本政府曾自诩它是世界上

① 有泽广已、稻叶秀三:《资料 · 战后二十年史》2(经济),日本评论社,1966 年版,第 183、171 页。

② 有泽广已主编:《昭和经济史》(中译本),黑龙江人民出版社,1987 年版,第 562 页。

③ 中村隆英:《占领期日本的经济与政治》,东京大学出版会,1979 年版,第 20 页。

④⑤ 井村喜代子:《1949 年秋至朝鲜战争与“合理化投资”》上,三田学会杂志,80 卷 4,第 50 页。

最完备的制度。[①] (2)特殊折旧制度。这种制度又称加速折旧，多在1951至1955年间制定。最初规定的制度适用对象是试验研究及现代化的工业生产设备，折旧率为三年50%。1952年后，此类设备的折旧率又改为使用一年便可折旧50%，适用对象的范围不断扩大，包括新建租赁房屋、合作事业用机械、满期渔船保险、海外分公司设备、井下坑道设备等。[②] (3)免税准备金、专款制度。即在企业纳税之前，从毛利润收入中提取各种专项基金留给企业使用。内容包括呆账准备金，船舶等特种修缮专款，价格变动准备金，退职金专款、缺水准备金、违约损失准备金、异常危险准备金等。[③] (4)关税优惠制度。如重要物资输入免税制度，重要机械输入免税制度。此外，对重要产业中先进设备使用的进口原材料实行低关税。

第三，金融制度。产业合理化时期金融制度的调整相当剧烈，银行机构，特别是政府系统的金融机构大批增设，并且基本完成了战后各种金融立法工作。换句话说，“战后型”的金融体制正是在这一时期确立的。在同期制定的各种金融法规及新设的特殊银行中，开发银行及《开发银行法》与产业合理化的实施密切相关。同复兴金融公库一样，开发银行是靠政府提供的100多亿日元资金开业的，随后又继承了复金的787亿日元和回头资金1345亿日元的贷款存额，顷刻间便成了金融界最有实力的特殊银行。[④] 它作为日本政府推行政策金融的有力工具，承担了“通过提供长期资金，补充和奖励民间金融机构的金融业务，促进经济重建和产业开发”的重要任务。[⑤]

第四，产业组织制度。战后初期，作为解散财阀并防止财阀复活政策的一环，于1947年制定了《禁止私人垄断法》。1949年，日本政府首次

---

① 经企厅调查课：《战后日本的资本积累与企业经营》，至诚堂，1957年版，第42页。

② 大岛清、榎本正敏：《战后日本的经济过程》，东京大学出版会，1968年版，第58页。

③ 小宫隆太郎等：《现代日本经济研究》，东京大学出版会，1975年版，第78页。

④ 井村喜代子：《1949年秋至朝鲜战争与“合理化投资”》上，三田学会杂志，80卷4，第48页。

⑤ 朝仓孝吉：《新编日本金融史》，日本经济评论社，1988年版，第257页。

对该法做了小规模的修改。1953 年 9 月，在经济团体联合会（简称“经团联”）为首的财界强烈要求下，日本政府对《禁止私人垄断法》再次进行重大修改。其要点是：废除关于企业采取共同行动的统一限制，在一定条件下，承认萧条卡特尔和合理化卡特尔；废除关于能力差距的规定，缓和有关持股、领导兼职、合并及私人垄断的限制；缓和有关禁止不公正交易方法的规定，承认在一定条件下维持再销售价格的契约；废除《事业者团体法》等。① 经过这样的修改，便实际上抽取了该法中关于禁止私人垄断的实质内容，为合理化时期的资本集中、企业合并打开了方便之门。其结果势必带来产业组织的分化和重新组合。

第五，外贸外资制度。日本战败投降后，完全丧失了对外贸易自主权，对外经济往来几乎处于被隔绝状态。从 1947 年 8 月开始，美国原则同意日本恢复有限制的民间贸易。1949 年 4 月，道奇制定了 1 美元兑换 360 日元的单一汇率。随后，又相继取消对民间出口（1949 年 12 月）和进口（1950 年 1 月）的限制，并在实际上已开始把外汇、外贸管理权移交给日本政府（正式移交是 1952 年 4 月）。单一汇率的制定和外贸外汇管理权的失而复得，使日本重新加入世界资本主义经济体系。在美国占领当局和国际货币基金组织协助下，日本政府制定出一系列涉外经济法规，其中最重要的是《外汇法》和《外资法》。

《外汇法》制定于 1949 年 12 月，全称《外汇及外贸管理法》。由该法派生或与之紧密关联的法规还有《外汇管理令》《外汇等集中规则》《输出贸易管理令》《输入贸易管理令》《振兴输出外币资金制度》《关税法》等。《外汇法》开宗明义地阐明其目的是“谋求对外贸易的正常发展，保证国际收支平衡和通货稳定，以及最有效地使用外汇”②。在产业合理化时期，日本政府就是以《外汇法》为根据，通过外汇分配制，把有限的外汇

---

① 鹤田俊正：《战后日本的产业政策》，日本经济新闻社，1984 年版，第 49—50 页。
② 井村喜代子：《1949 年秋至朝鲜战争与“合理化投资”》上，三田学会杂志，80 卷 4，第 42 页。

“最有效地”使用于“合理化投资”，有力地支持了先进技术设备的引进，并在保护国内产业发展、促进出口方面发挥了重要作用，根据出口业绩分配其进口原料所需外汇的连锁制度就是一例。

《外资法》制定于1950年5月，全称《关于外资的法律》。该法的内容大致可分为对外国资本的“保护”和“限制”两方面。所谓保护，主要指外国投资者通过缔结技术援助、购买证债券等方法向日本投资时，其本金和所得利润，可以不经汇兑管理机关批准，不管日本外汇状况如何，自由提取或携出境外。据认为，这是一种连当时的欧美发达国家也没有的特殊优待措施，它对于消除投资者的恐惧心理、吸引外资有很大刺激效果。所谓限制则表现在《外资法》规定外资的投资方向必须是“有助于改善国际收支”“有助于重要产业或公共事业发展”①的领域。在具体实施中，日本政府显然还采取了严格限制以经营国内重要产业为目的的外国资本直接投资、保护国内企业经营权的方针。这说明，《外资法》既表现了日本政府企图通过引进外资来促进产业合理化的积极态度，也反映出其防止外国资本侵蚀，维护经济自主权的戒备心理。

除了在国内建立和完善外汇外资管理体制外，在美国政府的一手扶持下，日本于1952年8月加入了《国际货币基金组织》，1955年9月又成为国际复兴开发银行和关贸总协定成员国，从而被正式纳入“布雷顿森林体系”。

这样，在推行产业合理化政策的50年代前期，战后初期民主改革后形成的经济体制，不仅为产业合理化政策的推行提供了基础，而且创造了日本“战后型”经济体制的原型。

（三）产业合理化政策的实施

首先看产业合理化中的政府投资。政府投资一般是通过财政投资

---

① 井村喜代子：《1949年秋至朝鲜战争与“合理化投资”》上，三田学会杂志，80卷4，第46页。

贷款进行的，在实施道奇计划前，曾是支撑倾斜生产方式政策的重要支柱之一。道奇勒令停止复兴金融公库业务后，政府财政投资业务一度出现半停顿状态(回头资金某种程度替代了复金的职能)。但是，在民间资本积累严重不足、金融机构体质虚弱的状况下，政府财政资金投入仍然是决定产业合理化成败的关键。开发银行等前述的政府特殊金融机构，正是适应这一要求应运而生，并在推行产业合理化中发挥重要作用的。

1950 至 1954 年，产业合理化的设备投资迅猛展开，五年间，设备投资累计额为 2.3 万亿日元。1950 年的投资额为 2344 亿日元，1954 年为 6016 亿日元，是四年前的 2.5 倍。在 2.3 万亿日元的设备总投资中，企业内部资金占 46.7%，外部资金主要来自普通银行贷款、财政投资贷款、发行股票及企业债券收入等，其中财政投资贷款总额为 3990 亿日元，占同期设备投资总额的 15.7%和企业外部筹措资金的 33.5%，是产业设备投资中数目最大、比重最高的外部资金来源。① 同期，大藏省资金运用部积极参加了金融债券买入操作，总额为 937 亿日元，其中 72.7%是从兴业银行和长期信用银行购买的，而这两家民间银行，是以向企业投放设备投资贷款为主要业务的。这样，财政资金在产业设备投资外部资金中所占的比例，实际已达到 40%左右。②

如此庞大的财政资金，并不是水平式地投入，而是紧密配合各种产业合理化计划，集中使用于国民经济发展的基础产业部门，这种方法在当时被称为“重点生产方式”，它构成了产业合理化政策的核心。

产业合理化时期的重点产业，除煤炭、钢铁业外，又增加了电力和造船，时称“四大重点产业”，它是政府财政投资的重点。日本开发银行自 1951 年开业后，四年间共发放贷款 2614 亿日元，其中对四大产业贷款额为 2324 亿日元，占贷款总额的 89%，而对其他一般产业的贷款只有 290

① 经济审议厅:《经济白皮书》1953 年版，经济统计协会，第 141 页。《经济白皮书》1955 年版，至诚堂，第 167 页。

② 安藤良雄编:《日本经济政策史论》下，东京大学出版会，1976 年版，第 348 页。

亿日元，占11%。这说明，合理化投资是以四大产业为中心、在日本政府大量投入财政资金的前提下展开的。而电力、海运业投资的递增和煤炭、钢铁业投资的渐减，未必意味着产业政策重点的转移。因为在推行倾斜生产方式政策时期，煤炭、钢铁业经国家财政的重点扶持，业已一定程度地进行了先行资本积累，到产业合理化阶段，其资本利润率已明显高于电力、造船业，因而在进行合理化设备投资中，无论是内部资金的使用，还是商业银行贷款等外部资金的筹措，都已处于相对有利的地位。合理化时期财政投资与产业（企业）利润之间是一种逆向关系，钢铁和煤炭业现实利润较高，财政投资渐减；电力和造船业利润很低，一般金融机构不愿进行风险投资，因而获得较多的政府低息贷款。同样是重点产业，国家财政投资的重点，显然更偏重于扶植那些有发展前途而现实体质虚弱且无竞争力的产业部门。

再看产业合理化中的政策减税。产业合理化本质上是一种促进资本积累的政策。如果说国家财政投资是实现产业合理化、加快企业资本积累的外部推动力，那么，各种减免税收措施便可称为增强企业自身素质，加快合理化——企业现代化步伐的内部催化剂。

关于合理化机械设备的特殊折旧。据统计，1951至1955年间，日本政府共批准价值4185亿日元的5458件特殊折旧申请。其中，三年折旧50%的机械实现折旧额为621亿日元，第一年折旧50%的机械实现折旧额为841亿日元，两项合计，实现特殊折旧额1462亿日元。① 获准特殊折旧的机械，约3/4以上属于四大重点产业部门。

关于所得免税。它主要包括出口所得特殊扣除、重要物产所得免税、增资及分红所得免税等。五年间，三项所得免税额为748亿日元。② 享受这种特殊待遇的，除煤炭、电力和化肥等基础产业部门外，还包括石

① 经企厅调查课：《战后日本的资本积累与企业经营》，至诚堂，1957年版，第105页。
② 大岛清、榎本正敏：《战后日本的经济过程》，第61页。

油、化学等新兴产业部门。

关于减免进口关税。1951年修改的《关税税率法》规定，凡国内无法制造的新式高性能机械或有助于实现经济自立的产业机械，均可享受免征进口关税待遇。至1954年，此类机械增加到361种，1951至1956年间，共有价值500亿日元的先进机械是免税进口的，仅此一项，海关进口关税收入便减少了76亿日元以上。① 在这些免税机械中，四大产业及石油精炼业机械占80％左右。

关于企业准备金与特种专款。据统计，1950至1955年间，企业的呆账，价格变动、异常危险、输出损失等准备金，以及退职金、特别修缮、违约损失等特种专款，累计总额4055亿日元。② 它与同期企业生产纯利润留成额不相上下。重要的是，这些准备金和专款，是在企业纳税前的毛利润中提留的。据对636家大企业的调查，1951至1953年三年间，企业纳税、内部利润留成和准备金、特种专款的提留，在企业毛利润收入中所占的比重，呈两减一增趋势。即纳税率由55.2％降到34.7％，利润留成率由41％降到26.9％，而准备金、特种专款提留率却由3.6％骤增至38.4％。1951年，准备金、特种专款提留额仅为企业利润留成额的8.8％，到1953年，竟一跃增加到后者的1.4倍以上. 尽管名目不同，准备金和特种专款也是作为企业内部资金保留和使用的，因此它与企业纯利润的留成并无本质上的不同，而国家对企业征税的大幅度减轻及企业内部实际利润留成的大幅度提高，恰好如实地说明了在产业合理化时期，日本政府采取了一种急进的、大力促进企业内部资本积累的政策。结果，企业内部资本积累进程明显加快。例如，在1950年的设备投资中，企业内部资金只占总投资的41.8％，而到1954年，已上升到54.8％。③ 这种变化固然与1954年实行经济紧缩政策有关，但是不能否

① 安藤良雄编:《日本经济政策史论》下，东京大学出版会，1976年版，第327页。

② 日本开发银行:《日本开发银行十年史》，1963年版，第59页。

③ 安藤良雄编:《日本经济政策史论》下，东京大学出版会，1976年版，第348页。

认，企业经过合理化，自身实力确实增强了。

最后看产业合理化中的技术引进。战前，日本的工业技术水平就与欧美强国之间存在一定差距。战时和战后初期，这种差距又进一步拉大了。1949 年发表的《技术白皮书》认为，当时日本的工业技术，已经比国际先进水平落后了 20 至 30 年。① 因此，日本政府企图通过开展产业合理化，以基干产业为突破口，实现工业技术的改造更新，并建立了工业技术院及各种研究机构，以及鼓励技术开发的奖励补贴制度。但是，比之于自主开发技术，日本政府在主导思想上是把直接引进外国先进技术放在首位的，认为它是"使工业技术达到国际水平的捷径"，"无论从时间上，还是从经费上，都是最好的方法"。② 据统计，开展产业合理化的 1949 至 1955 年间，日本共引进甲、乙种外国技术、设备千余件，其中甲种引进的 80%以上集中在机械、金属、化工等重化工业部门。③ 技术引进不仅带来劳动生产率的成倍增长，而且使产业结构开始发生质的突变。虽然从战后日本经济发展的总过程看，这一时期的技术引进和改造"还只是一股股小溪流"，但它却正式揭开了 1955 年后"汇集成一条大河"④ 的技术革新浪潮的序幕。

（四）产业合理化的效果

战后的产业合理化带来了生产技术的进步和生产力的提高，也引起了产业结构的变化。据测算，与开展合理化前的 40 年代末相比，50 年代中期，钢铁、棉纺、水泥等行业的单位生产耗时率平均下降了 45%左右⑤，人均月采煤量由 8.7 吨增加到 12 吨。⑥ 钢铁业薄钢板生产因装备

① 大岛清、榎本正敏：《战后日本的经济过程》，第 20 页。

② 通产省编：《产业合理化白皮书》，日刊工业新闻社，1957 年版，第 129 页。

③ 大岛清、榎本正敏：《战后日本的经济过程》，第 87 页。

④ 内野达郎：《战后日本经济史》（中译本），新华出版社，1982 年版，第 101 页。

⑤ 劳动省劳动调查统计部：《技术革新与劳动生产率的实态》，劳动法令协会，1960 年版，第 15 页。

⑥ 大岛清、榎本正敏：《战后日本的经济过程》，第 91 页。

了带钢轧机，效率竟一下子提高了1000倍。① 日本的国民生产总值继1951年恢复到战前水平后，1954年突破战时最高生产规模②，从而完成了战后经济复兴的任务。

产业结构的变化表现在，钢铁、造船等基础产业部门基本完成设备更新换代，实现劳动密集型生产向资本密集型生产转变。这些传统产业已通过技术更新和先进管理方式而面貌一新，成为50年代后半期支撑经济高速增长的支柱产业。

产业组织结构方面也有不小变动，特别是第二次修改《禁止私人垄断法》后的1954年，企业合并、资本集中倾向加剧。以新三菱商事的成立为代表，被分割的旧财阀所属子公司重新组合，企业重新向大型化、跨业经营方向发展。据调查，1950年，日本全国拥有1000万日元以上资本的大企业144家，其中1亿至5亿日元的大企业7家。到1955年，1000万日元以上资本的大企业增至173家，并出现了拥有5至50亿日元资本的12家特大型企业。③ 产业组织结构这一变化，对于更大规模地开展技术革新，提高日本产业在国际市场上的竞争能力，是具有深远意义的。不过，正如日本学者指出的，以基础产业为重点的产业合理化政策，虽然在钢铁、造船等扶植费用递减产业上取得了"成功"，但在"保护费用递增产业"的煤炭业上却归于"失败"。④ 这是因为，日本煤炭资源本来不富，长期采掘和战时滥采，许多矿井已无煤可采，加之石油这一廉价的"液体能源"已在世界悄然兴起，作为夕阳产业的煤炭业，虽经政府大力扶持，也无法摆脱"无可奈何花落去"的命运。在这点上，也反映出政府在政策上依然存在缺乏前瞻性。

最后从战后产业政策史和战后经济发展史的视角出发，探讨一下产

---

① 内野达郎：《战后日本经济史》(中译本)，新华出版社，1982年版，第99页。

② 中村隆英：《昭和经济史》，岩波书店，1989年版，第212页。

③ 公正交易委员会：《1963年度公正交易委员会年度报告》，大藏省印刷局，1965年版，第23页。

④ 小宫隆太郎等编：《日本的产业政策》，东京大学出版会，1985年版，第37—38页。

业合理化政策的位置和意义。

一是倾斜生产方式与产业合理化相比较。倾斜生产方式作为日本政府于1947至1948年推行的战后最初的产业政策，在重点产业的选择(煤炭、钢铁等)、扶植保护的方法(物资与资金上的政策倾斜)等方面，与产业合理化政策之间存在相似之处。但是两种政策却有本质区别。倾斜生产方式极力限制技术设备的更新和改造，主要以增加劳动投入方式来提高生产量，可称为“人海战术”或“数量第一主义”。[①] 当时国家对重点产业的扶植，大量地采用了直接支付补贴金的方法，并且只要是属于重点产业的企业，便不问其经营效益如何，一视同仁。因此，倾斜生产方式只能是一个特殊时期的、临时性的、非现代化的产业政策。相反，产业合理化政策特别强调生产技术和设备的现代化，主张通过增加资本投入来降低成本、提高产品质量和劳动生产率，进而扩大生产规模。政策的扶植对象，不但看其是否属于重点产业，还要视其实际效益和经营状态，择优选取[②]；并且取消了直接财政补贴，采用了优惠税制等间接方式。因此，从本质上说，产业合理化是一项现代化的产业政策。

二是产业合理化与高速增长时期产业政策的关系。按照日本战后经济发展阶段论，产业合理化作为经济复兴时期的产业政策，与其后高速增长时期的产业政策属于两个不同的经济发展时期。但是两者间只有规模和深度的差异。这是因为，产业合理化时期确立的经济体制，产业扶植保护的政策思想、政策手段和方法等等，在经济高速增长时期没有根本改变，而是得到了继承和不断的调整完善。不过，产业合理化毕竟是在低发展阶段展开的，资本不足、市场狭窄的制约，决定它即便是现代化的政策，也只能停留在“点”与“线”的水平上[③]；并且没有超出钢铁、

① 参考中村文隆《道奇计划至朝鲜战争爆发时期工业化政策的展开》，明治大学《政经论丛》53卷2、3号。

② 经企厅战后经济史编纂室编：《战后经济史》(经济政策编)，大藏省印刷局，1960年版，第175页。

③ 香西泰：《高速增长的时代》，日本评论社，1989年版，第95页。

电力、造船等基础或传统的产业部门。半导体、电视机、汽车、电子计算机等后来成为日本重要创汇产品的新兴产业，尚处于刚刚起步阶段。因此，产业合理化属于战后日本工业（产业）现代化的初期阶段。但是，正因为产业合理化具有与倾斜生产方式不同的现代化性质，是以“点”与“线”的现代化为前提完成经济复兴任务的，所以才有可能在经济自然恢复的动力“基本耗尽”的时候，又为日本经济的“起飞”储备了新的更大的能源，使1956年《经济白皮书》的作者后藤誉之助的焦虑变成了“杞人之忧”①，从而揭开了经济高速增长的序幕。从这个意义上说，产业合理化正是高速增长政策的原型和出发点。②

三、通产行政

在社会经济发展过程中，如何处理官民、政企乃至计划与市场的关系，是任何一个国家都极为重视而又难于把握其最佳结合点的问题。在这方面，日本的经验值得关注。

“通产行政”一词往往被理解为通产省的行政，这一方面是因为通产省在内外商贸、产业等极为广泛的经济领域确实拥有巨大行政管理权限，同时也与日本海内外对通产省的极大关注和过分哄抬不无关系。的确，正如美国学者查默斯·约翰逊的名著《通产省与日本的奇迹》与近年由日本学者编写的大型研究丛书《通商产业政策史》所产生的巨大影响那样，通产省的行政似乎包罗了“通产行政”的全部内涵。然而从广义的观点出发，这种理解未免失之于狭窄而过于简单化。通产省的行政管辖领域虽然宽泛，但也不是包揽了第一产业以外的所有产业部门，除通产

① 后藤在白皮书中指出，依靠自然恢复的增长已经结束，以后的发展必须依靠技术革新和现代化，但一般认为，这一论断本自也包含一种今后经济发展速度可能会减慢的悲观情绪。见经济企划厅《经济白皮书》，至诚堂，1956年版，第2—4、42页。

② 清山卓郎：《日本的经济政策》(1)，大分大学《经济论集》，第40卷2号。原文刊于《日本学刊》1993年第3期，此处有删节。

省外，日本政府机构中既有建设、运输等其他“条条”部门的经济省厅，又有大藏、劳动、经济企划厅等与通产政策的实施密不可分的“块块”经济省厅，其他非经济省厅也不能说与通产政策的实施毫不相干。每个国家的经济发展中都有其总战略、总政策，相对而言，通产政策就成了实现总战略及总政策的手段和方法，因而也不可能在总战略和总政策下独往独来。在通产政策的制定及推行的行政运营方面，通产省确实拥有相当广泛的权限，这一点是其他经济省厅不能企及的；但是通产省既不是通产政策的决策者，也不是通产行政的最终责任机关，这种“最高”或“最终”的权力所在，是国会、内阁以及内阁中的有关阁僚会议。

基于上述认识，这里拟首先阐述产业合理化时期通产行政的内部结构，然后考察当时颇有影响的合理化审议会活动，以揭示通产行政的运作实态。

（一）通产行政机构及其职能

战败至 1949 年，日本的经济体制是统制经济。在此期间，于 1946 年成立的经济安定本部作为一个临时政府机构，负责“制定物资生产、配给及劳务、物价、金融、运输等有关经济安定紧急措施的基本计划，并掌管各省厅事务的综合调整、监察及其推进等事务”①，其权限之大遍及整个经济领域，所谓“无所不在的”“令人闻风丧胆”的安本，被形象地喻为“经济参谋本部”。

1949 年，美国政府派遣道奇到日本推行经济稳定计划，同时也揭开了统制经济向市场经济体制转变的序幕。随着经济转入正常化，统制大幅度缓和，经济安定本部的历史使命遂告结束。1952 年 7 月，经济安定本部改称经济审议厅。1955 年 7 月，经济审议厅又更名为经济企划厅，但其制定

① 经济企划厅编：《现代日本经济的展开——经济企划厅 30 年史》，大藏省印刷局，1976 年，第 24 页。

计划、综合政策调整、经济调查分析的主要职能未变，并一直持续至今。

经济安定本部的盛衰，与战后日本统制经济的兴衰同步，而其转衰的过程也恰好与通产省的成立、兴盛过程相一致，其被削弱或割让的行政职权，相当部分为通产省所继承。尽管如此，在考察产业合理化时期的通产政策及通产行政时不应忘记，首先将产业合理化作为国家经济政策的一部分提上政府议事日程的是经济安定本部，在推行产业合理化政策的初期阶段，经济安定本部拥有巨大的权威性和发言权，即使在其改称经济审议厅和经济企划厅以后，它依然是一个以全局性经济政策、计划来制约影响产业合理化政策实施与行政运营的重要官厅。

通产省的前身是商工省。在 1949 年 5 月的行政机构改革中，商工省与贸易厅合并，成立通商产业省。通产省的成立，促进了对产业、贸易的一元化管理，这不仅便于制定统一的通商和产业政策，以实现"贸易立国"和"产业立国"的两大战略目标；同时也带来了通产省行政职权范围的扩张，并且，随着统制的缓和和废除，经济安定本部的权力下放乃至最终变成单纯的政策官厅，通产省的实权范围不断扩大而成为名副其实的头号"条条"经济省厅和通产政策的"领头羊"。

使通产省的职权发挥高效作用的是该省的官僚。在这支以东京大学法学、经济学部毕业生为主构成的官僚队伍中，不乏既懂经济、法律又有实务经验的精英，存在着大批从战前的商工省时代安然无恙地走过来的官员，他们既有市场经济管理的经验，也有战时和战后积累的统制、计划经济的智慧。当通产省刚刚成立时，更有一批从外务省和经济安定本部转来的精英加入这一队伍。

战后，在推行产业合理化政策过程中，通产省通商企业局(后改称企业局)的主要职责便是"通产省管辖事业的合理化"，"统管通产省管辖事业所需资金的斡旋及其他事业的经理事务"(通产省设置法第十条)。①

① 详见通产省编《商工政策史》第 10 卷，商工政策史刊行会，1972 年，第 35 页。

该局中最重要的两个课是企业课和产业资金课。

企业局的行政运营主要采取两种方式：一是自己拟定有关产业合理化的政策设想，提出具体方针、方法，再将其方案呈递给通产大臣，其中最有成效的事例是该局于1949年7月5日向省部提交的题为《关于确立企业合理化方案》的提案。在这份提案中，企业局明确提出实施合理化的三项基本方针和五大要点①，其中包括建议成立合理化委员会咨询机构等内容。这是自1948年底经济安定本部在综合施策大纲案中首次提出产业合理化问题以来一份全面构筑产业合理化政策蓝图的文件。这份提案立即被通产省采纳并呈送给内阁审议，结果是内阁接受了这一提案，并于9月12正式作出《关于产业合理化》的决议。此外，同年8月1日，企业局拟定出题为《企业行政的新展开》的文件，可称是一份新时期关于通产行政方式的重要文献。文中精炼地阐述了企业合理化的概念、内容、目的、实施条件和方法，并指出："现在的企业合理化虽然要按资本主义的方式进行，但却不能走减少工资→合理化→降低成本→生产增加→利润增加的路线，而是必须采取保证实际工资→合理化→生产增加→成本下降→利润增加的方法。"②这反映出通产省官员适应战后民主化潮流、主动调整通产行政观的时代意识。

企业局行政运营的另一方式是操持产业合理化审议会的活动。根据产业合理化审议会令（1951年政令第177号），企业局掌管产业合理化审议会的庶务。换句话说，产业合理化审议会的活动是由企业局安排的，其审议过程中自始至终有企业局官员参加；并且，企业局官员虽非产业合理化审议会成员，但却可以在产业合理化审议会会议上发表"说明"意见。当时由产业合理化审议会提出的若干合理化建议或答询，事实上都有企业局的参与。这些建议或答询递交给通产大臣后，有的形成通产

① 通产省编：《商工政策史》第10卷，商工政策史刊行会，1972年，第39—40页。

② 通产省编：《商工政策史》第10卷，商工政策史刊行会，1972年，第37页。

省省令、决议或计划；有的经通产省上呈给内阁变成政令、内阁决议或国家计划下达；有的则在交由国会讨论后形成法律、法规。例如，在企业局的组织下，产业合理化审议会综合部会于1950年6月向通产省提出《关于钢铁业及煤炭业的合理化》的建议，据此通产省于7月制定出《钢铁业及煤炭业合理化纲要》。8月，这份纲要被政府批准，以此为基础，日本政府于1952年2月制定了"钢铁第一次合理化计划"和"煤炭业合理化三年计划"。1952年3月颁布的《企业合理化促进法》，也是以1951年2月产业合理化审议会的第一次答询为基础，由通产、大藏两省联合向国会提出草案而成立的。

通产省不仅亲自或通过政府及国会制定产业合理化政策的法令、法规、政令、省令和计划，而且在具体实施中具有很大的权力。重点产行业由通产省指定，重点企业须经通产省严格审查后方可确定，一旦被确定为重点，就可从各个方面得到通产省支持，如技术设备的长期低息贷款、外资的引进、外汇的调拨使用等等。据记载，当时主管外汇分配的通商局门前，每天有数百名进口商前来办理进口许可证，申请外汇额度。为了达到目的，他们千方百计取悦于通产省官员，或馈赠礼品，或通过"麻将外交"故意输钱，甚至使出美人计。结果，连绝对保密的外汇预算文件也往往泄露，进而其抄件也成为贸易商们争相抢购的特殊商品。[①] 这既说明通产省的权限何等之大，也说明权钱交易的腐败之风同样刮进了通产省。通产省并非有些人美化的那种清洁圣地。

通产省虽然有如此重要的地位，但在推行产业合理化政策过程中，全面领导实施产业合理化政策的最高权力机关却是内阁即日本政府，通产省只是具体领导实施这一政策的最主要行政部门。除通产省外，日本政府中还设有建设、运输等"条条"部门的经济省厅，其政策的制定，计划的实施和资金的投放等，直接或间接地影响和关系到整个产业布局及产

① 查默斯·约翰逊:《通产省与日本的奇迹》日译本，株式会社TBS，1982年，第241页。

业关联设施的改善，因而也必然构成产业结构政策的重要一翼。运输省主管国内外海、陆、空交通运输事务，造船等运输工具的制造也归其行政管辖，而海运造船一直是产业合理化时期大力扶植的重点产业之一。所有这些部门经济省厅的产业合理化及其行政运作，都离不开财政的支持，而掌握国家财政金融大权的则是大藏省。此外，经济安定本部向经企厅转变的过程，虽然意味着这一政府机构的权限逐步收缩，但如在这个时期所看到的那样，通产、大藏、运输等省制定某项重大政策时，往往必有经济安定本部（或经审、经企厅）要员参与，其“建议”或“意见”颇有分量，不可小觑。

大藏省是一个比日本的内阁制资历还老的官厅。战后的非军事化、民主化改革，对日本的政治体制乃至政府机构造成很大冲击，唯独大藏省的地位几乎未受影响。美国学者伊蒙·费依布鲁特指出：“在美国由联邦准备制度理事会财务部、联邦储蓄保险公司、会计检察院、证券交易委员会分别管理的领域，在日本全部被大藏省纳入自己的管辖范围。”① 这一证言表明，从国际的比较看，日本大藏省的权力也显然太大了。

大藏省的职责是从国民经济的整体立场出发，既要从财政、金融、税收等方面支持以设备投资为重点的产业合理化的进展，为经济的快速增长当好后勤；同时又必须从宏观上控制货币的适度供给，防止通货膨胀，保持国际收支平衡，以维持社会经济的稳定。因此，大藏省的财政货币金融政策在具体操作上表现出时紧时缓的特点，产业合理化时期屡度出现的经济萧条，如1954年萧条、锅底萧条、1962年萧条等，都与大藏省人为的紧缩政策相关，结果有效地控制了不断高涨的经济发展节奏，使国民经济的发展呈现出一种“走走停停”的局面。然而，正是由于这一时期的日本经济走了一条发展—整顿—再发展—再整顿的道路，才形成了一种良性循环，而没有出现大的波折。这种局面与大藏省的政策操

① 伊蒙·费依布鲁特：《大藏省——看不见的巨怪》中译本，见《日本问题资料》，1995年3期。

作密切相关。相比之下，通产省的政策更偏重于约翰逊所说的“发展导向型”①。

在操持国家财政大权的大藏省面前，只要涉及到财、税、金融方面的问题，通产省都无法逾越大藏省的“鸿池”而擅行其事。它必须用足够的理由来说服大藏省，使其支持自己拟定的合理化计划及各项政策措施。从这个意义上说，通产省是处于一种被动的位置。这种关系可从下述的事例中窥知一斑。

在一般研究文献中，很少有关大藏、通产两省间交涉内容的记载。笔者在原经团联会长石川一郎的个人存档中，偶然发现一份题为《关于“机械设备现代化保留金”制度》的文件，文件的作者和日期不详。根据文件的内容和石川个人当时担任产业合理化审议会综合部会长等情况，此件形成于1950年至1951年当无问题，作者是产业合理化审议会综合部会还是通产省尚难判断，但无论署名为谁，无疑都代表了通产省方面的意见。根据这份文件，可知此前通产省曾就设立企业机械设备现代化保留金问题向大藏省提出过建议。但是，大藏省驳回通产省的意见，理由有三点。其一，已向国会提出《租税特别措施法部分修改法》案，将实施制定机械设备前三年增加50%折旧等措施，这些措施对于企业现代化已很充分，无需再设此项保留金制度；其二，舆论已抨击特别折旧制度只给大企业带来利益，再行保留金制度，大企业将享受到更多“恩典”，从公平纳税的观点出发也不能同意这种做法；其三，实行保留金制度后税收的减少幅度难以预测。对此，通产省方面的这份文件逐一驳斥了大藏省的上述见解，即其一，加速折旧措施本质上不是免税，在企业资本积累极其贫弱的现实情况下，为从根本上实现经济自立和现代化，在实行加速折旧措施的同时，必须建立保留金制度；其二，特别折旧制度并非只偏重大企业，中小企业若能采用指定机械设备也可享此待遇，公平纳税的观

① 查默斯·约翰逊：《通产省与日本的奇迹》日译本，株式会社，TBS1982年，第354页。

点应该服从日本经济自立和产业现代化的“大目的”，如果从这种“大观点”出发，保留金制度很有意义；其三，采用保留金制度后，持有指定机械设备的法人税自然增收额大于减税额。① 从这份文件看，通产省方面的口气是很强硬的。至于大藏省如何答复，尚未发现相应的材料。不过从1950年起，呆账准备金(1950)、利息收入课税的源泉选择制度、分红课税源泉征收制度、生命保险费扣除，价格变动准备金(1951年)、退职专款及缺水准备金、违约损失补偿准备金、社会保险医疗报酬课税特例(1952年)等企业保留金制度措施的相继出台，似已说明大藏省在有关问题上采取了合作、让步的积极态度。但是，这个问题的评价也只能仅此而已，如果进而认为大藏省仅仅是通产省的“应声虫”，那将大错而特错。

大藏省作为“官厅中的官厅”，不仅拥有令其他政府机构唯马首是瞻的某种特殊地位，其权力的触角还可以直接伸展到具体经济部门和企业。产业合理化时期，民间企业都力争成为国家重点扶持对象，享受技术引进、贷款及税收方面的种种优惠。但是，要想成为重点扶持对象，企业必须经过两道关口，首先是通产省的技术调查，审查合格后方可得到通产省的推荐。然后是大藏省主管的融资机构的金融审查，如果审查不合格，同样得不到融资。此外，大藏省管辖的税务机关，有权对企业经营和财务管理进行“指导”。实际上，这种“指导”如同“命令”，因为正如大前研一所说，倘若哪个企业胆敢轻视大藏省的“指导”，哪个企业的账本就会被税务人员查个底朝天。②

由此看来，如果说产业合理化是一场通商、产业领域的大战役，那就可以认为，在“总司令部”内阁即政府的领导下，通产省扮演的是主战场上“前线指挥部”角色，运输、建设等省的任务是作为友军的战场策应，而大藏省无疑处于“总后勤部”的重要位置。这种形容虽不很准确，但有助

---

① 东京大学经济学部图书馆藏:《石川一郎文书》K47—3。

② 伊蒙·费依布鲁特:《大藏省——看不见的巨怪》中译本，见《日本问题资料》，1995年3期。

于整体上把握通产省及其他政府省厅在战后产业合理化政策中的位置。

（二）产业合理化审议会

推行产业合理化政策期间，除了政府常设的行政职能部门外，还存在两个极为重要的咨询、审议机构，一为产业合理化审议会（简称“产合审”），一为造船业合理化审议会。

“产合审”是根据1949年9月13日吉田内阁作出的《关于产业合理化》的决议，于同年12月24日正式成立的。1951年6月1日，日本政府颁布《产业合理化审议会令》（政令第177号），进一步从法制上奠定了其“事实上的政府机构”的特殊地位。[①]

据《产业合理化审议会令》和《产业合理化审议会审议要领》等法令、文件，“产合审”是一个由通产大臣直接领导的由政府官员和民间人士共同组成的咨询审议机构。其基本职能是：根据通产大臣的咨询，调查、审议产业合理化的一般方针、产行业合理化的具体方针政策、合理化的资金及其他有关重要事项，向有关主管省厅的大臣提出建议。“产合审”委员限定在130人以内，由通产大臣任命，任期半年并可连任一次，为政府机关非常勤。“产合审”的庶务由通产省通商企业局（后改称企业局）负责。下面具体分析一下“产合审”成立初期的组织机构和人员构成。

“产合审”的组织形式是部会制，即在通产大臣兼任的审议会会长领导下，设立若干个部会，部会长由通产大臣指定，部会下再根据需要设若干分科会，分科会中除“产合审”委员外，还包括由通产大臣任命的专门委员。根据审议会的规定，各部会的决议可作为审议会的决议直接递交有关主管大臣。

“产合审”成立初期，共设立了31个部会。[②] 其中，综合部会和一般

① 通产省编：《商工政策史》第10卷，商工政策史刊行会，1972年，第44页。

② 通产省编：《商工政策史》第10卷，商工政策史刊行会1972年，第45页。

部会最为重要。据“产合审”审议要领的规定，综合部会的任务是审议产业合理化的一般方针，协调、综合各部会的审议事项。具体内容是，产业结构的合理化，企业合理化及其具体措施，资本积累及合理化的资金，民主化的法令与合理化的关系，行业间合理化方针政策的综合调整，产业形势及海外经济动态分析等等。一般部会的任务是审议劳动、生产管理、财务、资本、运输等产业合理化审议会的一般性问题，是一个跨行业、业种的横向型部会。其任务是审议、制定本行业及业种的合理化方针政策，具体内容包括，制定目标原价及标准原价结构，标准原单位，所需原材料及其筹措预测，原材料选择及其质量提高，生产技术的改善，设备合理化及其现代化计划，工厂的集中及实现其适度开工率，设备增加的必要性与可能性，合理化所需资金及企业自筹能力，本行业业种的其他具体的合理化措施等。①

“产合审”的成员包括官民两部分人。具体说，他们分别来自通产省、国家及民间金融机构、民间经济团体、大企业及学界。据 1949 年 11 月 17 日通产省通商企业局拟定的“产合审”委员会名单，当时“产合审”委员共 118 人，其中通产省官员 18 人，他们是：通产省政务次官、事务次官、官房长，通商企业、通商、通商振兴、通商纤维、通商杂货、通商机械、通商化学、通商钢铁各局局长，煤炭管理局局长，煤炭生产局局长，矿山局局长，电力局局长，工业技术厅调整部长，中小企业厅振兴部部长，东京通产局局长。这 18 名委员为“部会外委员”。其他“部会内委员”正好 100 人，其中除个别人来自政府特殊法人部门外，委员成分依次为大企业、经济团体、学界及金融界。② 以最重要的综合部会和一般部会为例，在综合部会的 10 名委员中，5 名来自大企业，2 名来自经济团体，2 名来自金融机构，1 名为学者。在一般部会的 10 名委员中，经济团体及大企

① 通产省编：《商工政策史》第 10 卷，商工政策史刊行会 1972 年，第 91—92 页。

② 东京大学经济学部图书馆藏：《石川一郎文书》K47—1。

业代表7人,学者3人。[①]

“产合审”的构成除了前述的部会和委员、专门委员外,笔者还从石川一郎的私存档案中,发现一份“产业合理化审议会干事会名单”手抄件,时间为1949年12月。名单中有经济安定本部调查课长大来佐武郎、复兴计划室长佐佐木喜一、生产局次长井上尚一、通产大臣官房总务课长斋藤正年等11人的名字。[②]在当时内阁决议(1949.9.13)、“产合审”规程(1949.12.24)及后来的产合审令(1951.6.1)中,都找不到这个干事会的依据,在迄今为止的日方研究文献中也未见到,它可能是一个由政府领导的统筹规划“产合审”人员选任、机构建设、职责划分等问题的临时班子,也可能是一个全面设计、协调和安排“产合审”活动的常设性组织。但这些推测还有待进一步考证。

产业合理化审议会是日本政府安排成立的准常设政府机构,因此政府掌握着这一机构的人事任命、审议内容等主导权。显然,“产合审”不外是通产行政的一种补充。

产业合理化审议会于1949年12月24日举行首次全会,会间通产大臣向“产合审”提出了题为“产业合理化应采取什么方针政策”的咨询。据通产省通商企业局企业第一课的一份统计资料,迄1950年4月27日,即在“产合审”成立后四个月的时间里,“产合审”以部会、分科会为单位,共召开了161次会议。[③]另据统计,1952至1960年度的九年间(内缺1959年度统计),共召开965次部会、分科会会议。[④] 显然,逐一考察其审议的内容,既是一项浩繁无比的工作,也无多少实际意义。这里仅拟首先以钢铁、煤炭和综合部会为重点,具体考察“产合审”成立初期的审议情况,然后按照时间顺序,介绍“产合审”综合部会对通产大臣咨询所作的三次答询,简要评述其在产业合理化政策的制定与实施过程中所起

①②③ 东京大学经济学部图书馆藏:《石川一郎文书》K47—1。

④ 通产省编:《通商产业政策史》第6卷,通商产业调查会,1990年,第344—345页。

的作用和影响。

1950 年，日本工业生产面临的形势是，财政补贴将大幅度减少，统制急速缓和。而取消补贴金后，除纤维制品外，船舶、车辆和机械等主要产品价格高于国际市场，增加出口无望。这种状况破坏了实行倾斜生产以来建立的那种在高度经济统制体制保护下，以重点基础产业增产带动整个经济恢复的循环链。具体说来，就是在这一生产循环链中起龙头作用的煤炭、钢铁业生产随着统制及补贴金等优惠的废除，正在失去其自身启动的根据，又形成了一种新的恶性循环局面，即国产煤炭价格居高不下导致高钢铁价格，进而又导致高机械、高造船价格，以致造成机械及船舶出口减少，生产规模缩小，钢铁业市场萎缩及生产的下降，在这种情况下，“单靠各个企业自身的行动是难以摆脱恶性循环的怪圈的”①。

有鉴于此，煤炭、钢铁问题很自然地成了“产合审”的审议重点。钢铁部会中专设综合、管理、贸易等四个班，分头进行审议，很快便定量地搞清了钢铁生产中的若干项重要指标，其中包括钢铁生产成本中人工费比例不到 20%，焦炭原料费高达 50%，炉前炭价格每吨 15 美元为美国的两倍等重要数据。据此，钢铁部会认为，钢铁生产通过降低人工费的合理化来实现成本下降是很有限度的，煤炭价格降不下来，钢铁的生产成本就无法下降，一旦全面取消补贴金并放开市场价格，钢铁业根本无法参加国际市场竞争。

1950 年 2 月 17 日，综合部会根据钢铁部会的中间报告，讨论了钢铁业的合理化问题。会议肯定了钢铁部会的意见，认为煤炭价格过高是阻碍钢铁业合理化的症结所在。钢铁局管理课长石井甚至在会上忿然大吼：“照此下去，只会剩下煤炭，别的产业都得完蛋！”②会上，还讨论了钢铁业是否可以使用进口炭，扩大使用重油等问题。

① 冈崎哲二：《战后经济复兴时期的政府与企业关系》(未刊稿)，1994 年 3 月。

②《产业合理化审议会综合部会第二次会议记录》，见东京大学经济学部图书馆藏《石川一郎文书》K47—1。

4月10日的综合部会会议，专门听取了钢铁部会对其中间报告的说明。报告以统计数据为依据，认为在统制废除、煤炭价格保持不变的前提下，钢铁生产成本将大大超过欧美市场价格。近年来无论怎样设法降低所能降低的生产费用，也无法与外国抗争。但是煤炭价格如能降至国际水平，则钢铁业即使不靠补贴也能出口。会上，还听取了资源厅官员关于煤炭价格何以居高不下的说明，得知除矿床开采条件更加恶化外，最主要的原因是设备落后，资本投入不足，人工费高达55%，已相当于战前的1.7倍。① 因此，就改善煤矿设备设施、增加资金投入问题进行了初步讨论。

4月25日，钢铁部会正式提出“关于钢铁及煤炭业合理化的问题点”的报告，建议综合部会将钢铁、煤炭、造船三大产业的合理化统一起来研讨。28日，综合部会专题讨论了这三大产业的合理化问题，并在参考煤炭部会提出的中间报告基础上，三易其稿，于6月24日向通产省提出《关于钢铁业及煤炭业的合理化》的报告。

报告书提出，钢铁、煤炭两大产业将通过技术设备的更新改造，大幅度削减事业管理和人工费用，降低成本，以1953年为目标年度，届时确立两大产业的自立态势。其主要指标是，三年内生铁价格降低10%，作业费减少19%，棒钢价格减少4%，厚板钢材价格降低16%，作业费减少15%。到1953年度，普通钢材的年产量达到370万吨。煤炭生产成本及销售价格均下降18%，人均采煤效率提高42%。为保证上述目标的实现，报告书建议采取如下九项合理化措施。即保证资金供给和低息贷款；延长贷款还付期限和改善还付方法；减免租税和进口关税，采取机械化补贴措施；对进口机械技术采取特别措施；降低炼铁用煤炭的铁路运费；降低电费；适当进口廉价外国煤、焦炭；增加使用重油；建立主要工厂、煤炭的合理化调查与指导机构。②

---

①《产业合理化审议会综合部会第二次会议记录》，见东京大学经济学部图书馆藏《石川一郎文书》K47—1。

② 东京大学经济学部图书馆藏《石川一郎文书》K47—2。

7月29日，通产省以综合部会的这份报告为基础，制定《钢铁业及煤炭业合理化施策纲要》(简称《纲要》)。8月18日，日本内阁通过这一《纲要》。与6月24日的综合部会报告书相比，内阁会议通过的《纲要》没有对1953年度所要达到的具体生产、成本、价格等指标作数量规定，但却全盘接受了报告书中提出的关于促进钢铁、煤炭业合理化的九项建议。①

从这份《纲要》的产生过程看出，在日本政府的“设计”下成立、为回答通产大臣的咨询而展开活动的“产合审”，实际上也是一个收集、综合分析企业和产业界经济实况的场所，来自官民两个方面的“信息”在这里得到“交流”和“调整”，进而达成一种对形势判断及相应对策的某种共识。

以1950年间频繁的产业别部会审议活动为基础，“产合审”以综合部会长石川一郎的名义，于1951年2月23日向通产大臣递交了题为《关于我国产业的合理化方针政策》的答询报告书(第一次答询)。②

这份长篇报告由正文和资料两部分组成。正文部分首先强调了产业合理化的迫切性，指出“我国产业应利用当前的有利形势推行合理化政策，以便在经济萧条再次到来之前彻底实现合理化。若今日漫然无为，将来必然饮恨无穷”。接着，报告书提出如下十项产业合理化措施，即促进产业机械设备的合理化与现代化，这是实现合理化的最根本、最有效的措施，是“重点中的重点”；整顿产业辅助设施；降低燃料、动力价格，提高产品质量；提高生产技术水平；建立合理利用劳动力的机制；保证合理化资金；企业内部统制；改善企业间组织合作，必要时应在不违背民主原则的前提下修改禁止私人垄断法；加强中小企业对策；在一定期限内，重点推进电力、造船、煤炭、钢铁等基础产业的合理化，保证其所需资金。

① 《钢铁业及煤炭业合理化施策纲要》(1950年8月18日内阁决议)，见前揭《石川一郎文书》K47—2。

② 通产省编：《商工政策史》第10卷，商工政策史刊行会，1972年，第66—74页。

报告书的资料部分由总论和分论两部分构成。总论阐述了产业合理化的意义、方式及其最近的进展情况，并特别指出："战前的合理化，主要采用了强化垄断企业、延长劳动时间和降低工资等与民主化背反的方法，而今天的合理化则必须以灵活运用自由竞争原理、限定劳动时间和保证工资等一系列民主化措施为前提进行"，采用"独特的解决方法"。分论中阐述了合理化的前提条件，合理化在生产成本及价格方面的目标，各产行业的合理化方针、政策、目标与效果，产行业间合理化的协调及其方针政策等。

第一次答询报告书是"产合审"成立以来各部会活动情况的总结及其审议意见的集成，它不仅从新的角度全面论证了战后产业合理化的性质、意义、必要性与迫切性，而且提出了实现合理化的各种手段和方法。以此为基础，日本政府制定了《企业合理化促进法》，并开始实施煤炭、钢铁合理化三年计划。

1952 年 4 月，对日媾和条约生效，日本加入联合国并成为主权国家。根据这一变化，"产合审"于 7 月 18 日又向通产大臣提出第二次答询报告书①，题目仍为《关于我国产业的合理化方针政策》。

报告书的重点是综合部会提出的十条建议。即促进企业资本积累，修改税法、减轻企业的法人税、所得税，同时提高企业内部保留率；保证企业所需资金，加强日本开发银行等财政金融机构的资金援助，积极运用外汇贷款制度，大力发挥长期信用银行的作用，保证机械设备现代化的资金供给；降低贷款利息；扩大进口机械设备的减免税范围；采取特别措施，降低进口原材料价格；改善原材料质量；促进开发国内资源；积极合作开发东南亚，向该地区派遣技术人员，提供资源开发所必要的技术、设备和资金；对特定制品的国产化提供临时性优惠，对汽车、电视机、特种电子管、合成树脂涂料等生产行业实行临时性优惠措施，保证其实现

① 通产省编：《商工政策史》第 10 卷，商工政策史刊行会，1972 年，第 97—99 页。

国产化，如降低制品进口关税，减免法人税、所得税、物品税及固定资产税，提供补助金，长期低息贷款等；修改禁止私人垄断法。

与第一次答询相比，第二次答询的特点是政策性建议更具体；提出日美经济合作，共同开发东南亚问题；扩大了产业合理化的重点实施对象，即除了第一次答询中确定的钢铁、煤炭、电力、造船等“四大产业”外，又增加了若干新的将来有国际竞争力的产行业及其制品等内容。

1953 年 9 月 16 日，“产合审”的第三次答询报告书发表（题目同前）。[①] 鉴于产业合理化已经以企业和产行业为重点蓬勃展开，并取得初步成果，主要经济指标已恢复到战前水平，日本经济正处于复兴向高速增长的转折时期，报告书特别强调了以下五点：(1) 进一步推进企业内部的合理化；(2) 促进产业结构的合理化；(3) 促进产业组织的合理化；(4) 整顿产业关联设施；(5) 推动中小企业的组织化。

与前两次答询相比，第三次答询报告书虽然简短，但却更注重从宏观上前瞻性地把握产业合理化的进展方向，正面提出将产业结构问题作为下一步政策实施的重点，这意味着以第三次答询报告书的发表为标志，战后的产业合理化进入一个新阶段。事实上，直到 1964 年“产合审”解散的十年间，产业合理化的政策运营基本是按照这次答询所确定的基调进行的。

1953 年 11 月，产业合理化审议会改组。按照第三次答询中提出的政策设想，产合审的组织机构由原来的各种“纵向型”产行业部会，变成了以审议企业间、产行业间及产业环境合理化为中心的若干“横向型”部会。[②]

---

① 通产省编：《商工政策史》第 10 卷，商工政策史刊行会，1972 年，第 107 页。

② 原文刊于南开大学日本研究中心编《日本研究论集》2，1997 年。本文有删节。

四、产行业发展计划

战后推行产业合理化政策的15年间，日本政府所制定推行的经济计划，即复兴期的“影子”计划和高速增长前期的三个国民经济发展计划，原则上是作为“指导性”或“诱导性”计划付诸实施的，并不具有强制性。据此，一些学者便干脆否定经济计划的意义，认为经济计划不过是一种装饰，实际上未起任何作用，进而强调战后日本经济的发展完全是市场经济自律运动和民间企业活力带来的结果。这种评价的偏颇，在于忽视了日本政府制定的具有实践意义的产行业计划。

论述战后日本的经济计划时，人们往往忽视了一种区别，“计划”作为国家干预国民经济的重要手段，其范畴并不应仅限于长期经济计划上。日本在推行产业合理化政策的过程中，除了国家的中长期经济计划外，还有更多具体且更具强制性实施意义的部门经济发展计划和产行业发展计划，时称“合理化计划”。为了表述方便，不妨把前者称为“大计划”、后者称为“小计划”。这两种计划所构成的内在关系是，“大计划”是从宏观经济的角度出发，粗略地勾勒出未来一个时期经济发展的走向，并测出届时可能达到的各项经济指标，同时在计划中公开声明政府为促进目标的实现所采取的政策和手段；“小计划”则是以“大计划”所提示的方向和目标为依据，对特定产行业在特定时期内所要达到的目标及有关政府部门为实现该目标将在财政、金融、租税、汇兑等政策上所采取的措施作出具体规定，这类计划虽然不能说是强制的，但比起“大计划”来，其对部门经济的规范、限制、诱导作用要强得多。从以往的研究看，不能否定重视“大计划”而忽视“小计划”的倾向。对此，日本专修大学经济学部的鹤田俊正教授指出，总体上讲，战后日本经济基本“贯彻了市场的原理”，但同时旨在限制竞争的政府介入也屡见不鲜，这种介入“主要是在产业结构的中间部门；即以素材产业为中心展开的”①。著名学者村上泰亮教授也指出，日本式市场竞争是一种“被切割”的竞争，其意是说战后日本的市场经济并非是一种完全的自由竞争经济，市场的某些部分（条或块）被人为地割裂出来，置于政府的控制、保护或强烈干预之下。应该说，这些见解是切中问题要害的。

（一）产行业发展计划与专项立法

在推行产业合理化政策时，日本政府采取的基本做法是确定产业发展重点，进而确定行业、业种的发展重点，时称“指定产业发展优先顺序”。例如，在推行产业合理化政策初期，煤炭、钢铁、电力、造船被称为“四大重点产业”，并在同年颁布的《企业合理化促进法施行令》（1952 年 3 月 27 日颁布，政令第 52 号）第五条中②，明确指定了下述重点行业和业种，即：丝制造业，染色制造业，合成纤维制渔网及网制造业，包装纸制造业，纤维板制造业，化肥制造业，苏打制造业，碳化物制造业，焦油产品制造业，染料中间体制造业，以碳化水素油或可燃性煤气为原料的水素或碳化水素制造业，动植物油制造业，石油精炼业，水泥制造业，耐火砖制造业，炼铁、炼钢及钢铁轧制业，钢铁锻造业，钢铁铸造业，非铁金属精炼业，非铁金属轧制业，非铁金属铸造业，粉末冶金制品铸造业，金刚石及金刚石粉、螺母及小螺母铸造业，发电及船用发动机、涡轮机、锅炉制造业，动力耕耘机械制造业，建设及矿用机械制造业，金属机床制造业，锻压机械制造业，精密工具及超硬工具制造业，水泵、压缩机及排风机制造业，齿轮制造业，化学机械制造业，缝纫机制造业，高温、高压及自动调节阀门制造业，轴承及钢球制造业，发电机、变压器、电流截门及发电水车制造业，电线及电缆制造业，电力通讯机械器具制造业，电子工业诸器械制造业，汽车及汽车零部件制造业，铁道车辆及

① 鹤田俊正：《战后日本的经济政策》，日本经济新闻社，1984 年，第 160 页。
② 参见稻村香一郎、安间昭雄编《税务折旧便览》，税务经理协会，1959 年，第 95—97 页。

其零部件制造业，钢船制造及其修理业，飞机及飞机零部件制造业，量具及各种试验机械制造业，照相机、照相机快门及光学透镜制造业，钟表制造业，捕鲸业，金属矿业，煤炭业，硫磺采掘业，电力开发及道路、河川、港湾等建设业。

随着合理化的进展及国内外经济形势的变化，重点产行业、业种及其优先顺序并非是一成不变的，而是根据政府发出的指令，随时调整变动。

当重点产业、行业及其业种被确定之后，下一步的行动便是按照政府的设想、通过政府制定的计划推进其实现合理化。50 年代初至 60 年代中期，类似的计划可以列举若干，例如：钢铁业合理化五年计划（三次 1951—1955、1956—1960、1961—1965）；煤炭业合理化计划（三年计划 1950—1952、五年计划 1955—1959）；煤炭业竖井开采五年计划（1952—1956）；电源开发长期计划（1952—1967、内分 3 期）；硫酸铵五年计划（两次 1953—1957、1959—1963）；石油化学工业企业化计划（两次五年计划 1955—1959、1960—1964）；合成纤维、合成树脂五年计划（两次 1953—1957、1957—1961）；机械工业合理化计划（含五年期基本计划和各业种五年计划。1956—1960 年实施第一个五年基本计划）；振兴电子工业计划（原则上每期为五年，除基本计划外，还有器械生产五年计划，器械研制五年计划，器械出口五年计划。1958—1962 年实施第一个五年计划①）；计划造船（除最初的两年外，计划每年一次，计 21 次）。

制定这些产行业、业种合理化计划的一般程序是，在政府各省厅之下设立主管大臣的专门咨询机构合理化审议会或其他专门委员会，如通产省的产业合理化审议会，运输省的海运造船业合理化审议会等，审议会成员由主管大臣聘任，定期更换，他们来自财界团体和民间大企业、商

① 这一五年计划原计划期间是 1958 至 1962 年，中间经过调整，因此实际下限完成期是 1964 年。

业银行，也有部分政府官员和政府金融机构代表，此外还有少量学者加入。审议会日常活动由主管省厅的有关局课安排，制定某一产行业、业种的合理化计划时，一般是先由主管局课提出设想，初步拟出计划方针，再通过主管大臣正式向审议会提出咨询，审议会经过调研后提出答询报告，主管大臣依据审议会的意见，责成主管局课制定实施计划。在此过程中，民间有关企业必须向政府主管部门提出本单位投资发展计划，以便被批准后纳入政府计划，政府主管部门则是以民间的这种计划为基础，经过多方面的统计、测算和协调，最后确定计划。有些重要产行业的合理化计划在主管部门批准后，还须上报给内阁批准，有的甚至是以政府的名义发布实施。

日本政府在制定、推行行业、业种合理化计划过程中，为了避开干预市场之嫌，避免与禁止垄断的相关法律相抵触，还在合理化的名义下相应颁布实施了一批临时专项法，实行法外立法，特别法不受普通法限制。除了合理化基本法《企业合理化法》外，主要针对某一行业或业种的合理化法有:《煤炭业合理化临时措施法》(1955);《纤维工业设备临时措施法》(1956);《硫酸铵工业合理化及硫酸铵输出调整临时措施法》(1954);《振兴机械工业临时措施法》(1956);《振兴电子工业临时措施法》(1957);《合成橡胶制造业临时措施法》(1957)。

除上述法律外，还有若干法案最终未被通过而成为废案，如50年代的《钢铁业合理化法案》，60年代的《振兴特定产业临时措施法案》等等。自不待言，这些法律的制定，为日本政府及其所属主管部门制定推行各种计划并采取相应政策措施提供了依据和保证。

在实施上述各种合理化计划时，日本政府采取的主要政策手段是，向计划内企业提供长期低率财政融资，优先分配外汇额度，在其进口外国技术设备以及生产原料时给予减税照顾，实行设备加速折旧等等。对于民间企业来说，能否使政府批准本企业的投资发展计划并使该计划成为政府计划的一部分，不只是能否抓住企业发展机遇的问题，有时甚至与企业的生死存亡相关。如果企业计划得到批准，也就意味着在激烈的市场竞争中多了一层保险，少了一份风险。

简而言之，在推行产业合理化政策时期，日本政府正是通过制定合理化计划，掌握了引导国民经济向既定战略目标发展的主导权。这同时也说明，战后日本经济的复兴与发展，并非只是依靠市场的自然驱动实现的，在基本尊重市场原理的前提下，由政府部门制定实施的大大小小合理化计划，切切实实地规制、诱导了经济走向，发挥了不可低估的作用。

（二）钢铁业合理化计划

钢铁向来被称为工业的食粮，其作为基础资料在工业生产及整个国民经济中的重要地位不言而喻。战前日本的钢铁业生产已经有相当基础，1937 年粗钢和生铁的生产能力已达到 650 万吨和 300 万吨，到 1945 年战败时，如果仅就设备生产能力来说，它进一步提高到 770 万吨和 560 万吨。① 但是，由于战争的破坏和战后初期的经济混乱、贸易限制所导致的原材料绝对不足等原因，钢铁生产直线下滑，战败一年后的 1946 年 8 月，实际产量还只相当于设备生产能力的 8%。② 1947 至 1948 年推行倾斜生产方式期间，钢铁业和煤炭业一起被作为超重点产业扶持，产量有所回升。40 年代末产业合理化政策出台后，钢铁业仍然是政策扶持的重点。当时的钢铁业除了亟待提高总产量的任务外，重点是解决同国外市场比十分明显的低质量、高成本问题，办法是改进设备，增加投资，力求在短时期内使钢铁业不仅满足国内需求，而且成长为具有国际竞争力的支柱产业。根据这一战略设想，50 年代初至 60 年代中期，在通产省的主持下，先后制定推行了三次以现代化设备投资为中心的钢铁业合理化计划。

---

① 国民经济协会：《日本经济的现实》，太平书房，1947 年，第 18—19 页。

② 川崎巳三郎：《战后经济危机的发展过程》，研进社，1948 年，第 265 页。

表 6-1　钢铁业合理化计划投资统计表　　（单位：亿日元）

	第一次合理化计划（1951—1955）	第二次合理化计划（1956—1960）	第三次合理化计划（1961—1965）
生　铁	162　(12.6)	973　(17.8)	1373　(16.0)
制　钢	137　(10.7)	535　(9.8)	790　(9.2)
轧　钢	641　(50.0)	2631　(48.2)	3555　(41.4)
维修等	343　(26.7)	1320　(24.2)	2873　(33.4)
合　计	1282　(100.0)	5459　(100.0)	8592　(100.0)

资料来源：小宫隆太郎等编：《日本的产业政策》，东京大学出版会，1981 年，第 256 页。

第一次钢铁业合理化计划最初是作为三年期的计划于 1951 年起实施的，原计划投资额为 888 亿日元，其后又追加两年，变成五年期计划，投资额亦增至 1282 亿日元。此次计划从制定到实施始终是在政府的操作下进行的，具有“很强的国家计划色彩”①，其出台的过程是：通产大臣向其属下的产业合理化审议会提出咨询——“产合审”就钢铁业合理化问题作出答询（即 1950 年 6 月 24 日“产合审”综合部会的《关于钢铁业及煤炭业的合理化》）——通产省决议（即 1950 年 7 月 29 日通产省的《钢铁及煤炭业合理化施策要纲》）——内阁决议（1950 年 8 月 18 日）——公布合理化计划（1952 年 2 月）。第一次合理化计划的实施重点是轧钢部门的设备改造，五年中轧钢设备投资占总投资的 50%，设备现代化的主要途径就是依赖进口，当时最引人注目的是大量购入一批世界上最先进的带钢轧机。第一次计划的实施取得了非常显著的效果，据统计，与三年前相比，1955 年高炉炼铁的单位耗炭率降低 23%，平炉炼钢的单位耗能率降低 39%（熟铁）和 21%（生铁）。② 这种技术进步所带来的生产力提高在轧钢部门表现尤为突出，以薄板钢材的生产为例，在计划完成期的 1955 年，新设备较旧的轧钢设备，单位耗能减少 74%，优质品率提高

① 通商产业省编：《通商产业政策史》第 6 卷，通商产业调查会，1990 年，第 451 页。
② 经济企划厅编：《战后日本的资本积累与企业经营》，至诚堂，1957 年，第 74 页。

24%，单位时间产量提高66倍。[①] 如果说战后日本的工业现代化是从钢铁业等少数部门率先展开的，则轧钢部门生产设备的现代化便成了钢铁业实现合理化、现代化的突破口。

第二次钢铁业合理化计划原定1956年起五年间钢铁业设备现代化投资1780亿日元，由于"神武景气"的发生，钢铁业发展异常迅速，实施计划才两年，实际投资额已突破五年计划的总额，中途不得不一再修改计划，追加投资。结果，五年间实投资金达5459亿日元。在第二次计划的制定与实施过程中，作为行业主管部门的通产省依然掌握着主导权，同时开始扮演协调者的角色，尽量淡化计划的强制性色彩，这也反映出统制废除后政府部门的政策运营必须尊重民间自主选择、尽量回避直接干预市场的时代变化。尽管如此，由于通产省掌握着长期融资的推荐权和外汇配给、技术引进的审批权，仍可通过各种手段，有效地"诱导"各钢铁企业按国家计划行事。特别是大型钢铁企业，都必须事先向通产省提出企业投资计划，并且只有获得批准后才能付诸实施。从第二次计划的投资领域看，轧钢部门继续遥遥领先，占投资总额的一半左右，所不同的是，与第一次计划相比，生铁制造部门对高炉的投资显著增加，由第一次计划的162亿日元增加到973亿日元，新增高炉也由前期的1座增加到11座。与此同时，传统的平炉炼钢也随着新设备的引进，逐渐被先进的纯氧顶吹转炉所取代。在钢铁业的生产设备和技术急速走向现代化的过程中，川崎、富士等超大型钢铁联合企业接连问世，战后日本的钢铁业开始向大型化、系列化迈进。第二次钢铁业合理化计划的实施，进一步带来了钢铁业的技术进步和高速发展，1955至1960年，钢铁生产的年均增长率高达18%，到1960年前后，日本的钢铁业作为支柱产业之一，其设备水平和生产成本均接近或达到发达国家标准，年钢铁产量仅次于美国和苏联，居世界第三位，出口

---

① 经济企划厅编:《战后日本的资本积累与企业经营》，至诚堂，1957年，第71页。

量则已跃居世界第一。[①] 再从钢铁制造的单位成本看，如果与美国相比较（指数为100），则1960年日本的各项指数是，普通钢材71，热轧薄钢板86，冷轧钢板82[②]，在钢铁行业方面具备了绝对压倒美国的竞争力。

第三次钢铁业合理化计划的实际投资额高达8592亿日元，其直接效果是带来了炼钢、制铁和轧钢三大生产部门产量的成倍增长。不过，与日本政府"直接规制"下实施的第一次计划和在"通产省长期设备计划的汇集、诱导、调整"下实施的第二次计划相区别，第三次钢铁业合理化计划主要是以各钢铁企业的企业发展计划为基础，进而通过企业间的自主调整，最后在通产省的总体协调下确定计划并付诸实施。

上述事实表明，战后日本钢铁业的恢复和发展是在国家的计划扶植下实现的，这种计划是国家中长期经济计划的重要组成部分和具体实现措施。在推行倾斜生产方式和实施产业合理化政策的前期，钢铁业计划的制定与实施具有强制性的特点，它是战后日本政府在实行经济统制时期及废除统制的过渡期里，直接干预国民经济的代表性例证。即使在1955至1965年的高速增长时期，虽然在制定推行钢铁业合理化计划的手法上有所改变，通产省却依然可以通过财政、税收、金融及所谓行政指导等间接性措施，"诱导"钢铁业的发展按照政府设想的方向和目标进行。

（三）能源产业合理化计划

近代工业社会的发展中，煤炭、电力和钢铁业一样，作为传统的基础产业发挥着重要作用。然而在战后日本的相当长一个时期，这三大产业又是限制经济复兴和发展的瓶颈产业，扩大这三大产业的生产，提高其产品质量，是当时亟待解决的重大课题。

---

① 通商产业省编：《通商产业政策史》第1卷，通商产业调查会，1994年，第291页。
② 小宫隆太郎等编：《日本的产业政策》，东京大学出版会，1981年，第263页。

战后初期，煤炭业作为“唯一能够开发的”国内资源，在推行倾斜生产方式时期被作为国家政策扶持的头号产业。倾斜生产虽然取得了煤炭增产的直接效果，但那是建立在高成本、高政府财政补贴和低效率的人海战术之上的。因此，进入产业合理化时期后，煤炭业仍然被作为政策实施的重点之一。1950 年 6 月 24 日，产业合理化审议会综合部会以 12 家大型煤矿的合理化计划为基础，向通产大臣提出《关于钢铁业及煤炭业的合理化》报告书，建议以实现井下采掘作业的机械化、提高效率、降低成本为煤炭业合理化的基本目标。在同时提出的煤炭业合理化三年计划方案中，还列出了计划期内实现产煤成本及煤价降低 24%、人均日产煤率提高 42%、煤炭月产量提高 25%的具体目标。这一建议经政府反复调整，最后成为正式计划实施。继煤炭业合理化三年计划之后，1952 年又开始实施竖井开采五年计划，在此期间，掀起了竖井开采及相关技术引进的热潮。

50 年代中期，日本的煤炭总产量达到 4000 万吨，1954 年因受经济萧条的影响，还曾首次出现了产大于销的情况。尽管如此，由于“数量景气”的发生，煤价很快又反弹上来。1955 年，通产省联合有关省厅共同制定出综合能源对策，确定煤炭业下一步合理化的目标是“把煤价降到可与重油及进口煤匹敌的程度”，同时为保证目标的实现，制定了为期五年的《煤炭业合理化临时措施法》和以 1955 年为初年度的煤炭业合理化五年计划。“临时措施法”规定的内容是，整顿现行煤炭生产体制，实现生产向高效率煤矿集中，严格限制新矿开发，推进以竖井开采为重点的井下生产机械化，通产大臣有权制定煤炭价格，并可根据煤炭市场供需状况的变化，调整煤价、实行生产限量。① 煤炭业合理化五年计划的主要内容是：煤产量由 1954 年度的 4300 万吨提高到 1960 年度的 5100 万吨，人

① 通产省编：《商工政策史》第 10 卷《产业合理化》(下)，商工政策史刊行会，1972 年，第 367—369 页。

均月采煤量由 13 吨提高到 18.4 吨，核心目标则是真正把产煤成本及煤炭价格降下来。但是，这一计划的目标并未完全实现，1955 年后的长期景气局面导致煤炭需求大增，掩盖了高煤价问题。1957 年以经济企划厅长官河野一郎名义发表的"构想"，则进一步明确了政府的"煤主油从"政策，煤炭业的合理化再次因增产优先政策受挫。

但是，此时的煤炭业已属强弩之末，随着世界性的石油开采浪潮的掀起，石油这种新能源以其大量、廉价、运输便捷、用途广泛等种种优势，压倒了成本一直居高不下、资源日趋枯竭的日本煤炭业。在日本财界的强烈呼吁和 60 年代初贸易自由化潮流的冲击下，日本的能源政策不得不由"煤主油从"转为"油主煤从"，煤炭业作为夕阳产业，真正到了落日黄花的境地。1962 年 11 月，日本政府决定修改和制定包括《煤炭业合理化临时措施法》在内的 11 项煤炭业法律，政策目标则转向如何安全地实现煤炭业的关停并转。

煤炭业在战后一直是重点扶持的产业，从其发展结果看，却又是个因"费用递增"而终归"失败"①的产业。不过，从历史的观点看，不能由此否定煤炭业对战后日本经济的贡献，也不能说煤炭业合理化计划毫无效果，在战后经济复兴和经济起飞的重要时期，政府扶持下的煤炭业是最先恢复生产并带动整个国民经济走上扩大再生产道路的产业，它像一只蜡烛，燃尽了自己，但却照亮了战后日本经济发展的前途。

电力是能源供给的又一重要产业部门，在推行产业合理化政策的 50 年代里，它和钢铁、煤炭、造船一起构成国家重点扶持的四大产业，这种扶持同样也是在日本政府的精心策划下有计划地进行的。

电力事业的合理化是从整顿发送电体制开始的。1951 年，根据《电气事业改组令》，九大民营电力公司成立。翌年，电力行政由公益事业委员会移交给通产省。1952 年 11 月，通产省批准电源开发调整审议会的

---

① 小宫隆太郎等编：《日本的产业政策》，东京大学出版会，1981 年，第 38 页。

建议,实施电源开发长期计划。其前期的五年计划重点是增加水力发电,并完全实现了预期目标。即截至1956年的五年间,共向电力事业投资10063亿日元,增加发电能力599万千瓦(其中水力发电343万千瓦,火力发电256万千瓦)。后期的五年计划改变了"水主火从"方针,大力推广火力发电,计划期间电力总投资18063亿日元,新增发电能力1120万千瓦(其中水力发电438万千瓦,火力发电682万千瓦)。1960年12月,根据日本政府的《收入倍增计划》,通产省重新对电源开发计划作了调整,新的电源开发八年计划除了继续鼓励火力发电外,还提出了发展原子能发电的设想,计划期间的新增发电能力为2722万千瓦。[①] 随着上述计划的顺利实施,进入60年代后,日本战后以来电力供给不足的局面得到根本性的改观。

(四) 石油化学工业合理化计划

战后推行产业合理化政策时期,也是日本实现重化学工业化的重要阶段。同钢铁、煤炭、造船业一样,石化工业也是在日本政府的大力扶持下成长起来的。

化学工业中除了化肥业外,乙烯提炼、合成橡胶、合成纤维、合成树脂等工业生产技术都是在战后才真正发展普及的,这一过程包含着对新技术、新产品及其国际市场需求动态的调查分析和判断,以及相关产业政策措施的制定、调整与实施等丰富的内容。

化肥工业的生产在战前已奠定了一定基础,战后初期,为解决粮食危机的迫切问题,化肥生产成为国家政策支持的重点,化肥产量于1950年便先于其他各产行业恢复到战前水平。随着经济统制的废除和产业合理化政策的实施,化肥业所面临的主要课题是如何降低生产

---

① 有泽广巳、稻叶秀三编:《资料・战后二十年史》2(经济),日本评论社,1966年,第190—191页。

成本，以低廉的价格保证国内市场日益增大的需求。1952 年，经济审议厅中设立了肥料对策委员会。翌年 7 月，日本政府采纳了由该委员会提出的《临时硫酸铵供需安定法》和《硫酸铵工业合理化及硫酸铵输出调整临时措施法》两项法案并送交国会审议。经过第 16 至第 19 次国会的反复讨论，上述法案经个别修改后通过，并于 1954 年 6 月实施，这就是所谓的“硫酸铵二法”。这两项法案的内容之一是赋予通产大臣以下权限，即可以向生产者发出化肥生产种类、生产数量及质量保证的“指示”①。1959 年，日本政府又决定将上述两法延长实施五年。

在国会审议上述法律的同时，由通产省轻工业局负责的硫酸铵工业合理化的计划工作也在进行。1953 年，第一次硫酸铵五年计划开始实施，其要点是：节电，节煤，提高硫磺使用效率，促进生产设备的现代化。从实施效果看，到 1957 年的五年间，共向化肥工业投资 603 亿日元，化肥年产量达到 376.5 万吨，超过原计划目标，但是化肥生产成本还没有降到原计划设想的理想水平。

1959 年开始实施第二次硫酸铵五年计划，其实施方针上的变化是：用天然气、石油等液体原料取代氨，更替低效率设备，力求把生产成本由 1959 年的每吨 54 美元降至 1963 年的 47 美元。显然，这是一个更注重追求生产效益的计划。统计数字表明，第二次计划收效明显，化肥生产工艺中采用天然气、石油等液体为原料的比重由 1953 年的 5％提高到 1960 年的 56％，由此大大降低了生产成本。同时，化肥年产量也比 1953 年增加近一倍。

乙烯是石化工业中最具代表性的基础材料，它往往是一个国家石化工业发展水平的标志。但是在日本，直到 50 年代初期还未掌握乙烯生产技术，也没有一家乙烯生产企业。乙烯工业的产生和发展，是在日本政府的一手扶植下实现的，对此，《通商产业政策史》的作者写道：

① 通产省编：《通商产业政策史》第 6 卷，通商产业调查会，1990 年，第 533 页。

“石化工业是一个企业间竞争激烈、新企业辈出的典型新产业，对这一工业的扶植政策，构成了作为该时期产业政策特征的扶植保护政策的重要支柱。”①自不待言，这种扶植也是按照国家计划进行的。

1955年7月11日，通产省作出《石油化学工业扶植对策》决议，要求各大企业申报乙烯、聚乙烯及苯的企业化生产计划。当时，通产省所顾虑的问题很多，诸如在外汇紧张的状况下如何保证大量进口技术设备所必要的外汇供给；如何有效地把住进口审查关，保证购入最先进的技术设备；如何准确地预测国内市场需求，做到既能满足供给，又能防止供给过剩，浪费宝贵的外汇资金；如何保证在这一新产业的形成过程中，既要防止垄断的发生，又能维持适度的竞争环境等等。

鉴于上述考虑，通产省在审批第一次企业化计划时态度谨慎，面对蜂拥而至的新设企业申请，1955年只批准2家企业上马，1956年又批准丸善石油、三菱石油等公司设立8家同类企业。对这些新兴企业，日本政府在税制、外汇配给及政府低率贷款等方面提供了优惠，以保证其计划的实施。通过第一次企业化计划，日本建立起第一批现代化的乙烯、聚乙烯及苯的生产企业，初步改变了有关产品全部依赖进口的被动局面。据统计，由于国产化的实现，仅1959年一年便节省外汇6900万美元。

1960年10月，通产省公布第二次企业化计划，在指定计划内企业对象的同时，还对各企业的扩充计划及各年度的生产额做了明确规定。由此，以乙烯为代表的石化工业进入新的发展时期。

与乙烯等化工原料生产的发展过程相类似，合成橡胶工业的企业化生产也是在50年代中期才开展起来的。早在1952年2月，通产省杂货局便在一份题为《关于合成橡胶的国产化》的文件中，提出了发展合成橡胶工业的设想，当时因天然橡胶价格便宜，货源充足，且不甚了解有关生

① 通产省编:《通商产业政策史》第1卷，通商产业调查会，1994年，第303页。

产技术，没有引起足够重视。直到1955年，才有三菱化成等三家公司提出申请，而根据这三家公司的企业化计划，年产量总计只有4万吨。

50年代中期以后，合成橡胶的生产技术日新月异，通产省敏锐地认识到其未来发展的广阔前景，决意大力推进其国产化的进程。1956年，通产省轻工业局在一份报告中指出，欧美的合成橡胶生产，已发展到一家企业年生产能力4至10万吨的规模，相比之下，日本的企业化生产计划规模过小，将来不可能与欧美国家抗衡，因此日本在建设同类企业时，最低应具有年产3至4万吨的能力。① 当时，合成橡胶在日本还未被认识，其发展前途不甚明朗，大量投资无疑要冒很大风险。据此，通产省提出了官民合资、共建大型合成橡胶企业的建议。1957年4月，在与大藏省事先协商后，通产省向国会提交了《合成橡胶制造业特别措施法案》并获通过。7月，官民出资各半的日本合成橡胶制造股份公司宣告成立，计划四年内投资143亿日元，届时达到年产4.5万吨合成橡胶能力。

同一时期，合成纤维、合成树脂工业在日本政府的扶植下也获得长足发展。1953年，通产省制定《合成纤维产业扶植对策》，同年开始实施了合成纤维业第一次五年计划。1957年该计划超额完成目标后，又实施了第二次五年计划。与化学纤维业的蓬勃发展相对照，历史悠久的棉纺业每况愈下，为实现这一萧条产业的安全转移，1956年国会批准了由通产省提出的《纤维工业设备临时措施法》，1959年又决定延长实施该法。

（五）机电工业合理化计划

机电工业一般被分为机械和电子两大类，其中加工机械、电机制造业等属于传统业种，电视机、电子计算机等则属于新兴产业。

就机械工业而言，战前日本留下的基础并不薄，战败时各类机床的

① 通产省编：《通商产业政策史》第6卷，通商产业调查会，1990年，第516页。

数量达 5.4 万台，比 1937 年净增 145%。[①] 问题是这些机械大多数使用期限过长，从技术性能上看也与欧美先进国家存在明显的差距。因此，实施产业合理化政策以后，机械工业的主要任务是更新改造设备，实现换代升级。50 年代初期，日本政府采取了鼓励引进外国先进技术设备和国内自主研制开发的政策。具体办法是：利用国家资金，向进口先进机械者提供相当其货款 50%的财政补助，对旨在实现同类先进机械国产化的试验研究，也提供相当于其半额费用的补贴。1953 年，为进一步促进机械的合理化、现代化，日本政府开始实施机械工业设备更新三年计划，后又将此更改为五年计划，甚至还提出了全部由政府出资成立振兴机械工业事业团的设想。

1956 年是机械工业合理化向纵深发展的重要年份。同年，为加速机械工业设备的现代化，彻底解决生产低效率、高成本的问题，日本国会批准通产省的提案，颁布《振兴机械工业临时措施法》。[②] 此后，在日本政府的监管下，机械工业的合理化进入了一个"计划"发展的时代。

据东京大学桥本寿朗教授的考证，实施"机振法"的步骤和程序是，由通产大臣选聘委员组成专门咨询机构机械工业审议会，通产大臣根据该审议会的答询，确定重点实施合理化的业种，然后通过协调，确认各业种的合理化基本计划（一般为五年），及其各年度的合理化计划与目标。[③] 关于机械工业各业种的合理化计划，请参见表 6－2。顺便指出，同其他产业一样，机械工业合理化计划也是参照国家的长期经济计划制定的，

① 安藤良雄编：《日本近代经济史要览》，东京大学出版会，1981 年，第 150 页。

② 日语中简称"机振法"，是 1956 年 6 月 15 日颁布的第 145 号法律，原定有效期限为五年，1961、1966 年又分别延长实施五年。1971 年与 1957 年颁布并一直延长实施下来的《振兴电子工业临时措施法》（日语简称"电振法"）并为一法，即《振兴特殊电子工业及特殊机械工业临时措施法》（日语简称"机电法"），1976 年，"机电法"又演进为《机械情报产业临时措施法》（日语简称"机情法"）。

③ 参见桥本寿朗《经济高速发展中日本政府、行业团体和企业——以振兴机械工业临时措施法为例》，见复旦大学日本研究中心编《日本政府在经济现代化过程中的作用》，复旦大学出版社 1995 年，第 130—131 页。

当时的《经济自立五年计划》明确指定机械工业为重点产业，其五年内的发展目标是产值增加72.3%。

表6-2　机械工业各业种的合理化计划

业种	合理化基本计划 批准年月日	1956年实施计划 批准年月日
1 强性铸铁	1956.9.15	1956.12.6
2 压铸	1956.9.15	1956.12.6
3 粉末冶金	1956.9.15	1956.12.6
4 金属铸模	1956.9.15	1956.12.6
5 齿轮	1956.12.6	1956.12.24
6 活门	1956.12.6	1956.12.24
7 检验器械	1956.12.6	1956.12.24
8 工业量具	1956.12.6	1956.12.24
9 车床	1957.3.15	1957.3.15
10 缝纫机零部件	1957.3.15	1957.3.15
11 汽车零部件	1957.2.19	1957.2.19
12 钟表零部件	1957.3.15	1957.3.15
13 电焊机	1957.2.19	1957.2.19
14 切削工具切模	1957.3.15	1957.3.15
15 蓄电器	1957.2.19	1957.2.19
16 轴承	1959.11.30	—
17 螺丝	1957.11.30	1957.11.30
18 电动工具	1957.11.30	1957.11.30

资料来源：通产省编：《通商产业政策史》第6卷，第571页。

机械工业合理化计划的制定与实施过程，如实地反映了日本政府介入国民经济的事实，这从战后日本汽车工业的发展中也可见一斑。

对汽车工业的扶持早在战前已经开始，根据1936年颁布的《汽车制造业法》，日本政府曾采取过对年产3000台汽车的企业免征五年所得税、营业收益税、原料进口关税等特惠措施。但是，战前日本主要是生产卡车及公共汽车，最高年产量曾达到1941年的42813台，轿车产量一直很小，战前总计生产8945台。① 1950年前后，随着经济统制的废除，日

① 太田房江等：《战后复兴期的产业政策》，通商产业研究所，1993年，第47页统计表。

本朝野曾围绕是否发展小轿车问题展开争论，一种观点认为造车不如买车，日本银行总裁一万田尚登就是代表人物之一，他的“国产轿车无用论”当时颇有影响。与此相反，通产省看到了附加价值很高的轿车工业未来发展的广阔前景，坚持把发展轿车工业作为政策扶持重点，并认为其途径就是引进技术，改造设备。1952 年 4 月，通产省制定《轿车生产部门引进外资基本方针》，并促成日产、铃木、日野等三家汽车公司与英法名牌汽车公司合资，实行技术嫁接。1955 年，通产省还拟定了一份旨在扩大轿车产量的《扶植国产车纲要》。1956 年颁布“特振法”的重要目的之一，也是针对扶植发展汽车零部件生产企业的。在实施汽车工业合理化计划过程中，日本政府从税收、财政投融资等诸方面提供了强大支持，从而使小轿车工业由弱变强；即使在 60 年代实施贸易自由化的过程中，轿车工业也是志在确保的少数产业之一，整车进口的自由化和汽车零部件进口的自由化分别是在 1965 年和 1971 年才开禁的。可以说，战后日本小轿车工业的发展，编织了一部日本政府扶植保护特定重点产业的历史。

电子工业的合理化、现代化也是在 50 年代以后发展起来的，最初的代表性产品是半导体收音机和黑白电视。

50 年代初，日本颁布《外贸法》和《外资法》，由此掀起了战后第一次引进外国先进技术的热潮。当时电子工业被日本政府指定为优先引进技术的产业，截至 1955 年的五年间，在大额项目的技术引进中，电子工业部门的技术引进约占总件数的 1/6，其中绝大部分技术来自美国。依靠技术引进，日本初步建立了半导体、黑白电视机的生产体系。

随着电子工业生产技术的飞速进步，日本政府逐渐认识到这一产业的广阔发展前景。1956 年 12 月，通产省的咨询机构机械工业审议会振兴电子工业部会在《关于振兴电子工业的中间报告》中指出，电子工业和原子工业一样领导着新一轮产业革命，日本必须以积极的态度振兴这一工业。翌年，“机振法”颁布后，振兴电子工业部会和通产省重工业局便开始策划为电子工业也制定一个类似的法律。1957年5月，日本国会批准通产省的提案，通过《振兴电子工业临时措施法》(简称“电振法”)。“电振法”由25条正文及附则构成，对振兴电子工业的方针、目的、方法及基本计划等做了明确规定，其把扶植对象细分为试验研究、工业化、合理化三类的做法上，较“机振法”更具特色。

1958年3月，经日本国会审议，通产省开始实施振兴电子工业五年计划，这一计划实际上包括三组内容，即电子器械等生产五年计划，电子器械等出口五年计划，电子器械等试验研究五年计划。1960年，由于实际进展超过原计划的指标，通产省对计划做了调整，重新制定了以1964年为下限年度的五年计划。同对待其他重点产业的政策一样，为保证电子工业发展计划的实现，通产省采取了支付财政补助和税收减免、低率融资等优惠措施。结果，计划期间，半导体收音机、黑白电视及其电子零部件产品均有成倍增长，电子计算机也从无到有蓬勃发展起来，电子工业已成长为日本的重要创汇产业之一。①

(六) 计划造船

战后日本的海运造船业是诸产业中率先复兴的产业，其发展速度及其在出口创汇方面所作出的巨大贡献，使之当之无愧地成为战后复兴期的支柱产业和高速增长期的主要经济增长点。然而，在谈及战后日本海运造船业的发展时，必然要涉及到日本政府的计划性扶植问题。

战前的日本已称得上海运造船大国，其船舶拥有量曾达到600余万吨。由于发动了那场侵略战争，大部分船只葬身海底，到战败时，船舶拥有量仅存134万吨，其中可用于远航的大型商船所剩无几。不过在另一方面，由于战争对船坞、码头、造船厂等基础设施的破坏轻微，加之战前日本在造船技术方面积累的雄厚基础，战后造船业的复兴不能说没有条

① 原文刊于南开大学日本研究中心编《日本研究论集》3，天津人民出版社，1999年。

件。战后初期阻碍海运造船业复兴的基本原因是对日占领当局的限制，以及造船资金紧张，原材料供给不足所导致的造船成本过高，原有的造船设备陈旧，技术已经落后等等。这种状况意味着当时的造船业是一种投资风险很高的产业。

从1947年开始，美国对日占领当局放宽限制，有条件地允许日本建造一些船只，同年批准了日本政府的造船计划，是为“第一次计划造船”，由此揭开了战后日本“计划造船”的序幕。1947至1948年的两年间，日本政府通过复兴金融公库的政府贷款，实施了四次“计划造船”。

表6-3　计划造船一览表

年度	计划次别	货船		油船		合计	
		艘数	总吨数	艘数	总吨数	艘数	总吨数
1947	1—2	51	7.8	—	—	51	7.8
1948	2—4	36	9.5	—	—	36	9.5
1949	5	36	20.3	6	7.2	42	27.5
1950	6	33	21.8	2	2.5	35	24.3
1951	7	43	30.8	5	6.6	48	37.4
1952	8	29	19.9	7	9.4	36	29.3
1953	9	32	24.8	5	6.4	37	31.2
1954	10	19	15.4	—	—	19	15.4
1955	11	16	13.0	3	5.4	19	18.4
1956	12	29	23.3	5	8.1	34	31.4
1957	13	42	34.0	4	7.4	46	41.5
1958	14	21	15.6	4	10.2	25	25.7
1959	15	18	15.5	1	2.5	19	18.0
1960	16	14	13.4	2	5.8	16	19.2
1961	17	19	23.1	8	26.7	27	49.8
1962	18	7	16.1	6	23.2	13	39.3
1963	19	9	13.0	9	43.7	18	56.7
1964	20	26	48.2	15	72.7	41	120.9
1965	21	48	101.5	17	81.0	65	182.5

资料来源：米田博：《我的战后海运造船史》，株式会社船舶技术协会，1983年，第40页。

所谓“计划造船”，是指“以国家资金的融资、按照国家计划来建造船舶”①。这种方式在太平洋战争爆发后曾实行过三年。1947 年恢复计划造船以后，其靠国家融资、按国家计划造船的本质并无根本改变。而从国家融资的制度上看，资金渠道因时而异。1947 年的第一次计划造船至 1948 年的第四次计划造船期间，主要融资机构是复兴金融公库。1949 年的第五次计划造船至 1952 年的第八次计划造船期间，融资机构主要是美国对日援助回头资金会计。从 1953 年第九次计划造船以后，融资机构是日本开发银行。

第一至第四次计划造船的直接目标，是整修改造战时遗留下来的破损船只，并为扩充国内航运力量新建一批船舶。当时采取了船舶公团与船主共建方式，亦可称官民共建方式，其中国家出资额约占建造费的 70%。船主的选择为“竞争投标”方式，即公告召募船主，根据船主自筹资金多少排定顺序，由官民混合审查委员会审查决定，再由复兴金融公库通过船舶公团向选定船主提供财政融资。在运输省看来，这种方法具有促进竞争、降低造船单价、避免政府主观干预的优点。而民间人士则认为这种方式导致了过度竞争，并认为船价压得过低使船舶质量下降，无法造出高标准船舶；过分强调船主自筹资金使政府的资金援助失去意义，等等。

1949 至 1950 年，影响日本经济复兴的内外环境发生重大变化。一方面，美国彻底改变占领初期的非军事化、民主化方针，对日占领政策重点转向全力扶持日本实现经济稳定、复兴与自立上来。1949 年推行的道奇计划，不仅使日本经济趋于“稳定”，而且由于统一了汇率及实行贸易民营化，使战时以来一直处于封闭状态的日本经济重新开放，与国际经济接轨。翌年朝鲜战争的爆发，犹如给经济复兴注入一支兴奋剂。另一方面，随着生产的恢复，国内经济形势好转，经济统制开始废除，以统制为前提的倾斜生产方式开始被产业合理化政策所取代。

---

① 寺谷武明：《造船业的复兴与发展》，日本经济评论社，1993 年版，第 102 页。

内外形势的剧变，既为日本海运造船业的复兴提供了有利的契机，也提出了新的课题。有利的方面是：美国已单方面宣布停止日本的包括船舶及造船设备在内的一切战争赔偿，取消对日本海运及造船方面的一切限制，而朝鲜战争的“外需”，导致世界性贸易量的扩大和外航运力紧张，这就为日本急剧扩大贸易规模、重振海运造船业提供了难得的良机。面临的课题是：在民间资金不足状况没有根本改善的现实情况下，为保证重点产业的复兴和发展，还必须依靠政府财政资金，实行计划造船。而美援回头资金不仅数量有限，使用上也仍然受到美国占领当局的监督限制，而且其首要融资对象是电力，对造船业的融资不易扩大；再就是在废除统制，解散船舶公团及推行产业合理化的大前提下，必须根据以往的经验教训，考虑建立一种制度上更能保证计划造船效率而又易于排除官僚专断和“外部”势力干扰的、体现民主的方式，以更为合理的客观标准，选择船主和造船厂，提高计划造船的实效。造船业合理化审议会由此应运而生。

计划造船期间官产学的合作，可以从造船业合理化审议会（简称“造合审”）的活动记录窥知一斑。据《石川一郎文书》档案资料，运输省造船业合理化审议会于 1950 年 8 月成立，1951 年 8 月改组。改组前的“造合审”下设若干个部，主要工作任务是回答 1950 年 8 月 11 日运输大臣提出的《造船业合理化应采取什么对策》的咨询。①

1951 年 6 月 23 日，运输省《设置法修改法》（第 245 号法律）增设造船业合理化审议会项规定，“造合审”将“根据运输大臣的咨询，调查审议造船业合理化的有关事项”②。同日，题为《造船业合理化审议会令》第

---

① 在这份题为《造船业合理化应采取什么对策》的答询书中，“造合审”提出以下八项建议，即目标船价每吨 7.3 万日元，年度造船计 40 万吨，为保证上述低船价，改善主机生产技术，推广焊接法，推进合理化；船用特种钢材应通过改造设备生产技术和政府财政补贴措施降低价格；通过技术改造，尽快生产出适合焊接的船用钢材，加强政府与民间关于造船技术的研究与合作，为保证造船计划，政府的美援回头资金融资至少保证总资金需求的 70%，降低造船融资利息，特别是政府融资利息。见东京大学经济学部图书馆藏《石川一郎文书》K48 - 3。

② 东京大学经济学部图书馆藏：《石川一郎文书》K48 - 3。

229号政令颁布。该政令规定，“造合审”的任务是调查审议造船业合理化的有关事项，回答主管大臣的咨询，并向其他省厅大臣提出有关建议。“造合审”委员由运输大臣从政府有关行政机关的官员和民间有识之士中选择任命，任期半年并可连任一届，人数在30以内。审议会委员长由委员互选产生，委员会下可设部及专门委员会，其负责人由委员长指定。审议会的日常工作由运输省船舶局处理。①

同年8月27日，根据上述法律和政令，新的造船业合理化审议会成立，其正式成员由官、民两部分人构成。官方除运输省两位次官外，还包括大藏省、通产省、经济安定本部等主要经济官厅首脑，以及日本银行、开发银行、兴业银行等政府金融机构的负责人。民间人士一部分来自经济团体，这可能是考虑他们容易站在较为客观、公正的立场上，从经济界全局的利益出发发表意见。大部分民间委员来自海运、造船和钢铁行业的大型企业，这些人最了解造船及相关产业的实际情况，但容易从主观立场出发，竭力维护各自行业及企业的利益。来自经济团体的委员相对具有中立性质，有可能在审议会中发挥协调作用，“经团联”会长石川一郎当选为“造合审”委员长概出此因。值得注意的一点是，“造合审”中没有一个学者出身的委员，这与产业合理化审议会的构成不尽相同。这一点或可说明，较之“产合审”，“造合审”规模虽小，却是更具实务性的审议机构。

朝鲜战争爆发后，一度出现世界性海运业运力紧张局面，船舶价格和海运运费上涨。趁此“天赐良机”，日本政府于1950年12月做出扩充外航运力的决定，其对策之一是扩大计划造船。于是，1951年度的第七次计划造船重点为建造万吨级大型油货轮，总吨位40万吨。这次计划分两期实施，前期从同年2月招标，最后决定建造油货轮28艘，计20.4万吨。当时第七次后期计划造船的部署迫在眉睫，运输大臣向“造合审”提出了《在回头资金援助下如何制定选择船主及造船厂的基本方针》的咨询。

① 东京大学经济学部图书馆藏：《石川一郎文书》K48－3。

对此,“造合审”从1951年8月27日举行第一次全会,到同年11月22日完成答询书,历时三个月。其间正式召开两次全会、四次建议小委员会、两次咨询委员会。从审议的内容看,其活动可分为两个阶段。

第一阶段自1951年8月27日至同年11月10日,主要议题是造船数量、资金与船价问题。

8月27日的“造合审”全体会议,首先由全体委员推选出“经团联”会长石川一郎任委员长,接着听取了运输省事务次官秋山龙关于日本造船业现状的介绍,以及船舶局监督课长土屋关于以往船主、船厂选择经纬的说明。会议认为,在审议船主和造船厂的选择标准之前,首先应确定第七次后期计划造多少吨船与造船资金问题。会议决定成立“建议小委员会”,具体审议有关事项。

第一、二次建议小委员会分别于9月8日和9月15日召开。运输省的十名局课长列席会议。运输省发放的会议参考资料表明,日本的造船价格远比当时的英国高。大型货轮每吨价格为14.1万日元,万吨级油轮每吨价格为11.5万日元,分别比英国高26%和17%。船价过高的一大原因是日本的船用厚板钢材昂贵,其日本市场价格与国际市场价格分别为每吨5.35万日元和2.88万日元,前者价格比后者高出85%以上。[①]

审议中,委员们发言热烈,各执其词,“列席”的运输省局课长们也都直接参加了讨论。其一,关于造船数量问题,小委员会认识到船价上涨后,由于资金紧张,实现年初计划的20万吨难度极大,但一致同意维持计划不变。其二,关于如何降低船用钢材价格以保证低船价问题,日本邮船社长浅尾委员主张继续维持钢铁二重价格。西日本重工社长丹羽委员也认为钢价太高并非钢铁工业自身的问题,故给这些行业补助几个钱,“日本财政不致崩溃”。而富士制铁社长永野重雄委员和稻山嘉宽代

① 1951年9月6日运输省船舶局:《钢材价格为中心的日英造船船价比较》,东京大学经济学部图书馆藏:《石川一郎文书》K48-3。

理委员则担心再搞补贴会引起维护统制的非议。对此，兴业银行理事长川北祯一委员马上反驳说："任何国家都在搞直接或间接补助，日本若无所事事，任何时候也解决不了问题。"列席会议的运输省船舶局长甘利也认为，钢铁实行二重价格"适合时宜"[①]。结果，小委员会决定向有关方面提出钢铁补贴建议。其三，关于船价问题。这是会议一开始就引起激烈争辩的难题。运输省根据自己的测算，认为第七次后期计划造船每吨单价为 14 万日元，而造船协会方面坚持认为不少于 16 万日元，其他民间委员及来自城市银行的委员基本同意后者的看法。第一次小委员会会议上，因官、民意见不一，此问题没有结论。但在第二次小委员会上，运输省方面作出让步，决定收回每吨 14 万日元建造费的意见。与造船单价问题紧密关联。其四，造船资金的筹措问题，这是审议过程中争论的焦点。运输省方面希望城市银行至少承担 50%融资，而银行方面代表则一再声称资金紧张，且投资风险太大，只能出两成资金，余者应由政府财政融资解决，帝国银行社长佐藤喜一郎委员是这种意见的代表，发言时态度强硬，毫不妥协。[②] 结果此问题悬而未决。

10 月底，运输省根据两次建议小委员会审议意见，向内阁会议汇报了第七次后期计划造船初步设想。即造船 20 万吨，政府美援回头资金融资比例不低于 50%。而在同一会议上，大藏省和经济安定本部也向内阁提出了造船 10 万吨及 15 万吨的方案。结果没有就造船规模拿出意见，而是要求运输省通过"造合审"继续审议造船单价能否降低、政府融资比例能否减少及企业能否另筹资金问题。10 月 29 日，紧急召开第三次建议小委员会。经过激烈的争论，小委员会形成如下决议：造船单价每吨至少不低于 14 万日元；造船规模仍坚持 20 万吨，但被压缩到 15 万

① 1951 年 9 月 15 日"造合审"第二次建议小委员会议记录。东京大学经济学部图书馆藏：《石川一郎文书》K48－1。

② 1951 年 9 月 8 日"造合审"第一次建议小委员会议记录。东京大学经济学部图书馆藏：《石川一郎文书》K48－1。

吨也只好接受；呼吁政府通过开发银行向造船业融资。[①]

11月9日，内阁会议折中采纳了大藏省和经济安定本部的方案，决定第七次后期计划造船15万吨，回头资金融资仍维持35亿日元，这意味着财政融资比例大大低于运输省及“造合审”希望的50%，已由原计划每吨融资7万日元减少到5万日元。政府的意图是，在财政融资额不变的前提下，多造5万吨船。翌日，建议小委员会紧急召开第四次会议。既然内阁已作出决议，会议对15万吨造船计划已无异议。只是对政府融资比例下降倍感失望，会议为一种沮丧情绪所笼罩。委员们认为城市银行无论如何难以承受如此巨大的融资负担，纷纷请求开发银行雪里送炭。其时开发银行总裁小林中委员派梅野代理出席会议。梅野在会上透露，开发银行正研究向造船业融资20亿日元。委员们大喜过望，石川委员长当日火速将一份“开发银行融资建议书”呈递给运输大臣。[②]

第二阶段自1951年11月16日至22日，其内容为审议、制定选择船主及造船厂的有关政策，其间举行了两次咨询小委员会会议和第二次“造合审”全会。

第一次咨询小委员会围绕着11月9日内阁决议精神，详细讨论了选择船主及造船厂的有关政策性问题，决定委托船舶局汇总审议内容，制定政策纲要。11月21日，第二次咨询小委员会召开，逐条审议了船舶局草拟的船主及造船厂选择标准方案。次日，第二次“造合审”全会召开，通过船主及造船厂选择标准方案，并以“造合审”委员长石川一郎的名义，正式向运输大臣作出答询。

从两次咨询小委员会会议的审议内容来看，“造合审”提出的主要政策性意见是：

---

① 1951年10月29日“造合审”第三次建议小委员会议记录。东京大学经济学部图书馆藏《石川一郎文书》K48－4。

② 1951年11月9日“造合审”第四次建议小委员会议记录。东京大学经济学部图书馆藏《石川一郎文书》K48－4。

（1）造船计划优先考虑重点航线的需要。当时船舶缺口最大的是日本至纽约航线，有关海运公司强烈呼吁政府对此重点融资。由于政府及运输省支持这种意见，遂压制了“造合审”部分委员的强烈抵制，作为一项政策方针予以推行。[①]（2）船主优先于造船厂。这一规定与以往历次计划造船的选择标准迥异。标志着从第七次后期计划造船开始，日本政府放弃了造船厂优先这一偏重援助造船业的政策，把海运造船政策更加紧密地系为一体，以发展重点航线、扩大出口船舶为直接目标，使造船业根据市场的需求，在竞争中求得生存和发展。（3）优先发展大型高速船，即适应世界海运造船业发展趋势，优先发展主机动力 54 马力以上、航速 16 节以上的大型油货轮。（4）对大小船主不区别对待，船主无论规模大小，只要其信用可靠，均有中标机会。（5）船主投标时仍须提交“融资保证书”。审议此项方针时争议颇大，包括委员长石川一郎在内的大多数委员都主张删掉此项，但运输省次官秋山等官方委员认为舍此无法判断船主的资力。[②]最后决定此项规定仅限此次招标计划，下不为例。（6）在船主及造船厂的选择上不搞平均主义。这项规定在审议时争论几至白热化。野村委员认为，政府资金是援助所有船主的，坚决反对这笔资金专门援助重点航线上的特定船主。而石川一郎马上毫不客气地顶回这种意见，断言声称：“平均主义要不得！”[③]（7）用公听会方式决定船主及造船厂。至此，第七次后期计划造船历经“造合审”长达三个月的审议，终于完成答询报告。12 月，运输省颁布了中标船主及造船厂名单。略作调整的第七次后期计划造船总量为货船 16 艘 12.7 万吨（16 家船厂承建），油轮 3 艘 4.2 万吨（3 家船厂承建），计 16.9 万吨。[④]

---

①② 1951 年 11 月 16 日“造合审”第一次咨询小委员会议记录。东京大学经济学部图书馆藏《石川一郎文书》K48－4。

③ 1951 年 11 月 21 日“造合审”第二次咨询小委员会议记录。东京大学经济学部图书馆藏《石川一郎文书》K48－4。

④ 中敬一郎：《战后日本的海运与造船》，日本经济评论社，1992 年版，第 80 页。

以上通过对造船业合理化审议会活动的解剖麻雀式的考察，似可得出以下基本认识。

其一，“造合审”这一官民结合的组织形式及其活动，证明日本确实存在着“官民合作”。通过这种形式，“官”和“民”坐在一起，互通信息，自由发表各自的意见，共商产业振兴和发展大计，其审议的内容也多具务实性。从这种意义上说，审议会不应被视为“装饰门面”的机构。

其二，审议会虽不是一种“装饰”，其主导权却基本是由政府即官僚掌握的。设立“造合审”的决定，委员的任命、议题的选择以及日常会务的运筹等权力，都是由日本政府及运输省掌握的，“造合审”归根结底只是个咨询、参谋机构，而不具备决策权。从这个意义上可以说，这是一种政府或官僚主导下的“官民合作”。

其三，计划造船与“造合审”中所体现的官民合作，如实反映了战后日本经济体制及其经济运营中，具有一种计划与民主、控制与自由互相制约的基本特征。50 年代初期推行计划造船的直接结果，使战后海运造船业在众多产业中率先实现复兴，并于 1954 年迎来战后第一次船舶出口热潮。1956 年，日本造船总吨位超过 170 万吨，创造了造船和船舶出口两项世界第一，此后亦长期在国际上独占鳌头。

其四，“造合审”未能排除计划造船中的某些弊端。成立“造合审”的初衷之一，是使计划造船更趋公开化、民主化、合理化。然而事与愿违，围绕计划造船的不正当活动有增无减。1954 年 1 月，一起大规模行贿受贿事件被揭发，包括“造合审”委员日本造船工业会长丹羽周夫、副会长土光敏夫在内的 71 人被捕，当时的自民党干事长佐藤荣作涉嫌。从这个意义上说，以审议会为联系手段的官民合作，也可以为保护特定集团或个人的利益，提供“官民勾结”的便利场所。①

① 原文刊于《日本问题研究资料》1995 年 3 期，此处有删节和改动。

五、产业税制

税收是国家财政的基本源泉，它是与国家同时降临于世的。在资本主义以前的社会，税收是统治阶级占有和挥霍劳动果实、维持统治的基本手段和依据。进入资本主义发展阶段以后，税收的这种本质并无根本改变。但是，资本主义经济与它产生之前的各种社会经济的根本区别在于，它是以资本积累为基础，不断扩大再生产的发展经济。因此，现代资本主义税收制度虽然未改变维护国家政权的性质，但其作用却更为广泛。它可以极大地影响国民收入和消费水平，影响企业等经济主体的投资、生产、销售、分配行为，甚至可以人为地导致国民经济出现短期波动，发挥调整功能。总之，税收制度及其政策操作，是国家干预经济的强有力手段之一。

一般认为，理想的租税制度及其政策的操作，应遵循公平、普遍、稳定、简化的原则，然而事实上很难做到。任何统治阶级要维护既得利益姑且不论，即便从国家的长远发展目标考虑，一定时期的税制也必然表现出某种程度的倾斜。

日本战败后，经济已濒临崩溃边缘，资本积累不足是恢复生产、振兴经济的主要难题。为了解决企业生产的资金问题，国家从财政上采取了种种特殊援助措施，而同一时期的税收政策与财政政策的方向是完全一致的。如果说国家财政投资政策是加快企业资本积累的外部推动力，那么，各种特殊减税措施便可称为增强企业自身内部积累和实力的催生素。

（一）战后税制的变动

战败后的日本税收，由于战前体制的破坏，生产急剧滑坡，物质供给绝对不足，通货膨胀日甚一日，百姓生活难、企业经营难成为普遍的社会现象。在“国家、企业和家庭经济收支皆为赤字”的状态下，税制紊乱，政策屡屡变更，税收没有保证。1948 至 1949 年间，NHK 几乎每周日晚上都安排一次《星期日娱乐》专题节目，播放社会讽刺小品，其中就有内阁总理大臣吉田茂亲临税务署指挥“征税大战”的一幕。这说明税收已构成当时社会矛盾的一个热点。

在推行道奇计划的 1949 年，日本的税收达到了史无前例的严苛程度。在日本即将战败的 1944 年，军国主义统治者为了进行垂死挣扎，强征暴敛，国家税收率一度达到国民收入的 24.1%。而 1949 年的税收竟占国民收入的 28.5%①，显然，日本国民是无法承受如此重荷的。

同年，美国政府向日本派遣了以夏普为首的税制使节团，旨在帮助日本政府建立一种“合理的、长久不变的”税收制度。9 月 15 日，使节团发表了长达四卷的税制报告书，具体阐述了新税制的基本设想。即国家税收以个人及法人的所得税为核心，尽可能采用直接税，加强间接税制的整顿，中央到地方的征税机关须协调管理税收行政，避免重复征税等。

夏普税制强调的公平原则在理论上是正确的，其税收的计算办法也可称无懈可击。但是日本政府却认为这种税制“不适合国情”，“实施时有许多难点”，“所得税负担过重”②，当时的财界也基本持同样看法。这是因为，日本政府为了实现经济复兴，一直采取扶植重点产业及大企业发展的倾斜政策，而财政扶持和倾斜减税又是必不可少的重要手段，如果按照公平税收的原则，倾斜政策就难以实施。

朝鲜战争爆发后，日本经济因战争“特需”的刺激迅速膨胀，恢复进程大大加快，这也为日本政府挣脱夏普税制的束缚创造了有利时机。1951 年 4 月，大藏省发行了题为《税金问题的回顾与展望》的小册子，认为减轻所得税负担已是当务之急。与此同时，随着朝鲜战争期间日本经济的迅速回升，企业经营状态明显改善，所谓“真正意义的合理化”开始

---

① 社团法人日本租税研究会:《战后的税制与租研的活动》，明文印刷社，1958 年，第 6 页。

② 社团法人日本租税研究会:《战后的税制与租研的活动》，明文印刷社，1958 年，第 23 页。

展开。为了让基础产业、输出产业部门通过设备更新，加快现代化步伐，政府决意在税收政策上对有关企业采取特殊优惠措施。在产业合理化审议会同年进行的答询中，专门就税制改革问题向政府提出综合性建议，其中包括减免现代化机械设备进口税、固定资产税；引进对先进设备的特别折旧制度；在合理化的名义下减免各种积金的法人税；实行资产再评估等。①

结果，1949 至 1950 年由夏普使节团一手推行的旨在"长久不变"的税制改革，未经一年，便在日本政府和财界的彼此配合下，一改再改，某些旧税制死灰复燃，一大批名目翻新的特别减税措施连连出台。到 1953 年前后，夏普税制已被修改得面目全非，一个具有日本特点的"战后租税体系"基本形成。这个租税体系，除了降低夏普确定的所得税率并大幅度调整各种间接税外，最大的特色在于其各种减免税措施，这些措施大致可划分为如下几种类型：即企业资产再评估及折旧；现代化机械设备特别折旧，重要物产免税；贸易特别减免税制度；企业准备金与专款制度等。这些特殊税制，从侧面有力地支持了同一时期开展的产业合理化，加速了战后日本资本积累的进程。

（二）企业资产再评估

从日本战败到 1949 年初，为了克服能源供应不足、原材料紧缺的困难，尽快恢复生产，日本政府从原材料、资金、价格、贸易、劳动等几乎所有领域实行了严厉的经济统制。在这种统制下的企业生产，要么在政府的扶植保护下重新走上扩大再生产的道路，要么在朝不保夕的环境下惨淡经营。由于通货膨胀的恶性发展，无论何种企业，都不是一种正常的经营状态。其表现是：企业自有资本构成低，全产业企业平均仅为 5.9%（1948 年 12 月统计数），其余 94.1%是依靠国家财政贷款、商业银行贷

① 通产省编：《通商产业政策史》第 6 卷，凸版印刷株式会社，1990 年，第 362 页。

款及其他外部负债。许多企业是依靠国家扶持和价格统制，在黑市与公定价格的二重经济缝隙中维持生产利润。这表明企业经营的独立性相当差。此外，由于战后以来的通货膨胀，物价飞涨，企业原有固定资产额却依然维持原价，账簿体系混乱，资产折旧无法进行。更重要的是，道奇计划实施以后，废除统制经济、恢复市场经济的前景已经明朗，企业将重新被投入自由竞争的漩涡。要使企业获得参与竞争的资格，就必须理清资产账簿，通过固定资产的再评估，加速资产折旧，改变不合理的资本结构。

夏普税制报告书中，用较大的篇幅论述了资产再评估的必要性，认为进行再评估的根本理由，就是要扫除资本积累的障碍。它指出，由于未能进行资产评估，引起了如下三种波及效果：其一，资本受到侵蚀，信用失衡；其二，对新旧企业（公司）无法进行公平课税；其三，引起过分要求提高工资的问题。①

以夏普"劝告"为契机，大规模的资产再评估运动于 1950 年揭开序幕。根据 1950 年 4 月 25 日颁布的《资产再评价法》，第一次资产再评估是以 1950 年 1 月 1 日的企业资产和现实物价为基准。按照当时的测算，全国企业账簿上的资产原值为 780 亿日元；再评估后，账面资产价值将增加 18.3 倍，达到 14279 亿日元，再评估后企业资产总额将净增 13499 亿日元，而净增额中约 1.1 万亿日元将作为折旧部分，分三年完成折旧，同时，政府对此征收 6%的折旧税。按照上述测算，政府对企业固定资产税的征收，初年度将净增 100 亿日元，二三年度将各减少 50 亿日元，从第四年度开始，每年将减少税收 200 亿日元，数年后才可恢复税收平衡。由此可见，资产再评估的初衷，一是要体现"公平课税"原则，更主要的是通过再评估，加速企业资产折旧，减轻纳税负担，促进企业的资本积累。

---

① 大藏省编：《昭和财政史——从终战到媾和》第 8 卷，东洋经济新报社，1979 年，第 74 页。

表 6－4　个人企业固定资产再评估对国家税收的影响　（单位:亿日元）

内容	金额
对再评估净增价额征收 6%税的收入	107.4
因资产折旧税收的减少	53.5
再评估后次年税收的增加	53.9
再评估后第二、三年税收的减少	107.4

资料来源:大藏省编:《昭和财政史——从终战到媾和》第 8 卷,东洋经济新报社,1979 年,第 85 页。

但是,由于企业经营状况普遍不佳,企业本身对资产再评估会给自己带来何种利弊不甚明了,首次再评估率仅达到 74.5%。为此,日本政府于 1951 年 4 月修改《资产再评估法》,并开始实行第二次再评估活动,使评估率提高到 79%。

尽管如此,由于朝鲜战争期间物价水平仍在急剧上升,企业固定资产额又出现了账簿价格偏低的倾向。因此,从 1953 年起,政府又实施了第三次企业资产再评估。这次评估主要以大企业为对象,根据新的规定,实施再评估的企业,其增值额的 65%缴纳 3%的再评估税,余下的部分免税。结果,此次再评估效果显著,参加再评估的法人企业 1 万余家,再评估后账面固定资产额净增 6035 亿日元,再评估率达到 92.9%。①

表 6－5　企业资产再评估实绩　（单位:亿日元）

	第一次再评估	第二次再评估	第三次再评估
再评估限度额(A)	9616	1978	20261
再评估实现额(B)	7161	1563	18820
再评估实现率 B/A	74.5%	79%	92.9%
再评估后资产增额	6277	981	6035

资料来源:经济企划厅编:《战后日本的资本积累与企业经营》,至诚堂,1957 年,第 96 页。

① 大藏省编:《昭和财政史——从终战到媾和》第 8 卷,东洋经济新报社,第 82—83 页。

通过三次资产再评估，根本改善了战后以来企业账簿管理的混乱状态，加速了资产折旧速度，改变了企业的资本构成，企业的实力明显增强。企业运用资本中自有资本率的提高，为企业发放股票和债券，更多地征集社会资金创造了有利条件。据三菱经济研究所调查，1950 年上半年全国企业资本构成的平均比率是：企业自有资本 30%，他人资本 70%。到 1954 年下半年，自有资本率已上升到 40%。另据对 560 家企业的调查结果，1951 年，这些企业的股票总收入占企业运筹资金的 6%，到 1954 年，此项收入比率已升至 20%。[①] 可以认为，战后证券市场的复苏，与企业再评估的效果是有内在联系的。

（三）现代化机械设备特别折旧制度

所谓特别折旧制度，简单地说，就是通过固定资产的超前折旧，使企业更快地收回投资，促进其资本积累的制度。战后，欧美各国为推进技术革新与设备投资，也曾不同程度地实施过这种制度。比如英国于 1946 年采用的《初期折旧制度》规定，允许部分设备及建筑加速折旧，其初年度的折旧率是：机械设备 20%，产业用建筑物 10%，矿业设备 10%。1954 年，又采用《新设备扣除制度》，使资产折旧具备了某种对企业提供补助金的性质。西德于 1948 年起也陆续采取了一些特别折旧措施，如规定产业机械两年内折旧 50%，船舶两年内分别折旧 15%，制造及农业建筑物两年内各折旧 10%等。[②]

相比之下，日本的特别折旧制度是从 50 年代初期开始执行并不断加以扩充的。1951 年，日本政府修改了《租税特别措施法》，决定对特定的机械设备及船用机械采取三年内 50%折旧的制度。根据同年 8 月大藏省 1118 号告示，当时政府指定的这类机械设备有 431 种。1957 年，又追加适合中小企业的 383 种机械设备为特别折旧对象。

---

① 经济企划厅编：《战后日本的资本积累与企业经营》，至诚堂，1957 年，第 96 页、第 62、63 表。

② 通产省编：《产业合理化白皮书》，日刊工业新闻社，1957 年，第 84—85 页。

1952年，日本政府颁布了《企业合理化促进法》，该法规定对有助于企业合理化的先进机械设备实行初年50%折旧。当时政府指定的此类设备多达300余种，涉及到32个重要产行业。

此外，1952至1958年间，政府还先后颁布实施了其他各种特别折旧制度，如试验研究用机械设备三年间90%折旧制度（初年度50%，二、三年度各20%），商品房建筑五年内年均10%折旧制度，合作事业使用的机械三年内50%折旧制度，矿用坑道初年度100%折旧制度，新技术产业化设备初年度50%折旧制度等。①

在上述各种特别折旧制度中，尤以三年折旧50%和初年折旧50%措施涉及面广，实施效果显著。

首先看一下三年内50%折旧的实施情况。如表6-6所示，1951至1956年六年间，共有6410件机械设备（包括船只）经政府有关部门批准，获得三年折旧50%的特惠，设备总额高达4467亿日元。其中折旧额最大的几个产行业部门的排列顺序是，纤维业、机械制造业、造纸业、化学业和钢铁业。以轧钢、水泥和汽车制造业为例，1955年上述三行业的设

表6-6　三年内50%折旧及机械批准状况　　（单位：亿日元）

年度	机械设备		船舶		合计	
	件数	金额	件数	金额	件数	金额
1951	180	46	79	749	259	795
1952	314	96	62	483	376	579
1953	691	136	101	556	792	693
1954	986	166	113	406	1099	571
1955	1043	177	461	473	1504	651
1956	1526	339	854	838	2380	1176
合计	4740	960	1670	3507	6410	4467

资料来源：通产省编：《产业合理化白皮书》，日刊工业新闻社，1957年，第85页。

① 通产省编：《通商产业政策史》第6卷，凸版印刷株式会社，1990年，第365—367页。

备投资中，享受三年50％折旧待遇的机械设备率分别达到了42％、18％和38％。①

再看一下初年度50％折旧的实施情况。表6－7表明，1952至1956年五年间，政府各主管部门共批准3209件机械设备实施特别折旧制度，这些设备的总价额为1109亿日元。依据设备价额，享受此种特惠政策的行业排列顺序依次是：钢铁、煤炭及金属矿业、石油精炼业、染色业、电业、汽车制造业。

表6－7　初年度50％折旧及机械批准状况　（单位：亿日元）

年度	机械设备		船舶		合计	
	件数	金额	件数	金额	件数	金额
1952	331	79	64	9	395	88
1953	441	196	106	9	547	205
1954	526	335	156	17	682	352
1955	516	233	209	17	725	250
1956	633	189	227	25	860	214
合计	2447	1031	862	77	3209	1109

资料来源：通产省编：《产业合理化白皮书》，日刊工业新闻社，1957年，第85—87页。

在其他特别折旧措施中，试验研究用机械设备初年度90％折旧的实施情况引人注目，1952至1957年间，共有68件申请获得批准，设备总额为9亿余日元。与前两项特别折旧实施额相比，此项折旧的规模是很小的，这反映出当时日本的设备更新，主渠道是直接引进外国的先进技术和设备，远未进入立足国内自主开发的阶段。

对于上述特别折旧制度的实施，当时就是日本朝野主要争论话题之一。对此，小宫隆太郎教授在他的《现代日本经济研究》（1975年）中作了精辟的分析。他指出，这种制度给予了纳税者迟纳税金的特权，"等于税务当局向纳税者提供了相当其迟纳税额的无息贷款"，从而降低了企业

① 通产省编：《产业合理化白皮书》，日刊工业新闻社，1957年，第83页。

的“实效税率”。所以，这种制度既有提高企业投资效益的“收益效果”，又有以折旧形式向投资企业提供投资资金的“流动性效果”，其结果是促进了投资活动。但是，小宫同时也指出了这种制度的明显弊端。他认为从公平征税和资源分配的效率角度看，这种税制是不公平的，是以牺牲一般纳税者的利益为前提，向特定的投资者提供补助金，而深得其利的是大企业法人。他主张，“‘看不见的’补助金”除了具有特殊意义的部分措施外，现行的特别折旧制度应该全部废除。①

公平税收无疑是理想的征税原则，但是现实中，为了追求一定的经济目标，很难做到这一点。战后复兴期，特别是进入产业合理化阶段，日本政府为了在短时间里改变经济技术的落后局面，加快复兴步伐，采取了特别折旧、亦可称加速折旧的倾斜税收政策，总体上看，确实取得了促进投资、强化资本积累的效果。问题是在选择政策的扶持对象时，必须从整个国家的经济发展战略出发，同时还必须根据产业调整的需要，适时调整扶持对象，调整政策操作的力度。从这种观点看，有必要对这一时期的特别折旧制度进行更为详尽的实证考察和更为深入的理论分析。

（四）重要物产减免税制度

所谓重要物产免税制度，是指国家根据某个时期经济发展的需要，指定重要物产并对其生产所得免征法人所得税，以促进有关企业投资和发展的制度。

这项制度始创于大正 2 年，其后因经济发展的变化，有关制度内容及指定重要物产品种屡屡变动调整。1950 年以后，这项制度的政策对象急剧向新兴产业倾斜，1957 年修改税制后，扶植新兴产业生产被正式确定为此项制度的目标。当时被指定为重要物产的品种为 31 种，其

① 小宫隆太郎：《现代日本经济研究》，东京大学出版会，1975 年，第 94—95、104 页。

中包括维尼纶、尼龙、醋酸盐、乙烯系列产品、合成纤维系列产品等，而原被作为重要物产的煤炭、铜、石油、电气等生产品种已被排除在外。根据这项制度，被指定业种新增设备生产的产品，三年内可免缴法人税或所得税。

据大藏省统计，此项制度扩大实施以后，指定物产所得免税额呈直线上升。1947年免税所得额仅为709万日元，是战后最低的一年。1950年扩大实施该项制度当年，就一跃达到15.5亿日元，比上年度增长2.4倍。五年后的1955年，重要物产的免税所得额又增长9倍多，达到142亿日元。这一数字如与扩大实施该项制度的1949年相比，免税所得额增长约30倍。据测算，1955年度仅因免除重要物产所得税一项，日本政府便减少税收约60亿日元。①

（五）进出口贸易特别减免税制度

1951年，日本政府修改了《关税定率法》，决定对国内制造困难的新型高性能产业机械，以及有助于国内经济实现自立的机械，实行进口免税制度。根据该法附则第五条规定，日本政府通过颁布政令，指定了各产业中适用于该法的免税进口机械名单，最初指定的专用机械和一般机械计258种，其后多次调整变更，最多时为1954年3月，达到361种，此后有所下降，1957年8月为227种。

从实施情况看，免税额与指定免税进口机械数字变动保持同一趋势。1955年的进口机械中，共有261家法人企业的进口机械享受了免纳关税待遇，这些机械总价格达142亿日元。② 据统计，1951至1956年六年中，因实施这种制度，海关共减少进口关税收入约100亿日元。③ 其中主要免税机械业种见下表，即钢铁制造业28亿日元，电力业17亿日元。

① 通产省编:《产业合理化白皮书》，日刊工业新闻社，1957年，第98页。
② 通产省编:《产业合理化白皮书》，日刊工业新闻社，1957年，第99—100页。
③ 通产省编:《通商产业政策史》第6卷，凸版印刷株式会社，1990年，第369页。

其他免税额超过2亿日元的行业还有,矿业及土木业、造纸业、纺织业、染色业、人造纤维业和石油精炼业。

表6-8　主要业种机械进口免税情况　　(单位:百万日元)

业种	1951—1956年度累计	
	进口额	免税额
制铁与钢铁加工	18561	2806
发送电	11439	1717
采选矿与土木	5345	805
造纸	4023	640
纺织	3360	522
纤维制品的染色	3163	491
人造纤维	2902	434
石油精炼	1493	230

资料来源:通产省编:《产业合理化白皮书》,日刊工业新闻社,1957年,第102页。

根据一般关税税法,进口关税须在进口物资到岸同时交纳。但进口免税机械没有纳税义务,这就为进口企业节省了一笔开支,降低了初期投资成本,使其在市场竞争中一开始就处于较为有利的地位。

从1953年起,日本还模仿西德,制定了一些奖励出口的特别免税措施,其中包括出口所得扣除制度、输出损失准备金制度,以及海外分公司设备特别折旧制度等。到1956年,仅前两项制度,就使海关税收减少了181亿日元。[①] 毫无疑问,有关出口企业因此制度得到了莫大的实惠。必须指出的是,出口所得免税制度在日本经济业已实现复兴而进入高速增长阶段的1956年以后,不但继续保留,而且规模日益扩大,因采用此项制度海关减少的税额变动情况是,1956年45亿日元,1960年已达到

① 通产省编:《通商产业政策史》第6卷,凸版印刷株式会社,1990年,第364—365页。

115亿日元。因此,这种制度既是日本推行贸易立国政策的重要手段之一,也是其推行"贸易倾销"政策的一个证据。

(六)企业留保基金制度

在50年代前期建立起来的租税体系中,与企业经营利益及资本积累关系最大的,当属企业准备金与专项基金制度。这些制度创立于1950至1953年,主要内容包括呆账准备金、价格变动准备金、异常危险准备金、退职及工资专项基金、缺水期准备金,以及特别修缮、违约准备金等。当时设立这种制度的目的,就是要充实企业内部积累,改变企业资本构成的不合理现状(如过度依赖外部资金的经营)。

从这种制度的实施情况看,开始的两年,上述措施因刚刚出台,所及范围不是很大,但是从第三年开始,政策范围明显放宽,企业内部保留资金大幅度增加。据大藏省主税局统计,1950至1955年间,全国企业免税提留的各种准备金总额高达4055亿日元。另据税制调查会提供的资料,由于同期上述企业准备金是在企业缴纳所得税前提留的,因而致使国家减少税收总计多达1183亿日元(见表6-9)。因此,企业准备金及

表6-9 实行企业留保制度后国家财政的减收额 (单位:亿日元)

留保特别措施项目	1950—1955	1956—1960	1961—1965
价格变动准备金	380	500	360
异常危险准备金	60	67	48
证券交易责任准备金	—	—	20
缺水准备金	70	46	18
呆账准备金	270	515	455
退职费准备金	340	380	580
违约损失补偿准备金	8	14	16
增资分红免税	32	105	—
合计	1183	1675	1749

资料来源:鹤田俊正:《战后日本的产业政策》,日本经济新闻社,1984年,第60页表。

专项基金制度，以及这些内部保留资金比率的制定，不但是日本政府以行政手段直接实施企业增减税的主要手段，也是用以间接控制企业投资与生产活动、调整经济变动的有效方法。

下面表 6－10 也许更能说明实行准备金与专项基金以后，给企业带来了多么大的利益。

表 6－10　636 家企业准备金的变动　　（单位：亿日元）

项　目	1951 年	1952 年	1953 年
企业纳税前毛利润额(A)	2430	1804	1780
企业准备金、专款提留额(B) B/A(%)	90 (3.7)	576 (31.9)	725 (40.8)
企业纳税额(C) C/A(%)	1343 (55.0)	720 (40.0)	576 (32.0)
企业纳税后利润留成额(D) D/A(%) B/D(%)	997 (41.0) (9.0)	508 (28.2) (113.0)	479 (26.9) (151.0)

资料来源：经济企划厅编《战后日本的资本积累与企业经营》，至诚堂 1957 年，第 92 页。

据对 636 家大企业的调查，1951 至 1953 年三年间，企业纳税、内部利润留成和准备金、特种专款的提留，在企业毛利润收入中所占的比重，呈两减一增趋势。即纳税率由 55%降至 32%，利润留成率由 41%降至 26.9%，而准备金、特种专款提留率却由 3.7%骤增至 40.8%。1951 年，准备金、特种专款提留额仅为企业利润留成额的 9%，到 1953 年，竟一跃增加到后者的 1.5 倍以上。尽管名目不同，准备金和专项基金也是作为企业内部资金保留和使用的，因此它与企业纯利润的留成并无本质上的不同。而国家对企业征税的大幅度减轻及企业内部实际利润留成的大幅度提高，恰好如实地说明了在产业合理化时期，日本政府采取了一种急进的、大力促进企业内部资本积累的政策。

（七）产业税制的效果

如果说夏普税制改革以前日本的租税制度处于新旧税制交替的混乱阶段，那么，从夏普在日本推行税制改革的1949年起，就真正开始了建立战后租税体系的过程。这一过程经历了朝鲜战争期间日本经济的剧烈变动和经济体制的调整，到1953年前后已初具规模。由此建立起来的租税制度及政策体系，在日本经济进入高速增长时期虽然一再经过调整，但基本构架和政策指导思想并无根本的改变。

从复兴期税制操作的重点看，它始终是以减轻大企业的税收为对象，通过各种特殊的减免税政策，鼓励支持企业加快设备更新、发展基础产业和新兴产业，实现产业结构调整。换句话说，这种倾斜的税收政策，是保证当时日本政府推行的倾斜（重点）产业政策的重要支柱之一。

从这种倾斜税制的实施情况看，其效果是明显的，尤其是前述的各种特别折旧及免税措施，直接促进了企业的资本积累。不难想象，在这种倾斜税制下，某些企业从引进先进机械起，便有可能先后享受到进口时免缴关税、使用后加速折旧、生产所得免减纳税等种种特惠，加之内部利润留成率大幅度提高，可谓在加速资本积累的道路上，一路畅行无阻。另一方面，由于这种税制扶植和诱导，企业的投资、生产活动不能不沿着政府拟定的经济方向发展，从而推动了产业合理化、现代化的进程。

如果将日本的折旧制度及整个税收规模与同一时期的欧美工业国家相比较，就更容易发现战后复兴期、特别是50年代前期日本租税制度的特点。

先看资产折旧情况。据三菱经济研究所的调查，1955年上半年，日本全产业资产折旧率为8.25%，其中制造工业为10.87%，大大高于战前的4.5%和6.3%的比率。而1955年英国和美国的资产折旧率是：全产业平均英国为6.78%，美国为6.99%，其中制造工业折旧率英国为7.01%，美国为11.24%。① 这说明，当时日本的资产折旧速度无论是自己纵向比，还是与其他国家横向比，都是相当快的。

再看一下国家财政收支的国际比较情况。据小宫隆太郎教授对包括日本在内的16个工业国家财政收支进行比较的结果，1950至1960年间，日本的财政收支在国内总生产中所占的比率平均为21.3%，在16个国家中比率是最低的，最高为西德35.7%，美国为26%。日本财政收入的96.3%是来自税收，而在16个国家中，日本的个人直接税极低（倒数第二位），法人直接税居中，法人间接税也是最低的国家之一。②

由此看来，总体上较小的税收规模和倾斜减税的具体措施，是战后日本急剧进行资本积累的经验之一，也是日本经济复兴并走上高速增长道路的一个重要原因。③

六、产业金融

长期资金供给绝对不足，是约束日本战后复兴期和高速增长期社会经济发展的主要瓶颈之一。如何从长期发展战略的高度出发，将有限的资源用于最能支撑整个国民经济发展、最具国际竞争力的领域，不能完全依靠市场的自动调节，而是需要市场监管者有所作为。日本政府对市场的干预，不仅在于拥有政治权力，而且在于手中掌握来自社会的巨额邮政储蓄存款，这笔存款的用途完全是由政府支配，其中相当部分又是在政府的计划下，按照商业贷款而非财政划拨的方式，支持特定产行业的发展。这一政府支持民间特定产业发展的产业金融，时称“财政投融资”。

---

① 经济企划厅编:《战后日本的资本积累与企业经营》，至诚堂，1957年，第103页。

② 小宫隆太郎:《现代日本经济研究》，东京大学出版会，1975年，第59—60页。

③ 原文刊于《日本文化教育研究论集》，首都师范大学出版社，1994年。

（一）财投制度分析

“财政投融资”一词在我国有各种译法[①]，在日本，财政投融资简称“财投”。远藤湘吉所下的定义是：“所谓财政投融资，简而言之，就是财政机构的资金及政府掌握下的资金按照一定计划所进行的出资和融资。”[②]大内兵卫、内藤胜也认为，财政投融资就是“以财政上形成的资金进行的投资或融资活动”[③]。由此可见，中文直接译成“财政投融资”是比较恰当的。

“财政投融资”作为日本财政中的一项特殊制度，正式起始于1953年，但若追溯其历史渊源，则可上溯到明治初期的官办事业，大正时代亦不乏其例，特别是在1937年全面侵华及发动太平洋战争期间，为了支撑不断扩大的对外侵略，“财投”的规模和领域均达到空前程度，这些都是构成战后“财投”制度化的历史原因。

日本战败后，面临着艰巨的经济重建任务，生产骤降、物资奇缺和通货膨胀成为战后初期的严重问题。这主要是资金短缺和原材料不足所致。当然，从根本上说，这是日本发动那场侵略战争及其战败的必然结果。

经过一年左右的徘徊和实践探索，日本政府于1946年底确定了优先恢复基础产业生产、突破生产危机的战略方针，这就是著名的“倾斜生产方式”。优先恢复基础产业生产的原则，是开发利用国内资源，重点是增加日本“能够处置的、唯一的基础性原料煤炭的生产”[④]，以图与钢铁、发电、化肥、铁路运输等产业间形成一种互促互动的扩大再生产关系。

---

① 如金明善：《现代日本经济问题》（辽宁人民出版社1983年版）中采用了“财政投资性贷款”的表述方法。此外，还可见到诸如“财政贷款”之类的泽法。

② 远藤湘吉：《财政投融资》，岩波书店，1974年，第2页。

③ 大内兵卫、内藤胜编：《日本财政图说》，岩波书店，1965年，第116页。

④ 参见正村公宏《图说战后史》，筑摩书房，1989年，第87页。

推行“倾斜生产方式”无疑需要大规模的资金投入，而在“国家财政、重要企业、国民家庭经济收支连年赤字”①的现实情况下，只能由“贫穷”而又“强大”的政府扮演资金供给者的主要角色。其基本手段是：成立国家复兴金融公库（简称“复金”），集中向倾斜产业投资或贷款。由于“复金”的资金来源主要依赖日本银行的扩大信用（增发纸币），因而实际上是以虚拟的货币资本满足了倾斜生产的资金需求。自不待言，这种做法助长了通货膨胀，受害者是广大国民。“复金”的成立及其活动，揭开了日本战后财政投融资活动的序幕。

进入1949年，由于美国已把对日占领政策的重点转向经济复兴上来，对日经济限制急剧缓和。特别是同年推行道奇计划后，日本经济在“一举稳定”的基础上，开始发生统制经济向市场经济、封闭经济向开放经济的体制性转变。② 在此过程中，“复金”的财投活动被勒令停止，新设的美国对日物资援助回头资金会计，部分地发挥了“财投”的功能，其融资的重要对象是电力、海运业。

朝鲜战争爆发后，日本经济受到强烈刺激，以现代化设备投资为重点的产业合理化运动蓬勃展开，经济赶超的进程开始加速。日本国内经过一番“国内开发主义”与“贸易主义”的论战，重新确定了“产业立国”“贸易立国”的战略方针。现实中面临的最大难题，仍然是民间资本积累水平过低。企业自有资本率在整个50年代大体徘徊在30%—35%左右，不仅远远低于战前的水平（约60%左右），也低于战后同期欧美国家的水准（1955年，美、英、联邦德国的企业自有资本率分别为66.7%、58.5%和47.6%）③。显然，仅仅依靠民间企业自身的力量去

① 经济企划厅调查局编：《资料·经济白皮书25年》，日本经济新闻社，1972年，第20页。

② 参见拙著《日本战后复兴期经济政策研究——兼论经济体制改革》，南开大学出版社，1994年，第15、114—117页。

③ 冈崎哲二、奥野正宽编：《现代日本经济体系的源流》，日本经济新闻社，1994年，第51页。武田隆夫、林健久编：《现代日本经济的财政金融》第1卷，东京大学出版会，1982年，第50、55页。

进行现代化投资，赶超的进程会受到极大制约，这就要求日本政府有所作为。日本政府在促进资本积累方面的主要做法有以下两点：其一，通过租税特别措施，扩大企业内部积累；其二，通过各种措施，扩大企业的外部资金供给。财政投融资便是企业外部资金供给的重要渠道。

"财投"制度是通过一系列财政、金融制度的改革形成的。首先，继1949年底和1950年初颁布实施《外汇及外国贸易管理法》（简称《外汇法》和《关于外资的法律》（简称《外资法》），初步建立对外交易的法律体系后，有关国内的财政、金融法律陆续出台。例如，1950年12月颁布《日本输出银行法》，1951年颁布《资金运用部资金法》和《日本开发银行法》，1953年颁布《产业投资特别会计法》等。根据这些法律，原大藏省存款部改称资金运用部，其直接掌管的庞大邮政储蓄、福利养老保险年金、国民年金等可以通过借贷、购买债券等方式用作财投资金，其他财投资金则来源于简易保险年金、产业投资特别会计、公债及国外借款，由此构成了一套稳定的、多渠道的财政投融资资金供给体系。

其次，以这种资金供给体系为后盾，日本政府在50年代前期大幅度调整改造了财投机构，取消复兴金融公库和美援回头资金会计，同时设立日本开发银行、日本输出入银行及中小企业、农林渔业等金融公库，建立了一套相互关联而又各具重点的财政投融资运作执行体系。其中，在各种财投机构中，对民间产业和企业影响最大的，是专门向基干产业和输出产业提供投融资的开发银行和输出入银行。此外，各种国家金融公库的作用也不可忽视。

以民间的零散储蓄、外国援助、借款和部分税收等为来源，通过政府的专门金融机构实际运作的这种财政投融资制度，具有如下特征：其一，与纯粹的财政支出相区别，它是一种可回收的出资及有息贷款。其二，与一般意义上的商业银行贷款相区别，商业银行的运营是根据资本收益核算原则选择融资对象；"财投"虽然也重视对原资的保护，但毋宁说是把政策的需要摆在首位，为此不惜风险投资，比之于商业银行，明显具有低息、长期贷款的特点。例如，融资条件比较严厉的开发银行融资偿还期限长达 10—15 年，在特别情况下，年息只有 6,5%，大大低于同期的商业银行年息 9%—10%的水平。[①] 其三，这项由政府直接支配的庞大资金是由大藏省等主管部门的"计划性"安排使用的。与一般的国家财政预算不同，被称为"第二预算"的各年度财政投融资计划勿须通过国会的审议批准，而只是作为国会审议国家年度财政预算时的参考资料。

由此看来，财政投融资实为日本政府掌握的一种"资金诱导和间接统制"的有力武器，是实现经济赶超、"建立国家垄断资本主义的一大支柱"。[②] 这种"计划性"的"财投"，如实地反映了战后日本"混合经济体制"中计划的侧面。日本学者村上泰亮曾提出"切块式竞争"的观点，认为国家曾介入了国民经济的某些条块领域。这里涉及的财投，不外是国家得以介入这些领域的重要手段和方法。如果进一步展开论述，战后日本虽然尊重并继续奉行市场原理，但那已是一种"被组织的"、受某种计划调控的市场，而在揭示其组织的、计划性的侧面时，仅仅关注和研究那些人所共知的、"指示性"的"大经济计划"(如"经济自立五年计划""新长期经济计划""国民收入倍增计划"等)还远远不够，为数更多且更具实质性的产业发展合理化计划，以及这里探讨的各年度财政投融资计划等"小计划"，似应作为研究的重点。从近年日本学界的动向看，有关研究正在走向深入。

(二)"财投"运营的特点

经济赶超期的财政投融资活动，客观上受经济发展内外环境、经济发展战略及现实经济体制等多组变量的制约和影响。对这些变量，这里只作间接论述，而拟正面进入财投自身活动的考察。

---

① 竹原宪雄:《战后日本的财政投融资》,文真堂,1988 年,第 184 页。

② 远藤湘吉:《财政投融资》,岩波书店,1974 年,第 175、179 页。

首先,关于财投的数量变动。据表 6-11 可知,1946 至 1965 年 20 年间,随着国民经济的恢复和增长,国民总支出规模扩大了 69 倍,中央财政一般会计支出规模扩大 32 倍。中央财政一般会计支出在国民总支出的比率,由 1946 年度的 24.3%降至 1951 年度的 13.7%,其后逐年稳步下降。到 1965 年度,稳定在 11%左右。这表明 1949 年推行道奇计划时确定的平衡财政原则基本得到贯彻,它是战后经济赶超期日本财政运营的基调。

表 6-11 战后日本的财政支出与财政投融资(1946—1965)

(单位:亿日元)

年度	国民总支出 A	中央财政一般会计		财政投融资				B+C/A
		B	B/A	实额 C	增长率	C/A	C/B	
1946	4750	1152	3					
1947	13090	2058	15.7	1319		3.0	16.8	
1948	26650	4619	3					20.6
1949	33760	6994	20.7	1896		5.6	27.1	
1950	39460	6331	16.0	1339	—30	3.4	21.1	26.3
1951	54815	7498	13.7	2311	73	4.2	30.8	19.4
1952	63730	8739	13.7	2886	25	4.5	33.0	17.9
1953	75264	10171	13.5	3374	17	4.5	33.2	18.2
1954	78246	10407	13.5	2858	—15.3	3.7	27.5	18.0
1955	88646	10181	11.5	2978	2	3.4	29.3	17.0
1956	99509	10692	10.7	3268	9.7	3.3	30.6	14.8
1957	112489	11876	10.6	3968	21.4	3.5	33.4	14.0
1958	117850	13315	11.3	4252	7.2	3.6	31.9	14.1
1959	136089	14950	11.0	5621	32.2	4.1	37.6	14.9
1960	162070	17431	10.8	6251	11.2	3.9	35.9	15.1
1961	198528	20634	10.4	8303	32.8	4.2	40.2	14.6
1962	216595	25566	11.8	9513	14.6	4.4	37.2	16.2
1963	255921	30442	11.9	12068	26.9	4.7	39.6	16.6
1964	296619	33109	11.2	14305	18.5	4.8	43.2	16.0
1965	328137	37230	11.3	17764	24.2	5.4	47.7	16.8

资料来源:武田隆夫、林健久、今井胜人编:《日本财政要览》,东京大学出版会,1977 年,第 50、95 页统计表。大藏省编:《昭和财政史——从终战到媾和》第 12 卷,东洋经济新报社,1976 年,第 644 页。本表中若干项比率为笔者设定并测算。

相比之下，同期的财政投融资活动波动性明显。总的趋势则是“财投”在中央政府年度综合开支中所占的比重逐年增大。如以各年度的一般财政支出为基准（指数为 100），则财投对一般财政支出的比率是，40 年代后半期为 20 左右，50 年代为 30 以上，60 年代前半期为 40 以上，1965 年以后，“财投”与一般财政支出之比已上升并保持着 50 比 100 的规模。

很显然，战后 20 年间，一般财政支出规模的逐渐缩小与财政投融资规模的不断扩大，恰好构成一种逆动关系。仅此足以提醒人们，在考察

表 6－12　财政投融资原资的构成（1946—1965）　　单位：亿日元

年度	财投额	原资构成（%）						公债借款
		一般会计	美国援助回头资金	产业投资特别会计	资金运用部资金	简保资金	剩余农产品资金	
1946—1948	1320 (1930)	(13)						(87)
1949	1896	24	60		16			
1950	1339	8	48		44			
1951	2311	14	30		56			
1952	2886	14	20		63			3
1953	2358	7	16		52			12
1954	2893	4	7		58			12
1955	2998	1		6	51	16	6	17
1956	3268			4	49	17	3	26
1957	3968			10	59	20		11
1958	4252			7	60	21		13
1959	5621			7	57	20		17
1960	6251			6	56	19		19
1061	8303			6	57	17		20
1962	9513			6	58	16		20
1963	12072			6	60	13		21
1964	14397			6	63	10		21
1965	16206			3	67	7		24

资料来源：远藤湘吉：《财政投融资》，岩波书店，1974 年，第 86—87、118、133、159 页。大藏省编：《昭和财政史——从终战到媾和》第 12 卷，东洋经济新报社，1976 年，第 677—680 页。

日本的财政政策时，应把财投作为重点分析对象。

其次，关于财投资金的构成即原资筹措。这个问题不仅与一国的经济稳定密切相关，仅从财政学的角度来看，其资金筹措的途径、手段和方法也具有重要的操作性借鉴意义。

由表可知，财投资金源于七条渠道，即一般会计拨款，美国对日物资援助回头资金会计，产业投资特别会计，资金运用部资金，简易保险资金，剩余农产品资金，公债与国外借款。其中，剩余农产品资金所占比重极小，日本只在两个年度中使用过，故分析时略而不计。

财投原资的筹措方式在经济赶超期经过多次变动，具体说来，经历了三个阶段和两次大的调整。

第一阶段自 1946 年 8 月复兴金融部开始贷款业务，到 1949 年 3 月"复金"停止贷款，历时两年余。此间财投原资依靠一般会计拨款和"复金"公债收入两条渠道。其中公债收入占原资总额的 87%，问题是"复金"公债的 68.8%是由日本银行购买的。由于日本银行并不具备认购如此巨额公债的资力，只能通过扩大信用、增发纸币，结果导致"复金通货膨胀"，延长了经济不稳定状态。

第二阶段始自推行道奇计划的 1949 年初，终于 1954 年度。这也是战后日本经济恢复与重建市场经济体制、经济走向正常化的重要时期。此间复兴金融公库解散，新设美援回头资金会计和产业投资特别会计。1953 年，正式实施财政投融资制度。同期的财投原资主要来自美援回头资金、资金运用部资金和一般会计拨款。此外，国外借款从无到有，也成为财投资金的新来源。

第三阶段从 1955 年度到 1965 年度，此间财投原资结构的变化是，一般会计拨款停止，美援回头资金会计被取消，财投原资的筹措被定型为依靠资金运用部资金、简易保险资金、产业投资特别会计、国内外借款等四大支柱，这种原资筹措结构迄今仍无大变。

通观 20 年间财投原资的构成，大藏省资金运用部资金显然居于原资筹措主来源位置，其资金供给量占原资总额的60%左右，如将1952年起独立的简易保险资金也包括在内，其比率高达70%以上。资金运用部资金是以巨大的国家权力为背景筹集的，由于国家掌握着这项庞大资金的管理和使用权，因而实际上也就将其自身置于一种特殊的超级国家银行的位置。可以说，这既是日本式财政运营的一大特色，也是一种创造，它成为日本政府得以通过财政金融政策干预国民经济的重要依据。

最后，关于财投的运营特点。这主要从财投的运营方针及财投对象入手进行考察。自不待言，其方针和对象前后曾发生过重要变化。

在1947至1948年的"倾斜生产方式"时期，经济政策的重点是优先恢复生产，方法是以煤炭等个别基础产业的增产来带动整个国民经济的恢复。财投作为实现上述政策目标的主要手段，承担了向煤炭、钢铁、电力、海运、化肥等基础产业倾斜地供给资金的任务。问题在于运营上忽视了对原资的保护和经营核算性，在"数量第一主义"的思想指导下，凡属政策上划定的倾斜产业及企业，一律予以资金供给上的优惠，因此实际上是一种不正常的运营状态。当然，这在一定程度上是由当时的特殊经济环境决定的。

1949至1954年，日本经济走向稳定，在产业合理化政策下，财投的运营方针发生显著变化。财投重点对象虽然仍是煤炭、钢铁、电力和造船等基干产业，但已重视对原资的保护和资金投放的效益性。在选择具体的融资对象时，已不仅看其是否属于重点产业，还要严格审查其经营状态和能力，挑选"最优秀的"企业了。①

1955年后，随着经济复兴任务的完成，日本经济进入高速增长时期，重化学工业化全面展开。由于前述的煤炭、钢铁等基干产业经过前期扶植已具备一定的国际竞争力，民间随着资本积累水平的提高也掀起设备投资的高潮，财投的运作方针及对象亦进入新的调整过程，这种调整反

① 经济企划厅编:《战后经济史》(经济政策编)，大藏省印刷局，1960年，第175页。

映了一种从“数量的补充”向“质的加强”的变化。这表现在:其一,财投领域由窄变宽。过去的财投主要集中于电力、造船、煤炭、钢铁等所谓四大产业,此后的十年间则转向多产业,形成多重点。机械、电子和石油化学等产业也被增加进来。其二,财投对象由以往的以大企业为主,变成大企业与中小企业并重。统计数字表明,1946 至 1949 年度,财投对大企业和小企业的资金供给为 41 ∶ 0,1955 年度两者首次持平,为 14 ∶ 14,其后便一直保持这种大体平衡的比例。① 这也意味着该时期的财投已具有某种社会政策的意义。其三,间接性财投比重增加。财投的资金投向面对民间(含大企业、中小企业及改善国民生活设施资金)、国营及准国营事业、公共事业和地方公共团体等四大领域。1946 年起的 20 年间,财投对民间的资金供给,除个别年度外,大体稳定在财投总额的 50%左右。相比之下,对道路、港湾、水电供给等公共基础设施的投融资却逐年增长,该项投融资在财投中所占的比率,1955 年度以前为 0,此后由 1955 年度的 1%跃至 1965 年度的 10%,11 年间增长九个百分点,绝对额增加 45 倍。这表明,在经济赶超时期,尽管日本政府在社会基础建设投资方面仍嫌力度不够,但也并非无所作为。

(三) 财投作用评价

资本主义经济是一种商品货币经济,货币通常可表示为一种资本存量并以货币资本的形式投入再生产过程;反过来说,资本主义的扩大再生产离不开货币资本即资金的持续性投入。另一方面,资本主义经济因其自身固有的种种矛盾,无法从根本上摆脱经济危机的困扰,而每次危机的爆发不仅对国民经济造成极大破坏,而且会引起社会的动荡不安,乃至引发战争和革命。这就是资本主义经济中的发展与稳定两大基本问题。战后日本经济赶超期同样面临上述两大基本问题。这就是,在经

① 远藤湘吉:《财政投融资》,岩波书店,1974 年,第 119、136、161 页。

济发展上，日本因长年战争拉大了与欧美先进国家本来就有的差距，必须奋起直追，同时又因资本积累不足，面临着资金长期短缺的困扰；在经济稳定上，日本必须吸取战前的历史教训，努力延缓或减轻危机的破坏程度。

财投从资金供给方面对产业发展的支持，反映在对基干产业的重点扶持、对弱小产业的救助、对夕阳产业的转移以及对道路、港湾等公共基础设施的整备等诸多方面。在经济赶超期，财投对基干产业发展的贡献尤其值得一提。

所谓基干产业，一般指对整个国民经济影响最大的基础产业和出口创汇的支柱产业。40 年代末至 50 年代初，日本工业技术装备水平整体上落后于欧美先进国家 10 至 15 年，煤炭、钢铁、电力、造船等四大产业均属于资本收益率最低的产业。且不说其现代化设备投资所需的巨大规模是民间无法承受的，仅从投资的效益原则考虑，其投资风险也足令投资者望而却步。从经济发展的长期战略出发，甘冒风险，率先向这些产业大规模投资的正是政府的财政投融资。在 1947 至 1948 年推行“倾斜生产方式”时期，财投资金在上述四大产业设备资金贷款总额中所占的比率，分别高达 98.1%、73.4%、92.9%和 84%。① 到 50 年代前半期，财投资金更集中地投向电力和海运业，煤炭、钢铁业则退居第二、四位。对此，日本学者指出，当时政府资金重点投向了资金需求量大、资本收益低的战略部门，并且，这种资金供给量的变动与资本收益率的变动之间呈现了一种逆向关系，即资本收益率越低，获得的财投资金越多；反之则越少。②

如此大力度的财投资金操作及其他相关政策的推行，使基干产业在较短期间内大为改观。50 年代前期财投资金依赖率高达 50%的“计划

① 通商产业省编：《产业合理化白皮书》，日刊工业新闻社，1957 年，第 53 页。
② 安藤良雄编：《日本经济政策史论》下，东京大学出版会，1976 年，第 349 页。

造船”的实施，使日本造船业迅速完成现代化技术改造和设备更新，于1956年创造船舶下水量和出口量的两个世界第一，其后便长期独占世界鳌头。与此同时，钢铁等基础部门也于1955年前后“完成修复并实现现代化”，“战时经济的落后性初步改变了面貌”。[①]

由此看来，如果说战后日本经济的恢复、复兴与高速增长是通过基干产业的复兴与发展启动的，那就可以说财政投融资是使基干产业得以率先复兴、发展的重要启动力。

财投的作用不仅在于其本身的直接性资金供给，还在于它同时具有一种“诱导功能”。据《经济白皮书》披露的情况，“50年代中期向基干产业贷款时，已普遍实行协调融资方式，出现了城市银行追随政府开发银行向特定企业贷款的情况，两者所提供的融资大体保持1∶1的比例”[②]。进入60年代后，随着“间接行政”向“诱导行政”的转变，财投进一步改变了其“量的直接补充”方式，将重点放在“质的提高”方面，其“诱导功能”的作用更显突出。

财投之所以具有这种“诱导功能”，除了政府及金融管理当局的指导外，重要原因是其本身能准确地向民间展示政府的产业扶持重点，而政府支持的事业可给人一种安全感，这种心理效果在具有浓厚“官强民弱”观念的日本尤其不可忽视，即使从经营的角度考虑，经过通产省和开发银行的双重审查而获得财投资金的企业，对商业银行也是具有魅力的，因为它意味着政府方面已代行完成了极为烦琐的融资调审，至少也可节约若干必不可少的费用。有些企业之所以“自豪地在本公司文件袋上印着‘日本开发银行客户’字样”[③]，无非是借以宣示本身的实力和可信度，期待获得更多民间贷款的广告效果。这个事例也是财投诱导作用的有力佐证。

---

① 通商产业省编：《产业合理化白皮书》，日刊工业新闻社，1957年，第68页，

② 经济企划厅：《经济白皮书》(1954年度)，至诚堂，1954年，第14页。

③ 桥本寿朗：《经济高速增长时期的日本政府、行业团体和企业》，见日本《社会科学研究》第45卷第1号，1994年。

此外，在实行协调融资的过程中，日本银行的作用也不可忽视。日本银行作为最高金融监督管理机关，经常居间斡旋，促使商业银行追随政府的财投共同行动。最近的研究表明，甚至在川崎制铁千叶工厂的建设过程中，日本银行的态度也并非以往所说的那样消极，因为日本银行不仅支持开发银行向该公司融资，而且在其斡旋下，促成了以第一劝业银行为首的协调融资团。①

下面再考察一下财投与实现经济平衡、稳定之间的关系。

赶超期的日本经济总体上说是一种短缺经济，资金不足(特别是外汇不足)与过剩投资之间构成一种矛盾，经济发展因这一矛盾的制约呈现走走停停的局面。在1949至1964年的15年间，日本经济主要经历了四次大的循环周期。② 这些循环周期的形成，除了经济发展自身规律的基本因素外，一定程度上与政府的宏观经济政策有关，其中，财投是政府实现其宏观政策目标的主要手段之一。

在50年代的朝鲜战争时期，日本经济受“特需”刺激而出现繁荣局面，甚至在朝鲜战争结束、欧美进入调整阶段而转向萧条的1953年，日本仍通过积极的财政金融政策而将“繁荣”局面延至年底。但是，同年10月，由于国际收支状况急剧恶化，日本政府终于决定“后退一步，打好基础”，实行经济紧缩，当时的主要措施便是实行高利息政策和压缩财投规模。在1954年度的财政决算中，一般财政支出大体维持了与上年度相当的规模，财政投融资却比上年度减少516亿日元，降幅15.3%，从而有力地煞住了进口过猛、投资过大之风，仅一年时间，便改善了国际收支状况，迎来了“战后经济最好”的“数量景气”之年。这次调整，又被称为“人为把握景气变动”③的最初的成功尝试。

① 参见冈崎哲二《战后经济复兴期的政府与企业间关系》(论文手稿，1994年)。

② 笔者将1949—1954年的日本经济视为一个循环周期。详见拙文《从战后复兴到高速增长的道路——1953、1954年经济调整的再探讨》，爱知大学《经济论集》，1990年。

③ 远藤湘古：《财政投融资》，岩波书店，1974年，第122页。

在1955至1957年6月的数量、神武景气时期，财投显示了逐年增长之势，而当1957年夏政府决定延缓实施财投计划16％，翌年的财投计划再降低财投增长率（与上年度比，财投增长率由21.4％降至7.2％）时，日本经济遂转向萧条。

同样，在岩户、奥林匹克景气的始点上，财投曲线上扬，在两次景气从高峰转向低谷的前后，财投曲线恰好呈下降趋势。

上述四次经济循环周期中财投与景气变动间所展现的惊人一致性绝非偶然，它如实地反映了财投对加速经济发展与促进经济稳定的两面作用。日本学者在评述这一时期的日本经济时，往往用“库存循环”或“库存调整”来强调经济循环的特点，有些学者甚至指出：“与其说财政金融操作是根据景气变动变化的，毋宁说景气变动正是通过财政金融操作的变化而推进或延缓经济增长的结果。”①在研究传统的危机理论与现代资本主义经济循环的特征时，这种观点是值得寻味的。

不过，随着经济赶超任务的基本完成，影响经济的内外条件发生变化，1965年以后，日本经济进入“结构转型期”。经济基础的变化，相当程度地影响制约了财投的操作方式及其实施效果。这种情况从伊奘诺景气及其后的景气变动与财投的变动曲线间展示的非一致性中，也可窥知一斑。

最后还应指出，尽管经济赶超期的财投曾发挥过如此重要的作用，并不能否认其本身所带来的负面影响。作为一种政府行为，财投运作中既出现过对煤炭等“费用递增”产业过度保护的失当②，也曾为权钱交易提供过温床，1954年的造船业行贿受贿丑闻即是一例。因此，围绕缩小财投规模、排除“官主导”的议论始终未断。这些都是有待深入研讨的问题。③

---

① 武田隆夫、林健久编：《现代日本的财政金融》第1卷，东京大学出版会，1982年，第9页。

② 参见小宫隆太郎等编《日本的产业改策》，东京大学出版会，1991年，第38页。

③ 原文刊于复旦大学日本研究中心编：《日本的金融体制及其变革》，上海财经大学出版社，1998年。

七、外资政策

在战后日本经济赶超过程中，同样面临过引进外资发展经济与自我保护的两难课题。如果将日本于 1964 年基本实现贸易自由化、加入经济合作与发展组织并成为国际货币基金组织第 8 条成员国视为其经济上初步赶上先进国的标志，那么所看到的结果是实现经济赶超之日，也是其民族工业腾飞于世界之时，外资垄断日本的现象并未发生。

（一）外资制度的特征

第二次世界大战结束后，日本面临着经济重建和复兴的艰巨任务。从人、技术设备、生产原料、资金等生产的基本要素看，除了“人的资本”积累雄厚外，其他诸项均不乐观。对外贸易因盟国限制基本断绝，资源极度缺乏的日本无法从海外进口生产原料；技术设备的更新改造因战争而陷于停顿，除军工技术有所发展外，一般工业生产技术与欧美先进国家的差距进一步拉大，到 1949 年，著名学者有泽广巳尚认为落后“10 到 15 年”①，而官方的看法则是“20 到 30 年”②；资金供给状况更为严峻，“国家财政、重要企业、家庭经济开支皆为赤字”③，扩大再生产资金无从筹措。当时，日本政府也曾设想通过引进外资，解决技术落后与资金不足问题，芦田内阁时期制定的庞大“经济复兴计划”，就是建立在大量引资基础之上的，以致该届政府被冠以“引进外资内阁”之名。但是，直到 1949 年道奇到日本推行经济稳定计划为止，有关设想还只是纸上谈兵。

道奇计划的实施给日本经济带来了通胀经济向稳定经济、统制经济向市场经济、封闭经济向开放经济的三个根本性转变。④ 前两种转变的

① 垄断分析研究会：《战后日本的钢铁工业》（中译本），天津人民出版社，1979 年，第 27 页。
② 大岛清、榎本正敏：《战后日本的经济过程》，东京大学出版会，1968 年，第 20 页。
③ 经济企划厅编：《资料 · 经济白皮书 25 年》，日本经济新闻社，1972 年，第 20 页。
④ 详见拙文《道奇计划与日本经济》，《南开学报》，1995 年 4 期。

意义在于，通过整顿，建立了必要的国内经济体制和相对稳定的经济环境，为日本经济与国际经济的接轨创造了前提条件；后一种转变的直接契机，则在于确定了统一汇率这一对外交易的必要手段，制定了允许和规制民间对外经济活动的两个基本法，即1949年12月颁布的《外汇及外贸管理法》（简称《外汇法》）和1950年5月颁布的《关于外资的法律》（简称《外资法》）。由此，战后日本的外资制度体系初步建立。

一般说来，“外资”包括以下内容，即外国对日借贷款，技术援助与转让，外国人购买并持有日本的受益证、债券，以及持有日本的股份、股权等。而对这些外资活动进行准入规制的基本法规，便是《外资法》和《外汇法》。不过，从两法本身的性质和特点看，前者的重点在于对长期性外资的规制，后者则在于对短期性外资的管理。所谓长期性外资，是指资金规模大、交易期限超过一年的外资。短期性外资则指资金规模小、交易期限不足一年的外资，往往通过“购买设计图纸及招聘技师”实现。显然，《外资法》在日本外资制度中居于核心位置。

1950年5月10日颁布、同年6月8日开始实施的《外资法》，于1951年4月和1952年7月曾做过小规模补充和修改，此后直到60年代中期实行资本自由化，虽然在执法的行政细则及审批程序等方面一再调整，但该法的基本框架和内容无大变动。此外，作为依据该法进行外资审批与管理的政府机构，起初是经济安定本部兼管的外资委员会，1952年后，外资审批管理权限移交大藏大臣及各主管省厅大臣，外资委员会则变成专门的咨询审议机构外资审议会。

下面以《外资法》为中心，具体分析一下当时日本外资制度的内容及其特征。

目的：“凡有助于日本经济自立与健康发展及改善国际收支的外国资本准其投入（第一条）。”①

① 通产省编：《商工政策史》第10卷（产业合理化・战后编），商工政策史刊行会，1972年，第238页。

规制种类:含股票、持股比率,受益证券,公司债,贷款债权的获得,技术援助契约的缔结与变更等五种形态。

规制与审查标准:《外资法》第八条明载,外资准入审查依据如下两种基准进行。首先,积极基准,含有助于改善国际收支、有助于重要产业或公共事业发展、有必要更新或继续进行的重要产业或公共事业方面已有的技术援助契约等三项内容。具体审查时,是否有助于增加出口(或近期有望增加出口)、改善国际收支为最重点内容。其次,消极基准,含契约条款不公正或有违日本法令,缔约或更新契约时有欺骗、强迫或不正当的压力行为,将给日本经济带来不良影响,等价支付时不需要外汇等四项内容。重要的是,在依据这一法律进行的外资审批制度下,还明确了如下两条具有实质性内容的规定,其一,外资持股比例不得高于50%;其二,对日直接投资必须是合资形式并且能在合资时带来新技术。① 对此,原通产省外资课长藤原一郎有如下证言,他说:“作为国家,对引进外资完全自由放任是不负责任的态度。……在对该国经济明显有不良影响时,应该予以制止。应采取扬长避短的政策。这个意图不靠政府的直接统制也能实现,那就是实行50%主义。”②反过来,外资方面对这种规制也颇有微辞,美国商务部在其著名的报告书《股份公司日本》中这样记述:早自50年代初,美国的公司就被请求到日本合资,但又是“在对比率、收益资金、经营领导权等明确加以限制的前提下让被选择的美国资本参加的,如此才能得到日本政府的批准”③。

与《外资法》相呼应,《外汇法》第二十二条也对外资审批做了专门规定,所不同的是,它只明确了不予批准的消极基准,即可能给国际收支带来不良影响,可能给国民经济的复兴带来不良影响,有资本逃避或逃避

① 鹤田俊正:《战后日本的产业政策》,日本经济新闻社,1984年,第120页。
② 中村静治:《战后日本的技术革新》,大月书店,1985年,第129—130页。
③ 安场保吉、猪木武德编:《日本经济史》8〈高速增长〉,岩波书店,1989年,第270页。

有关法令限制的意图，不符合其外币资金状况等四项内容。① 另据日本学者的研究，日本政府依据《外汇法》进行技术外资引进的审查时，实际上还特别注意以下四点，即该技术日本国内是否能够解决，其引进是否会阻碍国内技术萌芽的发展？该技术的引进是否有助于将来实现国产化？引进该技术的价格是否合理？引进该技术后国产品的国际竞争力如何？② 等等。

除了《外资法》和《外汇法》等法规中所明确的规制条件外，具体的审批条件是由各主管省厅制定和掌握，并且不予公开发表，从而给政策当局的运营留下了很大的自由定夺余地，结果自不待言，实际上对外资的规制要比法律上的明文规定严得多。③

保证(优惠)条件：有关规定随着日本内外经济形势的好转逐步调整，但50年代的主要内容是，外资投资收益(分红所得)可随时以外汇形式提取并携往境外；外资投资本金的回收以两年后分五年期提取为先决条件，可以外汇形式携往境外；外资分红所得未提往境外而用于日本国内追加投资时，可以事后申报形式增资或购买新股。此外，根据日本政府令(政令321号)，在外资制度上，与美国等少数国家相互实行"国民待遇"，在不保证其向境外提汇的前提下，允许"指定国人"自由获取日本国内非限制业种的新旧股票和股份，亦可不受持股比例限制，时谓"日元基准"购控股方式。1960年5月，由通产省牵头并经与大藏等主管省厅协商，以外资审议会名义作出进一步缓和外资规制的决定，其中包括外资本金携往境外限制期限缩短为两年后分三年期提取，以及扩大日本银行的外资审批委托权等内容。1961年和1963年，又先后取消投资本金分期提取和搁置年限限制。

① 通产省编：《商工政策史》第10卷，商工政策史刊行会，1972年，第240页。
② 吉海政宪：《日本的产业技术政策》，东洋经济新报社，1985年，第95页。
③ 小宫隆太郎等编：《日本的产业政策》，东京大学出版会，1991年，第142页。

（二）引进外资的实效

根据《外资法》的划分，“外资”包括五种形态，从分析的角度看，可将其划分为“资金外资”和“技术引进”两大类。

首先看第一类引资情况，即资金外资或曰外国资金的引进。表 6－13 是关于 1950 年至 1961 年间的统计数字(此外，据其他统计资料，1955—1964 年引进外资总额为 33.5 亿美元，其中，国外贷款 26.5 亿美元，股份投资 6.9 亿美元，分别占引资总额的 79％和 21％。① 也就是说，外资总额虽然明显增加，但外资的直接投资与间接投资间的比例几乎保持不变。

表 6－13　民间引进外资统计表　　（单位：千美元）

年度	持股额	受益证券	公司债	贷款金债权	
1949—1950	3824	145	25	26	3850
1951	13332	562	7	3999	17331
1952	9778	58	15	34457	44405
1953	4308	52	28	49362	54232
1954	3989	115	30	15265	19312
1955	4298	118	20	47054	51411
1956	9435	116	77	93651	103216
1957	12106	216		123979	136203
1958	11004	554		231473	242621
1959	27074	1279		127615	154935
1960	74855			128199	208628
1961	115912			387242	504510
合计	289915	3215	202	1242322	1535654

资料来源：通产省编：《商工政策史》第 10 卷(产业合理化战后编)，商工政策史刊行会，1972 年，第 244 页。

由表可知，12 年中，民间引进外资总额 15.36 亿美元。其中，国外贷

① 井村喜代子：《现代日本经济论》，有斐阁，1994 年，第 174 页。

款为12.42亿美元，占总额的80.9%，居各项之首；外国人持有日本股额次之，为2.9亿美元，占总额的18.9%；而外国人在受益证券、公司债方面的投资微不足道，尚不到总额的0.3%，故分析时可忽略不计。

第一类引资中的国外贷款即日本从外国的借款，属于外国对日间接投资，在这方面，日本的态度最为积极。最初，因对外信用较差，所筹款额较少，50年代前期只相当于同期国内银行新增贷款的2%—3%，后期该比例升至4%—5%，进入60年代后，随着经济的持续高速增长和贸易自由化的急剧进行，该比例才急剧增大。

具体看一下国外借款方式和受贷业种等情况。

关于借款方式，主要有三种途径。一是世界银行（国际复兴开发银行）借款，借款额达4.88亿美元。借款者为日本政府及其所属公共机构（如开发银行、国铁、道路公团等），实际上主要借款是转贷给民间。二是华盛顿银行，借款额为2.74亿美元。借款者虽为大企业，但却是由政府金融机构或城市商业银行担保。这两种途径说明的一个问题是，民间使用的外资，很大部分是由政府争取而为己所用，事实上，在当时的日本经济外交中，筹资往往是一项重要而具体的任务。三是民间借款，其中包括日本城市商业银行从外国商业银行的借款，日本大企业从外国商业银行的借款，日本大企业从外国大企业的直接借款。

关于受贷业种，根据受贷额的多少，依次为电业2.39亿美元、金属工业2.64亿美元、运输通信业2.24亿美元、石油工业1.99亿美元、建设业1.10亿美元、金融保险业1.05亿美元、机械制造0.84亿美元、矿业0.55亿美元、化学工业0.46亿美元，其他如纺织、造纸、食品工业等受贷额均在0.15亿美元以下。① 这表明，当时极为宝贵的外部资金，通过政府担保及引资审查等政策操作，被集中地用于政府指定的重点产业。

关于受贷企业的情况，可以说大额借款无一例外地被投入于大

① 通产省编：《商工政策史》第10卷，商工政策史刊行会，第246—247页表。

企业。

关于借款(贷款)条件,可谓对日本极其优厚。世界银行还贷期限为15—20年,华盛顿银行还贷期限为6—19年,两银行贷款的年息均在5%—6%,而同期日本国内的长期贷款资金极其紧缺,商业银行长期贷款利息均在10%以上,两相比较,可见日本在引进间接外资方面享受到了多么巨大的利益!在通过借款实现的间接外资引进中,如同技术引进一样,美国是日本的最大借款提供者和最大贷款债权者,1951—1961年间,美国共向日本提供了6.55亿美元贷款资金,如果把实际上由美国控制的世界银行贷款考虑在内,则可以认为同期美国为日本筹措和提供了11.43亿美元的外部低息贷款资金,占全部对外借款的92%。日本得以在引进间接外资上取得成功,实赖于美国的支持。美国出于当时的战略考虑,在日本最需要资金和技术的时刻为日本雪中送炭,同时也为自己的未来准备了枷锁。

第一类引资中的外国人控购股属于直接投资,其中又是分为两种形态,即单纯通过证券市场投机牟取利益的投资和直接参加企业经营的控持股。统计数字表明,外国对日直接投资中,直接参与经营的外资占优势,最初两年曾达到总额的九成左右,这也许是因为刚刚开放市场时尚能对外资有一种诱惑力。但是,由于日本政府对外资的控股经营甚为谨慎,审查标准相当严厉,只允许能带来先进技术的外资以合资、控股率低于50%("日元基准"方式的外资企业除外)的条件进行投资,故外资的兴趣逐渐转向单纯的证券市场。结果,直接参与经营的外资虽然绝对额也在增长,但与外国人对证券市场的投资相比,比例却在逐年下降,到60年代初,二者的比例已接近于1∶1。据日本1962年度《外资引进年鉴》的资料,在其列举的32家在日最大外资企业(均为合资)中,外资持股率超过50%的只有两家。①

① 通产省编:《商工政策史》第10卷,商工政策史刊行会,第257页。

其次，看一下第二类引资即技术引进的情况。对此，通产省编《商工政策史》清清楚楚地写道："外国技术的引进构成了战后我国引进外资的主流。"①作为外资政策的核心，前述的国外借款也好，合资企业股份投资也罢，都是伴随着引进先进技术设备和购买技术专利进行的。这是明治以来形成的传统，并已在战前的实践中得到验证。日本战败后，清楚地认识到自己与西方先进国家间在工业生产技术上存在的巨大差距和自我研究开发能力的不足，因此一开始就认定"依靠自我开发，无论从时间上还是从能力上都极为困难"，只有直接引进外国先进技术，才是"最安全、可靠的办法"②。

尽管在技术引进上日本的态度非常积极，但也绝非无原则地凡是外国技术一律欢迎，而是严格坚持了下述基本方针。其一，引进技术时要兼顾国际收支的平衡；其二，不能因引进技术扰乱国内产业秩序；其三，限制可能对中小企业造成冲击的技术引进，如果是对中小企业和整个国民经济都有积极作用的技术引进，则优先予以批准。

在1950—1965年技术引进统计中，甲种技术引进依据《外资法》审批，乙种技术引进则依据《外汇法》审批，单项批准金额以甲种远远为大。从批准件数上看，是逐年增加的趋势，并且平均每件技术引进的资金量也越来越大。

表6-14　技术引进批准项目统计表　（单位：件数）

年度	1950—1959	1960	1961	1962	1963	1964	1965	合计
甲种	1022	327	320	328	584	500	472	3533
乙种	1303	261	281	429	573	541	486	3874
合计	2325	588	601	757	1137	1041	958	7404

资料来源：通产省编：《通商产业政策史》第1卷（总论），第388页。

① 通产省编：《商工政策史》第10卷，商工政策史刊行会，第259页。

② 通产省编：《商工政策史》第10卷，商工政策史刊行会，第259—260页。

技术引进的内容在各个时期有所变化，50 年代引进的主要是革新性技术设备，集中在重化学工业部门。如钢铁制造成套设备、大型发电设备、煤矿采掘设备、石油精炼与乙烯等化工生产设备等。相比之下，60 年代前半期除了继续引进大型成套生产设备外，新生产技术和方法（新商品、新材料、设备图纸等技术专利权）的引进急剧增加。60 年代后期，消费流通业关联技术及二、三次加工技术的引进引人注目。

技术引进形成如此格局和动态性变化，不完全是一种自然的结果，它与日本政府的政策操作紧密相关。这种操作包括依法规制和行政指导。

为防止盲目引进，确保引进最先进技术，通产省等主管省厅负责审查引进技术本身的价值，大藏省及其下属金融机构则负责审查引进技术企业或合资企业的财务状况，只有两项审查都合格才能放行。据记载，在五六十年代，乙烯生产设备是技术引进的大热门，通产省一直严密关注该项生产技术的世界发展动态，当 60 年代 30 万吨乙烯生产设备刚一问世时，通产省断然否决了国内几家著名大公司的进口 20 万吨乙烯生产成套设备的申请，从而避免了低效投资。当然，同是通产省，也曾犯过对东芝的引进晶体管技术申请一压两年不批的错误。

为防止重复引进所带来的资金浪费和可能引起的国内同业间的过度竞争，通产省还采取过一行业中设一技术引进窗口企业的做法。例如，日本钢管就曾被指定为氧吹炼钢技术引进的窗口企业，即日本钢管引进该项技术后，其他企业可分享此项技术专利，从而既节省了大量资金，又控制了同业间的过度竞争。① 当时，通产省的基本思路是，通过技术引进，在战略产业各重要部门中，均扶植起两到三家资本规模大、技术水平高、具有国际竞争力的优秀企业，这样，既可以排除重复投资和过度竞争，又可以发挥组织化、规模化和适度的自由竞争效益，一定程度上防

① 安场保吉、猪木武德编：《日本经济史》8（高速增长），岩波书店 1989 年，第 238 页。

止独家垄断。

再一点是在引进技术时，日本政府注意对国产技术开发的保护，一旦本国具有同等技术开发能力，便设法堵住进口源头，让国产技术迅速发展起来。50 年代引进大型发电设备时的"1 号机组进口，2 号机组国产"便是典型的例证。当然，这种保护也是有一定时间限制的。

此外，在日本政府中，还设有若干调查国外新技术、新发明的专门机构，许多信息是通过这一渠道进入国内企业界，进而实现引进的。在这方面，通产省最有效率。

总的看来，经济赶超期的外资引进具有如下特点。其一，间接资金引进为主，直接资金引进为辅，它作为战后日本经济赶超期外资政策的最基本特征之一，是日本政府既要借助外资，又要防止外资直接控制日本经济的必然结果。其二，外资引进的总体规模并不大，与同期的日本银行业新增贷款额相比，1951—1961 年 11 年间，两者的比例为 6∶100。[①] 其三，从引进外资的长期趋势变动看是不断上升的曲线，其绝对额也从 50 年代初的 0.17 亿美元升至 50 年代末的 1.5 亿美元，1961 年更一跃达到 5 亿美元，但并非是均衡式递增，例如，1954 年和 1959 年的外资引进额均明显比上年度为低，其原因与政府的外资政策操作直接相关，在外汇不足的时代，国际收支状况制约着景气变动，而外资政策同外贸政策一起，是被作为景气调节的重要手段使用的。其四，技术引进在外资政策中处于核心位置。无论是直接资金还是间接资金，其引进时几乎都围绕着技术引进进行。更准确地说，正是由于技术引进的需要，才使直接、间接外资的引进成为必要。这似乎只是个两者先后次序关系的摆法问题，但孰前孰后却实在是个至关重要的核心问题。

日本于 50 年代至 60 年代中期推行的外资政策，基本上说是成功的。这种成功最集中地体现为以下两点：

① 根据前引通产省编《商工政策史》第 10 卷第 244 页第 56 表和第 57 表的统计数字算出。

第一，引资实效显著。战后日本的经济赶超是通过重化学工业的迅速发展启动，重化学工业的发展则是靠新技术、新设备支撑，而相关的核心技术、设备乃至部分资金又是通过引进外资实现的。由于日本充分地利用和分享了世界科技成果，从而迅速缩短了与先进国间的差距，50 年代中后期首先在钢铁制造、发电、造船等工业生产技术上赶上世界先进水平，继而在 60 年代前期又在化工、电子等生产领域取得飞跃性发展，整个国民经济上了一个新台阶，跨入先进国行列。

第二，有效地避免了外资对日本经济的垄断。引资与发展本国经济是一对两难的矛盾，历史上因引资而导致一国经济被外国控制的事例不胜枚举，而日本却成功地避免了这一问题。

（三）资本自由化

经过 50 年代的发展，日本经济已打下较为雄厚的基础，钢铁、造船、发电、化学等若干生产部门已具备了相当的国际竞争能力。1960 年，对外贸易自由化率达到 40%，贸易黑字 2.68 亿美元，外汇储备 18.24 美元①，战后以来最令日本头痛的经常性贸易赤字问题有了根本性转机。也就是从这时起，日本与欧美之间的贸易摩擦开始加剧。在欧美国家的压力下，日本政府于同年 6 月发表《贸易汇兑自由化计划大纲》，并于四年后的 1964 年，使进口贸易自由化率达到 93%，基本实现贸易自由化目标。同年，日本加入经济合作与发展组织，并由国际货币基金组织（IMF）第 16 条成员国转为第 8 条成员国。

贸易自由化告一阶段后，资本自由化成为亟待解决的课题。这是因为，一方面，业已跨入发达国行列的日本，其经济的开放程度依然明显比其他发达国家低，这不仅有损于日本的国际形象，而且也越来越难以为其他发达国家所忍受，欧美各国要求日本开放资本市场的压力空前加

① 通产省编：《通商产业政策史》第 1 卷，通商产业调查会，1994 年，第 404—405 页表。

大。另一方面,随着经济实力的增强,日本已具备了一定的承受外资冲击的能力,并且其自身向海外输出资本的要求也与日俱增。也就是说,即使从向海外输出资本的角度考虑,也有必要进一步开放国内资本市场。对此,当时的经团联外资委员会委员长奥村纲雄吐露过如下一番清澈见底的真言。他说:从国际动向看,“最近不愿出卖技术。想要技术,就得允许我投资”。“对于只带着头脑和勤奋来到世上的日本人来说,无论如何都必须走向海外。……那时,不能讲只许我出、不许你进的话,还得是双向交通。”①

但是,与贸易自由化相比,资本自由化进程缓慢。这是因为,贸易自由化可能带来的进口过度虽然会影响到日本的国际收支平衡,但国家尚可通过外汇管理措施控制进口,并且,旨在减少外贸赤字的干预行为也不至引起国际社会的过分非难。资本自由化则不然,一旦放开外国直接投资限制,就有可能造成外资直接控制乃至垄断日本某些重要产行业的局面,并且很难扭转这种局面,这是日本绝对不能容忍的。从某种意义上说,前者的贸易自由化政策即便出现某种偏差,也许只会伤及“表”,而后者的资本自由化政策若出现失误,则可能会损及“里”。事实上,在贸易自由化问题上曾基本显示出一致态度的政官财界,到了探讨资本自由化时,就出现了赞否两立的严重分歧,以致资本自由化就使“第二次黑船到来”的恐惧论盛极一时。②

有鉴于此,日本政府在推行资本自由化政策时格外谨慎。1966 年 6 月,通产省经反复研究,拟定出一份题为《关于资本自由化的考虑》的文件。文中写道:“资本交易的自由化与商品自由化不同,应该在充分认识我国的资本力尚不及先进诸国的前提下制定对策。……即第一,要尽量避免外资对业界的过度支配;第二,自由化要根据业界体质改善的实情

① 北田芳治、相田利雄编:《现代日本的经济政策》上,大月书店,1982 年,第 171—172 页。
② 北田芳治、相田利雄编:《现代日本的经济政策》上,大月书店,1982 年,第 435 页。

渐进地、有计划地进行;第三,今后要以自由化为前提并根据业种的实际情况,制定目标年度,积极促进业界整备体制,改善体质,推进自由化。"①

按照上述设想,日本政府从 1967 年起实行第一次资本自由化。其基本方法是,逐步减少限制业种,扩大非限制业种,并将非限制业种分为新设企业外资 50%持股自动批准(第一类自由化业种)和 100%持股自动批准(第二类自由化业种)两类,从而突破了外资持股不超过 50%的限

表 6－15　资本自由化的进程

	外资新设企业自由化业种(持股%)			现存外资企业持股比例限制		
	非自由化业种	50%持股自动批准业种	100%持股自动批准业种	1外国投资者持股限制	外国投资者总持股限制例	
					非限制业种	限制业种
资本自由化以前	所有业种			5%以下	15%以下	10%以下
第一次资本自由化(1967.7)		33	17	7%以下	20%以下	15%以下
第二次资本自由化(1969.3)		160	44	7%以下	20%以下	15%以下
第三次资本自由化(1970.9)		447	77	7%以下	低于 25%	15%以下
汽车产业资本自由化(1971.4)		453	77	7%以下	低于 25%	15%以下 15%以下
第四次资本自由化(1971.8)	7	原则上全部 50%	228	低于 10%	低于 25%	
第五次资本自由化(1973.4)	5					
备考: 其他实现外资持股 100%自动批准的自由化业种为:1974 年的集成电路制造,1975 年的医药及农药制造,电子精密仪器,电子计算机及其电子自动控制机械制造、销售与出贷,1976 年的信息处理业,摄影感光材料制造。 1980 年 12 月以后,50%外资持股自由化业种为矿业,非自由化业种为农林水产业、石油业、皮革与皮革产品制造业。						

资料来源:小宫隆太郎等编:《日本的产业政策》,东京大学出版会,1991 年,第 143 页。

① 通产省编:《通商产业政策史》第 8 卷,通商产业调查会,1989 年,第 384 页。

制。到1973年实行第五次资本自由化时，日本尚有农林水产、矿业、石油、皮革与皮革制造、零售五大业种为限制业种。此外，集成电路、电子计算机、信息处理等17大业种暂缓执行100%资本自由化政策。

如此长时期、分阶段推进的资本自由化，一方面对日本经济加速实现现代化构成一种压力，另一方面也避免了外资对日本经济的突发性冲击和控制。道理很简单，用日本著名经济学家隅谷三喜男的话说，就是一经放开的自由化业种，"对外资来说，已经不那么具有魅力了"。例如，到允许外资自由进入时，"日本的小汽车产业基础已经巩固，外资已没有能够真正打入的余地"。①

八、城市建设中民间资本的利用

现代日本城市交通事业高度发达，在东京、大阪、名古屋等大城市圈，除了已实现民营化转制但仍由国家或地方政府控股的各种铁路公司外，东武、西武、东急、小田急、近铁、名铁等一批初始创业时即由私人投资运营的"纯民营铁路公司"（日本简称"私铁"，本文简称"民铁"）亦颇为抢眼。这些"民有民营"的铁路公司不仅从事地上及地下铁路运输的"主业"，通常还以铁路沿线为依托，建设商业住宅小区、宾馆、购物区、餐饮区、娱乐休闲地、旅游观光地等，在相当广泛的领域里开展兼业经营。民铁公司的这一相对集中在特定区域开展其主业及兼业的"日本式铁路经营"模式，不仅实现了企业的长足发展，而且通过积极参与现代城市的基础设施建设，提升了城市的交通运输服务水平及综合功能，满足了市民的多种需求，从而成为现代日本城市交通及综合开发建设中不可或缺的重要力量。鉴于日本"民铁经营模式"的相关研究在我国尚未展开，下面拟通过实例分析，阐明其经营模式的结构和特点，评价其经营绩效，并在

① 通产省编：《通商产业政策史》第1卷，通商产业调查会，1994年，第75页。原文刊于《世界经济》1997年第12期，此处有删节。

此基础上，提出我国借鉴日本民铁经营模式、广泛动员社会资源参与现代城市开发建设的若干思考。

（一）民铁的主业经营及其经营绩效

铁路作为现代社会人员移动和货物流通的承载工具，历来被视为国民经济的动脉。在日本，继1872年由政府全额投资兴建的近代第一条铁路（东京前桥至横滨）通车后，1881年成立了第一家民营铁路公司日本铁道公司。1886年后，随着第一次产业革命高潮的到来和私设铁路条例的颁布，民营铁路事业在法律的保护下进入大发展时期。到1905年，民间投资经营的铁路公司近20家，铁道线路总长5231公里，为国营铁路的两倍。1906年，日本政府在保证国防和军事运输需要的名义下，强制推行铁路国有化政策，以国家公债形式收购了17家民铁经营的4534公里线路，确定了国家垄断经营干线铁路的政策基调。其后颁布的《地方铁道法》（1919年）和《日本国有铁道法》（1948年）规定，政府全额出资的日本国有铁道公社（简称"国铁"）垄断全国干线铁路的运营，地方公共团体和民营铁路运输事业只能在本地区进行。因此，直到实行国铁民营化改革为止，战后日本的各种铁路运输事业体所分别具有的国有国营、公有公营或私有私营的性质泾渭分明。

1986年12月，日本颁布《铁道事业法》并同时废除上述两部旧法。翌年，国铁被分割为六家客运公司和一家货运公司，完成民营化改制，从而将铁路事业者一律置于公平竞争的同等市场环境之下。

目前，日本从事铁路客运事业的各种公司共149家，其中包括1987年4月国铁民营化后分割成立的JR客运公司6家①、大型民营铁路公司16家、准大型民营铁路公司5家、地铁公司11家、地方交通111家。这

① JR是Japan Railway的简称。1987年4月"日本国有铁道"公社实现民营化后，分割为JR北海道、JR东日本、JR东海、JR西日本、JR四国、JR九州等六家铁道客运公司和一家JR铁道货运公司。

里选择的研究对象，是除了东京地铁之外的15家大型民营铁路公司①，这主要是出于这些公司成立之初即由民间投资经营并发展至今，因而更具典型性的考虑。

度过战后的经济复兴时期，日本经济实现了持续高速增长。随着国民收入的提高和生活的改善，人口、产业急剧地向大城市集中，日本进入前所未有的城市化时代。各大民营铁路公司乘着城市化浪潮，适应大量人口通勤、上学及出行的需要，不断增加投资，开设新的城市与郊区、中心城市与周边卫星城市之间的地上铁路及地铁线路，扩大了经营规模。据有关统计，到2006年，日本铁路部门的年客运总量为223.3亿人，收入为60625.99亿日元。其中15家大型民营铁路公司的客运量为70.78亿人，占全国客运总量的31.7%；收入为14748.68亿日元，占日本铁路客运总收入的24.3%。② 由此可见，大型民营铁路公司在日本铁路交通运输业中占有特殊地位，发挥了重要作用。

大型民营铁路公司的经营状况如下。从资本规模看，2006年东急和近铁以1088亿日元和927亿日元位居前两位，阪急、名铁、东武、小田急等四大企业集团紧随其后，排行末位的西武为216亿日元。从日均客运数量看，2006年首都圈大型民营铁路公司依次为东急279万人次，东武234万人次，小田急189万人次，西武和京王各170万人次左右。③ 从盈利水平看，2007年首都圈大型民营铁路公司中东急力压群雄，铁道部门盈利326.07亿日元，以下依次为东武236.49亿日元，小田急228.09亿

① 即东京城市圈的东武、西武、相铁、东急、京急、小田急、京王和京成等八家铁路公司，京阪神城市圈的近铁、阪急、阪神、南海和京阪等五家铁路公司，以及中京圈的名铁公司和福冈城市圈的西铁公司。东京地下铁公司虽然也是大型民铁公司之一，但因其前身属于“公字号”企业，故本文未将其纳入研究范围。

② 根据国土交通省铁道局监修《从数据看铁道2008》（日本东京：（财）运输政策研究机构，2008年）第78—79页统计数据整理。

③ 国土交通省铁道局监修：《从数据看铁道2008》，日本东京：（财）运输政策研究机构，2008年，第80—81页。

日元,西武 177.51 亿日元,京王 168.93 亿日元。[①] 这些数据表明,除了少数的例外,大型民营铁道公司运营稳定,效益良好。

(二) 民铁的兼业经营及其经营绩效

与一般的事业经营不同,铁路经营具有前期基础投资规模大、成本回收期长等特点。并且,由于其服务对象是社会大众,因此在运输价格管理等方面还要体现一定的"公益性"。二战以后,由于汽车的普及、地理条件不利及人口密度稀少等客观原因,许多地方上的中小民营铁路公司经营环境日趋严峻,废除线路或转而经营巴士的现象时有发生。

相比之下,以大城市圈为中心展开其经营活动的大型民营铁路公司情况要好得多,区域内稠密的居住人口和旺盛的经济活动,成为其维持正常经营的基本条件。更为重要的是,这些大型民铁并不囿于铁路经营,而是以铁路这一主业为支撑点,通过兼业经营增加收入,其基本途径是在铁路各站点及沿线两侧进行大规模开发,努力将常驻人口和移动人口吸引到铁路沿线上来,增加客流量。以东京城市圈、中部城市圈和近畿城市圈为主要活动领域的大型民营铁路公司,除了铁道事业的"主业"外,还开展了专线巴士、出租车、卡车运输、宾馆、不动产开发、商品销售、餐饮、观光、休闲娱乐等事业。大型民铁的这种经营模式,可谓主业与兼业相得益彰,即使从国际上看也是颇具特色的。[②]

民营铁路公司的兼业经营有不少成功的范例。早在 1905 年,阪神电气铁道公司便建成了连接大阪和神户的城际高速铁道。为了与并行的国营东海道干线铁路抗衡,该公司通过沿线增设车站及增加电车开行次数的方法吸引乘客,并在开业后的 10 年里,在沿线各地开发经营了海水浴场、游园地(香栌园)、电力供给事业以及房屋租赁业等。其后,又将

---

① 国土交通省铁道局监修:《从数据看铁道 2008》,日本东京:(财)运输政策研究机构,2008 年,第 92—93 页。

② 近藤祯夫、安藤阳:《西武铁道·近畿日本铁道》,大月书店,1997 年,第 7—9 页。

事业进一步延伸扩大，开发了西宫和神户市东部的住宅地，建设了甲子园球场、阪神公园等休闲娱乐场、六甲山观光区，开设百货店等。阪神电气铁道公司开创了日本民营铁路兼业经营的先河，其成功的经验对后来者起到了重要的示范、引导作用。

继阪神电气铁道之后，阪急电铁（原箕面有马电轨）后来居上，在较短时间内将民营铁路公司兼业经营推向高峰，创造了日本式铁路经营的又一典范。阪急成立时，已经找不到堪与阪神电气铁道匹敌的那种连接大阪、神户间城际交通的优质线路，能否保证足够的客源是其最初制定铁路事业发展计划时最担忧的问题。对此，阪急的创始人小林一三大胆地采取了铁路建设与沿线开发双管齐下的对策，在修建其第一条铁路宝塚本线时，同时在铁路沿线大规模开发居民住宅区，千方百计地吸引城市居民到沿线定居，到1910年铁路通车时，其开发的池田住宅区已销售一空。除此之外，阪急电铁还在箕面和宝塚的观光娱乐开发上大做文章，几经探索，最终以少女歌剧为品牌创设了宝塚乐园，从而构筑起阪急电铁发展的基石。其后，阪急的跨业经营迅速扩展到宾馆、车站百货店、停车场等领域，如今日本大阪、京都、东京等许多大城市都能见到“阪急百货店”的身影。阪急的这一成功经营模式在日本商界乃至社会产生了重大影响，以至于被称做“小林一三商法”而广为传播。①

东京急行电铁公司的发展模式恰如阪急的翻版。1918年，涩泽荣一等效仿阪急的经验，发起成立田园都市股份公司。公司在成立的宗旨中声称：“为了保证健康，要将中产阶级移居至空气清新的郊外定居……完善各种基础设施，使其享受生活之便。”田园都市股份公司成立后即设立了住宅开发和铁路建设等分公司，将东京近郊的洗足、大冈山、多摩川台（田园调布）等地作为首选成片开发地，并获得了在这些地区的铁路建设及商业住宅开发权。1922年，五岛庆太领导的目黑蒲田电铁作为田园都

① 岛野盛郎：《飞跃发展的私铁——开拓城市空间的旗手》，钻石社，1991年，第77—88页。

市股份公司旗下的子公司宣告成立，于1923年开通了目蒲等数条铁路专线。由于田园都市股份公司开发的新住宅区电力、煤气、上下水道等生活设施完备，环境宜人，且有铁路与市中心区连接，出行便捷，颇受东京市民欢迎。恰在此时，日本又发生了关东大地震，城市大量破旧房屋被毁，顿时产生了巨大住房需求，结果田园都市股份公司的初期开发计划大获成功。随着铁路运营规模的扩大和收益的稳定，1928年，目黑蒲田电铁接管了田园都市股份公司的非铁路部门事业的资产，并专设田园都市部进行管理，创造了子公司并购母公司的稀有案例。其后，目黑蒲田电铁多次重组，公司名称一再更改，1942年5月正式定名为"东京急行电铁"，简称"东急"。从东急的发展史看，其起步期的电气铁路建设、住宅开发，旅店及百货店经营、休闲娱乐设施的设置等，堪称"小林一三商法"在东京圈的实践，而其吸引庆应大学、东京工业大学、东京都立大学、东京学艺大学等高校到铁路沿线建立新校区以增加客源，以及建设玉川高尔夫球场及田园运动场(网球)等旨在提升企业形象的独特做法，又可谓青出于蓝而胜于蓝，由此产生了所谓的"五岛庆太商法"。①

基于上述的成功经验，当今日本的大型民营铁路公司，除了铁路运输的主业经营外，无不通过兼业拓展市场，但各公司在兼业投资的比重、事业类别及地域分布上各有侧重，这从其资本构成及土地用途上可以窥知一斑。以东京城市圈的民铁公司为例，东急的资本规模约为东武的1.6倍，但其铁路营业公里数仅相当于东武的21.6%，这表明了东急的资本布局更向兼业领域倾斜的特点。民铁公司持有的土地分为事业用地和销售用地两大类，铁路用地是包含在事业用地之中的。据1995年的统计数据，东武的铁路用地面积最大，为944万平米，在事业用地中所占的比例最高，为63.9%；同时东武还持有最多的销售用地，面积达869万平米。小田急的铁路用地比例为46.5%，仅次于东武。这反映了东武

① 齐藤峻彦:《私铁产业——日本型铁道经营的展开》，晃洋书房，1993年，第114—119页。

和小田急以铁路事业为主展开其他经营的特点，并且其兼业活动主要是在铁路沿线展开的。相比之下，东急的铁道事业用地仅占其事业用地的16.5%，西武则只占9.4%①，表明这两家公司的铁路事业在其整个经营活动中只占很小部分，“兼业”才是其资本运作的重点，且其兼业并不局限于铁路沿线，而是以更大的区域为舞台。据近年的统计，东急的下属企业已达到219家，而西武的下属企业也有100家之多。

首都圈以外的大型民营铁路公司情况亦然。京阪神城市圈的近铁、阪神、南海、京阪以及福冈城市圈的西铁，均为城市综合开发及区域生活产业型的铁路企业集团，其中近铁与首都圈的东急类似，其主业铁路事业收入在企业集团总收入中所占的比例不足10%。活跃在京阪神城市圈的阪急亦因其经营事业的丰富多彩而堪与首都圈的东急媲美。在企业的管理体制上，阪急集团下辖阪急和东宝两大企业群，这与西武实行的铁道、流通两大集团管理方式颇为相似。

（三）民铁在现代城市建设中的作用

长期以来，在日本的交通政策论坛上，公益性则“善”，企业性（盈利性）则“恶”的二分法式论调占据主导地位，正面肯定大型民营铁路公司的经营方式，有被贴上世俗化标签的危险。舆论批评民铁公司的代表性意见有，以地区垄断为背景追求利润，“热衷于生意”、大搞兼业经营而“脱离主业”等。② 由于这种看法在社会上具有普遍性，大型民铁公司得不到客观公允的评价。

进入1980年代以后，在世界范围的经济市场化、自由化、民营化浪潮的冲击下，日本也被迫改变观念，推行了民营化改革。在中曾根执政时期，国铁、电信电话、烟草专卖等三大国有国营的“公社”完成民营化改

① 山一证券经济研究所编印：《产业调查》，山一证券，1996年，第225页。

② 齐藤峻彦：《私铁产业——日本型铁道经营的展开》，晃洋书房，1993年，第13页。

制。在小泉执政的21世纪初，又通过推行道路公团民营化及邮政民营化等改革，掀起第二波民营化狂潮。此间，在对国铁的低效率、劣质服务等弊端的批判及其改革必要性的讨论中，大型民铁公司作为评价国铁的参照物，其社会评价出现逆转，这主要是从其经济绩效和社会绩效两个方面体现的。

从经济绩效看，堪称铁路行业巨无霸的国铁（原日本国有铁道公社）长期垄断着全国的干线铁路运输，政策上享有不少优惠，但1964年首次出现亏损后一蹶不振，赤字额逐年上升，到1986年累计亏损额高达15.5万亿日元，并背上37.5万亿日元的长期债务。国铁的经营绩效如此糟糕，原因种种，经营体制上产权与经营权的无法分离制约了企业的自主决策，经营方式上单一的铁路运输事业无法实现关联经济的发展并享受其利益，企业管理上人浮于事，员工中普遍存在服务意识差及消极怠工现象等。由于是国字号企业，在"增进公共福利"的名义下，企业的投资和运营须服从政治需要，经营成本核算往往被置于次要位置，为了满足当地出身的议员及官员的要求，一些新建铁道线路在设计阶段就明知会亏损，但国铁必须无条件地去建设并运营，结果不言自明。在铁路经营入不敷出的状态下，财政补贴便成了国铁不至于倒闭的唯一依据。1970至1985年，政府对国铁的财政补助金累计7万亿日元，其中1984年对国铁的财补占同年政府公债发行额的5.1％。① 沉重的财政负担迫使日本政府不得不考虑国铁的出路问题。

相比之下，民铁没有国家特殊政策的保护，其生存和发展完全根据优胜劣汰的市场竞争原理，因此必须把经济效益放在首位，在制定企业投资计划及进行日常经营管理时，严格实行经济核算。另一方面，民铁享有充分的经营自主权，因此可以选择铁路主业与其他兼业相互依赖、相互促进的发展道路。实践表明，这一选择收到了组合投资的乘数效

① 石弘光监修：《财政结构改革白皮书》，东洋经济新报社，1996年，第443页。

果，它以铁路交通的便捷和社会生活设施的完备，吸引常驻居民，招徕外部游客，在提升企业形象的同时，增加了企业收入，使企业的生存发展有了多角支撑。从这个意义上说，民铁公司的兼业经营不仅不是"不务正业"，恰恰是主业发展之所需，是企业经营富有灵活性、满足市场需求的表现。

从社会绩效看，民铁在现代城市基础建设及小区域综合开发上所发挥的作用不但不应受到质疑，而且应该予以高度评价。随着科学技术的进步和国民收入的提高，大量人口涌向城市并带来交通阻塞、住宅紧张、生活质量下降等问题。要改变这种状况，国家及地方政府责无旁贷，但公共资源毕竟是有限的，政府不可能包揽一切。民铁依赖的是民间资本，其投资经营活动既包括建设住宅小区、宾馆、百货店、购物中心、餐饮区等较为"纯粹"的商业行为，也包括经营铁路、巴士专线、娱乐休闲地、旅游观光地、教育培训设施等一定程度上具有公益性质的事业，成为公共事业投资的替代体。民铁的这种政府替代，一方面扩大了企业的经营范围，增加了企业收益，不断地夯实企业可持续发展的基础；另一方面则是以民间的资金和民企的经营，为城乡居民提供高效、便捷的交通运输服务，以及功能完备的城市生活区，既减轻了政府的负担，又满足了城乡居民的物质文化需求，为提高社会的整体福利做出了贡献。

当然，事物往往具有两面性，在对民铁经营模式的经济、社会绩效做出如此肯定性评价时也应注意，从理论上说，民铁在其经济活动的特定领域若形成绝对控制力，就可能成为一种排他性势力，从而构成行业或区域性垄断，并通过价格垄断实现垄断利润，使消费者成为最终的受害者。不过，就目前的情况看，舆论界对民铁的批评之声微弱，还不能说出现了垄断的局面。

（四）民铁经营模式的启示

历经百年实践形成的"日本式民铁经营模式"展示了勃勃生机和活

力，其将城际或城郊作为事业选址的企业发展战略安排、主业与兼业相互依存并行发展的实现途径、多功能社区综合开发建设的经营特色，值得我们这样一个快速向城市化社会迈进的国度认真研究、深入思考和借鉴。

首先要进一步解放思想，结合我国国情，放宽政策限制，改善制度环境，引导民间资本参与城市交通运输业及区域生活区综合建设。现代城市的开发及其公共产品的提供完全依靠政府投资及其垄断性经营，既不经济，也不现实，发挥政府和民间两个主体的积极性才是最佳选择。日本民铁公司的发展经验表明，民间资本参与城市建设，可以最大限度地调动社会资源推进城市开发速度，在竞争机制下不断提升公共产品的服务水平。在我国，虽然已经确立了按市场规律发展经济的基本方针，但城市建设管理由政府包揽的现象依然普遍存在，建设资金不足是一个短期内无法克服的瓶颈，而更大的问题还在于公共投资后期管理中很难从根本上解决低效率、浪费和人浮于事的现象。现实的情况是，民间企业参与城建还有许多禁区，准入门槛远未降到合理的高度。城市交通等并不属于国家应该掌控的战略产业，国家及地方政府没有必要大包大揽，不断投入宝贵的财政资金，而应放宽限制，制订政策、采取必要的优惠政策，大胆让出更多的领域和空间，鼓励和扶持有实力的民间企业在北京、上海、天津等大城市从事城际、城郊铁路建设与经营。若此，现代城市建设的步伐必将加快，发展前景相当可观。

其次，鼓励民营企业参与城市铁路交通建设，有必要与城市的旧区改造及新区开发项目结合起来。日本的经验表明，铁路建设本身是一项长期投资，能否保证充足的客源是其能否收回投资、维持正常运营的根据。日本地方上的民营小铁道公司之所以纷纷倒闭，与腹地狭窄、客源短缺、经营单一等原因有关，企业的发展没有回旋余地。大型民铁公司则不然，其成功的必要条件主要有二，其一是选择了在人口稠密的大城市圈发展；其二是在获得政府特准的铁路建设授权的同时，还获得了铁路沿线区域生活区综合开发建设的授权。这一经验的参考价值在于，一般说来，民营企业热衷于开发商品住宅之类的短期项目，却不愿冒铁路建设等长期投资的风险，如果在政策引导及项目审批上将长短期收益项目捆绑起来实施，就会吸引民间大型资本进入，从而产生有中国特色的"民铁"，促进城市建设的发展，造福于社会。

再次，支持民营企业投资铁路建设和区域综合开发，必须在国家和地方的城市发展长期规划指导下进行。可以想见，为了促进城市建设，捆绑式出台上述优惠政策将对民间投资产生强大魅力，而一旦出现政府前期准备不足而民间资本蜂拥而上的局面，就很可能会出现城市建设的短期行为，给长期发展留下重大遗患，造成巨大浪费，这是必须避免的。

最后，在具体构建现代城市交通网时，日本东京的"山手线—民铁联通模式"[①]尤其值得研究和参考。山手线[②]犹如一条大铁环，把东京都最为繁华地区的东京、银座、新宿、池袋、涩谷等大站连接起来，并与都内纵横交错、四通八达的十余条地铁线、18 条地上轻轨电车线以及纵贯全国的新干线铁路连接在一起，其中与大型民营铁路交汇的东京、新宿、池袋、涩谷站，常年稳居日本全国车站旅客承载量排行榜前四名，新宿站的日均旅客承载量多达 62.8 万人。"山手线—民铁联通模式"的启示意义在于：在条件允许的情况下，我国各大城市急需政府规划并投资建设一条环绕城市中心区的轻轨电车线路或地铁，以此为中心，全面规划向城市的副中心、城市的近郊和远郊放射且与全国干线交通枢纽连接的交通网。也就是说，政府除了投资经营一条类似山手线的城市环状铁路之

① "山手线—民铁联通模式"系笔者首次使用的造语，得当与否，期待读者的批评指教。

② 日本的山手线电气化铁路，是世界各大城市中客运量最大、最准时、效率最高的交通系统，它环绕东京都中心区，全长 34.5 公里，途径 29 个车站，环绕一周的运行时间为 61 分钟，每日 4 点 27 分至翌日 1 点 18 分运行，每列电车最大载客量可达 3000 人，最短发车间隔时间不到 3 分钟，日均客运量 397.3 万人次。山手线的现代化设备及其全线自动化管理自不待言，其低廉的票价亦成为控制其他所有电车公司票价上涨的标尺。山手线原由国铁经营，国铁分割改制后，现由 JR 东日本经营。

外，其他与此环线车站连接而向外辐射的市区或市郊铁路，皆可考虑在政府统一规划和必要的市场监管的前提下，放手让民间投资经营。若此，现代城市的开发建设便可最大限度地调动全社会的积极性，最大限度地筹集和利用社会资源，最大限度地节省财政投入，从而增添城市发展活力，加快城市发展进程。有此前景，何乐不为！①

① 原文与孙志毅合作，刊于《南开学报》2010 年第 3 期。

第七章　赶超后的经济政策

赶超后的日本经济可谓冰火两重天。上世纪70年代后,"尼克松冲击"打破了以"布雷顿森林协议"为基础建立的战后国际货币金融体系,随后爆发的两次石油危机,则使世界市场供求秩序陷入混乱。国际经济环境的变化,结束了战后日本高速增长的历史,甚至一度导致国民经济出现战后以来的首次负增长。然而,危机可以转化为契机,通过推行列岛改造计划、产业结构调整、国企民营化、金融自由化等一系列政策,日本经济保持成长活力,是80年代发达国经济发展的领跑者。90年代,繁荣时代积累的矛盾爆发,泡沫经济崩溃,在经济发展持续低迷的1/4世纪里,所谓的平成改革一波三折,发展前景并不明朗。

一、稳定增长期的经济政策

1973年至1991年近20年时间里,日本经济在两次石油危机和国际性经济自由化浪潮的冲击下,不断调整对内对外经济政策,从而保持了经济发展活力。

（一）列岛改造计划

高速增长末期，社会经济发展失衡问题开始受到重视。除了产业公害对国民生存环境的破坏外，太平洋沿海地带工业的过度集中，大城市圈的人口膨胀、交通拥挤、住宅不足问题更加严重，而农村地区就业机会减少，大批年轻劳动力外流，地方经济发展缓慢，城乡差距继续扩大，这种现象在当时被称做“过密过稀”问题。

为了改变落后地区的面貌，实现国民经济的均衡发展，1969 年 5 月，佐藤内阁批准国土综合开发审议会草案，公布实施《新全国综合开发计划》（简称“新全综”）。

“新全综”规划了截至 1985 年的国土开发蓝图，提出了人与自然关系协调，全面开发国土以实现均衡发展，形成地区自主开发特色以及改善城乡文化环境等四大基本目标，进而又具体提出了把日本划分为三大地带和七个经济圈的国土全面开发设想。

为实现上述目标和设想，“新全综”提出的开发方式是，根据国土利用现状和未来经济社会发展的基本方向，从改善交通、通讯等基础设施入手，建立中枢管理功能集中、物流机能系统的新网络，以便消除时间和距离对地区经济发展构成的障碍。作为其具体实施措施，“新全综”提出了若干大型建设项目，其中的新网络开发项目包括现代通讯网络建设和高速公路、新干线、航空、港口等交通网络建设，产业开发项目包括大规模农业开发基地、工业基地、流通基地、旅游观光基地等。“新全综”还就边远地区大型工业基地建设、大城市工厂外迁、煤炭等夕阳产业转型、大城市交通网及干线高速交通网建设等问题做出了明确规定。

佐藤内阁后期，北海道苫小牧东部和青森陆奥小川原等大型工业开发项目已经启动，《新全国综合开发计划》已经揭开了国土全面开发的序幕。随后开场的则是声势浩大的“列岛改造计划”。

1972 年 7 月，佐藤荣作卸任，田中角荣在所谓“三角大福”（三木武夫、田中角荣、大平正芳、福田赳夫)的激烈角逐中胜出,出任自民党总裁并组阁。田中执政虽然不到两年半时间,但却干了两件非同寻常的大事,其一是在外交政策上顶住党内强大压力,于 1972 年 9 月访问中国,实现中日邦交正常化;其二是在国内政策上推出“列岛改造计划”,掀起了一场经济建设的新高潮。

田中角荣生于地理偏僻、发展滞后的新潟县,高小毕业来到东京半工半读,拿到中央工业学校文凭后,独立开办土木建筑公司并成名。田中 29 岁当选国会议员,执政前已担任过通产大臣等要职。

或许与这种出身及经历有关,田中对社会经济发展不平衡的状况尤为关切,竞选总裁前,他出版了《日本列岛改造论》,系统阐述了自己的政策主张。田中指出:“明治百年(1968 年)是日本城市集中利弊交错的转折点。大城市的过密、公害、物价上涨等严重影响国民生活,农村则因过疏而渐趋荒废,城市与农村、‘外日本’(太平洋沿岸)与‘里日本’(日本海沿岸)发展的不平衡现已达到顶点。”①为此,田中主张彻底改变既往的“成长追求型”政策,重视国民福利和机会均等,改变民间设备投资主导的、出口第一的经济发展方式,推行公共部门主导的福利重点型路线。田中认为,实行这样的政策转变,必将极大地刺激经济活力,经济增长率或能保持 10%。这部洋溢着激情、充满着公平精神并展示了美好前景的著作一问世便引起轰动,以至于创下发行量 88 万册、同年度畅销书排行榜第二的纪录。

完成中日恢复邦交的重大使命后,田中开始实施其雄心勃勃的改造计划,其政策要点集中反映在 1973 年 2 月政府公布的《经济社会基本计划》中。

《经济社会基本计划》的宗旨是“同时实现国民福利充实和国际协调”两大目标,内容涉及国际合作、环境保护、基础建设、社会保障、文化

---

① 田中角荣:《日本列岛改造论》,日刊工业新闻社,1972 年版,第 2 页。

教育等各个方面，其中有关经济的主要内容是工业结构的转变和重新布局、老城市改造及“新25万人口城市”建设、交通通讯网络建设、环境保护。可以说，这个计划简直就是田中担任首相前就已经提出的“列岛改造计划”的政府版。

关于工业结构的转变和重新布局。基本计划提出：今后“必须追求有助于充实国民福利和国际协调的新产业发展模式”，“从长远观点看，我国的产业结构应该逐步向不污染环境、可循环利用资源的产业活动和自主创新技术支撑的知识集约型转变”①。在工业布局上，计划把全国分为“促进工业迁移地区”、引进企业的“诱导地区”和其他地区三类。其政策重点是通过优惠措施把核心企业吸引到地方，建设新的工业区，并以此为依托形成一批人口规模在25万左右的城市。计划还规定，根据各种工业的性质、规模及各地的人文地理条件，从事钢铁、有色金属、炼油、石化、电力等原材料及动力生产的大型联合企业，主要部署在苫小牧东部、陆奥小田原、秋田湾、志布志湾等地区，在橘湾、宿毛湾、有明海等临海工业区则重点发展造船、食品、木材加工业，在内陆地区、高速公路出入口地带，发展机械、电子、医疗器械等知识密集型产业。

关于老城市改造和“新25万人口城市”的建设。基本计划的目标是，要把平面城市改造成立体化城市，加大公共投资缓和交通拥挤问题，改善城市居民的居住环境，增加广场和绿地。在新城市建设的计划中，提出了建立60—80个新兴城市目标及“特定产业城市”概念，强调了培植新兴城市特色文化的重要性。

关于交通通讯网络建设。鉴于交通通讯网的建设是重新规划产业布局、发展新兴城市必不可少的前提条件，基本计划表示要加快新干线铁路、高速公路、石油管道建设，在本州与四国之间建设三座大桥，此外还要增扩建大型国际机场及国际贸易港口。

---

① 经济企划厅编：《经济社会基本计划》，大藏省印刷局，1973年，第77—78页。

关于环境保护。这几乎是基本计划中通篇都涉及的问题，反复强调了经济发展与自然协调、国民生活自然环境改善的重要性，同时针对大气、水质、土质污染等产业公害及生活垃圾物问题，提出了具体的治理和防治措施，并公布了中长期所要达到的数值指标。

如表 7 - 1 所示，以 1970 年为基础年度，基本计划提出的截至 1977 年的中期经济发展数值目标和截至 1985 年的长期经济发展期待目标表明，这是一个操作性很强的计划。

表 7 - 1 《经济社会基本计划》主要经济发展数值目标

内容	中期计划的数值目标（1970—1977）	长期计划期待目标（1977—1985 年）
年均经济增长率	9%	
政府固定资本形成增长率	15.5%(1973—1977)	
政府资金向民间转移增长率	22%(1973—1977)	
防止公害投资增长率	34.1%(1973—1977)	
东京、大阪、伊势三海湾硫磺氧化物排放量	减少 50%	
东京、大阪、名古屋三城市圈 BOD(生化氧)排放量	减少 50%	
城市人均绿地面积(平方米)	3→4.7	4.7→9
新建新干线铁路(公里)	1900	1900→7000
新建高速公路(公里)	3100	3100→10000
新建住宅	400 万户	
消费者物价年均增长率	4%以下	

资料来源：根据经济企划厅编《经济社会基本计划》(大藏省印刷局 1973 年)制作。

为实现上述宏大目标，基本计划提出要倾斜性地扩大运用财政资金，灵活发挥税制的调节作用，对过密地区企业加征"工厂迁出税"，对进入诱导地区的企业提供税收和融资等方面的优惠。

被冠以“电脑推土机”绰号的田中首相工作作风雷厉风行。《经济社会基本计划》尚在研究阶段的1972年10月，便责令政府依据《工业再配置促进法》，指定了“促进工厂引进诱导地区”和“促进工厂迁移地区”。财政政策上，三次追加1972年度一般财政预算，使同年的一般财政支出比上年度大增25%；同时三次追加财政投融资预算，使1972年的财政投融资支出比上年度大增28.5%。在制定1973年度财政预算时，田中内阁继续实行扩张性政策，一般财政支出额比追加后的1972年预算增加17.9%，财政投融资比追加后的1972年预算增加7.7%，同时还制定了一个减免3150亿日元所得税的大型减税计划。

从1972年下半年起，一场“列岛改造热潮”在日本全国掀起，许多企业瞄准国家的政策漏洞，抢先购置“促进工厂引进诱导地区”的土地，进而又使这种土地投机行动蔓延到待开发城市和地区，建设省1972年4月发表的地价调查显示，仅仅一年时间，全国住宅地上涨29%，其中六大城市住宅地疯涨38.1%。① 这股抢购土地风潮与政府推行的扩张性财政金融政策相呼应，旋即引起全国性物价上涨。1972年的批发物价仅比1970年上涨4%，1973年的上涨率却达到了两位数，通货膨胀已经成为亟待解决的问题。

但是，当日本政府在开发建设优先还是解决通货膨胀优先问题上犹豫不决之时，第一次石油危机的爆发，彻底打乱了日本经济的发展步骤。在国民经济顿时陷入混乱的状况下，处于压倒一切位置的危机对策取代了国土开发政策，列岛改造计划中途搁浅。

（二）产业结构的调整

1973年10月6日，为夺回第三次中东战争中失去的土地，埃及、叙利亚向以色列发动进攻，随后约旦、沙特阿拉伯也向以色列宣战，第四次

① 井村喜代子:《现代日本经济论》，有斐阁，2001年，第309页。

中东战争爆发。为了使美国改变偏袒以色列的政策，石油产量占世界总量60%的阿拉伯国家以石油为武器，采取了降低产量、提高油价的联合行动。10月16日，石油输出国组织（OPEC）中的阿拉伯湾六国决定提高原油价格21%。随后阿拉伯石油输出国组织（OAPEC）宣布原油产量每月递减5%。10月18日，沙特国王发表声明："美国不改变中东政策，就全部停止对美国的石油出口。"①

为了结束中东危机，美苏为首的国际社会紧张地开展了各种外交活动，并于1973年12月促成阿以双方停战。阿拉伯石油输出国组织虽然同意停止石油生产逐月递减5%的计划，但却继续坚持原油价格上涨的原则。这样，到1974年1月，每桶原油的价格已经由战前的2.65美元涨到10.46美元，上涨了近四倍。

石油价格的暴涨对日本经济的打击相当沉重。1970年，石油在日本能源消费结构中所占的比重，已经由50年代初期的5.3%上升到47.9%，石油的海外依存率是99.7%，而海外石油进口的78.6%来自阿拉伯地区。② 这三个数字表明，离开石油，日本的重化学工业无法运转。阿拉伯石油减产、涨价、降低对日出口比例后，打乱了日本国内相关企业的生产计划，引起石油供给不足、生产减量、化工原材料价格上涨及供给短缺的恶性生产循环，进而生产萎缩的效果又波及到消费领域，引起相关生活物品紧缺和价格上涨，旋即在全国范围内掀起一股抢购狂潮。灯油、床垫、胶鞋、皮靴、卫生纸、洗涤剂、砂糖、调味料、食盐、酱油等普通生活用品纷纷告急，国民风声鹤唳，小道消息满天飞，只要有人说某某商品紧张，立刻就被抢购一空。据日本银行的调查，这场跨年度的抢购风潮，竟使1973、1974两个年度的批发物价分别上涨了15.8%和31.4%，其通货膨胀率高于同期欧美各国。③

① 正村公宏：《战后史》下卷，筑摩书房，1985年版，第415页。

② 通商产业省编：《通商产业政策史》第1卷（总论），通商产业调查会，1994年，第498、503页。

③ 日本银行调查统计局编印：《以日本经济为主的国际比较统计》，1982年，第17—18页。

面对这种突发事态，日本政府采取了三步对应措施。第一步，于1973年11月16日成立以首相为本部长的紧急石油对策推进本部，政府亦制定了《石油紧急对策纲要》，号召国民节省石油和电力消费，并分工把口，由政府主管部门对大型耗能企业和单位进行“行政指导”。第二步，于12月22日颁布《石油供求公正法》和《国民生活安定紧急措施法》两部临时法律，同时宣布“紧急事态”，以控制局面的发展。第三步，1974年春中东局势趋于缓和后，逐步放开法律管制，此后开始大力推广普及节能技术和石油替代品开发技术，严重依赖石油原料的产业结构开始发生转变。

第一次石油危机使田中内阁的高速增长幻想彻底破灭，日本经济进入战后以来时间最长的结构萧条期。1974年首创战后经济负增长记录，增长率为－1.3％，1975年恢复到2.5％。股市是反映经济状况的晴雨表，到1974年10月，股票在不到两年的时间里暴跌了45.1％。经济萧条期间，电机、造船、汽车、机械、纺织、化学、钢铁及建筑等主要部门的生产均大幅度下跌，工矿业生产指数在1973年11月后的15个月内下降了21个百分点，其中有色金属、电气机械、化纤和造纸工业的降幅达到30％左右。为度过危机，企业普遍采取了减少设备投资、减产和裁员措施。企业设备投资额1975年比上年减少53％，设备开工率1975年比上年下降6个百分点。钢铁业普遍采取关闭高炉的临时措施，致使钢产量一度减少了30％。完全失业者人数增长一倍，临时被解雇的人数最高时达到500多万人。

石油危机使日本经济的致命弱点暴露无遗，但也成为促使日本加快转换经济结构的直接契机。从结构萧条期起，日本改变具有“重大长厚”特点的重化学工业结构的步伐加快，开始实行资本密集型产业向“短小轻薄”的技术、知识密集型产业的战略转变，这一转变的内在动力是市场的压力，为了度过萧条期，民间企业必须在经营上通过更加彻底的“合理化”来降低成本，提高生产率，同时不得不重新考虑企业发展和投资的方向问题。国家则从国民经济发展的长远观点出发，在经济政策上为产业结构的转型发挥重要的助推作用。

度过70年代中期的经济危机后，日本在产业政策上主要采取了以下新措施。

第一，大力开发新能源，改变现有的能源供给结构，降低能源消费中对石油的依赖率。1975年，综合能源调查会在提交给通产大臣的《关于昭和50年代的能源安定化政策》咨询报告中建议，加强水利发电能力，实现年均3.4％的增长；开发地热，年增长速度达到39.7％；提高原子能发电能力，实现年均增长32.3％；以提高处理公害的技术为前提保证，增加煤炭等非石油能源进口，其年均增长率为27.1％。①

第二，通过产业立法和行政指导，敦促结构性萧条产业控制设备投资并实行结构转型。福田(纠夫)内阁时期的1978年5月，公布实施《特定萧条产业安定临时措施法》(简称“特安法”)，其中规定：主管大臣须制定特定萧条产行业“安定计划”，明确以处理过剩设备为核心的行业标准；主管大臣可以在行业自主实施基本安定计划时，就共同行为发出指示；设立特定萧条产业信用基金，为处理过剩设备提供必要的融资。②“特安法”明确规定，平电炉、铝炼制、合成纤维制造、船舶制造四种行业属于萧条产业，须按照法律规定的程序制定“基本安定计划”，并对过剩设备进行处理。此后，政府连续通过政令，于1978年7月增加氨、尿素、湿式磷酸、纺织四种制造业，8月增加铁合金制造业，1979年3月增加纸板制造业，使“特安法”指定的结构调整行业达到了10个。

第三，通过产业立法和行政指导，加快发展知识密集型产业。大力提倡IC(集成电路)关联技术的引进与开发，台式电子计算机、彩色电视机、录像机、录音机、计算机等电子产品以及由电子技术装备的汽车、数

① 通商产业省编：《通商产业政策史》第1卷(总论)，通商产业调查会，1994年，第512—513页。
② 通商产业省编：《通商产业政策史》第1卷(总论)，通商产业调查会，1994年，第526—527页。

控机械等是政策上的扶持发展对象，除此之外，航空制造业、原子能产业、海洋开发器械、软件开发业、信息服务业、大型工程安装业等被列入新的政策扶持重点对象。为推进上述产业的发展，日本政府于1978年7月颁布《特定机械情报产业振兴临时措施法》（简称“机情法”）。这部时效期为七年的临时法律，将机械、电子、软件开发三大行业列为政策扶持重点，指定应用型电测器、电子医疗器械、集成电路、高性能传真装置、数控机床、工业机器人等88种设备或机种为法律适用对象，明确规定在融资、税收政策上实行倾斜性支持。①

第四，继续实施和调整田中内阁时期制定、因石油危机及其后的经济萧条而停滞的产业布局政策，1977年公布工厂再配置促进计划，1978年指定北海道、山阴、南九州、冲绳等12个道县为工业诱导地区。1978年12月大平内阁成立后，又开始研究如何建设城市与农村一体化的30万人“田园城市”建设问题。

第五，支持企业海外投资，通过ODA援助，扩大政府间经济合作。产业结构的调整和转变，使日本经济很快恢复了活力。尽管1979年发生的第二次石油危机对日本经济再次造成负面影响，但是相比其他欧美国家来说，日本是轻灾户。1976至1979年，日本经济增长率连续四年超过5%，年均增长率高出美国一个百分点、英法德两个百分点，进入所谓“中度增长期”②。

70年代后期，以电子技术为核心的相关产业实现了飞跃性的大发展。70年代末，工业机器人、数控车床、数显计算机、半导体、集成电路的发展极为显著，与10年前相比，电子计算机末端装置产量增长30倍，数控车床和半导体集成电路产量增长20倍。其中台式电子计算机性能大为改善，实现了轻薄且多功能化，产量由1971年的204万台增加到1980

① 通商产业省编：《通商产业政策史》第1卷（总论），通商产业调查会，1994年，第589页。
② 正村公宏：《战后史》下卷，筑摩书房，1985年版，第442页。

年6000万台；彩电生产实现了全自动化；摄像机和录音机产量由1975年的12万台增加到1980年的444万台，产品垄断了世界市场；汽车制造业因采用省油技术并在车内安装了半导体接受设备而受到欧美市场青睐，从1977年起取代钢铁成为第一出口创汇产业。在其他高端技术领域，1978年，三菱重工等日本三家企业负责机身和主翼的研制，与美国波音公司合作开发波音767飞机，并于1981年完成试飞。1977年，日本与美国联合研制的"菊花2号"静止卫星和"向日葵"气象卫星升空，两颗卫星中使用的日本产零部件分别达到41%和15%。在原子能技术方面，1979年日本的原子能发电设备能力已达到1267万千瓦，成为仅次于美国的世界第二原子能发电大国。

70年代后期，以电子技术为依托的日本商品实现了"疾风暴雨般的出口"，日本成为最大的长期性贸易顺差国，由此再次激化了日美之间的贸易摩擦。同期，由于美国的强烈抗议，日本不得不在对美钢铁、彩电出口上实行自主性数量限制。

（三）国有企业民营化

80年代初期，撒切尔和里根先后就任英国首相和美国总统，由此掀起一场世界范围的私有化、自由化改革的浪潮。在这场浪潮的冲击下，日本进行了国有企业民营化改革和金融自由化改革，从而揭开了90年代后对战后型经济体制进行清算式大改革的序幕。

在日本，国有企业通常被称作"公企业"，而广义的"公企业"中又包括中央和地方政府所管辖的两部分。据1975年统计，地方公有企业一万多个，中央公有企业百余家，后者资产和职工数均占公企总数的70%。同年，公有企业资产额占全国资产总额的9.2%，固定资产额占全国的11%，就业人数占全国的4.7%。与西方主要国家相比，应该说日本的国有经济比例并不高。

80年代以前，中央政府管辖的国有企业可分为纯粹的行政事业性企业和公共性企业=国有企业两大类。纯粹行政事业性企业特指造币局、印刷局、国有林野、邮政等所谓“四现业”。四现业不具有独立法人资格,而是作为行政组织的一部分,分别由大藏省、农林省和邮政省直接管理。四现业的管理体制是,领导由上级委派,员工适用于《国家公务员法》,其预算、决算、事业计划等须得到上级行政部门批准并接受其检查。四现业实行独立核算制度,在资金筹措及收益分配方面有一定自主权。

公共性企业是根据专项立法而建立的特殊法人,一般是由政府全额出资,享有较多的经营自主权,其经营范围则涉及金融、保险、邮电通讯、交通、公共福利、社会服务等广泛领域。截至 1975 年,此类特殊法人共有 114 个,其中包括 3 公社、16 公团、20 事业团、10 公库、5 银行和金库、1 营团、12 特殊公司、47 其他法人。1985 年 1 月,特殊法人减至 99 个。在这些特殊法人中,三公社是最大的国有企业,其职工总数占国企职工总数的 80%以上,其中电电公社(NTT)和国铁在改革前各自拥有职工 30 万以上。

在国铁、电电、专卖三公社中,规模最小的日本烟草专卖公社一直是国家的纳税大户。战后初期,专卖公社的纳税额曾占到国家一般财政收入的 20%左右。80 年代初,专卖公社的香烟销售量仅次于英国的 BAT 和美国的菲力浦·莫里斯,居世界第三位。1980 年,专卖公社交纳国税 8081 亿日元、地税 6309 亿日元,实现纯收益 1492 亿日元。然而,表面看专卖公社经营状况尚可,实际上面临的问题严峻。一方面烟草库存量剧增,超过正常库存 50%以上;另一方面欧美各国强烈要求日本改变烟草进口的高关税保护政策,而一旦取消保护,专卖公社根本无法与国外烟草竞争。

日本电信电话公社成立于 1952 年,截至 1965 年,其收支尚可保持平衡,第一次石油危机以后收支状况恶化,1974 至 1976 年三年间亏损 6000 亿日元。1976 年通话费提价后,虽然收益增长率逐年降低,尚能勉力维持收益正增长局面。电电在经营上的主要问题是人工费过高,1980

年该项支出约占总支出的33.7%。再就是长期债务负担较重,1980年债务余额5.3万亿日元。

日本国有铁道公社是根据《日本国有铁道法》于1949年6月组建的。1965年以前,国铁承担了全日本50%以上的客运量和40%以上的货运量。1964年国铁首次出现亏损后一蹶不振,赤字额年年上升,1980年亏损额突破万亿日元,1986年累计亏损额高达15.5万亿日元。此外,国铁还背负着37.5万亿日元的长期债务。

由此可见,三公社的经营现状虽然有所不同,但发展前景都不乐观。究其原因,皆与其经营体制有关。

国铁、电电、专卖作为执行一定公共职能的公共企业体,由于产权和经营权无法实现彻底分离,影响了企业自主经营。以国铁为例,《日本国有铁道法》第二条规定:"日本国有铁道是公法上的法人而不是受民法、商法调整的一般公司。"这就意味着国铁虽然具有法人资格,能够独立进行经营活动,但其行为必然带有"公"的色彩并接受国会、政府的管束。国铁既要遵守《日本国有铁道法》《国有铁道运费法》《铁道铺设法》《全国新干线铁道整备法》《日本铁道建设公团法》《铁道营业法》《公共企业体等劳动关系法》等专项法律,也要遵守一般法律。在人事管理上,国铁实行理事会负责制,国铁总裁由内阁任命,副总裁、理事须获得运输大臣的认可。在财务制度上,国铁的预算、决算必须经内阁和国会批准,执行预算时,每季度要向运输大臣、大藏大臣和会计监察院报告。在业务经营上,国铁的业务范围、投资领域、经营费用、经营方法、经营计划等均受到法律和政府的约束,运输大臣有法定的监督权。由于国家权力的干预,国铁的管理者无法根据市场的变化及时调整或改变经营方针,也不能灵活采用奖励方式调动员工的积极性;企业管理人浮于事,员工中普遍存在消极怠工现象。更有甚者,许多铁道线路原本就不是从经济核算的角度出发,而是在"增进公共福利"的名义下,为满足当地出身的议员及官员的要求兴建的。1974年前新建的1500公里铁道线路,年营业收入仅

150亿日元，而运营成本却高达500亿日元。对于这些赤字线路，国铁必须无条件经营，同时无条件地背负债务。在这种条件下，国铁要想扭转经营亏损局面几乎没有可能性。

这样，在所有国有企业中，国铁成了头号长期亏损大户，只能靠政府财政补贴维持运转。1970至1985年，政府对国铁的补助金累计7万亿日元，其中1984年的补助金已高达6747亿日元，占同年政府公债发行额的5.1％。① 沉重的财政负担迫使日本政府不得不重新考虑国铁等国有企业的出路问题。

国有企业机构臃肿、效率低下问题不是日本独有的现象，在英、法等欧洲国家，国有企业同样是国家财政的重大包袱。1981至1982年，国有英国利兰汽车公司的亏损额高达5.35亿英镑，国有英国钢铁公司1982年度每周亏损1200万英镑。1979至1980年英国政府仅对国有铁路、钢铁、煤炭企业的财政补贴就达18亿英镑，1984至1985年更高达40亿英镑，约占财政赤字的1/5。② 法国雷诺汽车公司曾被密特朗总统树为国营企业样板，然而好景不长，1980年亏损6亿法郎，1981年增至7亿，1982年增至16亿，雷诺汽车在欧洲市场上的销售额也从1983年的第一位降至1984年的第四位。1980年法国国有企业亏损额为36亿法郎，1984年猛增至370亿法郎，1985年再增至670亿法郎，相当于同年国家工商业利润总额的2/3。

1979年5月，撒切尔夫人出任英国首相后，率先打出了私有化的大旗，大刀阔斧地推行国有企业私有化政策。以1981年英国宇航公司和电报无线电公司的股权转让为起点，私有化政策步步推进，到1988年，英国已有40％的国有企业转归私有，65万国有企业职工转入私有企业，占全部国有企业职工的30.3％。德国总理科尔1983年执政后承诺，要

① 石弘光监修：《财政结构改革白皮书》，东洋经济新报社，1996年，第443页。

② 复旦大学日本中心编：《日本国有企业的民营化及其问题》，上海财经大学出版社，1995年，第362页。

将958家国家拥有1/4以上股份的公司私有化。到1985年,470家小公司中的国有股份已完成转让。法国的行动稍晚些,1986年希拉克上台后正式实施民营化的改革。80年代,意大利、西班牙、挪威、澳大利亚等资本主义国家也都进行了类似的民营化改革。

日本政府一直注视着世界范围的私有化发展动向,并在80年代初把国企民营化问题纳入政府议事日程。1980年7月,铃木善幸组阁后实施的重要政策,就是以"为实现行政改革一赌政治生命"的决心,进行行政财政改革。同年12月,国会通过《临时行政调查会设立法》。1981年3月,成立了内阁总理大臣的咨询机构第二届临时行政调查会(以下简称"临调"),开始对国企的状况及其改革方针进行调研。1982年11月,中曾根内阁成立后,继承了铃木内阁的行政改革路线。中曾根组阁时,要求所有阁僚候选人必须承诺全面支持行政财政改革,否则不予任命。1983年5月,国会通过《临时行政改革推进审议会设置法案》。9月,国会又通过《设置行政财政改革特别委员会法》。为保证国有企业改革的顺利进行,中曾根首相曾三次更换国铁总裁,四次调整运输大臣。

第二届"临调"由九名委员组成,均由总理大臣任命。其中包括经济界三人、劳动界两人、官员两人、学者一人、新闻界人士一人,土光敏夫任会长。"临调"在对日本的行政财政状况进行全面调查和分析的基础上,于1982年7月提交的第三次咨询报告中提出了对国铁、电电和专卖三公社实行民营化的具体方案。1983年3月,"临调"提交最终咨询报告,明确了"建设有活力的社会福利""为国际社会做积极贡献"的两大目标,提出了"适应变化""保证综合性""简捷效率""保证信赖性"等行政改革的四项基本原则。

由于国企改革不仅涉及到数十万员工的生活安排问题,而且必然会损害某些特定集团的既得利益,因此改革方案一开始就受到三公社和自民党利益集团的强烈抵制,原定的方案被迫一再调整后,首先对电电和专卖实施了民营化改革,国铁改革的方案则一直拖到1986年11月才最后通过。

1985 年 4 月 1 日，根据《日本烟草产业股份公司法》，组建了日本烟草产业股份公司(JT)，废除了流通专卖制，对烟草生产实行全额合同收购制，零售商由原来的指定制改为许可制，取消预算国会议决制，改由大藏大臣认可企业计划和董事，从业人员由 3.5 万缩减为 2.6 万人，职工由适用《公营企业劳动法》改为适用普通劳动三法，公司的经营范围限制也被放宽。但是，专卖的改革并没有完全废除收购制和零售许可制，其国家拥有的股份，原则上只允许售出 1/2。

1985 年 4 月 1 日，日本电信电话公社改组为日本电信电话股份公司(简称"NTT")。根据新的公司法，日本决定放开电信市场，取消电信业务垄断，引入了竞争机制，国会预算制和管理者任命制改为主管大臣认可制，工资由法定改为认可，从业人员适用劳动三法，职工由 31.1 万人精简为 26.6 万人。1986 年 4 月 1 日，日本政府决定 1990 年 3 月前分四次出售 NTT 全额股票的一半计 780 万股。与最初的 100%民营化改革方案相比，电电公社的改革既没有实行分割或分离，也没有要求股票的全额社会化，可以说其改革尚未摆脱过渡性质。

1987 年 4 月 1 日，根据《日本国有铁道改革法》等八部法律，国铁进行了民营化改革，国铁被分成七个特殊公司(即 JR 东日本、JR 西日本、JR 东海、JR 九州、JR 四国、JR 北海道六个旅客铁道股份公司及一个全国性货物铁道股份公司 JR 货运，它们统一称为"JR")和一个国有铁道清算事业团、一个铁道保有机构以及三个服务性机构。JR 各公司董事长、监察长的任命与解职，股票、债券发行，公司的合并与解散等重大事项，仍须获得运输大臣的认可，其他一般员工的雇用与解聘、公司预算、运费调整、内部奖励制度等事务，无需请示运输大臣。公司的董事会和执行机构具有充分的经营自主权。政府还放宽了对铁路运营方式及事业范围的限制，各公司可以经营与铁路事业相关的其他服务项目，以增加营业收入。由于国铁改革的同时废除了《地方铁道法》，由此各种铁道公司一律被置于同等的市场条件之下参与公平竞争。可以说国铁的民营化改革虽然行动最晚，但是却相对最彻底。

除了三公社外，80 年代的民营化改革中，还有四家政府控股的特殊法人转为一般民间法人，其中最受瞩目的是日本航空公司的民营化。1987 年 9 月，运输政策审议会做出决定，全部出售政府持有的日本航空公司股票，由此日本航空由特殊法人变成一般法人，从而失去了以往的零利率及零股息的政府出资、限额发行公司债券的特殊待遇以及政府担保发行债券或借款等特权，同时在经营计划、领导选任、章程修改、利润分配、增资及发行债券、购买及转让飞机等方面，不再受政府限制，取得了经营上的自主权。①

国有企业的民营化作为 80 年代日本经济改革的重大举措，其经济和社会的效果如何引人关注。这种效果可以从国企员工的安置、国有资产的善后管理、民营化后的经营状况等方面考察。

先看一下专卖改制后的状况。在三公社的民营化改革中，专卖公社的改制很大程度上是在美国等西方国家强烈要求日本开放烟草市场的背景下被迫进行的，因此改制的目的一是开放市场，引入竞争；二是促进经营的合理化。为此，日本烟草产业股份公司(JT)成立后进行了大幅度裁员，员工由 31113 人降至 24089 人。采取合并或关闭措施，把香烟工厂从 34 家减至 26 家，原料工厂由 16 家减至 7 家，营业所由 270 家减至 174 家。这些措施对于减少开支、提高经营效益起到了重要作用。由于烟草市场逐步对外开放，长期以来形成的专卖垄断局面被打破。实行进口香烟免税的 1987 年，国内香烟市场上外国香烟的占有率由上年的 3.9%升至 9.8%。至 1993 年，JT 的年香烟销售量稳定在 2700 亿支左右，在国内市场的占有率降至 82.1%。从总销售额、纳税额、税后利润等指标看，JT 仅仅维持了改制前公社时代的盈利水准。当然，这是在吸烟

① 桥本寿朗:《现代日本经济》，戴晓芙译，上海财经大学出版社，2001 年，第 237 页。

率下降、市场开放后竞争加剧的条件下实现的。

再看电电公社改革的效果。电电公社民营化后变为 NTT 公司。至 1989 年，NTT 裁减员工约 5 万人，员工数由 31.4 万减少到 26.6 万。资产管理方面，从 1986 年 10 月起，NTT 分三次出售股票，计 540 万股，占全部股票的 35.6%，政府获得 10.1 万亿日元收入。面值 5 万日元的股票以每股 200 万日元左右价格售出，涨幅约 40 倍，显示了公众对新公司未来发展的信心。在经营体制方面，1986 年，NTT 设立了 49 家分公司，其业务涉及电信、图文资料、网络开发、不动产租赁等。企业实行事业部制，基层部门的经营权限扩大并增强了灵活性。

根据新的电信事业法，民营化后的国内、国际通信业引入竞争机制，并对电信事业进行了两种分类。第一种电信事业为独自安装通信设备并从事通信服务的事业，有关公司须经政府认可。第二种电信事业为租借通信设备并从事通信服务的事业，只需一般企业注册。1985 年改制后，从事第一种电信事业的公司只有 NTT 一家(第一种国际电信事业除外)，从事第二种电信事业的公司 85 家。到 1992 年 4 月 1 日，第一种电信事业中除了 NTT 外，增加了 66 家公司(统称“NCC”)，其中包括长途通信三家、区域内通信七家、卫星通信三家、移动通信 53 家。第二种电信事业公司增至 1036 家。由此，国家对电信事业的垄断被打破，日本电信事业地图发生了根本性改变。

引入竞争机制后，NTT 在固定电话服务领域一直占有优势，1991 年仍保持 93.5%的市场占有率，但是在其他服务领域却遇到了其他公司的强有力挑战。从 1988 年开始，NCC 在无线寻呼、手机以及专线服务的市场占有率迅速提高。在东京都、大阪府、爱知县间的长途话费占有率上，NTT 与三家 NCC 公司平分秋色。电信业的竞争是以通信费用为核心展开的。以第二电信、日本电信、日本高速通信为代表的 NCC 各公司，为了争夺市场，确立自己的地位，与 NTT 展开了持久的价格战。1985 年，NTT 的长距离通话费为平日白天 3 分钟 400 日元，而 1987 年 9 月

NCC 制定的价格为 320 日元。此后,NTT 和 NCC 竞相降价,1988 至 1992 年双方各进行了五次降价,NCC 始终保持了 10%左右的价格优势与 NTT 竞争。直到 1998 年,双方才在长距离通信方面消除了价格差。

在经营绩效方面,直到 90 年代中期,NTT 的收益状况平平,与电电公社时期相比也看不出多大改善。但是从公司的内部资产结构看,自有资本额和自有资金率有所上升。不过更为重要的是,电信事业民营化后,在竞争机制下,电信事业的服务质量提高、服务价格下降,消费者得到了实惠。

最后看一下国铁民营化后的变化。国铁时期人满为患,造成人工开支过大,因此民营化后的首要任务是裁员减支。1985 年 8 月,政府成立了中曾根首相任部长的"国铁富余人员雇佣对策本部",广开就业渠道,安排国铁裁减人员。到 1987 年,JR 各公司雇用 20.31 万人,其他约 10 万人中,部分办理退休,多数被安排到其他民间企业或公共部门就业,7600 人交给国铁清算事业团等候安排。到 1990 年,由清算事业团安排的员工中,多数实现再就业,1880 人辞职或被解雇。

在资产管理方面,民营化后,对国铁公社所欠的 37.5 万亿日元债务,日本政府的决定是:"在不致影响新公司健康发展的前提下,由各公司相应承担一定数额的债务",其他债务由清算事业团承担。据此,本州三家 JR 客运公司和货运公司承担了 11.6 万亿日元债务,北海道、九州、四国三家 JR 客运公司免除债务责任,清算事业团继承债务 25.5 万亿日元。政府同时决定,JR 各公司股票出售收入、原国铁所持土地的出售收入等归清算事业团,不足部分由国家财政负担。民营化时,国铁可出售土地共 9300 公顷,预计收入 7.7 万亿日元。到 1997 年,共出售土地的 74%,收入 5.6 万亿日元。1993 至 1997 年,JR 东日本、JR 西日本和 JR 东海先后上市,市价高达 60 万亿日元。截至 1997 年,清算事业团获得的土地、股票收入已超过 10 万亿日元。尽管如此,由于清算事业团每年要支付 1.1 至 1.3 万亿日元的债务利息,结果原国铁债务有增无减,到

1997年初,债务余额仍多达28.1万亿日元。

在企业经营方面,民营化后,JR各公司的经营自主权扩大,除了重要财产所有权变更、担保等仍须获得运输大臣的认可外,一般经营业务公司自主。为了提高效益,增加收入,各公司利用手中的资源,积极拓展相关经营项目,增开车次,增加服务项目,并把事业扩展到房地产、建筑、旅游、百货、饮食等领域。

为了改变旧国铁在国民中的不良形象,各公司狠抓服务质量管理,员工岗位意识增强,热情待客,微笑服务,一改国铁时期无视顾客的冷漠态度。

在经营绩效方面,改制前国铁连年亏损,为解决财政赤字曾在13年内提高运价11次。民营化后,各公司没有提价,经济效益却逐年改善。1986年国铁的营业亏损额为3561亿日元,而1991年JR各公司的营业利润为5194亿日元。[①] 另据有关统计,民营化前,国铁每年向国家纳税300亿—500亿日元左右,反过来每年领取国家财政补助6000亿—7000亿日元。民营化以后,国家向国铁清算事业团提供的补贴逐年缩减,到1991年已减至1082亿日元,但同年JR各公司上缴国家的利税已达到4443亿日元。[②]

总体上说,日本在80年代推行的民营化,适应了市场化、自由化的国际潮流,不但减轻了政府的管理成本,卸掉了沉重的财政包袱,而且通过引入竞争机制,改善了相关行业的经营效率和服务质量,提高了社会整体福利。同时,以三公社为代表的国企转制,也为其后的民营化改革深化提供了宝贵经验。改革基本是成功的,但是如同NTT的情况那样,民营化改革并未完全取消政府对有关行业的管制,变成国家控股的各种公司仍然不同程度地受到国家权力的影响,而只要国家是最大的股东,

① 玉村博已编著:《民营化的国际比较》,八千代出版股份公司,1994年,第49页。

② 复旦大学日本研究中心编:《日本国有企业的民营化及其问题》,上海财经大学出版社,1996年1月,第223页。

企业的自由就只能是相对的自由。从这个意义上说,90年代泡沫经济崩溃后民营化改革的深化是历史的必然。

(四)金融自由化

80年代,随着国力的攀升,"国际化"成为日本最流行的口号。为了使日本经济进一步走向世界并成为金融大国,也为了缓和与美国的经济摩擦,在国际上树立开放的经济大国形象,日本推行了金融自由化。

战前日本的金融体制以第一次世界大战结束后的20年代为界,前后发生了很大变化。从1870年代日本建立第一批近代银行到1927年金融危机爆发,日本效仿美国建立了近代金融体制,其特点是银行起业自由、资本市场供给以直接金融为主。当时各种金融机构林立,但规模都比较小,破产现象频出。一般认为,这种体制属于盎格鲁·萨克逊体系。

但是,20年代的金融危机和1929年世界性经济危机的爆发,使自由放任的资本主义体制受到沉重打击,此后日本的金融制度发生了重大变化。根据1927年3月颁布的《银行法》和同年5月颁布的《日本银行特别融资补偿法》,政府加强了对银行开业资本额、组织形态、兼业、干部兼职、资金使用的管制,并使公共资金对私有银行的援助法制化。① 其后,由于推行战时经济统制,政府对金融业的干预和控制不断强化,命令融资、日本银行特别融资、协调融资方式更为普遍,金融分业限制严厉。战时为了保证军需生产,还推行了"一社一银"的银企对口融资制度,主银行制度初见雏形。在此期间,企业的资本结构发生逆转,间接金融取代了直接金融。

二战结束后,美国对日占领当局曾设想在日本推行金融民主化和自

① 参见伊藤正直等编:《金融危机与更新——从历史到现代》,日本经济新闻社,2000年,第4章。

由化的改革,其基本思路是金融市场化,分散风险,长期资金通过股票、证券等资本市场筹措,短期资金通过商业银行解决。但是这些改革并未达到预期目的。50 年代前期,日本政府根据“国情”对美国式的金融改革进行了“日本化”再改革,从而使间接金融成为企业资金的主要供给形式,并形成了系列化、主银行制等银企间相对固定的长期交易关系。与此同时,政府金融监管体系也趋于完善。日本学者宫岛英昭指出,这是一种“强有力的、以主观判断性很强的金融行政、间接金融、主银行体制等为特点的金融体制”①。这样,经过 20 年代金融危机后的金融体制变动、战时的先行实验和战后初期的改革调整,战后型的金融体制于 50 年代中期基本定型并一直维持到 80 年代。②

具体说来,战后日本的金融体制具有以下特征:一是公私金融机构并存。50 年代初期,日本政府先后将大藏省存款部改为资金运用部,设立产业投资特别会计,成立进出口银行和开发银行两大政府银行,整顿或建立了数家政府金库和公库,从而建立了所谓“2 银行 10 公库”的政府系金融机构。这些政府系银行的使命是,支持重点产业发展,援助中小企业,支持和改善民间生活福利设施。与此同时,民间金融机构经过调整,形成了银行和非银行两大系统,前者包括普通银行(都市银行、地方银行及相互银行)、长期信用银行、外汇专门银行、各种信用组合等,后者包括各种证券、保险公司等。二是金融业务分离。战后的金融制度对各种金融机构的业务范围都有明确的规定,严格实行分业限制。首先是长期与短期金融的分离,根据有关法律,有资格发放长期贷款的银行仅限于兴业银行、长期信用银行、北海道拓殖银行及政府的开发银行等寥寥数家,普通银行只能开展短期融资业务;其次是银行与非银行机构业务的分离,银行业不得经营信托、证券及保险业务,反之亦然;再次是内外

① 宫岛英昭:《战后金融改革——金融体制的美国化及其修订》论文手稿。

② 冈崎哲二、奥野正宽:《现代日本经济体系的源流》第 2 章,日本经济新闻社,1994 年。

金融业务的分离，实现贸易、资本自由化以前，政府对外汇、外资业务实行管制，开展金融自由化以前，汇兑业务还只能在指定银行进行。三是间接金融为主。与美国的最初设计相反，战后民间资金供给的主渠道，不是靠证券市场获得，而是依赖银行的融资。在50—80年代的数十年间，间接金融的资金供给，始终占整个社会资金供给的70%左右，与战前直接金融资金供给占60%以上的状况形成鲜明对照。战后的间接金融是在资金供给绝对不足的前提下形成的，其优点是，由于企业对银行的依赖性强，彼此建立了一种长期且相对稳定的交易关系，即所谓“主银行制”。企业依赖间接金融的一个结果是，经营者可以一定程度地摆脱股东的控制，得以更多地考虑企业的长远利益。四是建立了有效的政府金融监控体系，在这一体系下，政府可以通过官定利率、窗口指导、协调融资、发行国债及编制财政投融资计划等政策手段，控制货币流量，影响企业的投资行为。

战后型金融体制，是一种以保证金融安全稳定性为首要目标的内具限制性、外具封闭性的金融体系，因而又被称为“护卫船队方式”。在战后日本经济复兴、高速增长直至实施金融自由化之前的时期里，确实没有发生过一家金融机构破产的现象。换句话说，这种体制创造了战后“银行不倒”的神话。

然而，70年代末期，日本的国内外环境发生了显著变化，封闭性的金融体制所赖以存在的条件正在丧失。国际上，欧美等主要发达国家采取的扩张性财政政策失灵，经济发展速度放慢，国家财政负担越来越重。进入80年代后，新自由主义的抬头对西方国家的经济政策产生了重要影响。为了摆脱经济长期滞胀的局面，英美两国率先进行市场化、自由化改革。英国的撒切尔政府在大力推行民营化的同时，还强力推行了以证券市场自由化为中心的所谓“金融大爆炸”改革。美国在里根执政后，于1980年颁布《金融制度改革法》，对金融制度进行了一系列更具开放性和自由性的改革，民间金融活动更加自由，金融衍生商品大量增加，市场化进程加快。1982 年，美国实现存款利率自由化。美国在加快本国金融自由化的同时，也要求其他国家开放资本市场，日本则是其当然的重点敲打对象。对于国际上兴起的这股自由化浪潮，急欲提高国际形象和地位的日本不能熟视无睹。从国内情况看，70 年代的经济发展虽然放慢速度而进入“中度增长”期，但保持了发达国家中经济增长率最高的记录，外贸顺差不断扩大，与美国的人均收入差距进一步缩小。由于经济实力的增强，战后以来最令人头痛的外汇资金与内部资金供给不足的状况已经从根本上改变，日本已成为经常性贸易收支黑字国和长期性资金过剩国。在国内资金的供给方面，进入 80 年代后，由于企业自身实力增强，自有资金增加，开始摆脱单纯依赖或受制于主银行的局面。反过来，各种金融机构资金大量积存，放贷市场日益变窄。战后以来金融市场出现了“生产者市场”向“消费者市场”的历史性逆转，国内资本的过剩产生了海外投资的需求，而现存的金融体制已无法满足要求，企业界、特别是金融界要求放宽金融监管、加快金融自由化的呼声不断高涨。金融自由化是在这种外有压力、内有需求的状况下实施的。

中曾根执政后，在金融自由化问题上采取了积极的态度，从放宽利率限制入手，逐步深化金融体制改革。在被称为“金融自由化元年”的 1984 年 5 月，日美两国签署《日美日元、美元委员会报告书》，同时大藏省亦发表了堪称“金融自由化宣言”的《关于金融自由化及日元国际化的现状与展望》，此后，日本的金融自由化加快了步伐。

广义的金融自由化包括金融的国际化和国内金融的自由化两个方面。对此，日本政府在 80 年代至 90 年代初主要采取了以下改革措施。

在金融国际化方面，放宽对外国资本及外国金融机构在日本从事金融业务及投资活动的限制，批准若干外国银行、金融机构和国际金融组织在日本开展信托、证券及国债买卖业务，并于 1986 年开设东京离岸金融市场；放宽对国内资本及金融机构在国外从事金融业务及投筹资活动的限制，从 80 年代中期起，放宽企业海外“欧洲日元”存款限制，取消向国内外企业发放“欧洲日元”短期贷款的限制，放宽“欧洲日元”长期贷款发行条件，批准发行“欧洲日元”金融债，从而使日本在海外的各种金融机构大增，海外金融资产急剧膨胀；推进日元的国际化，1980年修改《外汇法》后，日元在国际资本交易中由“原则上禁止”变为“原则上自由”，其后又实现日元与外币兑换的自由化，从而使日元在国际上的地位急剧提高，成为国际上重要的贸易支付手段和外汇储备手段。

国内金融的自由化主要是围绕着存款利率自由化和金融业务自由化展开的。关于存款利率的自由化，1981年后逐次引进自由利率大额定期存款（CD）和市场利率连动型大额定期存款（MMC）制度，规定前者的最低存款限额为10亿日元，期限三个月至两年，后又放宽到1000万日元和一个月至三年，后者的最低存款限额为5000万日元，1987年则又取消这一制度。小额自由利率定期存款和市场利率连动型定期存款制度始于1989年，至1993年完全实现自由化。从1992年起，又引进流动性存款制度，到1994年，除活期存款外，流动性存款项目及其利率实现自由化。

金融业务的自由化是从1983年允许银行经营证券业务、窗口出售中长期国债及贴现国债开始的。1985年金融制度调查会成立后，对金融制度进行了全面的审议修改，自由化速度加快。1992年颁布《关于整顿金融制度及证券交易制度关系法》，1993年颁布《关于金融制度改革法的政、省令》，由此在法律上彻底取消了战后以来一直实行的对金融机构的分业限制，允许银行和证券、信托公司等非银行机构相互参入对方业务领域乃至相互收买，允许信用组合及劳动金库等金融机构从事外汇买卖、国债窗口出售以及债券股票的买卖业务，从而打破了分业限制的壁垒。在此期间，“窗口指导”这一战后以来颇为有效的金融监管手段也于1991年被废除。①

---

① 节选自拙著《日本近现代经济史》第9章。

二、不良债权的处理

20 世纪 90 年代初，随着股市暴跌和不动产价格严重缩水，如日中天的日本经济急转直下，先是资不抵债的企业剧增，继而是银行等大量金融机构在不良债权的重压下破产。泡沫经济崩溃后，日本经济在沉闷的气氛中度过了“失去的 10 年”。

金融是国民经济的心脏。资产泡沫崩溃后，如何处理金融机构背负的不良债权，重建现代金融体制，恢复金融机能，成了世纪之交日本经济能否摆脱困境并获得新生发展活力的关键。如果从 1995 年七家住宅专业金融机构不良债权问题的曝光算起，到 2005 年不良债权问题基本解决为止，日本政府为解决不良债权问题，不仅耗费了整整 10 年时间，而且付出了沉重代价。

日本经济发展中遭遇的这一重大挫折和深刻教训，对于 30 年来经济发展高歌猛进但时下进入改革深水区的中国经济来说，无疑具有重要警示意义。这里拟在揭示日本上世纪 80 年代资产泡沫生成机理的基础上，阐明 90 年代泡沫经济崩溃及不良债权发生的内在联动性效应，进而重点解析和评价日本政府处理不良债权的时机、对策和方法，以为他山之鉴。

(一) 资产泡沫的生成机理

所谓资产泡沫，是指资产价格超出了资产的实际价值①，其超出部分越大，意味着泡沫和风险越大，直到泡沫破灭实现价值回归。

从 1986 年 11 月起，日本发生了战后以来罕见的长达四年多的“平成景气”。1986 至 1991 年，年均经济增长率超过 5%，高出其他发达国

① 有学者指出：泡沫是指相关产品的市场价格与其通过一些基本参数所确定的实际价值之间的差距。参见克劳德·迈耶《谁是亚洲领袖——中国还是日本》中译本，社会科学文献出版社，2011 年，第 189 页。

家两个百分点。此外，由于日元急剧升值，因此按美元计价的国民总收入、人均国民收入等诸项经济指标飙升。1987 年，日本 GNP 达到美国的 60％以上，人均 GNP19553 美元，超过了美国的 18570 美元和联邦德国的 18373 美元。[①] 在对外债权方面，1985 年，日本扣除对外负债后的对外纯资产额为 1298 亿美元，成为世界第一债权大国，1990 年增至 3281 亿美元，债权大国的地位愈加巩固。[②]

这些统计数字给人的印象是，上世纪 80 年代后半期的日本经济势头强劲，可谓形势大好，以致日本国民喜不自胜，欧美人士也发出了“日本将取代美国”“21 世纪是日本世纪”的慨叹。然而，在“数字繁荣”的背后却是资产价格与价值的严重偏离，日本经济正酝酿着一场近代以来罕见、二战后最大的资产泡沫危机，其泡沫膨胀的程度在同期股价和地价的异常变动中可见一斑。

在股票市场，日经平均股价 1980 年为 6870 日元，1985 年升至 12557 日元，五年间上涨 82.7％，涨幅尚属于正常范围。然而，1986 年后股市暴涨，1989 年 12 月 29 日升至 38915 日元，四年间涨了三倍多[③]，这显然不是一种正常现象。据有关测算，日本股市时价总值 1987 年超过美国，1988 年超过 500 万亿日元，为同年 GDP 的 1.28 倍，已与实体经济出现巨大乖离。

不动产业资产泡沫的膨胀来势凶猛。1985 至 1991 年六年间，全国平均地价上涨 62％，东京、横滨、大阪、名古屋、京都、神户六大城市地价平均上涨 2.9 倍，其中商业用地上涨 4 倍，住宅地上涨 2.7 倍。[④]地产、房产的疯狂上涨，致使日本全国地价总额 1987 年达到 1638 万亿日元，为美国全国地价的 4 倍。[⑤] 美国国土面积是日本的 25 倍，因此日本的单位

---

① 伊藤诚：《日本经济的反思》，岩波书店，2004 年，第 34 页。

② 有关数据引自井村喜代子《现代日本经济论》第 6 章（有斐阁，2001 年）。

③④ 三和良一、原朗编：《近现代日本经济史要览》，东京大学出版会，2007 年，第 185 页。

⑤ 井村喜代子：《现代日本经济论》，有斐阁，2001 年，第 404 页。

土地价格正好是美国的 100 倍，可见土地资产泡沫已经发展到了何等严重程度！

导致这一时期资产泡沫膨胀的原因是复合性的。从国际因素看，1985 年“广场协议”后日元的急剧升值是最大推手。日元对美元汇率从 1985 年 9 月的 240∶1 升至 1988 年的 120∶1，两年半时间升幅高达一倍。一般说来，日元升值会对出口带来压力，但是除了 1985 年下半年对美出口增速有所减慢外，1986 年后对美出口急剧扩大。日本的对美贸易黑字从 1985 年的 560 亿美元增加到 1986 年后连续三年 900 亿美元以上。对美贸易黑字的扩大，究其原因，一是日元升值幅度虽大，但还未超出以高生产率为根据的日本企业所能承受的范围。二是日元升值对日本经济的影响本来就有双重效果。一个简单的测算是：对出口商而言，原本在国内售价为 240 日元的商品，现在若以 120 日元价格在美国销售，出口损失不言自明；但是日本作为严重依赖国外资源的国家，日元升值的同时也大大降低了其能源及原材料的进口成本，原本须以 240 日元进口的材料，现在只须支付 120 日元即可到手，生产成本的下降同样不言自明。进出口成本的对冲，相当程度地缓解了日元升值的压力。对于日元升值后日本对美贸易黑字扩大的结果，日本媒体的普遍看法是：“20 世纪 80 年代世界经济中一支独秀的不是美国而是日本。在纺织、钢铁、造船、家电、汽车和半导体等制造领域，美国完全输给了日本。”①

从国内因素看，首先是国家的宏观经济政策存在问题。在金融政策上，为了缓解日元升值压力，采取了低利率的货币宽松政策及加大购入美元操作等手段。1986 年 1 月至 1987 年 2 月的一年时间内，官定利率连续五次下调，由 5%下调到 2.5%，并将 2.5%这一战后以来创纪录的低利率一直维持到 1989 年 5 月。与此同时，日本政府通过发行“外汇资金证券”募得的资金，在日元升值过快时抛出日元购入美元，所用购汇额

①《经济学家》1987 年 6 月 29 日号，第 30 页。

从1986年的2.1万亿日元增加到1987年的5.4万亿日元。由于承购这种证券的是日本银行，因此不可避免地导致了流动性扩大。从实施效果看，旨在通过降低利率抑制日元升值的效果是有限的，但由此导致的流动性扩大效果却十分明显。统计数据显示，日本全国货币发行量1981—1985年增加27.2%，1985—1989年增加49.5%，1989年提高利率后的五年中，增率降至15.3%；全国银行贷款额1981—1985年增长56.8%，1985—1989年增长73.9%，1989—1994增率降至16.4%。[①] 在财政政策上，1965年以前，日本政府坚持了1949年道奇计划时确定的财政收支平衡原则，此后为了刺激经济发展开始发行国债。到铃木、中曾根执政的80年代前期，在"重建财政"的口号下，政府曾把取消财政赤字作为重中之重的任务，并为此制定了政府综合财政开支逐年减少10%、政府投资逐年减少5%的计划。然而，为了缓冲日元升值压力并刺激经济景气，1987年5月，日本政府放弃财政紧缩方针，推出了一个6万亿日元、相当于同年GDP规模1.8%的大型财政扩张计划，公共建设投资急速增加。统计表明，与1980—1985年财政对公共事业投资的连年负增长、最大年度降幅高达20%相对照，1986—1990年的同项支出连年增加，最大年度增幅接近10%。由此，国家债务余额由1980年的84万亿日元增加到1990年的163亿日元，国家债务与GDP之比也由29%升至38%。按照一般常识，财政政策作为国民经济运行的调节器，经济发展高涨时正是政府减少开支、偿还债务的大好时机，然而日本的做法正好相反。由此看来，80年代后半期日本政府在财政政策上犯了方向性错误。

其次是企业行为的扭曲。80年代中期以后，随着经济实力的增强和经济国际化、金融自由化的进展，战后以来资金供给绝对不足的面貌发生根本性逆转，如何应对金融市场环境及社会资金供求关系的变化，成为提供金融服务的各种金融机构和接受金融服务的企业共同面临的新

① 三和良一、原朗编：《近现代日本经济史要览》，第5页。

课题。然而，二者的对应却同时出现了偏差。

从生产型企业的情况看，度过70年代的经济萧条和产业结构调整期，企业生产率普遍提高，企业实力及对外竞争力增强。企业、特别是大企业的资本构成明显改善。有关调查表明，到80年代中期，制造业大企业的设备投资已经全部靠自有资金解决，周转资金中，自有资金也已占八成以上。非制造企业虽然还不具备这样的实力，但依靠自有资金也能解决设备投资的70%—80%、实物投资的60%左右了。[①] 这意味着战后以来企业资本运营主要依靠间接金融的时代已经结束。经营效益的提高改善了企业的资本构成，而规制缓和、金融自由化的大环境，又为企业扩大筹资提供了可能。从1986年起，许多上市企业利用“公平金融”制度，不仅在国内扩大发行公司债券，而且纷纷到国外筹资。当时盛行的公司债券有两种：一是1981年开始的“可转换公司债券”（convertible bonds），它是一种结合了资本收益与最低利息保障的金融工具，在一定条件下可以兑换成股票；二是1986年开始的保值债券（warrant bonds），这是一种附带新股认证权的债券，债券持有者有权按债券面值的一定比例购买新发行的股票。这两种债券外国投资者都可以购买。由于日本股市在1985年以后牛气冲天，投资者看好日本企业和市场，对这种债券抱有很高的收益预期，于是债券发行大获成功，仅1986—1989年四年间，日本企业便通过这种方式，筹集到资金62万亿日元，其中从国外筹集的资金多达23万亿日元。一般说来，企业对资金的需求主要是购置生产设施设备及购买原材料，但是当企业在满足设备投资和周转资金需求的前提下仍持有大量余资时，其剩余资金的使用便大有学问了。实际情况是，企业没有把余资用于生产性“实物投资”，而是采用新的“炼金术”，大量购置“金融资产”，增加股市、国债、不动产投资，集团内的相互持股比例也在显著提高。于是在80年代后期发生了如下一种递进性循

① 井村喜代子：《现代日本经济论》，第382页。

环:日元升值、股市"长牛"、大企业收益增加且前景看好→企业通过发行可转换债券筹资而投资者踊跃购买→企业资本构成改善且出现大量"余资"→企业以"余资"购置股票等金融资产或不动产→股市、地价快速上涨。在这种"投资聚财"①的疯狂时代,企业行为出现了由生产性投资向非生产领域投机性投资的扭曲,从而改变了战后以来企业经营的传统,其意义和影响非同寻常。对此,美国学者高柏尖锐地指出:"具有讽刺意味的是,80 年代当全世界都在称赞日本企业在经营战略上以长远观点看问题时,日本企业的经营战略却正在转向以最快的速度赚取短期利润。"②

从金融服务业的情况看,企业实力增强及其资本构成的改善,意味着摆脱了主银行控制而获得了自身活动的"自由";而这一状况对银行等金融机构说来,则意味着战后以来自身所处的"给予者"地位发生了动摇。在实体经济领域对资金的需求不断减弱的情况下,尽管国家的货币政策相当宽松,银行资金也相当宽裕并不断降低放贷条件,但放贷领域却越来越窄,良好客户越来越少。商业银行融资行为的严重扭曲,正是在这种背景下发生的。日本银行的统计资料显示,1984—1989 年,全国银行年贷款额由 202 万亿日元增加到 317 万亿日元,增幅 57%。其中对制造业(一般机械、电气机械和运输机械)的贷款 1984 年 55 万亿日元,1989 年 54 万亿日元,六年间踏步不前;对非制造业(建设、金融保险、不动产及商业服务业)的贷款由 120 万亿日元增至 206 万亿日元,增幅 72%,其中住宅贷款由 14 万亿日元增至 35 万亿日元,增幅 150%。③ 显然,这一时期大量资金流向了股市和不动产领域。例如,80 年代后期,大银行为避开政策限制,出资建立了若干住宅金融专业公司(简称"住专"),急剧扩大对土地、住宅等事业的贷款,其中对商业住宅分期付款的

① 堺宪一:《战后日本经济》(中译本),对外经济贸易大学出版社,2004 年,第 151 页。
② 高柏:《日本经济的悖论——繁荣与停滞的制度性根源》,商务印书馆,2004 年,第 209 页。
③ 日本银行:《经济统计年报》,1992 年。

年度贷款增额为 1984 年 2.1 万亿日元，1986 年 5.4 万亿日元，1989 年 10.5 万亿日元，五年中增长了 5 倍。然而与此相比，“住专”对不动产开发商的贷款数额更大，后果也更为严重。城市商业用地是当时的主要投资热点，许多不动产公司为了最大限度地赚取利润不惜玩弄技巧，先以手中持有的甲项不动产为担保，从 A 银行获得贷款来购买或建设乙项不动产，待乙项不动产迅即增值后，再以此为担保向 B 银行申请新的贷款，如此形成连环套式的贷款。银行方面则因不易找到良好客户，明知不动产业风险很大，也往往是在未对受贷企业做认真审查的情况下，便向不动产商提供融资。“土地成金”的诱惑，使借贷双方同时失去了理性。

再次是国民心理变化及其消费行为的扭曲。在日元升值兼“平成景气”长期化的“市场超常亢奋”①期，日本国民可支配收入增加，手头金融资产因日元升值倍增，战后以来怨声一片的“没有富裕感”情绪一扫而光。国民认同“一亿中流”的心态变化所导致的结果是，追求享乐、攀比之风盛行，以致素以勤俭闻名的寻常百姓也开始了“暴发户”般的消费。80 年代后期，当日本的普利司通以 26 亿美元收购费尔斯通轮胎公司、索尼以 30 亿美元收购哥伦比亚公司、举国掀起“购买美国”狂潮时，国民的消费行动也在升级，日本市场上，世界名牌、艺术品销量大增，日本旅游者在海外的疯狂购物，更是给世人留下了深刻印象。

由此看来，蕴藏在 80 年代后半期日本经济“数字繁荣”内核中的资产泡沫危机已经相当严重，而吹得过大的泡沫迟早破灭是市场经济的铁律。

（二）不良债权的产生

战后直到 1990 年的 40 多年中，日本经济创造了三个让许多人深信不疑的神话：股市虽有波动，但长期牛市格局不变，持股必赚；土地、房产价格长期上涨趋势不变，持有必赚；银行有政府保护，任何情况下也不会

① 徐平：《苦涩的日本》，北京大学出版社，2012 年，第 140 页。

倒闭。但是随着泡沫经济的崩溃,"股市神话""土地神话"和"银行不倒神话"被接连戳破。

先是"股市神话"的破灭。从1989年起,为控制经济过热局面,日本政府采取了三项经济降温措施。一是提高存款利率。1989年5月至1990年8月的15个月内,存款利率连续五次上调,由2.5%一气升到6%。二是提高特定土地税率。1989年12月实行《土地基本法》,旨在通过税收手段促进闲置土地的利用。1990年12月,自民党制定《土地税制改革大纲》,其中包括创设土地持有税和征收土地继承税等内容。1992年1月,日本政府提高了土地税率,继续对土地投机者施压。三是对金融机构的融资实行"总量限制"。1990年3月,大藏省银行局长发出通知,要求金融机构对不动产业、建筑业以及对下属住宅金融专业银行的融资不得超过其总融资的增长比率,同时要求金融机构定期向政府主管部门汇报对指定限制领域的融资情况。①

不断加息的政策利空效果迅即在股票市场得到回应,日经平均股价在1989年12月29日创下38915日元、股价收益倍率71倍的纪录后,调过头来直线下跌,1990年10月1日跌至20221日元,1992年8月18日跌至14309日元。结果,不到两年时间,股票降至1989年最高价的38%,股票市场的总市值减少了430万亿日元(1992年日本的GDP为450万亿日元),股市泡沫崩溃,"股市神话"宣告破灭。2003年4月28日,日经平均股价跌至7608日元,这个价格仅相当于泡沫时期最高值的20%。

再看"土地神话"的破灭。与股市的表现相反,1990年,城市普通商业住宅、高级公寓、办公楼、商业街地、高尔夫球场建设热度不减,六大城市房地产价格增幅继续保持高位。同年,大阪城市圈的住宅、商业地价升幅达到56.1%和46.3%,创造了该地区泡沫时期不动产业价格升幅

① 三和良一、原朗编:《近现代日本经济史要览》,第186页。

的最高纪录。1991 年，全国房地产价格升幅放慢到 10%左右。进入 1992 年后，以东京为首的六大城市圈房地产价格开始下跌并一发而不可收。1992—1998 年的七年间，全国城市商业地块、普通住宅、工业用地等所有房地产价格连年下降，六大城市圈下跌了 40%—50%。由此，房地产泡沫崩溃，“土地神话”宣告消失。

房地产泡沫与股市泡沫的崩溃之所以出现一年多的时间差，原因在于建设业有个一年左右的建设周期，不可能像股市一样瞬间变换面孔。建设业属于长线投资，即使经济状况出现负面变化，开工项目也不易中途停止，否则投资者将蒙受更大损失。从银行的角度说，虽然意识到房地产业的风险在加大，但在老客户资金紧张的时候，与其坐视不管，莫如追加融资，助其度过难关。房地产泡沫就是在这种机制下得以延续的。

据估算，在股市、地价暴跌的资产价格缩水过程中，约 1000 万亿日元“蒸发”①。

最后是“银行不倒神话”的破灭。泡沫崩溃过程与泡沫膨胀过程恰好形成一组逆向变化的对照。股价和房地产价格下跌，造成企业持有的动产和不动产资产价格缩水，按原价评估的资产价格与现价之间出现巨大亏空，因此银行根据时价评估企业的贷款抵押资产时，便出现了大量资不抵债的情况。当企业即使清产也无法偿还银行债务时，银行等金融机构便会出现大量无法收回贷款的呆账和死账，经营赤字增加。不仅如此，由于银行等金融机构本身持有的股票、债券也在缩水，导致其自有资本构成率急剧下降，于是便出现了银行支付困难、濒临破产情况。

金融机构的不良债权问题最初是通过住宅专业金融公司的经营破绽曝光的。70 年代以前，日本政府原本是不允许金融机构向个人购买房地产提供贷款的，但是此后为了改变“经济大国”“福利小国”形象，在国民的强烈呼吁下，政府放宽限制，批准成立了一批专门从事个人住宅贷

① 伊藤诚：《日本经济的反思》，第 158 页。

款的金融公司。这些公司本身不是银行，而是分别依托于某一母体商业银行的支持和贷款，开展私人住宅贷款业务。此外，政府系统的农林金融机构也曾向“住专”公司提供了大量贷款资金。80年代中期以前，各“住专”公司依靠国家政策优惠及其垄断性地位，普遍取得了丰厚的收益。

1985年后，随着金融自由化的急剧进展，政府放宽了金融分业经营限制，以往只能通过“住专”向不动产业间接投资的“母体银行”，也获得了直接向私人住宅提供贷款的权限，私人房宅借贷市场竞争骤然加剧，由此“住专”的经营开始走向下坡路。

1992年地价下跌后，“住专”的主要贷款对象中小房地产公司普遍出现经营亏损，无法按期还贷，甚至丧失了支付贷款利息的能力，有些企业已资不抵债，“住专”即使采取清偿还贷措施，也无法全额收回贷款。出于对战后以来“土地神话”的笃信，银行方面的基本判断是地价下跌是暂时现象，迟早还会反弹。于是母体银行通过“住专”继续向房地产业追加贷款，政府系统的农林中央金库和县级农业信用社也保持了同一步调。结果在泡沫经济崩溃的90年代前期，出现了“僵尸银行支撑僵尸企业的局面”①，即围绕着地价下跌和“住专”贷款问题，形成了一种地价下跌→房地产公司经营恶化和还贷难→“住专”出现不良债权→公私金融机构增加对“住专”的低息贷款→“住专”继续向房地产公司追加贷款→地价继续下跌→房地产公司经营进一步恶化并大量破产→不良债权拖垮“住专”→“住专”的母体银行出现危机的恶性循环。

1995年夏，大藏省公布的测算数字是，日本住宅金融、住宅借贷服务、住总、综合住金、第一住宅金融、地银生保住宅借贷、日本住宅等七家住宅金融专业公司的13万亿日元总贷款额中，无法回收的死账为6.4万亿日元，这些主要依靠母体银行的资金拆借来维持运营的“住专”公司

① 田中景：《日本经济症候群研究》，经济科学出版社，2011年，第18页。

实际上已经破产。

但是,“住专危机”不过是揭开了日本 90 年代金融危机的序幕,其连锁性影响是导致了一批更大的金融机构垮台。1994 至 2003 年 10 年间,住宅金融专业公司、地方信用社、银行、证券、保险等金融全业种的破产事件接连发生,其中北海道拓殖银行、日本长期信用银行、日本债券信用银行、山一证券等大型金融机构的破产,称得上金融业发生“地震”的重大冲击性事件。至此,战后以来创造的“银行不倒神话”成为历史。

(三) 不良债权的处理过程

不良债权(Distressed Debt)是指企业的资金、商品、技术等借与或租借到其他企业但面临无法收回或收回少量的现象。对此,日本金融厅有两种关于不良债权的界定标准。一是根据银行法关于风险管理债权的规定,破产企业债权、延期未还付债权、延期三个月以上未还付债权以及放宽贷款条件的债权属于不良债权,这与 1998 年 3 月后采用的美国证券交易委员会(SEC)基准大致相同;二是根据金融再生法,不良债权包括已经破产企业的债权、危险债权、超过三个月未还付及放宽贷款条件的“要管理债权”①。

关于不良债权的数量,泡沫崩溃后,尽管所有金融机构都出现了大量不良债权,但是事关企业声誉,都在尽量隐瞒真相或低报,金融管理当局也是一笔糊涂账,搞不清真实数字。1996 年 3 月,大藏省公布的金融机构不良债权总额为 34.7 万亿日元。② 但是事后证明,这个统计还不到真实数字的 1/3。

1996 年 1 月桥本内阁上台后,把解决“住专”问题和金融体制改革作为头等大事,并于 4 月 12 日提出存款保险、金融机构健全化及金融机构

---

① 井村喜代子:《日本经济——最混沌的时期》,劲草书房,2005 年,第 278 页。

② 经济企划厅编:《经济白皮书》(1996 年度),大藏省印刷局,1996 年,第 270 页。

重建的所谓“金融三法案”。6 月 11 日，众议院举行临时会议专门讨论“住专”问题(所谓“住专国会”)，通过了《关于促进特定住宅金融专业公司债权债务处理等特别措施法》(简称“住专法”，同月 21 日公布实施)。该法第一条申明，“在住宅金融专业公司因持有大量难以回收的贷款债权而难以向金融机构返还借款债务的状况下，鉴于有关当事者处理这些债务极为困难，内外对我国金融机能的信赖大为降低，在维持信用秩序上出现了值得忧虑的重大障碍等事态，为加快处理住宅金融专业公司的债权债务，通过采取紧急特别措施……以维持信用秩序，保护存款者等，进而保证国民经济的健全发展”①。7 月 26 日，专门处理“住专”清偿事务的住宅金融债权管理机构成立。

日本政府对“住专”问题的最终处理结果如下。七家“住专”公司的 6.41 万亿日元债务，分别通过持有其债权的公私金融机构放弃债权、“赠与”及政府财政补贴来解决。具体分担是：“住专”的母体银行放弃债权 3.5 万亿日元，其他向“住专”提供贷款的非母体银行放弃债权 1.7 万亿日元，政府农林系统的金融机构“赠与”5300 亿日元，政府划拨财政补贴资金 6800 亿日元。关于“住专”的善后处理，在政府存款保险机构设立的紧急金融安定化筹集资金和金融安定化筹集基金中划拨 2000 亿日元，成立住宅金融债权管理机构，负责“住专”资产的清偿，七家“住专”公司将其自有资产和 6.78 万亿日元债权交渡给住宅金融债权管理机构后解散。根据规定，住宅金融债权管理机构最终若不能全额收回贷款，其死账款额一半从划拨基金中扣除、另一半由国家财政补贴填平。②

然而，“住专”问题只是整个金融界不良债权问题的冰山一角，进入 1997 年，地方银行、城市银行、证券公司、生命保险信托公司等金融机构的不良债权问题接连曝光，一批颇具影响和实力的银行和证券公司破产。

---

① 长谷川靖：“‘关于促进特定住宅金融专业公司债权债务处理等的特别措施法’的概要”，《周刊金融财政事情》，1996 年 7 月 29 日。

② “解说：住宅金融债权管理机构 7 月 26 日开业”，《周刊金融财政事情》，1996 年 7 月29 日。

为了全面整顿金融秩序，彻底清理金融机构的不良债权，从1998年起，日本政府连下猛药，采取了“硬着陆”的政策措施，其主要政策举措有：

1998年，颁布《金融机能安定化紧急措施法》，存款保险机构决定向17家城市银行注入公共资金；颁布《金融机能再生紧急措施法》和《金融机能早期健全化紧急措施法》，建立“特定业务账目”和保证银行全额支付客户存款的“金融危机管理账目”。投入公共资金援助问题银行，金额为1.8万亿日元。

1999年，金融再生委员会决定向15家大银行投入公共资金，原住宅金融债权管理机构和整理回收银行合并，成立“整理回收机构”。向四家地方银行投入公共资金7.5万亿日元。

2001年，金融厅决定向三家第二地方银行投入公共资金1120亿日元。

2002年，政府制定《金融再生计划》，颁布了针对金融机构等组织的《促进重组特别措施法》，计划至2005年3月解决不良债权问题。

2003年，成立《产业再生机构》，授权该机构可使用10万亿日元公共资金。

2004年，颁布《金融机能强化特别措施法》。

表7-2　日本政府处理不良债权的金融政策年表

年月	政策名称	主要政策内容
1995.12	政府做出整顿、清算七家“住专”公司决定	决定从政府一般财政开支中支付6850亿日元抵消“住专”债务
1996.6	修订存款保险法	冻结上限为1000万日元的存款支付制度
1996.7	住宅金融债权管理机构成立	该机构接管了七家住宅公司6.78万亿日元债权并负责回收贷款
1996.9	整理回收银行成立	该机构接管了破产信用金库的债权并负责回收贷款

（续表）

年　月	政策名称	主要政策内容
1998.2	颁布金融机能安定化紧急措施法、修订存款保险法	存款保险法的重要规定有：建立“特定业务账目”，保证银行全额支付客户存款，建立“金融危机管理账目”，以公共资金援助问题银行
1998.3	存款保险机构决定向17家城市银行注入公共资金	投入公共资金额为1.8万亿日元
1998.10	颁布金融机能再生紧急措施法和金融机能早期健全化紧急措施法	进一步强化公共资金对金融机构的援助
1999.3	金融再生委员会决定向15家大银行投入公共资金	同意投入公共资金额7.5万亿日元
1999.4	原住宅金融债权管理机构和整理回收银行合并，成立整理回收机构	
1999.9	金融再生委员会决定向四家地方银行投入公共资金	同意投入公共资金额为2600亿日元
2001.11	金融厅决定向三家第二地方银行投入公共资金	投入公共资金额为1120亿日元
2002.10	政府制定金融再生计划	计划至2005年3月解决不良债权问题
2002.12	颁布金融机构等组织重组促进特别措施法	
2003.4	成立产业再生机构	授权该机构可使用10万亿日元公共资金
2004.6	颁布金融机能强化特别措施法	

资料来源：主要根据三和良一、原朗编《近现代日本经济史要览》（东京大学出版会，2007年）第187页资料制作。

2005年，在付出近100万亿日元资产被注销的代价后，长期困扰着经济发展的不良债权问题基本解决。与2003年度比较，2006年6月，城市银行、长期信用银行和信托业不良债权率由7.2%降至1.5%，地方银行由 7.8%降至 4.4%，全国平均由 7.4%降至 2.7%，全国待处理的不良债权余额为 12.3 万亿日元。[①] 由此，日本金融业终于度过“黑暗的 10 年”，踏上了新里程。

表 7－3　不良债权的处理　　（单位：100 亿日元）

	1996	1997	1998	1999	2000	2001	2002	2003	2004	2005	2006
年度处理额	1337	776	1326	1363	694	611	972	666	537	285	36
累计处理额	2411	3188	4514	5877	6571	7182	8154	8820	9357	9642	9678
不良债权余额	2850	2179	2976	2963	3037	3252	4203	3485	2620	1754	1311

资料来源：根据三和良一、原朗编《近现代日本经济史要览》（东京大学出版会，2007 年）第 188 页资料制作。

（四）处理不良债权政策分析

纵观日本政府处理不良债权的过程，可发现其前后采取了四个步骤。

第一步，为确保银行的存款支付信用，于 1996 年 6 月通过修改《存款保险法》，冻结银行最高支付限额。最高支付限额（A pay off）是一项从美国学来的制度，即银行破产时必须向储户支付有一定额度限制的现金。日本的《存款保险法》规定，银行破产时，个人储蓄额无论数量多少，每一存款者只能从破产银行提取 1000 万日元以下的存款及其利息，超出 1000 万日元部分的损失由存款者承担。修改后的法律规定，最高支付限额的冻结期限为五年（后来一再延长），在此期间，政府将以提供公共资金援助的方式，帮助银行在发生支付困难时，能够全额支付客户存

① 矢野恒太郎纪念会编印：《日本国势图会》（2007—2008），2007 年，第 396 页。

款,同时要求银行在五年内完成整改,彻底清理不良债权,实现健全经营,五年后政府将恢复最高支付限额制度。这项既保护储户、又保护银行的保护“有产者”措施,避免了日本1927年金融危机时曾经发生的银行挤兑现象,对稳定金融秩序、维持社会安定发挥了重要作用。

第二步,1998年2月,制定《金融机能安定化紧急措施法》并再次修改《存款保险法》。3月,根据这两部法律,强化了存款保险机构的机能①,在该机构中增设“特别业务账目”和“金融危机管理账目”。这两种账目均由政府动用公共资金建立,其中“特别业务账目”最高使用限度为17万亿日元,目的是在普通银行全额支付储户存款发生困难时向其提供资金;“金融危机管理账目”的最高使用限度为13万亿日元,目的是用这笔资金换取银行的优先股和劣后债(最难回收的贷款),以提高银行自有资金比率,缓解银行资金紧张状况。为建立这两项账目,国家共投入公共资金30万亿日元,其资金筹措是通过日本银行认购国债、国家借款和发行存款保险机构债券方式获得的。同月,存款保险机构以最快的速度受理了银行方面的资金援助申请,以购买末位最差不良债权的形式,向城市银行、地方银行、长期信用银行等21家金融机构注入了1.8万亿日元资金。

第三步,1998年10月召开临时国会,制定《金融机能再生紧急措施法》和《金融机能早期健全化紧急措施法》。新规定的主要内容有:成立挂靠在总理府的金融再生委员会,由其全面负责金融监督及破产企业的处理,金融监督厅也被放在该委员会内;为促进银行清理不良债权,防止银行破产,使金融机构自有资金率尽快恢复到8%的国际标准,一面要求金融机构理清不良债权数量,制定限期整改计划;一面对政府认可其整改计划的机构,加大公共资金援助力度,为此再设“金融机能早期健全化

① 1971年,根据《存款保险法》,日本建立了以存款保险机构(简称“存保机构”)为载体的存款保险制度。存保机构由政府、日本银行和民间金融机构共同出资建立,属认可法人。建立存保制度的目的是,在民间金融机构运营出现困难时,维护金融秩序,保护存款者利益,保证在银行破产时也能向存款者提供每人不超过1000万日元的本金和利息。

账目”(这是对“金融危机管理账目”的强化和补充),投入的公共资金最高使用限度是12万亿日元;金融再生委员会有权对破产或可能破产的银行实行“特别公共管理”,通过《整理回收机构》[①],接收其所有债权和股权,并暂时实行国有化。此外,为处理破产银行的善后问题,追回其不良贷款,出售其股票,投入的公共资金建立“金融再生账目”,其最高使用限额为18万亿日元。2003年4月,由存款保险机构全额出资495亿日元,建立了公共资金最高使用限额为10万亿日元的《产业再生机构》[②],从而在处理不良债权问题上,最终形成了一套由存款保险机构、整理回收机构和产业再生机构组成的三位一体的制度设计。

至此,治理金融机构不良债权问题的配套性政策措施全部出台,而日本政府为此付出的代价是相当沉重的,即为保证银行支付能力建立了“特别业务账目”,为帮助银行清理不良债权建立了“金融危机管理账目”和“金融机能早期健全化账目”,为接管破产银行建立了“金融再生账目”,三类事项四大账目所投入的公共资金已达60万亿日元(使用限度)。2000年5月,日本政府又向上述账目追加10万亿日元。加上产业再生机构运营经费,日本政府为解决不良债权问题所投入的公共资金总额达到80万亿日元。随着企业和金融机构经营状况的改善,这些支出的大部分将来有可能被追回,但永远无法追回的部分也是肯定的,其损失只能由国家负担。

这样,在日本政府的限期整改压力和资金支持诱导的两面政策下,不良债权的清理加快了进程。1999年3月,政府以换取银行绩优股证券的方式,一次性向15家城市银行注入7.45万亿日元,其后对地方银行也采取了同样措施。2003年,政府为挽救里索纳银行(Risona)经营危

① 1999年4月,由存款保险机构全额出资2120亿日元,合并了原“住宅金融债权管理机构”和“整理回收银行”,成立了“整理回收机构”(简称“RCC”)。

② 建立“产业再生机构”的目的是,当政府判断负债的大企业尚有存活能力时,便以购买其债权的方式,从其借贷银行手中接过对该企业的债权,从而在缓和企业还债压力的同时,直接减少了银行的不良债权额。由于部分债务最终无法讨回,最终损失由政府承担。

机，一次性注入公共资金 1.96 万亿日元，创造了对一家银行单笔援助的最高纪录。在 1998 至 2003 年发生的动用公共资金接管破产金融机构事件中，日本长期信用银行、日本债券银行、足利银行等被收购后暂时“国有”，随后被出售变成普通民间银行。在此期间，政府向日本长银和日本债银提供的公共资金分别达到了 7.5 万亿日元和 4.88 万亿日元。①

第四步，鉴于金融机构的不良债权问题基本解决、经营状况明显改善，2005 年 4 月，日本政府宣布冻结了 10 年的银行最高支付限额制度解冻。这也标志着战后以来实行的“护送船队行政”至此正式结束，此后金融机构的经营失败和国民储蓄的损失将完全按照市场原则办事，责任自负。

由此可见，日本不良债权问题的解决，最终靠的是政府买单，而不是靠市场的自行调节。顺便指出，本世纪初美国处理次贷金融危机的办法，也几乎与日本如出一辙。从政策效果看，日本政府的做法保护了有产者，维持了社会稳定，促进了战后金融体系的改造、调整和重建，但同时也进一步加重了财政负担，国家债务余额已由 1990 年的 163 亿日元上升到 2005 年的 782 万亿日元，是同年 GDP 的 1.5 倍，这就从根本上损害了国民的利益，因为国民终将要为这笔巨债买单。

不良债权问题，严重拖累了世纪之交日本的经济发展，以致在“失去的十年”之后，又出现了“停滞的二十年”之酷评，教训极其深刻。

日本在完成经济赶超并于上世纪 80 年代展现发达国经济领头羊“雄姿”之际，显然对“赶超后”经济发展的前景过于乐观，而对制约发展的“困境”估计不足。市场经济的缺陷注定了资产泡沫难以避免，但政府作为市场经济的监管人难辞其咎。面对战后以来社会资金供求状况由绝对不足向绝对过剩的根本性转变，日本政府的政策应对是存在问题的。首先，在经济高涨期，日本政府降低存款利率的挤出效应，以及扩大公共投资和增加流动性的做法，对国民性参与股市和地市投机活动，无

① 井村喜代子:《日本经济——最混沌的时期》，第 222—226 页。

疑起到了推波助澜的作用。其次，为了解决资产泡沫问题，日本政府采取的急剧且大幅度提高存款利率的“硬着陆”措施，“杀伤力”过大，超出了社会承受能力。最后，在处理不良债权的节奏把握上，初期的优柔寡断导致事后处理付出了更大代价。尽管如此，从事物发展的结果看，在处理不良债权的手段和方法上，可以说日本政府的若干举措行之有效，值得参考和借鉴。①

三、邮政民营化改革

2001 年 4 月小泉纯一郎主政后，再次掀起改革的狂澜。5 月 7 日，小泉在第 151 次国会上发表施政演说时宣称：基于“没有结构改革就没有日本的再生和发展”的认识，他所领导的政府将以“不怕痛苦，不畏触及既得利益，不为老经验束缚”的“三不”精神，推行“没有禁区的结构改革”，开展一场“新世纪维新”。②

在小泉政府的庞大改革计划中，邮政事业民营化被认为“是明治以来的大改革，是改革的核心”③。为了实现这一改革目标，2005 年 7 至 10 月，小泉冒着自民党分裂和政府垮台的风险，孤注一掷地解散众议院并重新组织大选，最后迫使国会通过了邮政民营化六法案。

小泉为何以政治生命为赌注推行邮政民营化改革？这一“明治以来的大改革”将对日本经济产生什么影响？下面拟从战后日本邮政事业与政府护航体制关系的角度，对邮政民营化改革的深层动因做一探讨。

（一）政府护航体制下国营邮政事业的基础支撑作用

1968 年，日本国民生产总值跃居世界第二位。与此同时，世界范围的

---

① 原文刊于《南开学报》2015 年第 1 期。
② 小泉纯一郎：《第 151 次国会小泉内阁总理大臣执政理念演说》，[EB/OL]. 2001 - 5 - 7。
③ 泷川好夫：《邮政民营化的金融社会学》，日本评论社，2006 年，第 7 页。

日本经济“奇迹”研究热骤然兴起。欧美人士惊异地发现，“日本不是欧美式的自由经济体制，而是巧妙安排的计划经济”①。日本学者也指出，战后日本具有“组织性市场经济”②的特征。一直不愿正面回应这一问题的日本政府后来终于承认，战后以来实行了“官主导经济社会体制”③。

从宏观经济的层面看，1945 年战败至 1973 年发生第一次石油危机的近 30 年间，物资、资金、技术等供给不足始终是制约日本经济发展的主要矛盾，政府护航即“官主导”体制正是为解决短缺经济的矛盾应运而生的。具体说来，这一体制的建构、运行机制和政策操作有以下特点。

一是政府制定国民经济发展中长期计划，明确发展目标，引导国民投资和消费方向。为此，先后制定实施了“经济自立五年计划”（1956—1960）、“新长期经济计划”（1958—1962）、“国民收入倍增计划”（1961—1970）、“中期经济计划”（1964—1968）、“经济社会发展计划”（1967—1971）、“新经济社会发展计划”（1970—1975）等。当然，中长期社会经济发展计划，不是政府的指令，而是一种展望和诱导。

二是为促进产业结构的升级和优化，政府指定并不断调整产业发展优先顺序，制定重点产业发展计划，并为保障特定重点产业的发展而临时立法。例如，1952 年颁布的《产业合理化促进法实行令》（第 52 号政令）规定 44 个业种为政府指定的发展重点④，此后直至 1964 年，通产省每年都公示新的“产业发展优先顺序”；在政府制定的重点产业发展计划中，计划造船计划，第二、三次钢铁业合理化五年计划（1956—1965），第二次煤炭业合理化计划（1955—1959），第一、二、三次电源开发长期计划（1952—1967），第一、二次硫酸铵五年计划（1953—1963），第一、二次石油化学工业企业化计划（1955—1964），第一、二次合成纤维与合成树脂

① 高桥龟吉：《战后日本经济跃进的根本原因》，辽宁人民出版社，1984 年，第 8 页。
② 樋渡展洋：《战后日本的市场与政治》，东京大学出版会，1991 年，第 11 页。
③ 日本首相官邸：《日本经济的进路与战略——迈向新创造与成长之路》，[EB/OL]. 2007 - 1 - 25。
④ 稻村香一郎、安间昭雄：《税务折旧便览》，税务经理协会，1959 年，第 95—97 页。

五年计划(1953—1961),第一、二、三次振兴机械工业基本计划(1956—1970),电子工业发展计划(1958—1970)等引人关注;制定煤炭业合理化临时措施法(1955 至 1962 年实施),纤维工业设备临时措施法(1956 至 1964 年实施),振兴机械工业临时措施法(1956 至 1971 年实施),振兴电子工业临时措施法(1957 至 1971 年实施),合成橡胶制造业临时措施法(1957 颁布),振兴特定电子工业和特定机械工业临时措施法(1971 至 1978 年实施),则是为了避开反垄断法的限制,使政府对重点产行业发展的政策倾斜有法可依。

三是以国家权力为背景,集中配置有限资源,政府在税收、金融政策上给予重点产业和企业各种优惠。具体说来,在税收政策上,为了给重点发展的产业和企业减负,实行重要进口物产免税制度,石油、煤炭及各种石化产品先后成为主要进口免税对象。重要机械进口免税制度始于 1951 年,1954 年进口免税的机械品种多达 361 种,1951 至 1965 年海关税收因此减少了 692 亿日元。为了加快技术更新,大范围实施了企业重要机械设备特别折旧即加速折旧制度,其中最重要的措施是“前三年增加 50%折旧的制度”“初年度折旧 50%的制度”和“前三年折旧 90%的制度”,1950 至 1965 年,政府税收因实行这三项措施减少了 1129 亿日元。① 在金融政策上,开发银行、进出口银行等政府金融机构向民间企业投放的巨额融资意义重大。战后日本煤炭、钢铁、造船、电力、石化、电子、机械制造等支柱产业的形成,无不具有政府资金支持的背景。例如,在“经济起飞”准备期的 1950 至 1954 年五年间,日本全国企业设备投资总额 2.3 万亿日元,其中来自政府的融资为 3990 亿日元,占企业设备投资总额的 15.7%和企业外部筹资的 33.5%。② 重要的是,政府融资不是水平式投入,而是紧密配合产业发展计划、集中提供给重点产业部门和

① 鹤田俊正:《战后日本的产业政策》,日本经济新闻社,1984 年,第 60 页。

② 经济审议厅:《经济白皮书》,经济统计协会,1953 年,第 141 页。《经济白皮书》,至诚堂,1955 年,第 167 页。

重点企业的。1951至1953年,在煤炭、钢铁、电力和造船四大产业贷款中,政府资金为2324亿日元,占贷款总额的89%。

四是国家投入巨资改善社会公共基础设施。由于常年战争,战后初期日本的社会基础设施落后,成为制约经济发展的瓶颈。为此,日本政府以全额出资或部分出资的形式,先后组建了国有性质的各种公社、公团、事业团、特殊公司等近百个特殊法人,专门从事铁道、高速公路、港湾、通信、水利、住宅等公共事业的基础建设。庞大的公共建设投资,不仅为战后经济复兴和高速增长创造了必要的社会环境,而且直接拉动了社会需求和消费。

五是以民间重要产业和公共事业为融资对象的财政投融资,是政府护航体制下最强有力的政策工具。财政投融资简称"财投",亦称"政策金融"。它是"财政机构资金和政府掌握的资金按照一定计划进行的出资和融资"①,是"以财政上形成的资金进行的投资或融资活动"②。其显著特点是,相对于纯粹的财政支付,它是可回收的出资及有息贷款;相对于以资本收益核算为原则的商业银行贷款,它又是把实现某种特定目标放在首位的政策性融资,资本收益只居于次要位置。日本的财政投融资制度于1953年建立,其制度设计原理是:原资来自产业投资特别会计、邮政储蓄、邮政简易生命保险资金、国民养老基金、国家公债和借款等,融资由大藏省资金运用部统筹计划安排,具体业务由开发银行、进出口银行、各种公库等政府金融机构对口执行。1973年以前,年度财政投融资计划由政府决定,无需像国家财政预算那样经过国会批准。政府支配的财政投融资规模相当庞大,上世纪50年代,财投额约为中央财政一般支出的1/3,之后逐年攀升,在达到最高点的1997年,中央财政一般支出为78万亿日元,财投为51万亿日元,财投与中央财政一般支出之比已

① 远藤湘吉:《财政投融资》,岩波书店,1974年,第2页。
② 大内兵卫、内藤胜:《日本财政图说》,岩波书店,1965年,第116页。

经达到 65∶100①，成为了名副其实的政府“第二预算”。

六是国营邮政事业作为政府筹措财政投融资资金的主要渠道，在政府护航型经济体制的构建中处于基础支撑的关键位置。这是因为，在国营邮政开展的三项业务中，除了经营书信、包裹等一般邮递业务外，还开展邮政储蓄和简易保险业务，其吸储的国民存款和保险资金数额巨大，政府财政投融资的一半左右就是由邮政储蓄和邮政简易生命保险资金提供的。因此，国营邮政事业宛如一台庞大的筹款机器和使用方便的“小金库”，它使垄断着这笔资源的日本政府手中握有一把为国民经济“护航”的利器。反过来说，一旦失去这个利器，政府护航体制会变成无源之水，无本之木，从而面临基础塌陷的危险。

（二）护航体制转型与国营邮政行政法人化

进入 20 世纪 80 年代，日本经济在经受了 70 年代两次石油危机考验后，产业结构更趋合理，经济基础愈加稳固。与此同时，经济发展的内外约束条件也在发生逆转性变化。从国内环境看，生产技术水平整体上已经处于世界前列，以往那种通过引进先进生产技术驱动经济跳跃性发展的路径已经变得狭窄；高素质、低工资的人力资源变为日本与欧美发达国家竞争的有力武器，但是随着经济高速增长所带来的高收入和充分就业，低成本的人力资源优势不复存在；长期性社会资金供给不足的状况根本改观，企业的资本构成中，自有资金比率已经由战后初期的 40%以下升至 60%以上，许多上市公司不仅摆脱了企业发展资金上对银行的依赖，而且产生了闲置资金的使用问题，这意味着原本以供给不足为前提建构的那套行之有效的政府护航型产业、财税、金融体制及其国家行政管理体制，已经不适应新的经济形势，从而显露出“制度疲劳”状态。从国际环境看，英国的撒切尔和美国的里根主政后，高高竖起新自由主义

① 三和良一、原朗：《近现代日本经济史要览》，东京大学出版会，2007 年，第 34 页。

旗帜，刮起了一股经济自由化和私有化的旋风。面对来自美国等国际社会“经济封闭”“政府干预”的批评和“敲打”，急欲树立先进国形象的日本必须做出回应。

政府护航型体制的改革于 1980 年拉开序幕，当时铃木善幸首相决心以政治生命为赌注推行行政和财政改革，为此成立了第二届临时行政调查会，其专项任务是提出可行性改革方案。1982 年中曾根康弘主政后，强力推进经济国际化和经济自由化，并于 80 年代中期完成了日本电信电话、日本烟草专卖和日本国营铁道等“三公社”的民营化转制。

80 年代以前，日本中央政府管辖的国有企业，分为纯粹行政事业性企业和公共性企业两类。纯粹行政事业性企业特指造币局、印刷局、国有林野和邮政，俗称“四现业”。“四现业”属于行政组织的一部分，分别由大藏省、农林省和邮政省直接管理，不具有独立法人资格，其管理体制是，领导由上级委派，员工适用于《国家公务员法》。公共性企业是根据专项立法建立的特殊法人，一般由政府全额出资，享有较多的经营自主权，其经营范围涉及金融、保险、邮电通讯、交通、公共福利、社会服务等广泛领域。截至 1975 年，此类特殊法人共有 114 个，其中包括 3 公社、16 公团、20 事业团、10 公库、5 银行和金库、1 营团、12 特殊公司、47 其他法人。因此，国铁等“三公社”的民营化，只是撼动了旧体制的一角，体制改革的深化依然任重道远。

进入 90 年代后，泡沫经济崩溃，经济发展乏力。为了打破沉闷的局面，桥本龙太郎于 1996 年 1 月上台后打出了“变革”与“创造”的旗帜，年末再次组阁时合盘推出了财政改革、金融改革、经济结构改革、社会保障改革、行政改革和教育改革等“六大改革”方案，旨在通过改革，使日本成为“自由的市场”“透明而公正的市场”和“国际性市场”，使日本政府成为廉价和高效的政府。

这一轮改革对旧体制产生了深刻的冲击。迄 2001 年，除了“金融大爆炸”引起的金融机构大重组外，其重要成果还包括：中央政府由原来的

1府21省厅,大幅度精简为1府12省厅;在财政投融资制度的改革中,大藏省资金运用部被废除;引入独立行政法人制度,颁布实施新的《国营企业及特定独立行政法人劳动关系法》,决定邮政等"四现业"尽快与行政机构脱钩,成为特定独立行政法人。

日本的现代邮政事业于1871年起步后,130年来始终由国家垄断,行政管理体制上历经民部省驿递司时期(1871—1885)、递信省时期(1885—1949)和邮政省(1949—2001)时期。2001年中央机构调整时,邮政省和自治省被并入总务省,原邮政省事务划归总务省下新设立的邮政事业厅。

2003年4月,特定独立行政法人日本邮政公社宣告成立。依据《日本邮政公社法》《邮政储蓄法》和《简易保险法》等法律规定,日本邮政公社作为最大的国有国营企业,业务范围横跨邮政、储蓄和简易生命保险三大领域,法人的经营自主权也有所扩大。

(三) 国营日本邮政公社的制度性痼疾

从表面上看,日本邮政公社的成立,可谓迈出了政企分开的一步。但在实际上,这一步只是撕开了旧管理体制的一道裂缝,而未改变旧体制的本质。这是因为,在公社负责人由政府任命、公社职工身份为国家公务员、公社事业发展计划由政府批准、公社经营享有政府特殊优惠政策等核心权益问题上,依旧是新瓶装旧药,痼疾依旧,这些问题具体体现在以下方面。

其一,邮政公社是国家政策保护的"圣域"。作为特定独立行政法人,邮政公社的国有国营地位及其职工的权益有法律保障,经营上则依然具有"旱涝保收"性质。

互联网时代电子邮件的普及,使日本的信件邮递业务受到巨大冲击。1993年邮递业务首次出现赤字,之后赤字经营几乎成为常态。从2002年起,邮递收入开始以年均2%—3%的速度递减。2005年3月,全国24678个邮政局中多数处于经营亏损状态。然而，邮政公社是国有国营的企业，邮递业务的经营亏损可以用其他邮政事业的收入填补；邮政职工受国家公务员法保护，其工作权和基本薪酬稳定，邮政公社是不可以经营困难等理由自主裁员的。这种僵化的体制，导致了邮政业务递减而人员编制不变的低效运营状态。

在纳税上，原本享受的特殊待遇并无多大改变。如表所示，与普通民间企业相比，邮政公社虽然也缴纳消费税和汽车税，但不缴纳法人税、居民税、事业税、登记税和印花税，医院、研修设施等固定资产免税，其他固定资产也只是缴纳半额地方税。邮政储蓄因为有政府提供信用担保，所以不必像普通商业金融机构那样上缴存款准备金。2003年，邮政公社因上述政策特惠被免除税金11137亿日元。这笔免交的税金，实际上是一种变相的"看不见的财政补贴"。

其二，邮政公社"与民争利"导致了市场经济扭曲。在邮递业务上，公社成立前，邮政省既是邮政事业的监督管理者（裁判员），也是邮递业务的直接实施者（运动员）。按照当时的法律，书信邮递属于国家垄断的特殊业务，只能由邮政省管辖的邮局经营，民间企业不得参与。2002年颁布新的《邮政公社法》和《信函投递法》后，打破了政府对普通信函投递业务的垄断，但同时对民间企业设置了很高的准入门槛，即民间企业开展普通信函投递业务的前提条件是：必须拥有可以提供平信及明信片投递服务的公司，必须在全国设置10万个以上的信箱，且信箱的开启每周须在六天以上。再者，依据《邮政法》和《信函投递法》，日本邮政公社的邮政车辆可以在许多区域畅通无阻，而普通民间快递企业却要受"货物汽车运送事业法"限制。更为重要的一个变化是，在民间快递业取得普通信函投递权的同时，国营邮政公社也获得了向普通信函投递以外的领域扩展业务的自由，结果导致物流业竞争更趋激烈。例如，日本邮政公社与劳森便利店合作开拓冷藏品邮递和定时邮递两项业务后，严重挤压了大和运输等民间企业的活动空间。2004年，邮政物流系统承接的信函

表 7－4　日本邮政公社税制上享受的优惠①

税　类	税　目	日本邮政公社
所得税	所得税、法人税	无
	法人居民税、事业税	无
消费税	消费税	有
	地方消费税	有
财产税	地价税	无
	汽车重量税	有
	印花税、登记税	无
	固定资产税	医院、研修设施免税，其他固定资产半额缴纳地方税
	不动产取得税、特别土地保有税、城市计划税	无
	汽车税、轻型汽车税、汽车取得税、宅地开发税	无
	事业所税、水利地益税、共同设施税	无

表 7－5　2003 年度日本邮政公社享受的特惠利益②

项目	金额(亿日元)
经常性纳税免除	997
存款保险金	1944
存款保险金利息	166
法人税、居民税	8030
合　计	11137

①② 全国银行协会金融调查部:《从 2003 年度日本邮政公社决算看邮便存款的“看不见的国民负担”》,《金融》,2004 年,第 7 页。

和包裹总计250.4亿件，而著名的物流企业“大和运输”的配送交易量仅为10.6亿件。为此，大和运输公司曾以日本邮政公社触犯反垄断法和“压制民间企业”为由提出了诉讼。

在邮政储蓄业务上，挤压商业金融的状况没有发生根本改变。日本向为个人储蓄率很高的国家，个人储蓄占城市银行储蓄的55%，占地方银行和信用公库的66.7%。邮政储蓄的99.6%来自个人存款，这主要得益于政府担保的信誉和遍布全国的营业网点。上世纪90年代泡沫经济崩溃后，随着北海道拓殖银行、日本长期信用银行等一大批金融机构的倒闭，为了规避与日俱增的信用风险，个人储户纷纷将存款从普通商业银行转入有政府背景的邮政储蓄，致使邮政储蓄空前膨胀。2000年总额达到250万亿日元。其后，随着不良债权的清理和金融秩序整顿初见成效，个人储蓄开始向普通商业银行还流，但2003年成立邮政公社时，邮政储蓄余额仍然超过四大商业银行的储蓄总额，是无可争议的日本第一大吸储银行。2004年度，邮政储蓄业务部门总资产高达264.9万亿日元，经营利润1.2万亿日元，一度超过民营企业盈利最多的丰田公司。

表7-6　日本邮政储蓄种类及储蓄额的变化①

（单位：万亿日元）

年度	2000	2001	2002	2003	2004	2005
通常储蓄	40.76	48.04	51.06	53.75	55.71	56.36
积累储蓄	0.58	0.53	0.48	0.41	0.33	0.29
定额储蓄	193.71	175.90	167.86	160.19	146.44	135.39
定期储蓄	14.87	14.870	13.83	13.03	11.66	7.96
住宅积累储蓄	略	略	略	略	略	略
教育积累储蓄	略	略	略	略	略	略
合　计	249.93	239.34	233.25	227.38	214.15	200.00

① 日本邮政公社：《日本邮政公社事业报告书》，2004—2006年。

在邮政简易保险上，同样形成了对民间保险业的挤压。依据保险法规定，民间生命保险公司必须参加生命保险契约者保护机构，灾害保险公司必须参加损害保险契约者保护机构，为此必须缴纳相关保险费。相比之下，邮政简易保险作为政府直接管理的公共事业，不仅具有保险额度小、手续简便、以邮局为依托的便民服务网点多等特点，而且不必缴纳相关的保险费，因此一直保持了庞大的营业规模。2001 年，邮政简易保险余额达到 202 万亿日元高点，之后受改制等影响，2004 年降至 178 万亿日元，在日本个人全部保险契约中，邮政简易保险契约占 37.6%，民间生命保险占 53.7%。同年，日本邮政公社简易保险总资产为 121.3 万亿日元，超过日本生命、第一生命、住友生命、明治安田等四大民间生命保险公司的资产总和，其日本第一大保险公司的地位无可撼动。对此，生

表 7－7　日本邮政简易生命保险余额的变动①

（单位：万亿日元）

保险项目	2001	2002	2003	2004
终身保险	26.28	26.76	27.06	27.67
定期保险	0.62	0.50	0.41	0.34
养老保险	170.19	162.31	153.45	146.21
家族保险	0.72	0.46	0.35	0.302
财产性储蓄保险	0.29	0.11	0.07	0.04
终身养老保险 附加终身保险	0.73	0.72	0.711	0.70
育英养老金 附加学费保险	3.20	3.21	3.19	3.17
夫妻养老金保险 附加夫妻保险	0.04	0.03	0.03	0.03
合　计	202.07	194.11	185.28	178.46

① 日本邮政公社：《日本邮政公社事业报告书》，2005 年。

命保险协会、日本损害保险协会猛烈抨击简易生命保险严重冲击了民间保险市场，强烈呼吁改革。

其三，邮政公社依然发挥着资金上为政府输血的功能。2001 年的中央机构改革撤销了邮政省及大藏省资金运用部以后，政府各类特殊法人运营资金的筹措，由原来的资金运用部计划调配，改为总务省发行财政投融资国债解决。因此，从理论上讲，2003 年日本邮政公社成立后，按照独立核算原则，已经可以自主决定邮政储蓄和简易保险资金的用途。但在总务省邮政厅的管辖下，公社的自主经营是不现实的。2003 年度邮政公社的邮政储蓄和简易保险资金额为 349.2 万亿日元，其中 82%即 287.7 万亿日元用在了购买国债、财政投融资、地方债及借款上。另据统计，2004 年度末，日本的国家债务（包括财政投资债）和地方债务升至 719 万亿日元，其中 44%即 316 万亿日元来自邮政储蓄和简易保险。这意味着，只要邮政公社的体制不变，日本政府就可以继续控制邮政储蓄和简易保险资金，并利用这一巨大资源干预国民经济，护航体制也将在此资源的滋育下继续温存。

表 7－8　2003 年度邮政储蓄和简易保险资金的主要用途①

（单位：万亿日元）

资金名称	资金额	中央政府		地方政府	
		国债	财政投融资	地方债	地方借款
邮政储蓄	227.3	86.0	112.7	9.4	2.0
简易保险	121.9	51.4		7.1	19.1
合计	349.2	137.4	112.7	16.5	21.1

战后日本政府护航体制的构建源于两个前提：一是对战前经济发展模式的反思，由此形成的理念是承认市场经济的自由和效率，但自由不等于放任，国家要对市场进行必要干预；二是战后经济发展长期性资金

①《邮政民营化——从基础看邮政民营化》，《读卖新闻》，2004 年 11 月 5 日。

和技术供给短缺的约束条件，要打破约束，政府必须有所作为，并掌握可以作为的资源。战后日本经济高速发展的实践表明，护航体制适应了时代要求，发挥了应予肯定的重要作用。但是，当日本跃升为世界经济大国、供给不足的短缺经济发生根本改变后，旨在应对短缺经济矛盾设计的护航体制便暴露出其高成本、低效率的弊端。为了减轻国家、实际上也是国民的负担，充分释放市场的活力，必须与时俱进，改变护航体制。邮政事业民营化作为国家治理的一项重要举措，其深远意义在于釜底抽薪，彻底切断政府干预国民经济的主要资金来源，使护航体制失去基础，进而使护航体制之树的繁枝茂叶萎缩枯干。

公平和效率是人类社会发展的一对孪生子，厚此薄彼，过犹不及。2007 年 10 月 1 日，日本邮政公社解散，代之成立政府全资的日本邮政公司及其旗下的邮便局(窗口服务网)、邮便事业、邮政储蓄银行、简易生命保险四家 100％控股的股份公司，同时规定邮政储蓄和邮政生命保险两家公司 10 年后要完成向“纯粹”民营公司的转型。邮政事业届时能否真正实现“转型”姑且不论，对日本来说，今后必须面对的新课题是，改变护航体制并放弃了手中巨大资源的政府，应该怎样和凭借什么有效地监管“任性”的市场。①

---

①《原文刊于《现代日本经济》2015 年第 4 期。

第八章　世纪之交的对外经贸战略变动

以冷战结束为标志，世纪之交的前后十年，世界发展进入“经济时代”。在信息化和全球化浪潮中，中国的崛起改变了东亚乃至世界经济的格局，2010年日本的世界第二经济大国地位被中国取代，其对外经贸战略正在发生急剧调整。

一、亚太区域化中的中国与日本

1997年，以泰铢贬值为起点，东亚地区经历了一场金融风暴的洗礼。以此为契机，东亚区域意识抬头，区域合作加强，经济一体化进程启动。中国和日本作为区域大国，围绕区域经济发展蓝图的构建及领导权问题展开了激烈的战略博弈。

（一）经济全球化浪潮下的亚太

经济全球化成为一股不可逆转的时代潮流，对各个国家和民族来说，意味着一种前所未有的机遇和挑战。

人们对经济全球化或许有各种各样的解释，但在作者看来，经济全球化是从资本主义产生后即已开始的一个过程，现今已进入第三个发展阶段。

早期的“全球化”，就是世界经济的资本主义化，其基本方式和手段是“商品”加“大炮”、殖民主义以及帝国主义之间掠夺殖民地的战争，它一方面将世界推向近代文明，另一方面却又是个伴随着剑与火的残酷过程。在直到第一次世界大战结束的第一阶段里，所谓的全球化基本是一种无序的状态，呈现出弱肉强食的特征。

第一次世界大战后直到冷战结束的80年代末期，可视为全球化的第二阶段，其主要特征是世界上两大政治板块的形成、对立和并存，它使世界在政治上分成资本主义和社会主义两种制度，经济上则相应地划分成市场和非市场两大部分，这意味着很大程度上阻断了经济全球化的进程，不妨说这一阶段的经济全球化只是在资本主义的半球上展开的，因此可谓资本主义的半球经济化；这一阶段的又一特征是全球化被某种程度地置于国际管理之下，比如第一次世界大战后出现的国际联盟及其下属机构，第二次世界大战后建立的联合国以及国际货币基金组织、关贸总协定等。尽管德、意、日等国曾挑起旨在打破既存国际秩序的第二次世界大战，意味着第一次世界大战后国际管理的失败，但第二次世界大战后50余年世界的相对和平，却不能说与国际管理的加强无关。

真正意义的经济全球化是从80年代后期才开始的，其基本前提是以柏林墙的拆除为象征，随着苏联解体和冷战的结束，原来的社会主义国家相继放弃计划经济体制，向市场经济转轨，从而使被割成两半的地球又合二为一，全球经济的一体化成为可能。另一个现实的条件是，源于美国的信息革命迅速向全世界蔓延，交通、通讯手段的空前便捷，正在从根本上改变经济活动的地域障碍，异地投资、异地生产和异地销售成为当今世界的普遍现象，各种跨国公司的经营活动实际上正在日益模糊传统意义上的国家界限。

在这股强大的经济全球化浪潮下，亚洲及太平洋的国家和地区、特别是东亚的国家和地区处于怎样的位置呢?

从历史的过程看,第二次世界大战后的50年间,尽享资本主义半球经济化恩惠的是日本,之后是“东亚四小龙”和东盟新兴工业国。中国等少数国家因长期被封锁隔离以及自身的某些原因,经济上与发达国家拉大了距离。中美、中日建交以后,中国经济本来可以有较大的转机,但真正的转机却是迟至1978年确立改革开放方针后来到的。中国经济的大踏步发展表明,中国也是经济全球化的受益者。

经济全球化给东亚地区带来了繁荣,使它成为世纪之交世界经济发展最快的地区,以致一个时期里“21世纪是亚洲世纪”之声不绝于耳。

然而,事物总是具有两面性并且在不断变化。经济全球化本身也是一把双刃剑。当初美国要把日本扶植成一道足以抵御共产主义的“防波堤”,因此在经济上给予日本以巨大支持和援助,并把东南亚交给日本去开发经营,使日本经济上羽翼日渐丰满,成了美国的竞争对手。而今冷战结束,日本的政治“防波堤”意义有所淡化,国际关系中经济问题上升为矛盾的主要方面。近十年来美日新一轮“经济战”中,日本显然处于劣势,美国占了上风。

经济全球化是伴随着贸易、投资及资本的自由化展开的,自由化带给东亚国家实惠,但也使有关国家和地区备尝苦果,东亚金融危机便是例证。在东亚金融危机的过程中,与美国资本的大举入驻相对照,一向对东亚投资最多的国家日本成了在这一地区撤资最多的国家。在这场危机中,美国是大赢家,日本是大输家。

亚太、特别是东亚,是一个社会制度和经济发展水平差异明显地区,这一点若和欧盟相比会看得更清楚。欧盟的建立和欧元的启动,表明欧洲区域经济的发展已达到空前的高度。相比之下,东亚经济区域化的进程要落后许多,但是自亚太经合组织(APEC)成立以来,区域内经济的合作发展一直展示了良好的势头。

世纪之交的东亚面临着许多难题和挑战。首先是如何保证这一地区的政治稳定。回顾战后的东亚史，从朝鲜战争、越南战争、中苏边界冲突、中越战争到柬埔寨内战，大小战争或冲突未断，目前恐怕是战后以来东亚地区最平静的时期，这一局面的出现值得珍惜。但是，东亚仍然有许多不安定因素，如日本防卫政策的变化及日本扩大军备的动向，韩朝关系及朝鲜的"核开发"问题，中台关系、南沙问题等，任何一个问题解决不善，其崩出的火花都可能破坏本地区的稳定。

其次，化解近年来金融危机对本地区经济发展的负面影响，建立更能保证本地区经济稳定和发展的货币金融体制，促进有效合作，是扫除当前笼罩在东亚上空阴霾、重振东亚雄风的迫切要求。

（二）亚太区域化过程中日本的作用

在亚太区域化的进程中，日本作为东亚地区的经济大国，其举手投足对亚太区域化的进程有重要影响。

翻开近代以来的历史，可以清楚地发现日本的世界战略经历了由"脱亚入欧"到"脱欧入亚"的几番转变，但其着眼点却始终是盯住亚太、特别是东亚不放的。具体说来，日本自明治以后奉行"脱亚入欧"政策，并很快成为近代东亚唯一的资本主义国家。与此同时，随着国力的增强，由来已久的东洋霸主梦想亦烈，继发动甲午战争、日俄战争、参加第一次世界大战以后，终于从 30 年代起，与英美决裂，在"大东亚共荣圈"的幌子下，发动了长达 15 年的亚洲太平洋战争。第二次世界大战战败后，日本再次回到"脱亚入欧"的轨道，战后 50 年来追随美国"搭便车"的结果，是使日本经济重新崛起，跨入发达国家行列。进入 80 年代以后，日本公然开始对美国说"不"，回归亚洲、"脱欧入亚"论接踵而至，中曾根的"政治大国"论道出了日本政、官界压抑已久的心声。最近，一再对美国说"不"的强硬派代表人物石原慎太郎当选东京都知事，不能不让人为日本政治的走向忧虑。

尽管如此，目前乃至今后的相当一个时期，日美合作仍将是日本外交的基轴,远东地区中、俄两大国的存在以及对朝鲜的担心,恐怕是日本不能抛开美国盟友而独往独来的基本原因。

但是另一方面,作为东亚地区的国家之一,冷战结束后,日本的外交重点也在西移。

东南亚是日本的传统市场,是日本在海外投资最多的地区,随着该地区经济力量的壮大及区域内合作的加强,以及美国势力渗透的加快,日本越来越感受到压力,对东南亚外交将以经济外交为核心并加大力度。

日韩关系在去年金大中总统访日后有所改善。日韩两国有较深的历史纠葛,领土争议、慰安妇等问题的悬而未决,加上由来已久的厌日民族情绪,会对两国关系产生一定影响。但这些问题不致影响两国关系的大局,毕竟日韩都是被牵引在美国东亚战车上的盟友,从长远的战略观点看,日本也不会把韩国视为自己的强大对手。

相比之下,日本对朝鲜的一举一动却到了神经过敏的程度,现实看不到两国关系根本性转机的迹象,最近日本政界对朝"先发制人"论甚嚣尘上,这是一种既危险又错误的对朝高压外交,很不明智。对一个积弱积贫的邻国采取这种态度,只会激化矛盾,缺乏长远的战略观点,同时也有损于日本的国际形象。

日俄关系在桥本访俄后有所进展,但两国改善关系的动机和目的有相当距离。俄国需要日本的资金和技术,日本则急切地希望收回北方四岛。围绕领土归还的拉力赛还将继续下去,短期内日本政府似乎找不到打开局面的根本性办法。

对中国的外交无疑也是日本外交的重点之一。去年两国迎来了友好条约签订 20 周年,总体上说两国保持着一种正常状态。但是这种关系本来有进一步加强的余地。如所周知,中俄之间是"战略性协作伙伴关系",中美之间是"建设性战略伙伴关系",而在去年 11 月江泽民主席访日期间两国发表的联合宣言中,对中日两国关系的定位是:"致力于和平与友好发展的合作伙伴关系”。与前两者的“战略伙伴”关系相比，日中关系的定位值得玩味。

日本是亚太地区的经济大国，其GDP占世界GDP的12%，仅次于美国；海外债权8000亿美元，是世界上最大的债权国；日本人手中持有的美国股票、债券等金融资产3200多亿美元，从理论上说，有朝一日日本人若将这笔债权收回（抛出），可能导致美国股市的大崩溃；日本拥有1200万亿日元（约10万亿美元）的个人金融资产，是世界上最大的储蓄国；日本是世界上最大的外汇储备国，现有外汇储备为2400亿美元；日本是最大的贸易顺差国，经常性贸易收支黑字已连续数年超1000亿美元。再一点是，东证指数现在在1.5万点左右徘徊，与泡沫经济高峰期相去甚远，但是倘若经济恢复，股价回升到2万点以上在理论上说完全可能，不良债权问题这一拖累日本经济启动的沉重包袱也许会迎刃而解。这些因素表明，作为亚太地区最大的富国，日本的实力不容忽视，它应该同时也有能力为亚太经济区域化的发展做出贡献。

但这只是问题的一个方面。可能性不等于现实。日本要发挥其应有的作用，还必须解决好其国内问题，调整好其亚太政策。

1991年以来，日本经济转入低潮，迄今一蹶不振。这中间既有结构转型期萧条的规律在起作用，也有政策操作上的失误。所谓结构调整与结构性萧条，是说日本的经济体制已不适合当今的经济发展，必须做彻底的改造。在日本学界有“1940年体制”说，即太平洋战争时形成的国家总动员体制被运用于战后，其特征是官主导、封闭性和计划色彩浓厚。因此便有了桥本内阁的“金融大爆炸”等六大改革。然而，改革的艰难和经济的慢性萧条超出了人们的预想。这一期间日本政府在政策上的失误表现在，80年代中期以来的金融自由化放松了政府监管，资金大量流向投机性的房地产领域，导致了泡沫经济及其泡沫的崩溃；继而在1995至1996年经济好不容易回升时，又推行了“休克疗法”式的金融改革和紧缩财政，给有所恢复的景气泼了冷水。结果不良债权越改越多，由当初的40万亿日元增至现在的80万亿日元，经济增长率连续三年负增长，创下了战后以来经济发展业绩最差的纪录。这说明日本没有把握好经济改革与经济增长之间的关系。90年代初，日本经济的泡沫确实到了膨胀的界限，但是如果采取软着陆的办法，让过高的房地价和股票逐步降下来，就不会使经济糟糕到如今的程度。

在不断减税、贴现率降得不能再低的情况下，日本经济近期要想有较大的起色，最现实的景气刺激办法可能是采取适度的膨胀政策，因为消沉已久的日本经济当前更需要的是一种恢复的动力和刺激。日本的景气，不仅是自身的需要，也是东亚的需要，如此则可能带动整个东亚的景气恢复。

日本若处理好国内经济问题，以其庞大的经济基础和实力，可以对东亚经济的发展做出大的贡献。1997年9月泰国发生金融危机后，日本曾提出过建立"亚洲货币基金"的建议，因美国的坚决反对而搁浅。不过，从IMF在东亚金融危机中的局限性及其表现来看，不妨考虑设立这种基金，若此，则日元应成为这一基金的基础之一，这里有日本大力发挥作用的余地。但是另一方面，人们的担心也不无根据，东亚发生金融危机时，日本的做法是，一面紧急撤资，搞釜底抽薪；一面日元贬值，事实上对困难重重的东亚出口实行关门主义，未能发挥其亚洲最大市场的"吸收器"作用。同时，与石原慎太郎等人反对美国当世界金融霸主（把亚洲作为其金融奴隶）一样，日本也必须放弃当亚洲金融霸主的想法。

日本与东亚各国的经济合作是沿着"雁行发展序列"进行的水平分工，而今这一格局正在变化，因为经济全球化的进展，使东亚国家有可能以更便捷的途径从其他发达国家获得资金和技术，而日本仍然抱着对"飞去来器效应"的恐惧，在与东亚国家的投资合作中左顾右盼、疑心生暗鬼，就会失去更多的机会。日本的选择只能是不断开发新技术和新产业，并加快向东亚技术转移的速度，否则就会失去充当"头雁"的资格。

日本要在东亚发挥作用，还必须解决意识上的一些问题，即对侵略亚太各国的历史做诚恳反省，放弃称霸东亚之梦，真诚与东亚诸国合作，坚持和平发展经济道路。

（三）中国与亚太

中国是亚太地区人口最多的国家，也是近 20 年来亚太地区经济发展最快的国家之一，但从人均收入上讲，中国尚未改变其发展中国家的地位。

但是，中国作为这一地区的大国，以其众多的人口和巨大的政治影响，不仅在维护区域安定方面负有义务和责任，而且在促进地区经济的发展和稳定上也日益发挥重大作用。东亚经济危机爆发后中国采取的人民币不贬值政策以及因此在对外贸易上做出的牺牲便是证明。

中国要在推进亚太区域化的过程中进一步发挥作用，首先是要加强与亚太各国和地区间的对话与合作，包括多边合作与双边合作。中国加入并积极参与 APEC 的活动，对区域的安全与稳定做出了必要的努力。

对中国来说，处理好与美国、日本的关系，不仅符合中国的利益，也有助于亚太的区域稳定和发展。最近朱镕基访美时，克林顿政府原则同意中国在今年加入世贸组织，日本则早已表示了相同的意向。中国加入世贸，势必加速亚太区域化的进程，进而促进经济的全球化。

但是，中国正处在改革的紧要关头，加入世贸对中国是机遇，也是挑战。无视中国国情而一味要求中国全面开放市场或做出无法忍受的让步，结果不仅会引起中国经济的混乱，也会增大区域经济的不稳定因素。而如果处理得好，则中国的巨大市场作用势必显现出来，从而带动整个区域经济走向繁荣。

中国是亚太地区的政治大国，中美、中日间因各种原因存在着纠葛，本着求同存异的精神和和平共处、沟通协商的原则，大国之间的关系是可以保持稳定并不断向前发展的。但是涉及中国主权及领土完整的原则性问题，中国是不会让步的，今后也将如此。①

二、亚洲货币金融危机的思考

冷战结束后，国际政治经济格局发生了重大变化，第二次世界大战以来两大政治阵营长期对抗的局面业已结束。与此同时，随着信息革命的兴起，经济全球化浪潮正在迅速蔓延。

但是，如同近年来我们已经看到的那样，地区性冲突和民族纠纷不断，经济发展时遇挫折，世界并未安宁。这些问题的发生固然有其复杂的原因和背景，但现行国际政治经济体系中存在弊端是不容否认的，因为在这一体系的制约和运作下，许多问题无法得到及时有效的解决，有些问题反而被复杂化、长期化了。

事实上，我们正处在一个新旧体系转换的历史时期，这种转换对每个国家和民族既意味着机遇，也意味着挑战。同时，我们每个人都有责任站在更高的、而非一国的立场上，为构建一个新的有助于世界和平、安定与发展的国际政治经济体系做出努力。

以 1997 年的泰铢贬值为起点，东亚各国和地区经历了一场金融风暴的考验和洗礼。这场风暴留给世人许多深刻的教训和启示。比如，导致这场金融危机爆发的原因究竟是什么？是危机发生国的内在因素起了主要作用，还是外部因素起了主要作用，抑或是内外因素复合作用的结果？在解决这场危机的过程中，国际货币管理机构以及东亚国家、地区政府采取了哪些对策，对这些对策应该如何评价？这场危机的爆发，是否意味着以所谓出口导向型的产业结构、外资依赖型的投资结构以及

① 原文收于蒋立峰主编《第三次中日青年论坛：世纪之交东亚地区焦点问题》，世界知识出版社，1999 年。

强政府、弱市场等为特征的"东亚模式"已经过时？当前危机是否已经过去，有无卷土重来的可能？如何看待和应对世界性的金融自由化潮流？等等。与上述问题相联系，我们要探讨的问题还有，既然现行的国际货币金融体系在应付此次危机中暴露出种种问题和缺陷，改革刻不容缓，那么，应该如何改善现行体系并为21世纪建立一个新的安全、高效率的国际货币金融体系？同时，为了确保东亚区域经济的长期稳定发展，防范金融危机的再发，应该如何加强东亚各国和地区间的合作，并为共同构建一个东亚区域金融安全网提出设想？

针对这些极其重要、广泛而复杂的问题，我们举办了"国际货币金融体系与东亚"国际学术研讨会。与会的中、日、美、韩四国专家学者发表了自己的见解，并在一些重要问题上取得了共识。当然，不同的见解依然存在，对某些问题的看法甚至截然相反。但重要的是，只有提出问题，才能引起对有关问题的重视，才能清楚对方在想什么，从而通过交流，深化对有关问题的研究和思考。这里拟就此次研讨会所涉及的主要问题及与会代表的观点做一简要评述，并进而阐述有关看法。

（一）亚洲金融危机爆发的原因及其教训

关于金融危机爆发的原因，国内外众说纷纭，讨论方兴未艾。观点之一是从金融领域中寻找危机爆发的原因；观点之二是从变化的国际环境中探究金融危机产生的原因；观点之三是从经济结构上分析危机产生的原因；观点之四是从发展模式和体制方面研究金融及经济危机产生的原因。世界银行首席经济学家、日本东京大学河合正弘教授，日本一桥大学经济研究所小川英治教授等从危机当事国汇率制度的安排方面深入分析了金融危机爆发的原因，认为东南亚各国采用的"事实上"(defacto)的钉住美元的汇率制度是金融危机爆发的主要原因。虽然这种汇率制度在金融危机爆发前大约15年时间里对新兴市场国家、东盟各国，甚至包括中国在内的东亚和东南亚各国的经济发展做出了贡献，具体体现为在日元对美元迅速升值的情况下，日元对这些国家的货币也迅速升值。这一方面提高了东南亚国家在与日本进行贸易时的货币竞争力，另一方面也使这些国家转变成为日本企业的海外生产基地，间接地吸引了大量来自日本的直接投资，促进了制造业部门劳动的分工和工业化的进程，并带动了国民经济的整体发展。但是，1995 年春以来，日元对美元的大幅度贬值，使得这些国家开始逐步丧失其在国际市场上的价格竞争力，推动经济增长的日本直接投资也失去了其存在和发展的动力。因此，宏观经济运行前景转而黯淡，积累的债务无法获得展期，最终导致了金融危机的爆发。因此金融危机给世人的一个重要教训是，在金融资产形式和金融交易手段空前多样化、便捷化的当今社会，随着金融自由化的进展和国际流动资本规模的急剧膨胀，继续采用单一的钉住美元制度意味着风险的增加，而采用货币篮子制度当为一种切实安全且有效的方法。与会的多数学者认为，当前比较可行的选择是，各国应在货币篮子中依照美元、欧元和日元的顺序，按不同比率安排国家储备，如此则可以有效地抵御世界经济突然变动及国际流动资本的冲击。

国际资本流动也是一些学者探究金融危机根源得出的结论，他们认为 90 年代以来一些主要发达国家的利率和通货膨胀率维持双低使得全球流动性显著增强，这对东南亚金融危机的爆发起到了推波助澜的作用。游资的大量流入改变了这些国家的外部融资结构，外国直接投资量下降，而整个经济对国际银行贷款和债券融资的依赖程度则提高了。这说明东南亚各国的国内经济已经开始更多的依赖于债务，而非直接投资，并且这还意味着流入的资金更加以短期化为主，并越来越多地以外币计值。这些特征使得国家整体经济对抗国外流动资本风险的能力变得越发脆弱。举例来说，在 1993 年底左右，当许多亚洲国家的股票市场上价格收益比率达到了最高值以后，许多发达国家股票市场上的价格收益比率开始明显上升，但是这些迹象未能进一步推动亚洲股市的上涨，相反，这些亚洲国家股票市场上的价格收益比率增长潜力显得相对微弱。由于股票价格对利润率预期变化的反映程度显然要快于债券或银行贷款，这从一个侧面反映了投资者从 1993 年底已经开始对亚洲企业未来的预期盈利能力产生了怀疑，这也许是反映亚洲经济潜在弱势的一个早期征兆。

此外，还有相当数量的学者从日本经济、金融的不同角度分析了日本在东南亚金融危机中所起的作用。近年来日本经济的长期低迷、日本政府为解决困境而采取的宏观经济政策以及日元汇率的大幅度波动都对亚洲货币、金融危机的形成和加重有重要影响，具体表现为：第一，90 年代初以来日本经济的长期萧条、国内市场的需求不振使得日本对东南亚各国的贸易顺差不断扩大；第二，日元对美元汇率的剧烈波动是促使亚洲货币、金融危机形成和加重的重要因素；第三，日本对东亚地区的巨额直接投资加剧了该地区资产价格的急速攀升，尤其是在日元汇率大幅度上扬之后，日本企业在日本银行的支持下，纷纷到东南亚各国投资建厂，从而加剧了东南亚诸国经济的泡沫化程度。此外，日本金融体系的动荡也是亚洲金融危机爆发的震源之一。在日本泡沫经济过程当中，日本金融机构冒险经营的扩张行为，实际上已经扩展到了亚洲地区。1995 年到 1997 年日元疲软期间，日本银行资金向外汇市场的大规模转移，对于亚洲国家的资产膨胀起到了推波助澜的作用。然而就在这些国家经常项目收支急速恶化的形势下，日本的银行资金又迅速撤离，造成这些国家的证券市场急剧动荡，股票价格暴跌以及外汇汇率大幅下滑，最终导致了亚洲金融危机的爆发。

应当强调，此次东南亚国家深刻的金融、经济、政治和社会危机是上述各种因素综合作用的结果，过分强调其中的部分原因，都不足以全面阐明东南亚危机的形成、发展和爆发的整个过程及其根源。但是，危机的复杂性又使得人们不得不从更多的层面来探询危机形成、发展和爆发的内部机制和外部根源，通过对危机爆发原因的深入研究来帮助世界各国从中吸取宝贵的经验教训，并在今后的经济发展当中制定相应的对策以提高防御危机的能力，保障国内和国际金融体系的稳定以及经济的健康发展。

亚洲金融危机，如同80年代初爆发的拉美危机一样，再次提醒人们注意宏观经济稳定和金融稳定之间的互补性。也就是说，只有其中一种稳定是不够的，而且无论牺牲哪一种稳定都会极大地削弱甚至破坏另一种稳定的可能性，并可能导致潜在的级数破坏效应。不可否认，财政紧缩和价格稳定的经济政策在过去的20年里逐步赢得了支持，这些目标已经成为绝大多数发达国家的经济准则，而且渐渐被越来越多的新兴市场国家所接受。然而在另一方面，对于改革银行业和金融体系的重要性则认识得相对较晚，一些国家由于民族情绪等因素的影响，使得这种改革如今依然受到强大的政治阻力。但是，在国际金融市场日益一体化的今天，如果亚洲金融危机能够促使人们更多地研究度量和管理信用风险的方法和技术，建立全球范围的信用风险标准，并能促发全球范围内的金融改革，那么危机的巨大代价至少可以得到部分弥补。由于金融业的显著特征就是不稳定性和风险性，并且这一特征广泛存在于金融体系的诸环节和金融活动的全过程。因此，为了维护东亚乃至世界经济的健康发展，各国应该首先在经济政策方面积极谋求建立金融风险防范和化解机制，这是防范金融风险演变成为国内乃至国际性金融危机，从而保证国际金融秩序稳定的基础。这一机制应包括宏观管理（政策部门）、中观管理（管理部门）和微观管理（操作人员）相结合的三个层次的所谓“健全经营管制”措施；其次，各国要在全面增强自身实力的基础之上有一个合理的金融政策，其中包括外资政策、外贸政策、汇率政策、利率政策等，这些政策的制定不仅需要符合市场竞争规律和依据本国经济实力等具体国情，而且需要适应国内外经济形势及其变化，以维护和增强国际竞争力为原则；最后，需要建立国际协调合作机制。从总体上讲，需要建立东亚经济新秩序，即在经济交往中平等互利、公正竞争、协调合作、共同发展的"横向秩序"。基于金融风险的扩散性特点,"一损俱损,一荣皆荣"的东亚各国应有波及效应意识和国际责任意识,并共同致力于国际货币金融制度的改革和创新。

(二)各国政府和国际机构的危机对策

金融危机爆发之后,东南亚各国在危机当中吸取教训,采取了摆脱危机、重振经济的各种措施,其中包括:积极提高本国商品的国际竞争力。在本国货币贬值的情况下,加强对出口型企业的扶持,鼓励以出口为目的的产品生产。值得一提的是中国政府的坚持人民币不贬值的政策,也促进了这些国家出口的增长和经济复苏。与此同时,这些国家开始考虑如何有效地吸引外资,把吸引外资与提高本国商品竞争力结合起来;同国际货币基金组织合作,整顿国内金融秩序,加强对金融领域的监管,建立与国际接轨的经济体制;加强区域经济合作,探索共同防止国际金融投机活动的方法;加强金融领域的风险防范机制,调整汇率政策,实现货币金融的多样化,试图建立独立的浮动汇率制。由此产生的一个问题就是,这种由钉住美元的汇率制度安排转变而来的浮动汇率制度仅仅是一种暂时现象,还是东亚各国汇率制度的结构性的、持久的转变。从国际货币的角度来看,尽管在危机爆发之后美元的作用相对降低,而日元和欧元作为国际货币在东亚地区的地位得到了相对提高,但美元仍将在这一地区维持其主导地位。当然,统计数据也显示出在东亚地区进一步使用日元还存在着很大的空间。从汇率制度安排的角度来看,虽然目前判定东亚各国最终将选择何种汇率制度还为时过早,但不可否认的是各国将不大可能返回到管制相对较为严格的固定汇率制。最终的制度安排仍将致力于维持汇率的稳定,这不仅要求东亚各国采取措施,努力恢复本国经济,维持金融体系的稳定,更需要以美国、欧洲和日本为首的国际社会采取积极的国际货币和金融合作来确保国际间汇率的稳定。

国际经济机构，主要是国际货币基金组织，也介入了金融危机后东南亚各国的经济重建。众所周知，IMF对陷于货币金融危机的国家所采取的经济处理方法是提高利率、采取紧缩性财政政策、实行激进的经济改革，如结构调整改革、市场开放等。这种简单划一的处理方法，目的在于通过恢复市场信用来恢复经济，这些措施主要基于以下几个方面的考虑：如果因为国内经济存在着某种困难而产生资本外逃的话，那么为了使国际资本重新流入，就必须首先解决阻碍资本回流的问题。高利率政策导致国内外利差增大，外国资本为了获得高收益率就比较容易流入；财政紧缩政策是通过调整国内需求，从而作用于国际收支，结果导致国际收支改善，物价稳定。以韩国为例，在1997年12月接受救济融通资金时，IMF要求将银行同业拆借利率提高到30%以上，并且警告不要产生财政赤字。此外还要求金融机构实施改革以使资本比率符合《巴赛尔协议》规定的8%，以及资本市场的完全开放。但是，IMF开出的重振东南亚各国经济的药方的效果到底如何呢？仍以韩国为例，在接受IMF的处方一年之后（也就是到1998年底），给韩国经济带来的影响首先是坏账积累的恶性循环。首先，尽管企业破产是坏账急剧增加的一个原因，但是IMF强制要求的紧缩性财政政策和急进的经济改革处方，引起了企业和金融机构心理上的恐慌，产生了信用危机，市场进一步缩小，这更加促进了企业的倒闭；其次，由于与企业有关的商业票据被频频拒付，吸引外资也没有预想的那样顺利，因此依靠国际资本回流重振经济的目的也没有完全实现；再次，高利率进一步增加了韩国企业的债务，引发了企业信用危机，使经济危机更加恶化；最后，市场开放使很多经营业绩、发展前景较好的韩国企业的股权被外国资本购买，经营管理权旁落外国企业。如果目前这种趋势持续下去的话，韩国企业家们在过去二三十年间努力建成的企业，将在一夜之间落入外国资本的手里。日本立教大学经济学部的郭洋春在《国际货币基金组织管理一年后的韩国——冷战之后和国际化》一文中指出，这些事实表明："美国通过国际货币基金组织这样一个国际机构，与其说是帮助救济韩国的经济危机，还不如说是为了削弱与美国产业有竞争关系的韩国企业的国际竞争力……在这种情况下，应该注意，与冷战时期不同的是美国作为霸权者并不会直接出面，而让被认为是中立的国际机构——国际货币基金组织作为救济资金的提供者。也就是说，IMF 的牵头掩盖了事情的本来面目。从 IMF 根据成员国缴纳基金份额的不同而赋予不同的表决权这一事实，就可以认为 IMF 并不是一个中立的国际经济机构。因此，对接受援助的国家提出经济结构调整和市场全面开放的要求，并不是无视危机国的国情，而是作为统一世界市场的基础而提出的条件。”

（三）经济发展“东亚模式”的再探讨

这次亚洲金融危机不同程度地触及到了世界经济的每一个角落，严重影响了国际金融体系的稳定和全球经济的健康发展。危机爆发的突然性、危机在国家之间蔓延的速度和规模以及资产价格和汇率下跌的幅度都出乎人们的预料。危机本身及其冲击的最大震撼，也许是人们对“东亚模式”这一曾被认为是未来全球经济发展模式的信念产生的质疑。

“东亚模式”是在“日本模式”的基础之上发展形成的。所谓“日本模式”是作为资本主义后进国的日本，在冷战格局和东方文化的背景下，在“后发效益”的基础上，以首先实现重化工业化为目标，以“市场失效论”作为理论基础，加强政府干预经济的职能，以引进外国先进技术和金融体制为主要手段，以出口为导向，促进经济增长的“追赶型现代化”的成功模式。所谓“东亚模式”是作为发展中国家（地区）的东亚，结合本国（地区）的特点，主要学习日本的“追赶型”经济模式的成功经验而形成的经济模式，其基本内容与日本的经济模式是相通的，但是也存在着许多重要的差别。即同是追赶型经济，但东亚是在发展中国家基础上的追赶型经济，其最初的目标是实现劳动密集型的轻工业化；技术水平远比日本落后，对外国技术的依赖性更强；资金积累能力弱，经济发展严重依赖外资；经济增长更加有赖于国外市场，实行出口导向型经济；廉价的劳动力是东亚惟一的比较优势。

综上所述，"东亚模式"是作为发展中国家的东亚各国（地区），在冷战格局和东方背景下，学习"日本模式"，以"后发效益"为基础，以加强政府干预为手段，依靠外国资金、外国技术、外国市场，凭借廉价的劳动力，以发展劳动密集型工业为开端的"追赶型"现代化的经济模式。90年代初期，由于日本政府没有及时对其经济模式进行必要的改革，使得"日本模式"转而成为经济金融改革的阻力，导致严重的泡沫经济，最终出现了泡沫经济的崩溃和持续的经济衰退，标志着"追赶型日本模式"的崩溃。在这种情况下，冷战结束之后国际经济竞争的激化、日本经济的长期衰退等都对东亚各国（地区）产生了不利的影响。反观东亚各国和地区，为了维持高速增长，不合时宜地开放了本国的金融市场，大量短期外国资金的流入，加上以美国为首的国际资本的乘机发难，导致了东南亚金融危机的爆发。国家计委经济研究所孔凡静研究员在其论文《"日本模式"与东亚金融危机》中认为："东亚金融危机是东亚模式的危机，但不是东亚模式的终结。主要根据是其追赶使命还未完成，后发效益仍然存在。只要国际风云不致危及亚洲的和平，追赶先进的浪潮还会持续，而且会在总结经验、巩固基础的条件下，发展得更好……日本模式的终结和东亚模式的危机，给中国上了最好的一课。作为追赶型现代化的大国，而且是社会主义的追赶型大国，会有更长的路要走，会有更多的难题……学习经验，更要吸取教训，减少盲目性，警惕惯性，在成功当中寻找缺陷，不断改革，走社会主义现代化之路。"

美国哥伦比亚大学东亚研究所王念祖教授在其论文《亚洲金融风暴对中国的启示》中，也深入探讨了经济发展的"东亚模式"及其对中国的影响，认为从政策的角度来看，如果中国政府能够将危机的殷鉴转化为力量，则中国乃至全球将反祸为福。首先，中国对"当今的世纪是亚洲世纪”的结论必须重新估计。东亚奇迹摇身一变竟然沦为泡影，“东亚超人”复转为“东亚病夫”，其后果不免会从自大自满堕入自暴自弃。对于中国而言，必须认识到经济的健康发展只能依靠正确的政策和辛勤的努力。其次，经济的发展并不意味着中国应该保有最高的经济增长率。亚洲金融危机已经说明经济过热会导致膨胀和萧条的恶性循环，而且，从长期来看，其现在的增长或许会妨碍未来的增长，诸如由此引起的土壤流失、酸雨、森林等自然资源的损害、沙漠化等环境污染等问题。再次，亚洲危机中增加的共识莫过于“东亚模式”必须增加透明度，这对中国特别适用。因此，必须致力于增加经济活动中各个领域的透明度，尤其在金融方面需要增强外汇储备和银行坏账具体数额等信息的公开，否则保密或模糊不清的数据只会导致未能及时采取必要的政策以及加剧最终解决方案的难度；最后，金融危机导致的对于“东亚模式”的争论可以归结为对亚洲价值观的探讨。应该说，没有一种单纯的价值观可以强加给全球的所有人类。换句话说，世界上既可有全人类共同信奉的价值观，也可以因地制宜。一味强调世界经济一体化的价值观或各个地区特有的价值观同样是危险的。因此，对于中国而言，既不能全盘西化，也不能墨守成规。前者只不过是自卑自谦时的幼稚反映，后者属于沾沾自喜，但是忽视了现实，阻滞了进步。

（四）发展中国家的金融自由化和金融改革

一般情况下金融危机是在金融体系发生转换的过程中发生的，而在金融体系的转换中，废除和放宽金融管制导致了金融自由化和金融全球化现象。因此，围绕金融危机的起因也出现了两种对立的观点。一是认为金融危机是金融自由化的产物；二是认为金融危机源于政府实施放宽管制措施的过于迟缓，换句话说，是金融自由化改革进程太慢导致了金融危机的爆发。无论孰是孰非，金融自由化都是人们在研究东南亚金融危机时考虑的焦点问题。

南开大学薛敬孝教授探讨了金融自由化与金融危机之间的关系，认为“80年代以来特别是90年代上半期，东南亚国家经济虽然取得了长足发展，但由于它们在金融自由化进程中没能够处理好汇率制度、汇率政策、国际收支调节、货币供给量控制，以及它们与产业政策等方面的联系，造成了国内宏观政策的不协调，从而最终导致了金融危机的全面爆发”。金融自由化本身无可厚非，但是脱离本国国情以及缺乏相关经济金融政策配套的金融自由化无疑会损害金融市场的稳定和经济的健康发展。

东南亚各国金融自由化改革进程中值得借鉴的经验教训很多，主要表现为：渐进性问题，即金融自由化进程与金融系统成熟性的不协调。具体表现为金融自由化进程在金融深度的绝对量上、在金融深度的进展与金融系统的成熟程度的关系上都超过了其可能承受的限度，从而危及了金融系统的安全性。一些东南亚国家金融自由化的步伐忽略了本国的基本国情，超越了本国金融机构的承受能力，如在现代商业银行制度尚未建立、本国商业银行竞争力还比较薄弱的情况下，匆忙放松了对金融机构业务领域等的管制。举例来说，在东南亚各国实行金融自由化之前，这些国家的银行由于政府对银行贷款的分配、数量和对存款利息进行管制，因此银行的利润大部分来自传统的金融中介业务。实行金融自由化之后，虽然放松管制扩大了银行的业务范围，但其他金融机构对银行传统业务领域的侵蚀也迫使银行不得不寻找新的商业机会来弥补传统中介业务利润被挤压所造成的损失。这种利润挤压在许多情况下像多数发达国家一样，并没有导致类似其他行业那样的资产重组或企业兼并，效率不高的银行并没有被迫离开中介行业或同其他更有效率的银行合并。相反，公开的和潜在的政府支持，使得那些在金融自由化之后经营不善的银行仍然处于运作当中。而且，在严格管制环境下发展起来的银行，并没有清楚地认识到在新的自由化了的经济环境中，那些高利润只能通过承担高风险以及对风险进行及时准确的度量和管理来获得，并且需要更加谨慎。而且，金融自由化也没有伴随着相关体制的改革，使得一些银行在经济高速增长的繁荣局面下逐步积累了大量信用质量较低的贷款组合，这些资产在危机爆发后几乎都成了银行的不良债权；多重政策目标的内在矛盾性，即资本项目开放后，利率政策、汇率制度和汇率政策的不协调，在资本项目开放期尤其严重。具体表现为在经济增长的初期，外国直接投资起到了巨大的促进作用，但是在各国资本项目开放之后，较高水平的实际利率逐渐吸引了大量外国资金的流入，尤其是短期流动资金，致使大量短期套利资本活跃于已经开放的资本市场，从而改变了各国外资的结构，使得整体经济抵御危机的能力下降。而且，国内汇率制度安排、汇率政策没有与金融自由化的改革相协调也进一步使经济脆弱。这样，多重政策目标的内在冲突为金融危机的爆发提供了条件，而面对投机攻击的国内、国际政策也不协调。从国内而言，东南亚各国未能正确估量本国维持固定汇率制度的能力，采取了不适当的冲销政策，使它们失去了控制国内金融市场的主动权。在国际因素方面，由于国际金融机构援助的先决条件与东南亚各国的政策目标存在差异，从而也错过了减轻危机影响和严重程度的良机。

目前，人们对金融自由化往往谈虎色变，东南亚各国在经历危机之后也对金融市场的大幅度开放有所忌惮，但是从世界经济发展趋势、地域经济特点和各国经济实际情况来看，金融自由化仍然是一个方向。在吸取经验教训的基础之上，东南亚国家在今后的经济发展过程当中需要解决以下两个任务，才能在今后的金融自由化进程中增强“抗震”的能力。第一，摒弃单纯的金融自由化策略，实施全面政策协调下的自由化进程；第二，建立一个休戚与共的东南亚乃至东亚地区的区域性货币协调机制，在欧美不会也不可能真正拯救东亚经济、日本在亚洲发挥作用能力有限的情况下，东南亚国家只有建立一种区域性货币协调机制，才能巩固来之不易的经济基础，并在继续坚持金融自由化的情况下促进本国和地区经济的进一步发展。

与会专家学者在借鉴东南亚各国金融自由化经验教训的基础上，还对中国金融改革提出了若干建议。中国已经推行经常账户下的可自由兑换，并已声明进一步对资本账户实行自由化的意图。在危机爆发后，中国的决策者对于自由化的进程应该更加谨慎，首先应对外商直接投资和外债进行区别对待，其次对长期和短期的外债也应该区别对待。总的来说，资本账户的自由化进程应视国内及国际措施是否能够有效地削弱外债所可能引起的动荡。以金融自由化涉及的管制与取消管制为例，中国对于实施管制的对象应该衡量其利弊而定，因此管制与取消管制也不应该是原则性的决定。从金融领域来看，需要新的管制的最佳对象是国际短期资本的流动。与此相关的是汇率制度的选择，或者说，在邻国发生金融风暴之后中国人民币的汇率应否以及能否维持？与会各国专家学者首先对中国在金融危机中坚持人民币不贬值的政策对亚洲乃至全球金融稳定和经济发展作出的贡献给予了肯定，也对今后人民币汇率的走势进行了分析，认为维持固定汇率有助于香港的稳定，对东亚邻国的经济恢复做出了重要贡献，维护了世界经济的稳定；同时提高了我国的国际政治经济地位。维持固定汇率也是在综合考虑国内经济状况的前提下作出的决策，不贬值有利于中国抓住机遇，进行出口产品结构调整以及相应的经济调整。反之，贬值会影响消费者的实际收入，还会使需求不足的国内市场雪上加霜。总而言之，中国的金融改革应该从利率和汇率市场入手，把促进金融市场的健全和良性发展作为当务之急，坚持走渐进性的金融改革之路，在条件成熟时适度、逐步地开放资本市场。

（五）世纪之交全球金融格局和国际货币体系

亚洲金融危机在区域内传播的速度和力度，一个微观层面上的经济个体——美国的长期资本管理公司（LVCM）的危机对全球金融危机的影响以及俄罗斯金融危机对国际资本市场的猛烈冲击等事件，都超出了传统意义上的金融危机的概念。这主要根源于过去十年之内全球金融格局中国际资本市场的发展和变化。一方面是国际资本流动总量呈现出迅速增长的趋势，另一方面是国际资本流动的结构也发生了很大的变化，从以银行资金为主发展到银行资金、国际直接投资和资本市场融资三分天下。虽然金融危机在一定程度上影响了国际资本的流动，但后者并没有因为金融危机而停滞，相反在危机情况下仍然保持了较高的增长速度。这种表现违背了传统意义上的国际资本流动以及危机的随机波动，它表明国际资本流动的扩张和增长已经成为一个持续的过程，并不为危机所左右。尽管国际资本的流动在遭受危机困扰的地区波动很大，但是全球的国际直接投资却非常稳定，而且发达国家之间的国际资本流动保持着较高的增长势头，国际资本流动已经由发达国家向发展中国家的流动转变为发达国家之间的流动。

然而，理解国际资本流动的关键不在于其总量和结构的变化，而在于其速度的变化。从衍生产品的角度来看，这个市场的发展相对比较平稳，但是交易的速度在加快，这说明衍生产品交易的时间缩短了；从货币的角度来看，在国际结算体系中，美元仍然居于主导地位，日元的国际地位有所下降，而欧洲区的货币基本上是在稳步发展；从流入新兴市场国家的资金来看，以前政府资金和私人资金各占一半的格局如今转变为以私人资本为主；从国际金融市场上的运作主体来看，投资公司和保险公司的资金增长较快。以美国为例，其非银行金融机构的资产第一次超过了银行的金融资产；从融资发行者来看，私人占据了绝大多数，相应的政府的作用在减少。

在对以上各个方面的统计数据进行综合分析的基础之上，中国银行总行国际金融研究所所长朱民得出了有关国际资本流动的八个结论：国际资本的流动稳定，而且是非常高速地扩大，这是显示全球金融一体化的最好指标。此外，国际资本流动的结构也发生了重大变化，发达国家与发达国家之间资本的流动使资本流动实现了真正意义上的全球资本流动；并且，国际资本流动在本质上也发生了很大的变化，30 年前以援助为主，20 年前以互利为基础，10 年前以获得报酬为目的。而如今的国际资本流动是全球的风险回避，是全球的银行家和金融家在金融市场全球化下的唯一选择，这从根本上改变了全球资本流动的动力和目标；国际资本流动结构已经演变为银行资金、国际直接投资和资本市场融资的三分天下，这表明市场被给予了更多的关注；私人资本已经开始取代政府的投资，说明政府的影响能力在逐步降低；影响汇率的因素主要是资本账户，而不是经常账户；美元和美国经济实力的超强发展；金融的全球化或金融资本的扩张还处于初始阶段；国际资本流动的速度和规模是影响全球经济体系的关键；国际资本流动的波动还会不断继续，危机还会不断发生，其原因在于现有的经济体制以及国际资本的流动。具体来说，是因为金融资本的流动快于实体经济的结构调整以及由于现代技术的发展使得金融市场的效率远远高于实体经济的效率。

正是由于国际资本流动的发展变化决定了世纪之交的新的国际金融格局，并对以往的国际货币体系提出了挑战，因此改革现有的国际金融体制，建立国际金融经济新秩序，已经成为国际社会的共同呼声。那种完全取消金融自由化、对资本流动实行严格控制的想法已经落后于时代，而那种减少甚至取消政府管制、激进地推行金融自由化的主张则显幼稚，忽略了金融自由化的弊端。比较现实的主张应该是对现有的国际金融体制进行必要的改革，以实现资本的自由、有序流动，寻求发达国家和发展中国家的共同利益，以利于新旧体制的平稳过渡和世界经济的平稳发展。但是，现实情况下各国对现有国际金融体制如何进行改革，建立怎样的国际金融新秩序还存在较大分歧。社科院世界政治与经济研究所张宝珍认为，在进行改革以及新建的过程当中应该遵循以下几个方面的原则，即“保证国际金融市场的长期稳定，促进世界经济的恢复和发展；保证国际资本的自由、有序流动；为世界大多数国家和集团所接受；渐进式改革，应先易后难，有计划地进行。改革的重点是加强国际金融领域的监控和防范”。至于一些具体步骤可以考虑首先调整国际货币基金组织、世界银行等国际性经济金融机构的职能，完善国际金融体制；其次建立和加强国际金融监管机制；最后建立国际金融合作和协调机制，从而建立起国际金融新秩序。

（六）区域性货币金融组织——亚洲金融安全网

关于建立区域性货币金融组织的可行性问题也是本次国际学术研讨会争论的焦点，与会多数专家学者倡议建立东亚、东南亚乃至亚洲地区的货币金融组织以抵御危机，但也有少数学者持反对意见，或对能否建立以及能否有效运行持怀疑态度。

日本一桥大学经济研究所小川英治教授通过定量分析得出结论，认为东亚各国在选择的最优货币篮子当中日元应该占有较高的比重，因此建议东亚各国在其货币篮子当中应该提高日元的权重。在东亚各国货币组合的相似程度较高的前提下，东亚各国可以考虑建立东亚区域性的货币金融组织。首先是东亚各国采用相同的货币篮子，这是各国金融主管部门之间实现协调合作的第一步。进而可以发展到构建亚洲货币单位，组建 AMU 的方式可以分为两种。第一种是借鉴 ECU，由各个成员国的货币共同参加创建 AMU，各国货币与 AMIJ 之间保持联系。第二种则考虑到了亚洲经济的发展现状以及亚洲各国同欧美各国之间的经贸往来，AMU 在包括各成员国货币的同时，吸收美元和欧元，各国货币与 AMU 之间保持联系。这两种方法在理论上都是可行的，具体操作中应视环境而定。

日本大阪经济大学经济学部的松村文武教授则探讨了以日元和人民币为基础建立亚洲国际货币制度的可能性。他认为，1997 年亚洲金融危机爆发的原因，就在于国际游资对钉住美元固定汇率制的投机，由此得到的教训是亚洲各国应该建立自己的危机管理体系。日本是亚洲地区唯一的世界级超级经济大国,中国的经济增长引起了世界的瞩目,因此,日本和中国应该在建立亚洲、至少是东亚经济和金融体系方面起主导作用。从目前的情况来看,无论是日元还是人民币在短期内都无法单独取得作为主要货币的优势。因此,日元与人民币联手确立区域性货币体制势在必行。建立这种区域性货币体制的基本程序可以遵循以下步骤:外汇储备的统一管理→亚洲货币基金(Asian Monetary Fund,AMF)→日中相互持有国债→亚洲货币单位(ACU)→贸易结算货币的转换→实现人民币的自由兑换→建立亚洲货币制度(Asian Mone-tarySystem,AMS)→东北亚自由贸易区(Northeastem Asian Free. TradeArea,NEAFFA)→亚洲经济货币同盟(Asian Monetary U-nion,AMU)→导入单一货币。逐步实现这些步骤的必要条件主要包括以下几点:日本应该努力摆脱经济的不景气,进一步稳定日元,并提高其作为亚洲"最终买主"的作用;对向亚洲提供 470 亿美元援助的新"宫泽构想"的有效利用,以及加快培育以日元计价的资本市场;加强亚洲及欧美的国际间理解与合作;创造适当的政治环境也是非常重要的条件,其中与中国的关系是解决有关历史问题;亚洲区域货币体制的建立还取决于国际货币基金组织和美国的态度,为此可以用改革的理论合理性以及对亚洲主体性尊重的必要性进行说服。

韩国仁川大学贸易学科的李赞根教授也持类似观点,认为亚洲各国应在促进发达国家进一步增加援助的同时,依靠自身力量建立起属于亚洲的区域性经济和金融体系。具体来说,亚洲危机国家为了能够正常偿还外债,需要一个安定的国际金融市场,为了防止破坏性极强的金融危机,有必要对现行的国际金融体制进行划时代的改革,这就要求亚洲各国之间加强协作。但他认为,由于亚洲各国政府的合作精神非常薄弱,因此可以通过建立民间经济和金融联盟的方式防御和化解危机。也就是说,亚洲式的区域联合应以民间为主导,共同开发亚洲债券市场,设立亚洲财富机能开发组织，进而形成亚洲货币同盟，同时还应该明确该区域内不存在金融经济上行使专横霸权的特定国。

中国吉林大学东北亚研究院院长余昺鵰教授从分析日本对东南亚经济恢复所起的作用入手，探讨了在东亚地区建立区域性货币金融体系的可能性。他认为，面对 21 世纪的挑战，东亚各国正在进入一个相互依赖、共同发展的时代。因此，日本作为东亚乃至全球的经济大国应该以这次金融危机为契机，抓住机遇，建立与东亚各国的新型经济合作体系。日本不仅应该是“资金供应者”，而且应该成为东南亚各国的“需求吸收者”，真正发挥东南亚各国经济的“增长轴”作用；积极对东南亚各国进行支援，以恢复这些国家实际产业部门的生产能力；积极进行金融领域的合作，并对东南亚各国金融体系的建设作出贡献，包括人才培养、信息交流、实施共同的金融监管等。与此相关，“三极通货体制”“日元国际化”“亚洲货币基金”等都是加强区域金融一体化的重要步骤，对于国际货币金融体系改革和亚洲地区经济与金融的稳定具有重大意义；加强培育同亚洲地区的经济合作体制，如日韩“自由贸易圈”以及中日韩民间经济组织等，通过经济和金融政策的协调来共同防范各种可能出现的货币、金融危机。

东南亚金融危机是由于使用美元计价、资产的短期化、证券投资者支配市场等一系列矛盾以及国家间（或区域内部）缺乏信息交流和相互间协调等因素造成的。因此，为了抑制或缓解以美元计价的现行国际金融体系所固有矛盾，建立一个新的体系是完全必要的。从目前的情况来看，欧元的启动证明了国际货币环境正在进行着巨大的变革。对于亚洲国家，尤其是东亚各国而言，建立协调一致的区域性货币联盟无疑将有利于这个地区的金融稳定和经济发展。①

① 原文与梁琪合作，收入杨栋梁主编《国际货币金融体系与东亚》，天津人民出版社，2000 年。

三、中日经贸关系的现状与走势

近年来，日本经济开始摆脱“10 年低迷”的困境。与此同时，中日经贸关系则在所谓“政冷”[①]等因素的影响下出现了若干值得重视的新变化。准确地分析和把握这些新动向，在国家对日总方针、总政策的指导下，及时调整下一步对日经贸合作的战略安排并采取相应措施，对于确保我国在对日经贸交往中处于主动、有利的位置，加快经济建设的步伐，无疑具有重大现实意义。

（一）近期日本经济的变动及其主要特点

1991 年泡沫经济崩溃后，尽管个别年份出现过 3％的增长率，总体上看日本经济一直在低点徘徊。不过，近年的多项主要经济指标显示，日本已度过泡沫崩溃后最困难的阶段，开始了恢复性增长，其主要依据如下。

一是出现柔性长期景气局面。泡沫崩溃后的日本经济已经历了两个循环周期，目前则处在第三循环周期的扩张期。2002 年 1 月开始的经济恢复扩张期，是以上年度的负增长 0.8％为起点的，其国民经济增长率为 2002 年 2.5％，2003 年 2.3％，2004 年 1.7％，2005 年 3.2％，迄今已累计长达 54 个月，逼近战后时间最长的伊奘诺景气（57 个月）。从目前的经济发展态势看，此次经济扩张期打破战后纪录只是时间问题。当然，其年经济增长率即发展速度已无法与以往相提并论。

---

① 近年，人们常用“政冷经热”一词形容中日关系。但这种提法并不严谨，其舆论导向作用更值得商榷。就“政冷”而言，根源在于小泉首相参拜靖国神社引起的中日首脑互访中断及由此导致的两国民众互厌情绪的增长，但这并非两国政治关系的全部。两国首脑在重要场合反复强调中日友好合作的基本方针，政府间高官互访和地方城市间的交流频繁，中日友好城市数目增至 315 对，文化、商业、旅游、留学等领域的交流不断扩大，2004 年在日中国人 48.7 万人，在华日本人 11.5 万人，两国互访人数已由上世纪末的百余万人增至 2005 年的 450 万人。

二是主要经济指标显示经济状况好转。在2005年日本国民经济的各项主要指标中，国内总生产实现了3.2%的增长；企业经营状况明显改善，全行业企业平均盈利实现连续13个季度的正增长；国内需求指数较上年度增长1.9%，其中企业设备投资增长率2002年为－5.1%，其后转为正增长，2005年达到6.8%；完全失业率降至2006年6月的4%，为八年来最低点。有效招工倍率时隔十年之久恢复到1∶1.07(1999年曾降至1∶0.5)①；劳动者家庭名义收入在连年下降后，2005年实现1.8%的增长；全国银行机构的不良债权比率2002年为8.4%，到2005年已降至3.5%，其中大银行降至2.4%，实现了日本政府2002年《金融再生计划》中所规定的不良债权比例控制在4%以下的目标，这意味着多年来缠绕着日本经济裹足不前的不良债权问题基本解决；2005年度股市大幅上涨，显示了投资者对近期经济前景的信心；地价在连续15年下跌后开始反弹，全国平均地价的跌速明显趋缓，东京、大阪、名古屋等城市的主要商业街区用地价格一年内上涨了20%至30%；1999年以来连年下跌的消费者物价到2005年底已停止下落，2006年有望实现正增长。

三是在对外经贸合作状况向好。进出口继2004年实现两位数增长后，2005年继续保持旺盛的增长势头，出口增长11.8%，进口增长18.1%。对外直接投资继2002年、2003年分别下降16%和10%后，2004年增长7.2%，2005年竟增长46.8%。对此，日本贸易振兴机构日前已作出日本经济“踏上真正增长轨道”的判断。②

日本经济状况的好转取决于多种因素，但主要因素来自两个方面。国内因素中最主要的是个人消费的恢复性增长和企业投资的增加。经济低迷加剧了国民对未来前景的不安，影响了消费者心理，导致了消费者“惜钱不花”、经济低迷长期化的逆循环现象。但是，消费者的忍耐毕

① http://japan.people.com.cn

② 见日本贸易振兴机构：《日本经济的动向——2005年的回顾与展望》(总论部分)，2006年1月。

竟是有限度的,民间住宅等消费的增长表明,在经济状况没有进一步恶化迹象的前提下,长期抑制消费行动的消费者已开始了谨慎的消费行动。另一方面,泡沫崩溃后日本经历的一个金融业大改组和产业结构大调整过程已近尾声,经过十余年的优胜劣汰,企业普遍存在的"三过剩"(即雇佣过剩、投资过剩、债务过剩)问题基本解决,卸掉包袱的企业开始了新一轮投资行动。从国际因素看,近年世界经济形势总体趋好是日本经济景气恢复的大背景,而拉动其经济增长的主要动力是"中国因素",亦被称做"中国特需"。① 日本政府承认,中日经贸发展给日本带来了0.5%的经济增长。

(二) 中日经贸合作的最新动态及其发展趋势

1972年恢复邦交后,中日经贸关系的发展进入正常轨道,并给两国带来了双赢的效果。但是,对于近年双边经贸关系出现的若干微妙变化,我们也不能掉以轻心。

中日恢复邦交前,两国在"政经分离"的原则下,保持着有限的民间经贸往来。复交后,双边贸易额由1972年的11亿美元扩大到1978年的51亿美元,六年增长近五倍,这是复交后两国放宽贸易限制后自然放量的结果。我国推行改革开放政策后,双边贸易呈现出长期稳定增长态势,双边贸易额由1978年的51亿美元增至2005年的1845亿美元,27年间增长了36倍。统算1972至2005年32年间双边贸易额增长180倍以上。估计2006年中日贸易额将超过2000亿美元。

改革开放后,中国经济实现长期高速增长的动因之一是外资的投入,而日本是最重要的对华投资国和经援国。截至2005年底,日本对华投资项目35124件,合同总金额786亿美元,实际投资总额为534亿美

① 见瑞穗综合研究所:《强势日中经济关系——重要的在于维持"经热"》,2005年4月,第1页。

元，为我国利用外资的第二来源国。① 在华日资企业整体投资效益良好，70%以上企业获利。同时，日企向我国缴纳的税收可观，2004 年为 490 亿元。另据有关测算，在华日企直间接吸纳我国就业人数为 920 万人。此外，日本作为最大的对华资金援助国，1978 年以来向我国提供包括无偿援助、低息贷款及技术合作在内的政府开发援助（ODA），累计合同贷款额 32079 亿日元（我国实际使用额 23864 亿日元），用于我国 242 个工程项目的建设。

总体上看，30 多年来中日经贸合作效果良好，取得了双方受益的双赢效果。如果依照时间序列的变化展开具体分析，又可以指出不同时段内受益的双方所处的地位、受益程度在悄然发生变化。

从双边贸易关系看，复交后直至 1992 年的 20 年间，日本的对华贸易依存率一直在 5%以下，而中国的对日贸易依存率始终高于 16%，表明在该时段内两国在对对方的贸易依赖程度上是一种非对称关系，换言之日方居于主动地位而中方受益度更高，因为对华贸易如何不会影响日本经济发展的大局，而对日贸易如何却会对中国经济的发展产生直接重大的影响。从 1992 年开始，日本的对华贸易依存率逐年上升，而中国的对日贸易依存率则缓慢下降，2002 年相互依存率首次持平为 15.5%，对华贸易的扩大成为阻止泡沫破灭后日本经济继续下滑的挡板和带动景气恢复的重要杠杆，双边贸易的双赢效果得到充分体现，从而也使日本国内嚣张一时的“中国威胁论”为“中国机遇论”所压倒；从 2003 年起，日本的对华贸易依存率继续走高，2005 年达到 17%，而中国的对日贸易依存率却降至 2005 年的 13%，这一逆转是否意味着今后中日贸易中我国居于主动地位而日本受益度更高，则是个需要审慎判断的问题。

在双边投资关系上，日本的对华投资一方面缓解了我国资金不足、技术落后、产业调整、就业及管理水平落后等方面的压力，另一方面也给

① 参照罗雪峰“中日经贸尤需激流勇进——中国商务部亚洲司副司长吕克俭访谈”等材料。

日本自身带来了竞争压力外溢、加快国内产业结构升级的效果，在华日企经营效益大多良好，国内经济长期低迷期给企业造成的巨大压力由此得到缓解。毫无疑问，这是一种中日双赢的结果。近年，中国企业开始向日本进军，但从投资规模和内容上看还无法与日本的对华投资相提并论。因此，中日间在相互投资上的非对称性特征没有改变，并且这种局面还将持续相当长时间。

中日间实体经贸关系的变化不仅反映在相互贸易依存度的变化上，近年双边贸易发展的减速也是事实。2002—2003年，中日贸易低于同期中国外贸增速的五六个百分点，2004年低于同比10个百分点。2005年中国对外贸易比上年增长23.2%，而中日贸易仅增长9.9%，与同年的中欧贸易增长22.6%、中美贸易增长24.8%形成鲜明对照。

从日本的对华投资看，改革开放以来，除了1999年前后的大幅下跌外，其他年份保持增势，但在我国的境外来华投资中，日资所占的比重却逐年下降，现占外资总额的10%左右。与此同时，日本还宣布从2008年起停止对华政府开发援助贷款。

中日经贸关系中出现的这些新动向已引起我国有关专家的重视，有人认为两国经贸关系已“趋冷降温”①，有人则认为两国已进入“政经双冷”期。②

从中国的角度看，中日“经热”有所降温的判断可以得到一定的实证支持，并且“政冷”显然对“经热”产生了某种程度的、有限度的影响，因此应该引起两国有关当局的重视。但是，从日本的角度看，“经热”仍在继续且无充分的趋凉变冷依据。因此，从综合的、客观的立场看，现在作出“经凉”乃至“政经双冷”的判断尚早，其依据如下。

一是在中国的对外贸易和引进外资中，中日双边贸易及日本的对华

① 参见对徐长文的采访文《中日政冷已经导致经凉，中国对日贸易依存弱化》。http: www.sina.com.cn.

② 江瑞平：《中日经济关系的困境与出路》，《日本学刊》2006年1期。

投资依然占有很大比重，日本作为我国最大的贸易伙伴和投资国之一的地位并未发生根本性改变。

二是从日本的角度看中日贸易关系时，似乎还没有在中国的那种“降温”感觉，毋宁说“火”气尚浓。2004 年，日本对华出口增长 29%，进口增长 25.3%，对华进出口的增长超过其对外贸易增长率七个百分点。2005 年对华进出口增率有所下降，但据日本方面的统计，依然高出同年日本对外贸易总增长率约三个百分点。①

三是日本对华实际投资在 1999 年降至最低点(3.59 亿美元)，2001 年恢复到 90 年代普通年份的水平(21.57 亿美元)，2002 年起加速，2005 年达到 65 亿美元，是四年前的三倍。2001 年以来，日本的对华投资在其年度对外投资总额中所占的比重节节攀升，即 2001 年 6%，2002 年 8%，2003 年 14%，2004 年 19%，2005 年 15%。其中前四年均明显高于对外总投资增率，只有 2005 年低于总增率，原因之一是同年日本对南北美洲的投资比上年度骤增 90 亿美元、增率高达 83%所带来的抵消作用。② 因此，从日本的这些数据看，现在做出“经凉”或“经冷”的判断未免草率。

基于上述分析，现在还不能对中日经贸关系做出“经凉”或“经冷”的判断，特别是在中日政经关系处于微妙变化且存在诸多变数的时期，学者的分析评论可另当别论，两国行政当局在相关问题上宜出言谨慎，以免“越描越黑”，引发“狼来了”的心理提示效果。

(三) 中日间“政冷经热”发展趋势分析

中日政治关系的改善将对经济合作产生积极推动作用，反之亦然。因此，应以积极的态度推进两国政治关系的改善。但是，既不应对短期

---

① 日本贸易振兴机构:《日本经济的动向——2005 年的回顾与展望》，2006 年 1 月，第 14 页。

② 关于日本对南北美投资的跳跃性增长，是短期内出现的偶发现象，还是其长期投资战略转变的开始，值得研究和重视。

内大幅度改善关系抱有幻想，也不应对改善关系后将对经贸合作带来多大程度的良性刺激抱有过高期望。今后的中日关系将更多地基于理性思考而淡化感情色彩。说到底，两国只要保持一种正常的国家关系以及稳定发展的经贸关系即可。

在日本，即使在中日政治关系不畅的今天亦不乏清醒人士。驻洛杉矶领事馆总领事小原雅博在最近出版的《东亚共同体——走向强大的中国与日本的战略》一书中指出："叫嚷中国威胁论也好，实行保护主义、停止对华 ODA 也罢，都已无法抑制业已建立了以世界为对象的相互依存网的中国发展，中国再次成为世界经济大国已不可避免。故此日本应该停止徒劳的中国威胁论议论，重构如何与大国化的中国相处的战略，这个战略就是与中国建立一种'双赢'的互补关系。"①日本国际问题研究所所长宫川真喜雄也认为，今后中日两国必须合作，"即使心里不情愿亦不得不为之"。"因为两国是坐在同一条船上，只要一方倾斜就有翻船的危险。"②

就事物的本质而论，对构成对华投资主体的民间企业来说，盈利第一的企业宗旨势必诱使其继续扩大对华投资，毕竟在可以预见的时期内，中国在地理上的便捷，优质而廉价的劳动资源，汉字的通用及文化上的颇多相似，庞大的市场及其长期发展潜力，其魅力是其他国家所难以媲美的。据日本国际合作银行 2004 年进行的制造业企业海外投资意向调查，有意到中国投资的企业占 90%。作为其他理想投资国，选择率最高的是泰国、印度和越南，但均未超过 30%。2005 年春，中国各地发生了反日游行示威，对日本投资者产生了一定的负面影响，在此前后，日本政府有关部门曾多次向民间发出分散投资、规避风险的劝告，引导企业

---

① 小原雅博：《东亚共同体——走向强大的中国与日本的战略》，日本经济新闻社，2005 年，第 204—205 页。

②《环球时报》2006 年 2 月 8 日第 6 版。

对外投资时兼顾“金砖四国”(BRICs)①而非只中国一极。尽管如此，2005年该银行进行的第二次调查结果显示，有意到中国投资的企业仍高达81%。②

另据瑞穗银行的测算，日本若保持当前积极的对华贸易、投资态势，迄2010年可实现年均GDP1.91%的增长，而若保持目前的规模不变，则只能维持在1.11%的水平。③ 可见保持中日“经热”是日本国家利益的需要。

对尚处于发展期的中国而言，无论从哪个角度讲，珍惜和维护与经济大国日本的“经热”关系都是极其必要的，对此无需多论。

基于上述分析，有理由认为，除非中日政治关系发生根本性逆转，否则共同的经济利益将决定两国经贸关系在今后十年左右时间内继续保持一定的“热度”。

(四) 新时期中日两国经济关系的互补性与增长点

今后十年，中日两国的竞争领域将有所扩大，但互补性为主的特点还不会发生根本性改变。两国的经贸合作尚存在许多有待扩展的空间和潜在增长点，政策得当并实现良性互动，将给两国带来更大的经济福利。

迄今为止，中日经贸关系取得显著双赢效果的重要原因之一，是两国在经济发展水平④、资源禀赋条件等方面存在巨大差距，因此互补大于竞争。这种经济互补关系可以从中日现有的产业结构和贸易结构中得到论证，这不仅体现在两国产业结构上垂直分工的特点没有根本性改

---

① BRICs一词恰好与巴西、俄罗斯、印度和中国四国的英语字头一致。

② 见日本贸易振兴机构:《日本经济的动向——2005年的回顾与展望》,2006年1月,第22页。

③ 瑞穗综合研究所:《强势日中经济关系——重要的在于维持“经热”》,2005年4月,第13页。

④ 关志雄认为,2000年中国在人均寿命、婴儿死亡率、第一产业在GDP中的比重、城市居民恩格尔系数、人均耗电量等经济指标上,与1960年的日本持平。见关志雄论文:“中日经济间的互补关系”,2001年11月。

变，而且体现在双边乃至世界贸易中两国的直接竞争领域尚局限在较为狭窄的范围。

在产业结构方面，整体经济发展水平落后决定了中国和日本尚不属于同一层次，因此中国在日本的产业结构调整过程中，成了其中末端产业向海外转移的接收地乃至避难所，而中国也同时受益，在引进外资过程中实现了产业结构的调整和升级。时至今日，中日间的经济发展仍有很大差距，特别是在掌握核心技术和开发能力、精密器械制造、高新材料的生产等方面差距悬殊。而从日本的角度看，蓬勃发展的中国大市场无论如何是不能放弃的。差距孕育着商机，差距越大互补性越强，而互补将带来互益，这正是中日两国互相依赖、互相合作的根据所在。

中日产业结构上的差异在两国的对外贸易结构中也得到如实的反映。据我国海关统计，2003 年，两国在普通金属及其制品和机电、音像设备及其零部件两分类领域的竞争色彩较浓，出口额分别占中国对日出口的 38％和日本对华出口的 64％。抛开现象看实质，即使同类进出口物品也有级次即附加价值高低之分，更不用说同类贸易中由在华日企主导的“日—日贸易”占有多大成分。有关专家的计量分析结果表明，在美国市场上，中日两国制品的竞争度保持在低点，1990 年为 4.57％，1995 年 10.47％，2000 年 20.86％。① 考虑到近年在华日企扩大直接对美出口的因素，这一比率还应有一定下调余地。可见中日间贸易互补大于竞争。

今后一个时期，中日经济互补的基本态势不会改变，但互补的内容和程度将发生变化，其变动趋势是竞争领域扩大和竞争程度加强，从而导致互补减量。这如同高手与初学者对弈，时间愈长水平愈接近。对此，中日双方都应有思想准备。

可能导致中日经济互补减量的因素很多，其中，中国经济高速增长

---

① 关志雄论文：“中日经济间的互补关系”，2001 年 11 月。

所必然导致的产业结构升级将成为改变现存垂直分工关系的基本变量，积极开放的经济政策和外国对华投资竞争的加剧是保证我国产业结构升级的依据。在其他变量中，值得注意的是2005年日本突然加大了对泰国、印尼、马来西亚和菲律宾四国的投资，同年对四国的投资额达43亿美元，增率68%，大大高于对华投资增率的12%。上述四国的产业结构与我国颇多相似，若日本的这种转移投资长期化，势必会加大我国同类制品在国际市场上的竞争难度，并某种程度地冲淡中日经济互补性色彩。

垂直性产贸分工给中日两国带来的共同利益不难理解，因此应寻找和扩大更多的合作领域。但是，在经济全球化迅速发展的今天，以日本为头雁的东亚"雁行发展模式"正在被打破，后起国家的水平式追赶成为可能。同时，应该清除经济互补唯有通过垂直性分工合作才能获得这样的传统认识误区，水平分工及其良性的竞争合作同样能增加两国的福利，这在发达国之间的经贸关系中可以找出无数例证。因此，中日两国应该取得这样的共识，即两国的经贸合作将来即便部分地改变了现有的垂直分工关系，也依然拥有广阔的空间。

从近期看，中日两国不仅在工业生产及加工领域的合作亟待深化，在农业开发及农产品加工、能源开发与节能技术、环保及环保技术、物资流通及服务业等领域的合作也大有拓展空间。从中长期看，旅游业、海洋资源开发、劳动资源的共享以及高端科技领域的合作可谓前途无限。

（五）发展中日经贸关系的战略举措

今后20年将是决定我国能否保持稳定快速发展、跨入中等发达国家行列的关键时期。因此，我国的战略发展设想应以"争取20年发展时间"为前提。要达此目标，必须与包括日本在内的主要发达国家保持正常而健康的关系。经济基础决定上层建筑，稳定发展的中日经贸关系，将成为维护两国关系的粘合剂，并进而构成两国政治关系的基础。

在今后的中日经贸合作中，应坚定不移地贯彻以下原则与方针，使我国处于主动地位。

第一，坚持积极开放的经济政策，在有关中日经济关系的言论上尽量保持低调。积极开放的经济政策是30年来我国经济取得跨越性发展的依据，今后亦当如此。但是近年来，随着国力的增强，一方面国际上“中国威胁论”抬头，另一方面，国内的对外“强势”论也有所增长，有人喊出“中国可以说‘不’”，这些观点即便从策略上讲也有欠妥当。若以日本为对象作一比较，虽然30年来我国与日本的差距在急剧缩小，但目前的经济发展水平仍与日本存在几十年的巨大差距，保持“低调”实属客观。重要的是，几十年来我国在对外经贸关系上采取的“低调”，使我国实现了奇迹般的发展并获得世界的“容忍”和尊重，今后继续保持这种低姿态，既是自身发展的需要，也是为了让我们的“邻居们”放心。在中日经贸关系的宣传口径上，突出正面内容、客观报道中日两国的互补作用及贡献有利无害。反之，若失去平衡，可能为日方“破罐子乱摔”找到借口。

第二，尽量避免经济问题政治化。尽管政经关系无法彻底分离，但要尽量争取政经脱钩。当前中日政治关系不顺且异常敏感，因此尤其要注意中日间的经济问题限定在经济框架内解决。可以预见，随着中日经济差距的缩小和经贸关系的加深，双方的经济“摩擦”会进一步加剧，在处理有关问题时，要有足够的毅力和耐心，不给对方提供政治干预的口实。

第三，在处理中日经贸事务时，要坚持市场经济和自由贸易原则。我国与日本的政治体制不同，但在尊重市场经济原理这一点上没有根本性差异。因此，在处理两国经贸事务乃至纠纷时，要按照国际经贸组织的有关规则及有关国际法的规定办事，有理、有利、有节地进行谈判和斗争。

第四，全方位改善合作环境，降低日方的投资风险预期。实行改革开放政策以来，我国招商引资的整体环境不断得到改善，但在经济全球化的大背景下，国际竞争日趋激烈，各国都在挖空心思地引进外资，从而对我国引进外资的软硬环境不断提出更高要求。就中日经贸关系而言，我国应认真听取日方要求改善投资环境的意见，并研究制定相应的改善措施，同时要尽量避免政治环境恶化给经贸合作带来直接冲击。①

当前中日关系存在诸多变数，不可轻易断言一定会向好的或坏的方向发展，但两国关系的倒退无疑会影响我国的整体战略部署，因此应极力避免。

稳定健康的经济关系是阻止中日两国政治关系恶化的一道防波堤，而这种关系的加强和扩大亦将成为政治关系改善的推动力。现实情况下一个重要的思路是，两国有关部门若能抓住时机，力争在一些重点领域、重大项目的合作上取得突破性进展，其意义和影响将远远超出经济领域合作的本身，并将增强两国长期友好合作的信心。当然，选择在什么领域实现这种合作是个必须审慎研究的课题，并需要两国政府的最高决策和相关部门的密切协作。从可能性上看，似可探讨在能源及节能技术、交通建设、金融及流通服务业等领域中寻找扩大合作的突破口。

中日经贸合作是在多层次、多领域展开的，因此推进合作的措施可谓有无穷解。对此，有关专家和实际工作部门已提出了不少值得重视的建议，这里的一孔之见仅作参考。

第一，官产学结合，加强日本对外经贸政策特别是对华经贸政策的基础研究和动态研究，做到知己知彼。在日本，不但有经济产业省的经

---

① 例如，2005 年春中国民众为反对小泉首相参拜靖国神社、“入常”等自发举行的游行示威活动，对日本民众及在华日企产生强烈冲击，对两国经贸合作有负面影响。上述活动发生后，在华日企采取了如下过度敏感的自防措施：1. 停止非必须性的中国出差；2. 在华日籍员工节制在中国国内的出差；3. 不要在五一连休期间外出旅行；4. 不要突显日本人身份并用日语大声说话；5. 不要有刺激反日感情的言行；6. 控制外出（尤其是周末）；7. 设立收集有关抵制日货信息的机构；8. 通过发表声明等办法消除误解，缓解抵制日货运动；9. 不要穿带有日企标志的衣物外出；10. 不要搞大型促销活动；11. 摘掉公司广告；12. 把中方合作伙伴推到前台开展经营活动；13. 在公司悬挂中国国旗；14. 在预知的反日活动日放假休息。另据日本有关机构分析，中国民众的这种反日活动，轻则影响日本商品在中国市场的销售，进而会殃及在华日企的生产和劳资关系，重则影响对华投资特别是重厚长大型投资的减少，结果将导致两国经贸关系的萎缩。见瑞穗综合研究所：《强势日中经济关系——重要在于维持“经热”》，2005 年 4 月。

济产业研究所、亚洲经济研究中心、日本贸易振兴机构、经济开发研究机构等一批政府、准政府研究和咨询机构，还有野村证券、三菱综研等大型企业研究机构及数量更多的高校研究机构，从而构成了一个庞大的立体研究与信息交流网，为政府和企业决策提供了及时、多渠道的参考。相比之下，我国的相关研究体系还很脆弱，政府、企业和学界的沟通渠道亟待拓宽，合作研究亟待加强，为此应采取必要的促进措施。

第二，国家设立专门机构（如建立"国家国际商务信息与法律咨询服务中心"），为企业提供包括日本在内的国际商务信息和法律咨询服务。建立这一机构固然会加大政府的运作成本，但却会减轻企业的更多相关投入。同时，这一机构的定位应该只是"服务"，而不必带有"指令"或"指导"色彩。

第三，实行高新实用生产技术研发及其生产的特惠引资政策。今后一个时期，我国经济发展的一个关键任务是提高研发能力，改变研发水平及尖端产品生产落后的局面。鉴于日方采取的严格控制高新技术外流的政策，我国需采取多渠道应对办法，其中加大优惠政策力度吸引日资将其研发机构逐次转移到中国来不仅必要，而且可能。

第四，为实现尖端生产技术研发及其生产的径直赶超，可考虑与中科院、科技部、教育部等部委联合实施"尖端生产技术与工程高级人才培训计划"（暂名）。其操作思路是：国家在组织专家调研的基础上，制定尖端生产技术与工程目录（目录内容应尽可能精细且为当前及近期世界最前沿的生产技术）→以严格的标准从企业、研究机构和大学中遴选中青年受训人员→以非常优惠的待遇和团组方式派遣受训人员到日本等国外相关机构研修两至三年→根据受训人员的回国研究计划，在人财物等方面大力度支持其组织团队，建立研究与生产基地。①

① 原文刊于《现代日本经济》，2007 年第 1 期，此处有删节。

表 8-1　近年日本国民经济主要指标的变动

项目＼财年	年度增长率(%)			
	2002	2003	2004	2005
名义国内总生产(GDP) 通缩率 实际国内总生产(GDP)	0.7 −1.8 2.5	1.0 −1.3 2.3	0.5 −1.2 1.7	1.9 −1.3 3.2
国内总需求 其中： 民间住宅 民间设备投资	−1.2 −3.3 −5.1	1.0 0.0 4.4	1.4 2.3 4.6	2.9 0.7 6.8
国民总收入	−0.8	1.1	0.8	2.4
劳动者收入	−2.5	−1.9	−0.3	1.8
出口	8.4	6.5	11.0	11.8
进口	4.3	1.4	13.5	18.1

资料来源：日本内阁府网站http://www.esri.cao.go.jp

表 8-2　中国对日贸易依存率的变动　　　　（亿美元）

年度	GDP	外贸总额	对日贸易额	对日贸易依存率
1979	2564.70	282.5	66.5	0.235540
1980	3015.89	364.0	94.0	0.258269
1981	2800.59	440.2	103.9	0.235950
1982	2737.45	416.1	88.6	0.212998
1983	2928.64	436.2	100.0	0.229251
1984	3090.95	535.5	131.7	0.245999
1985	3052.05	696.0	189.6	0.272399
1986	2954.53	738.5	155.3	0.210357
1987	3214.13	826.5	156.5	0.189346
1988	4010.75	1027.8	193.3	0.188103
1989	4491.10	1116.8	196.6	0.176042

（续表）

年度	GDP	外贸总额	对日贸易额	对日贸易依存率
1990	3877.90	1154.4	181.8	0.157516
1991	4061.24	1357.0	228.1	0.168083
1992	4830.28	1655.3	289.0	0.174607
1993	6010.76	1957.0	378.4	0.193343
1994	5409.21	2366.2	462.5	0.195451
1995	6976.53	2808.6	578.5	0.205983
1996	8189.78	2898.8	624.4	0.215382
1997	9032.62	3251.6	638.4	0.196336
1998	9610.17	3239.5	569.1	0.175680
1999	9912.30	3606.3	662.1	0.183607
2000	10800.19	4743.0	857.3	0.180754
2001	11588.91	5096.5	892.0	0.175013
2002	12369.90	6207.7	1015.4	0.163567
2003	14164.29	8514.9	1324.1	0.155506
2004	16491.30	11544.3	1680.5	0.145568
2005	22256.80	14221.2	1844.5	0.129701

资料来源：http://www.cei.gov.cn. http://finance.people.com.cn

表 8－3　日本对华贸易依存率的变动　　（亿美元）

年度	GDP	贸易总额	对华贸易额	对华贸易依存率
1979	10092	2121.3	66.5	0.0314
1980	10679	2717.4	94.0	0.0346
1981	11697	2943.6	103.8	0.0353
1982	10854	2698.8	88.6	0.0328
1983	11870	2734.9	100.0	0.0366

（续表）

年度	GDP	贸易总额	对华贸易额	对华贸易依存率
1984	12638	3059.2	131.7	0.0431
1985	13629	3076.5	189.6	0.0616
1986	20080	3383.1	155.3	0.0459
1987	24310	3823.2	156.5	0.0409
1988	29219	4523.0	193.3	0.0427
1989	28973	4848.9	196.6	0.0405
1990	29962	5230.7	181.8	0.0348
1991	34139	5518.0	228.1	0.0413
1992	37255	5736.3	289.0	0.0504
1993	42918	6018.0	378.4	0.0629
1994	47003	6731.4	462.5	0.0687
1995	47708	7743.4	578.5	0.0747
1996	50093	7625.4	624.4	0.0819
1997	50794	7580.8	638.4	0.0842
1998	49372	6644.1	569.1	0.0857
1999	49767	7273.6	662.1	0.0910
2000	50962	8645.6	857.3	0.0992
2001	51165	7559.3	892.0	0.1180
2002	51319	7522.8	1015.4	0.1350
2003	51729	8507.0	1324.1	0.1557
2004	52247	10187.6	1680.5	0.1650
2005		11168.5	1894.4	0.1700

资料来源：http://wp.cao.go.jp/zenbun/sekai/index.html.
http://www.near21.jp/data/trade/japan/ja-chi/2004/hin2004.htm

表 8－4 近年日本的对外贸易状况 （亿美元）

年度	对世界贸易(A)		对中国贸易(B)		B与A的增率差
	进出口贸易总额	增长率	进出口贸易额	增长率	
2000	8618	19	857	30	11
2001	7563	－11	892	4	15
2002	7527	0	1015	14	14
2003	8514	13	1324	30	17
2004	10197	20	1680	27	7
2005	11168	10	1844(中) 1894(日)	10 13	0 3

根据中日两国有关统计数据制作。

表 8－5 近年日本对外投资的动向 （亿美元）

年度	对全世界		对中国			B与A的增率差
	数量	增长率(A)	数量	增长率(B)	占对外总投资比率	
2000	314	40	9	160	3	**120**
2001	383	22	22	144	6	**122**
2002	321	－16	26	18	8	**34**
2003	289	－10	40	54	14	**64**
2004	310	7	59	48	19	**41**
2005	455	47	66	12	15	**－35**

根据中日两国有关统计数据制作。

四、中日关系现状与新时期战略选择

金秋10月是收获的季节。2006年10月8日，刚刚就任首相的安倍晋三访问中国，分别与中国国家领导人胡锦涛等举行会谈。双方在重新确认友好合作基本方针的前提下，发表了旨在构筑“战略性互惠关系”的联合新闻公报。安倍访华结束了因小泉首相参拜靖国神社而导致中日首脑互访中断五年的历史，从而驱散了近年来笼罩着中日两国政治关系的一片乌云。

（一）政治关系：坚冰已破，道路曲折

近年来，人们经常用“政冷经热”一词来形容中日两国关系。对此，尽管也有不同的见解，但总体上说是符合两国关系实际的。最近中日首脑会晤的实现，可谓打开了改善两国政治关系的“希望之窗”。

（1）中日“信任危机”的发生。在中日政治层面，小泉担任首相后进入纠纷不断的多事之秋。小泉首相不顾中韩等国强烈反对，顽固坚持参拜靖国神社，先后多达六次，导致中日两国首脑互访中断，甚至 2005 年中日首脑在 APEC 会议和东亚峰会上的例行会晤也未能如期进行，“小泉参拜”成为两国关系恶化的主因；日本的自由史观教科书问题、日军在华毒气弹毒气泄漏伤人事件、慰安妇及强制劳工的善后处理等历史问题，不断勾起中国民众的痛苦回忆；近年发生的日本游客珠海集体嫖娼事件、中国留学生福冈杀人事件、西安学生涉日游行、亚洲杯中国球迷反日风波、2005 年春中国学生涉日游行等一系列偶发事件，使本来不顺的两国关系雪上加霜；中日围绕东海油田开发和海洋划界的争议，以及中国抵制日本“入常”，都加剧了双方的紧张局面。在如此严峻而错综复杂的背景下，两国国民之间的互信受到严重损害。

第二次世界大战结束已经 60 年，许多日本人认为日本应该甩掉历史的包袱，摘掉战败国的帽子，以一个普通国家的身份站在国际舞台上，并成为联合国安理会常任理事国的一员。因此不满中国抓住历史问题不放，并阻止日本“入常”。而大多数中国人则认为，日本虽然在历史问题上向受害国表示过道歉，但总是闪烁其词不够真诚，特别是首相公然参拜合祀甲级战犯的靖国神社，更使人觉得日本的政治家言行不一，缺

乏是非观念和人类道德标准，甚至是一种公然挑衅，与这种国家交往无法让人放心。

中国民众日本观的变化可从近年的舆论调查中窥之一斑。调查结果显示，1999 年前后中国民众的日本观开始发生逆转，2000 年起急转直下，对日本印象差的比例已占压倒性多数。同样，日本内阁府及多家媒体组织的同类调查结果表明，日本民众的中国观也显示了与中国类似的趋势变动。

从两国间发生纠纷频率的加快、纠纷领域的多元化、两国民众间互厌情绪的蔓延看，中日关系的现状堪忧，而这种“政冷”的实质是两国从政治家到民众的广泛层面出现了一场复交后从未有过的信任危机，这种危机若任其发展，是有可能从根本上颠覆两国友好合作基础的。

(2)“寒流”下的中日关系。“小泉参拜”刮起的“寒流”笼罩了 2001 年以来的中日政治关系，但却未能全面阻止中日间合作交流的步伐。实际上，在“政冷”的 21 世纪初年，两国政府间及民间的交往继续发展，甚至可以说达到了 1972 年复交以来从未有过的深度和广度，而这一层面的事实却往往被中日关系悲观论者有意或无意忽略。

这一期间尽管摩擦不断，两国政府领导人在若干重要场合始终强调中日友好合作的基本方针，胡锦涛主席、温家宝总理多次发表改善中日关系的讲话，小泉首相尽管坚持“参拜”，也多次申明中日友好、“中国不是威胁而是机遇”的立场。在中日首脑互访中断的五年期间，两国首脑仍通过东盟与中日韩峰会、亚太经合组织会议、亚欧会议、亚非会议等形式保持接触和沟通。两国政府各部门之间的交流合作除了少数领域的例外，仍在正常进行。最近一年内，双方的交往依然频繁，2005 年 4 月 17 日，日本外相町村信孝访华。5 月 7 日，李肇星外长出席京都亚欧外长会议期间与町村外相会谈。5 月 17 日至 23 日，吴仪副总理出席爱知世博会。同月，双方启动中日战略对话机制，迄今已举行五次对话。2006 年 2 月，日本经产大臣二阶俊博访华，自民党干事长中川秀直率团访问中联部，启动"中日执政党交流机制"。3月25日，中日启动双边财长对话机制。3月31日，胡锦涛主席会见日本日中友好七团体负责人。5月23日，李肇星外长在出席卡塔尔首都多哈举行的亚洲合作对话会议期间，与麻生外相会晤。

中日地方城市间的交流合作也在向纵深发展，中日友好城市数目增至315对，这在当今的国际社会中也是不多见的。文化、商业、旅游、留学等领域的交流合作日益扩大，2004年在日中国人48.7万人，在华日本人11.5万人，两国互访人数已由上世纪末的年百余万人增至目前的年450万人。

可见，现实的中日政治关系喜忧并存且充满变数，我们既不能低估消极因素急剧蔓延的趋势及其对两国关系基础的腐蚀作用，也不应过分地强调消极因素而低估来之不易的巨大合作成果，进而掉进"无为化"的陷阱。我们应该意识到两国关系正处在一个谨慎选择的十字路口，应该冷静、理性地分析制约两国关系的各种因素，本着对两国国民、本地区乃至国际社会负责的态度，从两国的最高战略利益出发，重新调整并构筑新型的中日关系。

(3) 中日开启"希望之窗"。2006年10月8日，上任不到20天的日本首相安倍晋三突然访问中国，他同时成为上任后首次出国访问第一站便选择中国的日本战后第二位首相，这使人联想到1972年田中角荣首相决意访华并实现中日邦交正常化的那段历史。作为小泉首相的后任，安倍首相此举出人意料。

访华期间，中国国家领导人胡锦涛主席、吴邦国委员长、温家宝总理分别会见安倍，并在认真、坦率、友好的气氛中举行会谈，据闻几次会谈均超过了预定时间。当日，中日发表了联合新闻公报。①

这份联合新闻公报的主要内容如下。第一，确认了两国邦交正常化以来交流不断拓展及相互依存进一步加深的事实，确认了共同推进中日

① 以下根据新华社北京10月8日电。

关系健康稳定持续发展的方向。第二,提出了通过政治和经济两个车轮的强力运转把中日关系推向更高层次的思路和途径。第三,明确了中日两国构筑基于共同战略利益的互惠关系,实现两国和平共处、世代友好、互相合作、共同发展的崇高目标。第四,双方再次确认中日首脑互访及在各种国际会议场合会晤机制。第五,双方相互给予对方的和平发展道路及其所取得的成就以积极评价。第六,双方确认通过对话协商办法解决东海争议问题。第七,双方同意采取具体措施,推进在政治、经济、安全、社会、文化等领域各种层次的交流与合作。

这是一份方针明确、内容具体的新闻公报,与以往的中日关系文件相比不乏新意。例如,公报中首次出现了"政治和经济两个车轮强力运转"推进中日关系的表述,表明了两国政府反对"政经分离"而坚持"政经合一"、全方位推进友好合作关系的坚定立场;公报中使用了"构筑基于共同战略利益的互惠关系"概念,从而把两国关系的定位向上提高了一个层次。公报中对中日两国"和平发展"的相互积极评价亦属首次,对于缓解时下尚有一定市场和听众的"中国威胁论"抑或"日本威胁论"具有一定的作用。首脑会晤、东海问题、各领域交流合作的具体措施等被明文写入政府公报亦属罕见之举,反映出这份公报强调务实的又一突出特点。可以说,这是一份继《中日联合声明》《中日和平友好条约》和《中日联合宣言》等三个规定中日关系政治文件后的第四个重要文件。

这份联合新闻公报的发表,表明安倍首相的访华取得了成功。中外专家或媒体高度评价这次访华是一次"破冰之旅"①、中日"和解之旅"②,中日合作开启了新的改善关系的"希望之窗"③。

但是,俗话说"千里冰冻非一日之寒"。安倍访华虽然是修补中日关系的一次重大行动并取得良好效果,但中日间长期积累的问题不可能一

① 参见人民网 2006 年 10 月 9 日樊永明文"破冰之后仍需奋力"。

②③ 法国《回声报》评论语。参见人民网日本版 2006 年 10 月 8 日文"中日领导人会晤开启改善关系的希望之窗"。

蹴而就，而是需要双方付出更大的耐心、勇气和智慧去逐步解决和化解，对此应该有长期的思想准备。重要的是，此次中日首脑会见的实现，铲除了影响两国关系的最大政治障碍，创造了有利的环境，所谓“坚冰已经打破，道路已经开通”。

（二）区域合作：成效初显，前景广阔

随着全球化的进展，区域合作、一体化也在加速进行，并构成了走向全球化的实际内容和基础，以往的那种区域一体化会妨碍全球化的观点已显得苍白无力。区域合作的加强，意味着区域内的国家关系已不是单纯的国与国之间的关系，区域内的问题往往不是国与国之间的问题，因此在处理国与国之间的关系时，还必须兼顾地区利益，与区域内的相关各国协调进行。同样，今天的中日关系已不单纯是中日两国间的关系，而是东亚中的中日关系，两国间有关问题的处理将涉及区域内其他国家和地区的利益，而区域内其他国家或地区间的问题也势必对中日两国产生影响。这一认识是随着近十年来东亚区域合作的实践逐步加深的。

（1）区域合作机制的形成。1997 年夏，以泰铢暴跌为导火索，东亚卷入一场金融危机。除泰国外，印尼和韩国也遭受沉重打击。其影响迅速波及整个地区的经济、政治与社会。

金融危机爆发后的 1997 年 12 月，在马来西亚首都吉隆坡举行了东盟成立 30 周年纪念庆典，中日韩领导人应邀出席东盟 9 国非正式会议，就稳定货币、亚欧对话、强化区域经济合作等问题交换了意见。东亚各国首脑齐聚一堂，这在东亚历史上尚属首次。

翌年 12 月，第二次东盟和中日韩领导人非正式会议在越南举行，会议的主要议题是通过加强区域合作摆脱金融危机。中日两国拿出的具体支援方案是，日本承诺提前实施借款总额相当于 300 亿美元的“新宫泽构想”，中国则表示尽管危机发生后中国的出口压力增大，但人民币不

会贬值。此次会议后，东亚领导人会晤形成定制，成为区内各国就共同关心的问题进行协商、合作的平台。

第一次东盟和中日韩领导人非正式会议以来，地区合作机制逐步建立，其主要内容可归纳为如下几个方面。

其一是东盟与中日韩领导人非正式会议。通过该地区各国首脑的会晤，就地区合作的基本方针、方法等进行协商。从1997年到2005年，会议由东盟成员国轮流每年举办一次，现已举行了九届。

其二是三个10＋1，即在东盟与中日韩领导人会议召开期间，东盟各国首脑分别与中、日、韩首脑举行会谈。另外，2003年12月，在东京还召开了日本与东盟特别首脑会议。

其三是中日韩首脑会议。1999年第三次东盟与中日韩领导人会议召开之际，在日本首相小渊惠三的提议下，中日韩三国首脑举行了首次非正式早餐会，开辟了三国交流意见、讨论合作的重要渠道。

其四是部长会议。这是按照东盟与中日韩领导人会议决定的方针，落实区域合作的各项部署而举行的部长、副部长、局长级高官会议，协商的内容包括外交、安全、财政、经济、农林水产、旅游、劳动、环境、卫生、信息等各个领域，从而在实务层面切实推进了区域合作。

其五是相关组织及其活动。相对于政府间的合作，“第二轨道”的非政府组织活动亦引人注目。在韩国总统金大中提议下创立的东亚展望小组(East Asian Vision Group EAVG)、东亚研究小组(East Asian Study Group EASG)、东亚论坛(East Asia Forum EAF)、东亚思想库网络(Network of East Asia Think Tanks NEAT)、东亚综合人力资源开发项目(Comprehensive Human Resources Development Program for East Asia)等，研究活动活跃。其区域合作研讨会及相关报告为区域峰会的决策提供了重要参考。

(2) 区域合作的成效与中日两国的对应。第一次东盟与中日韩领导人会议召开以来历时九年，区域合作的急速进展超出了人们的预想。

在10+3框架下达成一致意见的多项协议中，特别值得一提的是1999年12月在菲律宾召开的第三次东盟与中日韩领导人会议通过的《东亚合作联合声明》。声明中划时代地囊括了区内贸易、投资、金融、社会开发、人才培养、科技开发、文化、开发合作、政治和安全等各个方面的合作内容。按照声明中达成的共识，部长会议成为惯例，各领域的地区合作得到切实推进。清迈协议的签署，不仅在地区金融合作方面达成一致意见，并且首次建立了整个地区的相互支援体制，意义深远。

第二轨道的非政府组织活动令人瞩目。东亚展望小组(EAVG)于2001年第五次东盟与中日韩领导人会议上提交了题为《走向东亚共同体：一个和平、繁荣和进步的地区》的研究报告并被会议采纳。报告中提出57项建议(主要的建议有22项)，并首次提出构筑“东亚共同体”的区域合作长期目标。东亚研究小组(EASG)则于2002年向东亚领导人会议提出了包括17个短期目标和9个中长期目标的区域合作研究报告，并被会议所采纳。

迄今为止，区域合作所取得的成果是令人鼓舞的。截至2000年，全世界建立了各类自由贸易区100余个，唯独中日韩三国没有加入任何区域合作协定。但是其后东亚区内自由贸易区的建立加速，短短几年，区内已签署了数个自由贸易协定，更多的区内双边或多边自由贸易区谈判正在进行中。与此同时，区内经济一体化的进程加速，经济上的相互依存度迅速提高。22年间，区内贸易额增长11倍，区内贸易比率从1980年的出口33.9%、进口34.8%，扩大为2003年的出口50.5%、进口59.7%，即便与EU的61.4%、63.5%和NAFTA的55.4%、39.9%相比，这也是很高的比例。① 同期，区内投资增长了26倍。② 这些都如实地反映了区域合作蒸蒸日上的景象。

---

① 东亚共同体评议会：《东亚共同体的现状、背景与日本的国家战略》，2005年8月。http://www.ceac.jp/j/pdf/policy_report.pdf.

② 伊藤宪一：“东亚共同体的梦想与现实”。http://www.ceac.jp/j/。

与东亚地区合作的步调相一致，中日韩三国与东盟的双边合作也在切实推进。在第五次东盟与中日韩领导人非正式会议期间，中国与东盟达成建立自由贸易区(FTA)协议，计划10年内与原东盟六国、15年内与东盟的其他四国实现自由贸易。此后2004年1月1日，中国提前实施“早期收获”计划，于2005年7月20日对东盟的进口货物单方下调关税。此外，中国还先后与东盟签署了《全面经济合作框架协议》《中国—东盟关于非传统安全领域合作联合宣言》《南海各方行为宣言》《面向和平与繁荣的战略伙伴关系联合宣言》《农业合作谅解备忘录》《大湄公河次区域便利货物及人员跨境运输协定》《政府间电力贸易协定》。此外，中国还正式加入了《东南亚友好合作条约》。

2002年，日本与新加坡缔结自由贸易协定，其后又与东盟签署了《全面经济伙伴关系框架协议》。2003年12月，日本在东京主办了日本和东盟特别首脑会议，双方就经济、政治、安全方面的合作达成协议，会上发表了《东京宣言》和《行动计划》。目前，日本与韩国、泰国、马来西亚、菲律宾等国就缔结自由贸易协定仍在进行谈判，

在东亚区域合作的大背景下，中日韩三方合作也取得了一定成果。2003年10月13日，根据中方提案，三国领导人发表了《中日韩推进三方合作联合宣言》。宣言制定了三国合作的框架、原则和发展方向，将贸易投资、信息通信、环保、防灾救灾、能源、金融、科技、旅游、渔业资源等九个领域列为优先合作领域，决定加强人员交流及文化、教育、人力资源开发、新闻媒体、公共卫生、体育等领域的合作，在打击恐怖主义、海盗、贩卖人口、传染病、海啸、毒品犯罪、国际犯罪等领域加强合作，在三国军事人员交流、合作解决朝鲜核问题上也取得共识。① 三国签署如此内容广泛的协议是前所未有的。2004年11月27日，三方委员会于老挝通过《中日韩合作进展报告》，高度评价了三国自发表《联合宣言》以来在各领

① 详见2003年10月13日“中日韩推进三方合作联合宣言”。

域的合作。[①] 此外，三国自由贸易区构想也被提了出来。

（3）区域合作的新课题与中日两国的使命。2001年的第五次东盟与中日韩领导人会议采纳了东亚展望小组提交的《走向东亚共同体》研究报告，决定将报告中提出的“和平、繁荣、进步”理念作为建设共同体的基准，并在共同体的原则即开放性、透明性和包容性上取得一致看法。关于未来的东亚共同体基本框架，会议认为应参照欧盟的经验，最终建成一个包括经济共同体、政治安全共同体和社会文化共同体为主要内容的合作体制，从而描绘了一个前途光明的东亚共同体的未来。毋须讳言，围绕着能否构筑东亚共同体的问题，还存在着尖锐对立的看法。[②] 本文所要明确的观点是，把理想和现实完全对立起来的议论是缺乏建设性和前瞻性的，区域合作既需要有一个长期展望的崇高理想和目标，也时刻不能忘记要尊重客观实际，从眼前做起，从基础做起，以期积石成山，集腋成裘。

从经济、政治、社会、文化等角度来探讨东亚区域合作所面临的课题时，中日之间有着许多与自身利益密切相关的共同话题。

贸易、投资、货币、劳动等经济领域的合作存在广阔的空间。现实中，东亚区域各国的贸易投资壁垒因国而异，若撤销这些壁垒，将会有力地推动贸易投资的发展。贸易投资的扩大与资源的有效利用密切相关，

---

① 详见2004年11月27日“中日韩合作进展报告”。http://www.chinaemb.or.kr/chn.xwxx/t176017.htm.

② 关于东亚共同体的构建，可以看到推进论、慎重论和否定论等不同观点。积极的推进论观点暂且不论，慎重论者所列出的一般性理由首先是地区经济发展的不平衡，该地区有世界上最富有的国家，也有最贫穷的国家，国与国人均GDP的两极差距高达100倍左右。其次是本地区的文化差异很大，多种语言并存，世界各种宗教的信徒应有尽有。再次是从政治体制上看，本地区既有民主制国家，也有向民主制转型的国家，有共产党领导的国家，也有军人独裁政权。从上述客观情况看，的确与欧盟的形成条件大相迥异，构建共同体的条件远未成熟。基于上述理由，慎重论者强调在缺乏共同的区域价值观、主权让渡困难、民族主义高涨的现实条件下，应从推进区域经贸合作入手，优先考虑建立区域自由贸易区，进而逐次推进其他经济领域的合作。慎重论者中的相当一部分人在构建东亚政治安全及社会文化共同体问题上态度悲观。

通过规模经济效应，必将促进经济发展，这一观点得到了有关自由贸易区计量分析结果的支持。[①] 在金融合作方面，清迈协议是一个良好的开端，今后道路虽然漫长，但合作的领域相当广阔，人民币、日元在稳定和促进区域经济发展上可以发挥更大的作用，也不能否定将来实现区内货币一体化的可能性。劳动等领域的合作迄今还没有真正展开，劳动力的自由流动还受到严格限制，可以说未来这方面的合作潜力是巨大的，从现在起应该为这种合作创造必要的条件。此外，能源合作能否进行对于确保区域经济的安全是具有战略意义的。

政治安全领域的合作也许难度更大，但若在这个领域展开合作，各方均会受益。现实中，台湾问题是影响地区稳定的一个潜在性不安因素，朝鲜的核开发则是中日两国乃至区域各国最为关心的紧迫问题。迄今为止，中国在关于朝鲜核开发的六国会谈中发挥了特殊的作用。10 月 8 日朝鲜进行核试验后，中国发表了自朝鲜战争以来从未有过的措辞严厉的声明，谴责了朝鲜的做法，阐明了中国政府朝鲜半岛无核化的一贯主张。为了实现半岛无核化目标，中日两国在六国协议的框架下进一步加强合作势在必行。除此之外，在打击恐怖主义活动、跨国犯罪、海盗和毒品活动、应对自然灾害等领域，中日两国也有着广泛的合作空间，作为东亚最具实力和影响的两个大国，中日两国的合作程度如何，将直接影响区域政治关系的和谐及安全能否得到保障，对此应该有高度的责任感。

人员、文化的交流是区域合作的重要组成部分，对不同的文化传统、风

① 根据南开大学教授薛敬孝课题组所进行的计量分析，在各种自由贸易区方案中，最适合于中国的依次为中日韩＋东盟、中国＋日本＋韩国、中国＋日本、中国＋东盟、中国＋韩国；对日本来说，经济效益最好的方案依次为中日韩＋东盟、日本＋东盟、日本＋中国＋韩国、日本＋韩国、日本＋中国；对韩国而言，经济效益最好的依次为中日韩＋东盟、韩国＋中国＋日本、韩国＋东盟、韩国＋中国、韩国＋日本。这里最值得注意的一点是，中日韩＋东盟 FTA 对于中日韩三国而言，都是比区内其他安排总体经济效益更好的选择。该研究报告还指出，中日韩中的任何一方无论置身于本地区的任何一种 FTA 之外，都将会给本国经济带来负面影响。参见薛敬孝、张伯伟论文"东亚经贸合作的比较研究"（收于杨栋梁编《东亚经济合作的现状与课题》，天津人民出版社，2004 年）。

俗习惯乃至价值观的理解和包容，是区域合作的前提和基础。中日两国通过各种形式扩大文化、教育、艺术、体育等领域以及青少年的交流，对于改善和加强两国友好信赖关系具有战略意义，并将为地区合作做出表率。

在东亚区域合作问题上，区域领导权问题非常重要且颇为敏感。迄今为止，东盟在区域合作中发挥了领导作用，今后的一个时期，继续支持东盟发挥领导作用将是一个明智的选择。中日两国应该积极参与、策划和推进区域合作，并与领导权保持一定距离，这将有利于缓解区内其他国家的疑虑。但是，从长远看，本地区人口或 GDP 占绝对优势的中国和日本迟早要在地区事务中发挥某种领导作用，关键是从现在起必须努力创造让整个地区信任、放心的条件和氛围。

（三）未来战略：方针明确，理性务实

在考虑今后的中日关系时，能否从更高的宏观视野出发制定出新的长期战略至关紧要。所谓宏观视野，是把两国间关系置于区域关系乃至国际关系的大框架中考虑；所谓长期战略，是指双方能够顺应地区和世界的发展潮流，以前瞻性的、发展的观点调整本国的发展战略和对外政策目标。当前，对中日两国来说，前者需要进一步明确和完善既定的战略方针和目标，后者则面临着调整并制定新的发展战略的紧迫任务。

(1) 作为战略选择前提的三个基本相互认知。在调整和制定新的发展战略及其相互间外交方针之际，中日两国有必要在三个基本层面上确认现状及其发展趋势。

第一，对正在变化的对象国的相互认知。一个必须面对、不容选择的事实是，中日两国一衣带水，是“搬不走”的近邻，近邻关系搞好了胜似远亲，搞不好则会被搅得心神不宁。

中国是当今世界的人口大国、政治大国，并且正在以惊人的发展速度走向经济大国；日本是当今世界的经济大国，并且急欲走向政治大国。两国的这种发展趋势都具有一定客观依据，因此简单地把对方的发展视

为威胁并设法加以阻拦并不足取；制造事端、恶化关系，只能两败俱伤。中日两国应该以平和的心态，掌握“强强”合作与竞争的艺术，实现共同发展和共同繁荣，进而为世界的和平与发展做出贡献。

第二，对区域合作中两国作用的相互认知。如前所述，随着东亚地区政治、经济关系的日趋紧密，今后的中日关系已不单纯是中日两国间的关系，区域内国家或地区间的问题也势必直接或间接地触及到中日两国的利益。作为东亚最具实力和影响的两个大国，中日两国在处理双边关系问题时要兼顾周边利益乃至地区利益，而在中日单方处理与周边一国或地区的关系时，也应注意与另一方保持沟通协调，尽量避免中日两国在地区事务中形成摩擦、争夺和对立局面。在近年的 APEC 会议、东亚领导人会议、朝核问题六方会谈等主要活动中，中日合作初显成果，今后这种合作大有深化扩展的空间。在广泛的地区框架内思考中日两国未来的发展战略，进而构建新型的中日关系，对中日双方乃至整个地区的发展无疑都具有积极意义。

第三，对世界范围内两国地位的相互认知。冷战已告结束，但冷战思维尚未被彻底扔进历史垃圾堆。20 世纪 70 年代末，中国在改革开放的方针政策下，开始了新的发展道路。几十年来不仅实现了经济高速增长，政治体制、社会、文化、生活方式等也发生了巨大变化。崛起的中国必将在今后的国际社会中发挥更大的作用。另一方面，经过战后 60 年的和平发展，日本成为世界上最具实力的发达国家之一，希望彻底摘掉战败国帽子而成为普通国家的心情变得更加急躁。但是，在极为复杂的国际关系中，两国面临的一个共同问题是如何赢得国际社会的信任，让世界相信中日两国是维护和平、发展和稳定的可靠力量。再就是两国在制定新的发展战略时，必须把如何处理与超级大国美国的关系放在一个特殊的位置考虑，只有构建一个平衡的中美、中日和日美关系，才能使中日两国新的发展战略具有现实可行性。

(2) 中日两国新发展战略的定位及其本质。以上述思考为基础，中日两国在制定今后的发展战略时，还应该从自身的历史发展中总结经验教训，因为“历史是最好的老师”。

回顾漫长的古代史，东亚地区发挥领导作用的是拥有辉煌文明的中华帝国。以自我为中心的中国历代王朝统治者，是通过以“仁”和“礼”为核心的“王道”确立其地区最高权威的，从而缔造了使四邻臣服的“华夷秩序”。但是，鸦片战争后，在欧美列强和日本的侵略下，“华夷秩序”彻底崩溃。此后的百年间，中华民族为了维护国家独立而进行了不屈不挠的抗争。1949年新中国建立后实行了社会主义制度，外交上推行“打倒一切帝国主义”“反对修正主义”的路线，内政上“以阶级斗争为纲”，推行计划经济，结果导致社会经济发展严重滞后。

反观日本，并非一些人所说的“没有战略”。古代日本暂且不论，近代以来日本的发展战略可清晰地总结为：通过明治维新，制定了“脱亚入欧”的战略，从而成为亚洲唯一保持了国家独立完整并资本主义化的国家；昭和初期，日本发生战略转变，把“脱亚入欧”变成“脱欧主亚”，并为充当“东亚盟主”推行“霸道”政策，接连在东亚发动了一系列侵略战争，战争期间还在建设“大东亚共荣圈”的招牌下主持召开了所谓的“大东亚会议”；日本战败后，其战略方针改为“脱亚入美”，结果在美国的特殊“关照”下，很快又成为发达国家的一员。近代以来非此即彼的战略选择表明，日本虽然是个推崇儒学的国家，但还没有真正领会“中庸之道”的价值，或者本来就不愿接受“中庸”的说教。

鉴于过去的历史，中国吸取了“失去的30年”的教训。邓小平复出后，大胆改变战略，提出了“改革开放”和“以经济建设为中心”的基本国策。于是，中国发生了巨大变化。在此基础上，以胡锦涛为首的中国政府又加入了“和平发展”、构建“和谐社会”、做“负责任的大国”“全方位外交”“与邻为善、与邻为伴”等新内容，使既定的发展战略内容更丰富，体系更完善。

再看日本，泡沫崩溃后尽管进行了十余年的改革和调整，却还看不到在国家发展战略上出现值得赞许的新变化，战后以来奉行的“脱亚入美”战略总体上说仍在继续。但这已是一种落后于时代发展的“陈腐战略”。日本应该是认真考虑采取“连美归亚”新战略的时候了。

所谓“连美归亚”，是指日本与美国继续保持盟友关系的同时，作为地区大国应与东亚各国改善关系，为本地区的和平与发展发挥积极重要作用。诚然，战后日本选择了“入美”的国策，从而尽享“搭便车”的利益并再次崛起，而今美国依然是世界上最强大的国家，这是多数日本人倾向维持日美特殊关系的理由。但是，新战略中的“连美”不应是迄今为止的“对美一边倒”和“只要和美国保持良好关系就能解决一切问题”的含义，而应是一种平衡的战略。“归亚”也不应是以领导者或统治者姿态的复归，而是作为亚洲人、亚洲地区的一员，与区内各国平等相处。一言以蔽之，采取“连美归亚”战略，日本将会起到一种联系超级大国美国和东亚的桥梁作用，进而为对本地区的社会经济发展及安全做出特别贡献。若此，日本将赢得东亚各国的信赖，反之恐将成为亚洲的孤儿。

日本回归亚洲，有利于其本国和整个地区的发展，但对近代以来率先实现现代化而习惯了在东亚高人一头的日本人来说①，有必要从根本上调整心态，否则就无法与周边各国携手并肩，共同发展。

还应指出，“王道”的“华夷秩序”也好，“霸道”的“东亚新秩序”也罢，在以自我为中心谋求地区支配权这一点上有相似之处。中日两国在构筑新的发展战略时，必须彻底摈弃这些陈腐的观念。抓住历史机遇，以地区一员的身份积极参与开放性的合作，共享合作的利益，让对方及周边各国安心，这才是中日两国新的战略定位的本质。

(3) 新发展战略下中日合作的必要途径。当前，中日关系中存在的问题错综复杂，对这些问题，日本学者做了利益、权利和价值等三种性质

---

① 曾是外交官的谷口诚指出：“日本人仍是跻身精英的‘脱亚入欧’的精神构造。”原经济产业省官员津上俊哉曾说：日本“有蔑视落后的亚洲的倾向”。引自平川均论文“经济一体化与东亚共同体构想”，载于爱知大学国际问题研究所《纪要》第 126 号，2005 年 10 月。

的分类①，但无论解决何类性质的问题，中日双方继续本着“求同存异”“面向未来”的态度是必不可少的前提。

对中日双方来说，今后在处理两国关系的有关问题时，应该从长远观点和战略高度出发，基于理性的判断而排除感情色彩，以务实的态度和不懈的耐心去处理各种棘手难题。

作为全面推进两国关系的必要途径，以下诸点应予重视并期待实施。

第一，拓宽政治对话渠道，强化政府间的沟通合作机制。与恢复邦交前的政治环境不同，两国不仅可以通过正常的外交途径交换意见，处理纠纷，而且可以通过首脑互访以及出席各种国际会议的机会实现首脑会谈。目前，政府部门间的合作机制正在逐步建立，一个多层次、交叉性的中日政府间交流合作网络有望形成，不断强化和完善这一机制，可以确保两国关系的健康、有序发展，取得更多实质性的合作成果。此外，为了应对中日间可能发生的突发事件，两国应该协商制定一种突发事态下协调行动的程序和规则，以免事态发生后步调不一，以致过多地受到外界环境的干扰。

第二，扩大合作交流领域，以积极因素化减消极因素。近年中日两国摩擦增多的原因复杂，但交流扩大引起的摩擦增多也是客观原因之一，这是一种正常现象。中日间的交流与合作至少包含两个层次，一是两国的双边合作。目前经济合作与民间交流基本正常，在经济全球化的大潮流下，两国经济、文化领域交流与合作不断加深，业已形成某种程度的相互依存关系，这种关系的发展将使传统意义上非此即彼的利益关系变得模糊，从而构成两国关系稳定发展的坚实基础。政治安全领域的合作关系急待修补和推进，安倍访华时发表的《中日联合新闻公报》已经明确了这一方针。以经济合作和民间交流促进政治关系的改善，以政治关系的改善促进经济文化合作与交流的深化，将使中日关系进入彼此互动

① 见毛里和子《日中关系——从战后走向新时代》，岩波新书，2006年，第207页。

的良性循环。二是中日两国在地区及国际事务中的合作，这种合作已经显得极为必要和紧迫。例如，在解决令地区乃至世界紧张的朝核问题上，中日合作尤为必要，在六国协商框架下，中日都应该发挥积极、建设性的作用，为地区的稳定做出贡献。自不待言，在反恐、反毒、反海盗、反跨国犯罪问题上，在解决贫困、保护环境等区域发展所面临的许多问题上，中日两国理应携手合作的领域还相当广泛。

第三，在处理中日摩擦的具体问题时，要按照规则办事，避免感情化。例如，在经济层面，可以预见双方的摩擦还会发生甚至增多，只要双方共同遵守世贸组织原则，就可以把问题限定在经济的范畴内解决。历史问题及日本首相的靖国神社参拜问题虽然与现实利益无关，但在中国看来却是个无法让步的原则问题。甲级战犯是远东国际法庭裁定的，不是中国强加的。承认国际审判是战后日本重返国际社会的前提条件，同样，承认历史上对中国的伤害也是中日两国恢复邦交的政治基础。因此，在今后的交往中，避免在历史问题上刺激对方是两国政府、政治家的重大责任。领土归属及东海划界问题也是原则问题，在处理方法上需要更高的政治智慧和耐心。对于两国民众过激的民族主义情绪及其某些过激行为，应该本着实事求是的态度加以疏导，不能听之任之，使事态失控或扩大化。

强化媒体管理，发挥主流媒体作用。信息化时代大众传媒的形式、手段和传播速度非同以往，多元化民主社会的发展则为大众传媒提供了更加广泛多彩的内容，要使具有双刃剑作用的媒体服务于中日关系的改善，政府负有不可推卸的监管责任。事实上，这种做法即使在西方发达国家也照行不误，言论自由是相对的。为了构筑新型、良好的中日关系，主流媒体不应只考虑新闻的“卖点”，而应该本着客观、公正的原则和识大体、顾大局、面向未来的态度分析报道中日关系的各种事件。①

① 原文刊于加加美光行编《中国内外政治与相互依存》，日本评论社 2008 年。此处有删节。